VEL OVER BE

Mark Geyer

Stephen King

Vel over been

Uitgeverij Luitingh ~ Sijthoff

Met dank voor toestemming tot publicatie van fragmenten uit:

'All She Wants to Do Is Dance' by Danny Kortchmar. Copyright © 1984 WB Music Corp. All rights reserved. Used by permission. Warner Bros. Publications U.S. INC., Miami, FL. 33014
'As Time Goes By' by Herman Hupfeld. Copyright © 1931 (Renewed) Warner Bros. Inc. All rights reserved. Used by permission. Warner Bros. Publications U.S. INC., Miami, FL. 33014
'Don't Worry Baby' by Brian Wilson, Roger Christian, Jay Siegel, Philip Margo, Henry Medress, Mitchell Margo. Copyright © 1964 Irving Music, Inc. © Renewed, Assigned to Irving Music, Inc. and Careers-BMG Music Publishing, Inc. All rights reserved. Used by permission. Warner Bros. Publications U.S. INC., Miami, FL. 33014
Seferis, George; *Collected Poems*. Copyright © 1967 by Princeton University Press, 1980 by Edmund Keetey and Philip Sherrard Greek © M. Seferiades 1972, 1976. Reprinted by permission of Princeton University Press.
'Welcome to the Jungle' words and music by W. Axl Rose, Slash, Izzy Stradlin', Duff McKagen & Steven Adler. Copyright © 1987 Guns N' Roses Music (ASCAP) International copyright secured. All rights reserved. Reprinted by permission of Cherry Lane Music Company.

Zesde druk

Published by agreement with the author
c/o Ralph M. Vicinanza, Ltd.

Oorspronkelijke titel: *Bag of Bones*
Vertaling: Hugo & Nienke Kuipers
Omslagontwerp: Karel van Laar
Omslagillustratie: Schriemer & Schriemer

CIP/ISBN 90 245 0945 9
NUGI 336

OPMERKING VAN DE AUTEUR

Tot op zekere hoogte gaat deze roman over de juridische aspecten van voogdij over kinderen in de staat Maine. Om meer inzicht in dat onderwerp te krijgen riep ik de hulp in van mijn vriend Warren Silver, die een bekwaam jurist is. Warren begeleidde me heel zorgvuldig, en daarbij vertelde hij me ook over een vreemd oud apparaat, het Stenomasker, en dat heb ik meteen voor mijn eigen vuige doeleinden gebruikt. Als ik in het hierna volgende verhaal procedurele fouten heb gemaakt, is dat mijn schuld, niet die van mijn juridisch adviseur. Warren vroeg me ook – nogal smekend – of ik misschien een 'goede' advocaat in mijn boek kon zetten. Het enige dat ik kan zeggen, is dat ik in dat opzicht mijn best heb gedaan.

Mijn dank gaat uit naar mijn zoon Owen voor de technische ondersteuning in Woodstock, New York, en naar mijn vriend (en medelid van de Rock Bottom Remainders) Ridley Pearson voor de technische ondersteuning in Ketchum, Idaho. Ik dank Pam Dorman, die de eerste versie aandachtig doorlas en scherpzinnige opmerkingen maakte. Ik dank Chuck Verrill voor een monumentaal redactiekarwei – je beste tot nu toe, Chuck. En ik dank Susan Muldow, Nan Graham, Jack Romanos en Carolyn Reidy van Scribner voor hun goede zorgen. En ik dank ook Tabby, die weer voor me klaarstond toen ik het er moeilijk mee had. Ik hou van je, schat.

S.K.

Dit is voor Naomi.
Nog steeds.

Ja, Bartleby, blijf daar achter je kamerscherm, dacht ik; ik zal je niet meer lastig vallen; je bent zo ongevaarlijk en stil als die oude stoelen daar; kortom, ik voel me nooit zo onbespied als wanneer ik weet dat jij hier bent.

HERMAN MELVILLE
Bartleby

Vannacht droomde ik dat ik weer naar Manderley ging... Toen ik daar stond, stil en bedeesd, had ik kunnen zweren dat het huis geen leeg omhulsel was, maar dat het leefde en ademde zoals het vroeger geleefd had.

DAPHNE DU MAURIER
Rebecca

Mars is de hemel.

RAY BRADBURY

I

Op een bloedhete dag in augustus 1994 zei mijn vrouw tegen me dat ze met een herhalingsrecept voor haar inhalator naar de Derry Rite Aid ging – tegenwoordig kun je dat spul zonder recept krijgen, geloof ik. Ik was net klaar met schrijven voor die dag en bood aan het voor haar op te halen. Ze bedankte me, maar ze wilde ook nog wat vis halen bij de supermarkt daarnaast; twee vliegen in één klap, je kent dat wel. Ze gaf me een kushand en ging naar buiten. De volgende keer dat ik haar zag, was ze op de tv. Zo identificeer je de doden hier in Derry. Je loopt niet door een onderaardse gang met groene tegels op de muren en lange tl-buizen aan het plafond, en ze schuiven de lijken niet op wieltjes uit gekoelde laden. Je gaat gewoon naar een kamer met het opschrift PRIVÉ en kijkt naar een televisiescherm en zegt ja of nee.

De Rite Aid en de Shopwell zijn zo'n anderhalve kilometer van ons huis vandaan, in een buurtwinkelcentrum met verder nog een videotheek, een tweedehands boekwinkel die Spread It Around heet (ze doen daar goede zaken met mijn oude pockets), een Radio Shack en een Fast Foto. Het is op Up-Mile Hill, bij het kruispunt van Witcham Street en Jackson Street.

Ze parkeerde voor de Blockbuster Video, ging de drugstore binnen en werd geholpen door Joe Wyzer, die daar toen de apotheker was; later is hij in de Rite Aid in Bangor gaan werken. Bij de kassa pakte ze een chocolademuis met marshmallow erin. Ik vond hem later in haar tasje. Ik haalde de verpakking eraf en at hem zelf op, zittend aan de keukentafel met de inhoud van haar rode handtas voor me, en het was net of ik ter communie ging. Toen hij op was, en ik nog slechts de smaak van chocola op mijn tong en in mijn keel had, barstte ik in tranen uit. Ik zat daar voor haar papieren zakdoekjes en make-up en sleutels en half opgegeten Certs en huilde met mijn handen voor mijn ogen, zoals een kind huilt.

De inhalator zat in een zakje van Rite Aid. Hij had twaalf dollar en achttien cent gekost. Er zat nog iets anders in dat zakje, iets wat tweeëntwintig dollar vijftig had gekost. Ik keek een hele tijd naar dat andere ding. Ik zag het wel, maar begreep het niet. Ik was verbaasd, misschien zelfs verbijsterd, maar het idee dat Johanna Arlen Noonan misschien nog een ander leven had geleid, een leven waar ik niets van wist, kwam niet bij me op. Toen niet.

Jo liep weg van de kassa de felle, brandende zon weer in en verwisselde intussen haar gewone bril voor haar zonnebril, en toen ze onder de luifel van de drugstore vandaan kwam (tenminste, zo stel ik me dat voor; ik waag me nu een beetje in het rijk van de romanschrijver, maar niet ver, een beetje maar, geloof me), was er het gierende gekrijs van geblokkeerde autobanden te horen waardoor je weet dat er een ongeluk gaat gebeuren of dat het erg weinig zal schelen.

Ditmaal gebeurde het – het soort ongeluk dat minstens één keer per week op dat verrekte X-vormige kruispunt scheen te moeten gebeuren. Een Toyota uit 1989 reed het parkeerterrein van het winkelcentrum af en sloeg linksaf Jackson Street in. Achter het stuur zat Esther Easterling uit Barrett's Orchards. Ze was in het gezelschap van haar vriendin, Irene Deorsey, ook uit Barrett's Orchards, die in de videotheek was geweest zonder iets te vinden wat ze wilde huren. Te veel geweld, zei Irene. Beide vrouwen waren sigarettenweduwe.

Esther had de oranje truck van Openbare Werken die de helling afkwam eigenlijk niet over het hoofd kunnen zien. Hoewel ze dat ontkende toen ze met de politie sprak, en met de krant, en zo'n twee maanden later ook met mij, denk ik dat ze gewoon vergat te kijken. Zoals mijn eigen moeder (ook sigarettenweduwe) altijd zei: 'De twee meest voorkomende ziekten bij ouderen zijn artritis en vergeetachtigheid. Daar kun je ze niet voor verantwoordelijk stellen.'

Achter het stuur van de truck van Openbare Werken zat William Fraker uit Old Cape. Op de dag dat mijn vrouw stierf, was Fraker achtendertig jaar oud. Hij reed met ontbloot bovenlijf en verlangde naar een koude douche en een koud biertje, niet noodzakelijkerwijs in die volgorde. Hij en drie ander mannen waren acht uur bezig geweest het asfalt te repareren op de Harris Avenue Extension bij het vliegveld, heet werk op een hete dag, en Bill Fraker zei ja, misschien had hij een beetje te hard gereden – misschien had hij zestig gereden waar vijftig toegestaan was. Hij wilde graag naar de garage terug, de wagen inleveren en achter het stuur van zijn eigen F 150 stappen, die airconditioning had. Daar kwam nog bij dat de remmen van de wagen weliswaar goed genoeg waren om door een keuring te komen maar bepaald niet in excellente conditie verkeerden. Fraker trapte op die remmen zodra hij de Toyota voor zich zag opduiken (hij drukte ook op zijn claxon), maar het was te laat. Hij hoorde gierende banden – die van hemzelf en die van Esther, die te laat besefte in welk gevaar ze verkeerde – en zag heel even haar gezicht.

'Dat was op de een of andere manier nog het ergste,' vertelde hij me toen we op zijn veranda bier zaten te drinken – het was toen oktober, en hoewel de zon warm op onze gezichten scheen, hadden we allebei een trui aan. 'Je weet hoe hoog je in die wagens van ons zit?'

Ik knikte.

'Nou, ze keek naar me op – reikhalzend zou je bijna zeggen – en de zon scheen recht in haar gezicht. Ik zag hoe oud ze was. Ik weet nog dat ik dacht: "Allemachtig, die breekt als glas, als ik niet kan stoppen. Maar oude mensen zijn vaak taai. Je staat soms van ze te kijken. Ik bedoel, ga maar na hoe het is afgelopen, die twee oudjes leven nog en je vrouw..." '

Hij zweeg abrupt. Het schaamrood steeg hem naar de kaken en hij leek net een jongen die op het schoolplein door meisjes was uitgelachen omdat zijn gulp openstond. Het was komisch, maar als ik had geglimlacht, zou dat hem alleen maar in verwarring hebben gebracht.

'Meneer Noonan, dit spijt me. Het was eruit voor ik het wist.'

'Het geeft niet,' zei ik tegen hem. 'Ik ben over het ergste heen.' Dat was een leugen, maar het bracht ons gesprek weer op het juiste spoor.

'Hoe dan ook,' zei hij, 'we knalden op elkaar. Er klonk een harde klap en gekraak toen de auto aan de bestuurderskant werd verbrijzeld. En ook het geluid van brekend glas. Ik vloog zo hard tegen het stuur dat ik zeker een week geen adem kon halen zonder dat het pijn deed, en ik had hier een grote blauwe plek.' Hij beschreef met zijn vinger een boog over zijn borst, net onder zijn sleutelbeenderen. 'Ik klapte zo hard met mijn kop tegen de voorruit dat het glas brak, maar daar had ik alleen een paars bultje – geen bloed, zelfs geen hoofdpijn. Mijn vrouw zegt dat ik gewoon een dikke schedel heb. Ik zag dat de vrouw die de Toyota bestuurde, mevrouw Easterling, over de scheiding tussen de kuipstoeltjes vloog. Toen stonden we eindelijk stil, het was één grote chaos midden op straat, en ik stapte uit om te kijken hoe erg het met ze was. Ik dacht dat ze allebei dood waren.'

Ze waren geen van tweeën dood of zelfs maar bewusteloos, al had mevrouw Easterling drie ribben gebroken en was haar heup uit de kom geschoten. Mevrouw Deorsey, die niet aan de kant van de botsing had gezeten, liep een hersenschudding op doordat ze met haar hoofd tegen het raam sloeg. Dat was alles. Ze mocht 'na behandeling in het Home Hospital naar huis', zoals de *Derry News* het in zulke gevallen altijd beschrijft.

Mijn vrouw, wijlen Johanna Arlen uit Malden, zag het allemaal gebeuren. Ze stond voor de drugstore met haar tas over haar schouder en het zakje met de boodschappen in haar hand. Net als Bill Fraker moet ze hebben gedacht dat de inzittenden van de Toyota dood of ernstig gewond waren. Het geluid van de botsing was een holle, daverende klap geweest die door de hete middaglucht rolde als een kegelbal over een baan, met daaromheen het geluid van brekend glas, als vitrage die verscheurd werd. De twee auto's stonden total loss midden op Jackson Street. De vuile oranje gemeentetruck hing over het lichtblauwe Japannertje heen als een boze ouder die zich over een angstig kind buigt.

Johanna rende over het parkeerterrein naar de straat. Overal om haar heen deden andere mensen hetzelfde. Een van hen, Jill Dunbarry, stond in de etalage te kijken van de Radio Shack toen het ongeluk gebeurde. Ze meende zich achteraf te herinneren dat ze Johanna voorbijrende – nou ja, ze was er vrij zeker van dat ze iemand in een gele broek voorbijrende – maar ze kon dat niet met absolute zekerheid zeggen. Inmiddels schreeuwde mevrouw Easterling dat ze gewond was, ze waren allebei gewond, wilde iemand haar en haar vriendin Irene helpen?

Halverwege het parkeerterrein, bij een stel krantenautomaten, viel mijn vrouw. De riem van haar tas bleef over haar schouder zitten, maar het zakje van de Rite Aid viel uit haar hand en de inhalator schoof half naar buiten. Het andere voorwerp bleef in het zakje zitten.

Niemand zag haar daar bij de krantenautomaten liggen. Iedereen had alleen maar aandacht voor de chaos van de botsing, de krijsende vrouwen, de steeds grotere plas water en antivries uit de kapotte radiateur van de gemeentetruck ('Dat is benzine!' schreeuwde de man van Fast Foto tegen iedereen die het wilde horen. 'Dat is benzine, kijk uit dat het niet ontploft, mensen!') Misschien zijn een of twee van de redders in spe over haar heen gesprongen. Misschien dachten ze dat ze was flauwgevallen. Op een dag waarop de temperatuur boven de vijfendertig graden kwam was het niet onredelijk om dat te denken.

Zo'n twintig mensen uit het winkelcentrum dromden om het ongeluk heen. Nog eens een stuk of vijftig kwamen aanrennen uit Strawford Park, waar een honkbalwedstrijd aan de gang was geweest. Ik denk dat alles gezegd werd wat je in zulke situaties kunt verwachten, veel dingen meer dan eens. Groot tumult. Iemand stak zijn hand door het grillige gat dat het zijraampje aan de bestuurderskant was geweest om een geruststellend klopje op Esthers bevende oude hand te geven. Mensen maakten onmiddellijk plaats voor Joe Wyzer, want op zulke momenten is iemand in een witte jas automatisch het middelpunt van de aandacht. In de verte verhief zich het golvend loeien van een ambulancesirene, als trillende lucht boven een verbrandingsoven.

Al die tijd lag mijn vrouw, zonder dat iemand haar zag, op het parkeerterrein, met haar tas nog over haar schouder (en daarin, nog in het zilverpapier, haar muis van chocola en marshmallow) en met haar witte apothekerszakje bij haar uitgestoken hand. Joe Wyzer, die naar de apotheek terugrende om een compres voor Irene Deorsey's hoofd te halen, was degene die haar zag. Hij herkende haar, al lag ze op haar buik. Hij herkende haar aan haar rode haar, witte blouse en gele broek. Hij herkende haar omdat hij haar nog geen kwartier eerder had geholpen.

'Mevrouw Noonan?' vroeg hij, en hij dacht al niet meer aan het kompres voor de versufte maar blijkbaar niet ernstig gewonde Irene Deorsey. 'Mevrouw Noonan, gaat het wel goed met u?' Terwijl hij al wist (tenminste, dat vermoed ik, maar ik kan me vergissen) dat het helemaal niet goed met haar ging.

Hij draaide haar om. Daar had hij zijn beide handen voor nodig, en nog kostte het hem moeite. Hij knielde en duwde en draaide haar moeizaam om, daar op dat parkeerterrein in de brandende zon waar de hitte door het asfalt weerkaatst werd. Dode mensen worden zwaarder, lijkt het wel, zowel hun lichaam als het beeld dat we in onze gedachten van hen hebben wordt zwaarder.

Er zaten rode vlekken op haar gezicht. Toen ik haar identificeerde, kon ik die vlekken zelfs op het televisiescherm duidelijk zien. Ik vroeg de patholoog-anatoom wat het voor vlekken waren, maar ik wist het al. Eind juli, heet wegdek – heel eenvoudig, mijn beste Watson. Toen mijn vrouw stierf, verbrandde ze in de zon.

Wyzer stond op, zag dat de ambulance er was en rende erheen. Hij baande zich een weg door de menigte en greep een van de broeders vast zodra die achter het stuur vandaan kwam. 'Daar ligt een vrouw,' zei Wyzer, en hij wees naar het parkeerterrein.

'Man, we hebben hier twee vrouwen, en nog een man ook,' zei de broeder. Hij probeerde zich los te trekken, maar Wyzer was vasthoudend.

'Die kunnen nog wel even wachten,' zei hij. 'Eigenlijk mankeren ze niks. Die vrouw daar is er erger aan toe.'

Die vrouw daar was dood, en volgens mij wist Joe Wyzer dat best – maar hij wist ook wat prioriteit had. Dat moet je hem nageven. En hij was heel overtuigend: de twee broeders liepen van de vernielde truck en Toyota vandaan, ondanks Esther Easterlings kreten van pijn en het rommelend protest van het Griekse koor.

Toen ze bij mijn vrouw kwamen, stelde een van de ziekenbroeders meteen vast wat Joe Wyzer al vermoedde. 'Jezus,' zei de andere. 'Wat is er met haar gebeurd?'

'Haar hart, denk ik,' zei de eerste. 'Ze was opgewonden en toen begaf haar hart het.'

Maar het was niet haar hart. De sectie bracht een hersenaneurysma aan het licht waarmee ze zonder het te weten misschien al vijf jaar had rondgelopen. Toen ze over het parkeerterrein naar het ongeluk rende, was dat zwakke bloedvat in haar hersenschors als een klapband geknapt. Het bloed had al haar commandocentra overstroomd en haar gedood. Waarschijnlijk was ze niet onmiddellijk dood geweest, vertelde de patholoog-anatoom me, maar het was heel snel gegaan – en ze had niet geleden. Gewoon een grote zwarte nova. Alle gevoel en gedachten waren al weg voordat ze tegen de vlakte ging.

'Kan ik u ergens mee helpen, meneer Noonan?' vroeg de patholoog-anatoom. Hij leidde me met zachte drang van het roerloze gezicht met de gesloten ogen op het beeldscherm vandaan. 'Hebt u vragen? Als ik kan, zal ik ze beantwoorden.'

'Eén vraag,' zei ik. Ik vertelde hem wat ze in de drugstore had gekocht voordat ze stierf. En toen stelde ik mijn vraag.

De dagen tot aan de begrafenis en de begrafenis zelf zijn in mijn geheugen een soort droom geworden. Wat ik me nog het duidelijkste kan herinneren, is dat ik Jo's chocolademuis opat en huilde – vooral huilde, denk ik, omdat ik wist hoe gauw de smaak weg zou zijn. Een paar dagen nadat we haar hadden begraven, had ik nog een huilbui, en daar zal ik je straks over vertellen.

Ik was blij dat Jo's familie kwam, vooral haar oudste broer Frank. Frank Arlen – vijftig, rode wangen, buikje, een weelderige kop met donker haar – was degene die alles regelde, die uiteindelijk zelfs *pingelde* met de begrafenisondernemer.

'Ik kan niet geloven dat je dat deed,' zei ik later, toen we in Jack's Pub bier zaten te drinken.

'Hij wou je tillen, Mikey,' zei hij. 'Ik heb de schurft aan dat soort kerels.' Hij greep in zijn achterzak, haalde een zakdoek te voorschijn en veegde daarmee gedachteloos over zijn wangen. Hij was niet ingestort – de Arlens stortten nooit in, tenminste niet in mijn bijzijn – maar Frank had de hele dag tranen vergoten. Hij leek net een man die aan ernstige bindvliesontsteking leed.

Het gezin Arlen telde totaal zes kinderen. Jo was de jongste geweest, het enige meisje en de lieveling van haar grote broers. Ik denk dat als haar dood ook maar enigszins mijn schuld was geweest, ze me met hun vijven met hun blote handen uit elkaar hadden gescheurd. Nu vormden ze echter een beschermend schild om me heen, en dat was goed. Zonder hen zou ik me er waarschijnlijk ook wel doorheen gerommeld hebben, maar ik weet niet hoe. Vergeet niet dat ik zesendertig was. Je verwacht niet dat je je vrouw moet begraven als je zesendertig bent en zij twee jaar jonger is. De dood was wel het laatste waar we aan dachten.

'Als ze iemand betrappen op het stelen van je autoradio, noemen ze dat diefstal en zetten ze hem in de bak,' zei Frank. De Arlens kwamen uit Massachusetts, en dat was aan Franks stem te horen – *caught* was *coowat*, *car* was *cah*, *call* was *caul*. 'Als diezelfde kerel een rouwende echtgenoot een kist van drieduizend dollar voor vijfenveertighonderd dollar probeert te verkopen, noemen ze dat zaken doen en vragen ze hem om op de lunch van de Rotary Club te komen spreken. De afzetter. Ik had hem behoorlijk tuk, hè?'

'Ja. Dat heb je gedaan.'

'Gaat het een beetje, Mikey?'

'Het gaat goed.'

'Echt?'

'Hoe moet ik dat nou weten?' vroeg ik hem, zo hard dat mensen aan andere tafels omkeken. En toen: 'Ze was zwanger.'

Zijn gezicht verstrakte. 'Wát?'

Ik deed mijn best om mijn stem te dempen. 'Zwanger. Zes of zeven weken, volgens de... je weet wel, de sectie. Wist je dat? Had ze het jou verteld?'

'Nee! Christus, nee!' Maar hij had een vreemde uitdrukking op zijn gezicht, alsof ze hem wel iets anders had verteld. 'Ik wist natuurlijk dat jullie het probeerden... Ze zei dat jij zwak zaad hebt en dat het even zou kunnen duren, maar de dokter dacht dat jullie waarschijnlijk... dat jullie vroeg of laat waarschijnlijk...' Zijn stem stierf weg en hij keek naar zijn handen. 'Dat gaan ze na, hè? Dat onderzoeken ze?'

'Ze kunnen het nagaan. Ik weet niet of ze het automatisch onderzoeken of niet. Het was op mijn verzoek.'

'Waarom?'

'Vlak voordat ze stierf, kocht ze niet alleen een inhalator. Ze kocht ook zo'n testje om zelf na te gaan of je zwanger bent.'

'Had je echt geen idee?'

Ik schudde mijn hoofd.

Hij stak zijn hand over de tafel uit en gaf een kneepje in mijn schouder. 'Ze wilde eerst zekerheid hebben, dat is alles. Dat weet je toch?'

Een capsule voor mijn inhalator en een stukje vis, had ze gezegd. Het had heel gewoon geleken. Een vrouw die gauw nog even een paar boodschappen doet. We hadden al acht jaar geprobeerd een kind te krijgen, maar er was niets bijzonders aan haar te zien geweest.

'Ja,' zei ik, en ik gaf een klopje op Franks hand. 'Ja, beste kerel. Ik weet het.'

Het waren de Arlens – onder leiding van Frank – die Johanna's uitvaart regelden. Als de schrijver van de familie moest ik de overlijdensadvertentie opstellen. Mijn broer kwam met mijn moeder en mijn tante uit Virginia en mocht op de bezoekuren bij het gastenboek zitten. Mijn moeder – bijna helemaal kierewiet op haar zesenzestigste, al weigerden de artsen het Alzheimer te noemen – woonde in Memphis met haar zuster die twee jaar jonger en nauwelijks minder geschift was. Ze werden belast met het snijden van taart en koek tijdens de condoléance.

Al het andere werd geregeld door de Arlens, van de bezoekuren tot en met de details van de uitvaartceremonie. Frank en Victor, de op een na jongste broer, hielden een korte toespraak. Jo's vader sprak een gebed voor de ziel van zijn dochter. En op het eind bracht Pete Breedlove, de jongen die 's zomers ons gras maaide en in de herfst onze tuin aanharkte, iedereen tot tranen door 'Blessed Assurance' te zingen. Volgens

Frank was dat Jo's favoriete gezang geweest toen ze nog een kind was. Ik ben nooit te weten gekomen hoe het Frank was gelukt Pete te vinden en hem over te halen op de begrafenis te zingen.

We sloegen ons erdoorheen – de bezoekuren op dinsdagmiddag en -avond, de uitvaartdienst op woensdagmorgen, de kleine gebedsbijeenkomst op de begraafplaats Fairlawn. Wat ik me daarvan vooral herinner, was hoe heet het was en hoe alleen ik me voelde omdat Jo er niet was om tegen te praten, en dat ik wou dat ik nieuwe schoenen had gekocht. Jo zou me vreselijk hebben uitgefoeterd omdat ik die oude schoenen aanhad, als ze erbij geweest was.

Later praatte ik met mijn broer Sid. Ik vertelde hem dat we echt iets aan onze moeder en tante Francine moesten doen voordat die twee helemaal in de schemerzone verdwenen waren. Ze waren te jong voor een verpleegtehuis. Wat stelde Sid voor?

Hij stelde iets voor, maar al sla je me dood, ik weet niet meer wat. Ik ging ermee akkoord, dat herinner ik me wel, maar niet wat het was. Later die dag stapten Siddy, onze moeder en onze tante weer in Siddy's huurauto voor de rit naar Boston, waar ze de nacht zouden doorbrengen om de volgende dag de Southern Crescent te nemen. Mijn broer wil best op die oudjes passen, maar hij vliegt niet, ook niet als ik de tickets betaal. Hij zegt dat er in de lucht geen vluchtstroken zijn als de motor ermee ophoudt.

De meeste Arlens vertrokken de volgende dag. Het was weer smoorheet. De zon brandde in een witte wazige hemel en lag als gesmolten koper over alles heen. Ze stonden voor ons huis – dat inmiddels alleen mijn huis was geworden – met achter hen drie taxi's op een rij, grote lummels die elkaar tussen de weekendtassen omhelsden en afscheid namen met dat gekke Massachusettsaccent.

Frank bleef nog een dag. We plukten een grote bos bloemen achter het huis – niet die afschuwelijk ruikende broeikasdingen waarvan de geur me altijd aan dood en orgelmuziek doet denken, maar echte bloemen, het soort waar Jo het meest van hield – en zetten ze in een paar koffieblikken die ik in de bijkeuken vond. We gingen naar Fairlawn en zetten ze op het nieuwe graf. Toen zaten we daar een tijdje in de brandende zon.

'Ze was altijd gewoon het mooiste in mijn leven,' zei Frank ten slotte met een vreemde, verstikte stem. 'Als kind pasten wij jongens altijd op Jo. Niemand deed Jo iets, neem dat maar van mij aan. Als iemand het probeerde, gaven we hem van katoen.'

'Ze heeft me veel verhalen verteld.'

'Goeie dingen?'

'Ja, heel goeie.'

'Ik zal haar verschrikkelijk missen.'

'Ik ook,' zei ik. 'Frank... Luister eens... Ik weet dat jij haar lievelingsbroer was. Heeft ze je nooit gebeld, misschien alleen om te zeggen dat ze over tijd was of zich 's morgens misselijk voelde? Je kunt het me wel vertellen. Ik word niet kwaad.'

'Maar dat is nooit gebeurd. Eerlijk waar niet. Wás ze 's morgens misselijk?'

'Niet dat ik heb gezien.' En dat was het nou precies. Ik had niets gezien. Natuurlijk had ik zitten schrijven, en als ik schrijf, raak ik in een soort trance en dringt er niet veel meer tot me door. Maar ze wist altijd wanneer ik in zo'n trance verkeerde. Ze had me wakker kunnen schudden. Waarom had ze dat niet gedaan? Waarom zou ze goed nieuws verborgen houden? Natuurlijk was het wel begrijpelijk dat ze het me pas wilde vertellen als ze zekerheid had, maar op de een of andere manier was dat niets voor Jo.

'Was het een jongen of een meisje?' vroeg hij.

'Een meisje.'

Het grootste deel van ons huwelijk waren we namen aan het uitkiezen geweest. Een jongen zou Andrew hebben geheten. Onze dochter Kia. Kia Jane Noonan.

Frank, die zes jaar daarvoor gescheiden was en alleen woonde, was nog een dag bij me gebleven. Toen we op de terugweg naar huis waren, zei hij: 'Ik maak me zorgen over jou, Mikey. Je hebt niet veel familie om in tijden als deze op terug te vallen, en wat je hebt, woont ver weg.'

'Ik red me wel,' zei ik.

Hij knikte. 'Dat zeggen we altijd, hè?'

'We?'

'Kerels. "Ik red me wel." En als we ons niet redden, mag niemand het merken.' Hij keek me aan, zijn ogen nog betraand, zijn zakdoek in zijn door de zon verbrande hand. 'Als je het niet redt, Mikey, en je wilt je broer niet bellen – ik zag hoe je naar hem keek – laat mij dan je broer zijn. Doe het desnoods voor Jo, als je het niet voor jezelf wilt doen.'

'Goed,' zei ik. Ik stelde het aanbod op prijs, maar ik wist ook dat ik zoiets nooit zou doen. Ik bel mensen niet om hulp. Zo ben ik niet opgevoed, tenminste, ik denk van niet, maar zo ben ik geboren. Johanna zei eens dat als ik in Dark Score Lake, waar we een zomerhuis hebben, zou verdrinken, ik eerder met mijn tanden op elkaar vlak bij het strand zou sterven dan dat ik om hulp zou roepen. Het is geen kwestie van liefde of genegenheid. Ik kan liefde geven en ik kan liefde ontvangen. Ik voel verdriet, net als ieder ander. Ik wil aanraken en aangeraakt worden. Maar als iemand me vraagt 'Red je het wel?', kan ik niet nee zeggen. Ik kan niet 'help me' zeggen.

Een paar uur later vertrok Frank naar het zuidelijk deel van de staat. Toen hij de deur van zijn auto openmaakte, zag ik tot mijn genoegen dat het gesproken boek waarnaar hij luisterde er een van mij was. Hij omhelsde me en verraste me toen met een kus op mijn mond, een stevige smakkerd. 'Als je wilt praten, bel dan,' zei hij. 'En als je niet alleen wilt zijn, kom dan.'

Ik knikte.

'En wees voorzichtig.'

Daar schrok ik van. Door de combinatie van hitte en verdriet was het de afgelopen dagen net of ik in een droom leefde, maar dit drong tot me door.

'Hoezo voorzichtig?'

'Ik weet het niet,' zei hij. 'Ik weet het niet, Mikey.' Toen stapte hij in zijn auto – hij was zo groot en de auto was zo klein dat het leek of hij hem aantrok – en reed weg. De zon begon inmiddels al onder te gaan. Weet je hoe de zon aan het eind van een warme dag in augustus ondergaat, helemaal oranje en enigszins *geplet*, alsof een onzichtbare hand op de bovenkant drukt en hij ieder moment als een overrijpe tomaat uit elkaar kan springen en over de hele horizon kan spatten? Nou, zo was het. In het oosten, waar het al donker was, rommelde de donder. Maar er kwam die avond geen regen, alleen een duisternis die zo dicht en verstikkend was als een deken. Evengoed kroop ik achter de tekstverwerker en zat zeker een uur te schrijven. Ik herinner me dat het vrij goed ging. En weet je, ook als het niet goed gaat: het verdrijft de tijd.

Mijn tweede huilbui kwam drie of vier dagen na de begrafenis. Nog steeds had ik het gevoel dat ik in een droom was – ik liep, ik praatte, ik nam de telefoon op, ik werkte aan mijn boek, dat voor ongeveer tachtig procent af was geweest toen Jo stierf – maar voortdurend had ik duidelijk het gevoel dat ik losstond van de werkelijkheid, dat alles zich op een afstand van mij afspeelde, dat ik als het ware door een telefoonlijn contact hield met de rest van de wereld.

Denise Breedlove, Petes moeder, belde en bood aan om de week daarna een dag met een paar van haar vriendinnen naar me toe te komen en het grote oude huis waar ik nu alleen in woonde – en waar ik me doorheen bewoog als de laatste erwt in een blik van restaurantformaat – eens grondig schoon te maken. Ze zouden het doen, zei ze, voor honderd dollar die ze met zijn drieën zouden delen, en vooral omdat het niet goed voor me was als ik het niet deed. Na een sterfgeval moest er geboend worden, zei ze, ook als het sterfgeval niet in het huis zelf had plaatsgevonden.

Ik zei tegen haar dat het een goed idee was, maar dat ik haar en de vrouwen die ze meebracht elk honderd dollar voor zes uur werk zou betalen. Aan het eind van die zes uren moest het karwei geklaard zijn. En als het niet helemaal klaar was, zei ik tegen haar, zou het toch afgelopen zijn.

'Meneer Noonan, dat is veel te veel,' zei ze.

'Misschien wel, en misschien niet, maar dat betaal ik,' zei ik. 'Wilt u het doen?'

Ze zei dat ze het zou doen, natuurlijk zou ze het doen.

Zoals misschien te voorspellen was, ging ik op de avond voor hun komst het hele huis door om de zaak eerst aan een grondige inspectie te onderwerpen. Blijkbaar wilde ik niet dat de vrouwen (van wie twee volslagen vreemden voor me waren) iets vonden wat hen of mij in verlegenheid bracht, bijvoorbeeld een zijden slipje van Johanna achter de kussens van de bank ('We krijgen vaak zin op de bank, Michael,' zei ze een keer tegen me, 'is jou dat ook opgevallen?'), of bierblikjes onder het schommelbankje op de veranda, of misschien zelfs een wc die niet was doorgespoeld. Het was echt niet zo dat ik naar iets specifieks zocht. Het gevoel dat ik in een droom leefde, had me nog steeds helemaal in zijn greep. De helderste gedachten die ik in die dagen had, betroffen of het eind van het boek dat ik aan het schrijven was (de psychotische moordenaar had mijn heldin naar een flatgebouw gelokt en wilde haar van het dak duwen) of de Norco-zwangerschapstest die Jo op de dag van haar dood had gekocht. Een capsule voor de inhalator, had ze gezegd. Een stukje vis voor het avondeten, had ze gezegd. En in haar ogen was niets bijzonders te lezen geweest.

Tegen het eind van mijn inspectie keek ik onder ons bed en zag aan Jo's kant een open pocketboek liggen. Ze was nog niet lang dood, maar weinig huishoudelijke domeinen zijn zo stoffig als het koninkrijk Onderbed, en het lichtgrijze laagje dat ik op het boek zag toen ik het te voorschijn haalde deed me aan Johanna's gezicht en handen in haar kist denken – Jo in het koninkrijk Ondergrond. Werd het stoffig in een kist? Vast niet, maar...

Ik zette die gedachte uit mijn hoofd. Ze leek te verdwijnen, maar ze kwam de hele dag steeds weer in me op, net als Tolstoi's ijsbeer.

Johanna en ik hadden allebei Engels gestudeerd aan de Universiteit van Maine, en net als veel anderen, denk ik, werden we verliefd op de klank van Shakespeare en het Tilbury Town-cynisme van Edwin Arlington Robinson. Toch was de schrijver die ons het meest met elkaar verbond niet een van de dichters of essayisten die op universiteiten populair zijn, maar W. Somerset Maugham, die oudere, bereisde romanschrijver en toneelschrijver met het gezicht van een reptiel (op foto's altijd verduisterd door sigarettenrook, lijkt het wel) en het hart van een romanticus. Daarom verbaasde het me niet dat het boek onder het bed *Het donkere vuur* was. Ik had het zelf aan het eind van mijn tienerjaren gelezen, niet één maar twee keer, en had me hartstochtelijk geïdentificeerd met het personage Charles Strickland. (Natuurlijk had ik aan de Stille Zuidzee willen schrijven, niet schilderen.)

Ze had een afgedankte speelkaart als boekenlegger gebruikt, en tc ik het boek opende, dacht ik aan iets wat ze had gezegd toen ik haar nog maar net kende. Dat was op een college Britse Literatuur uit de Twintigste Eeuw, waarschijnlijk in 1980. Johanna Arlen was een pittige kleine tweedejaars. Ik was vierdejaars en had alleen voor die twintigste-eeuwse Britten gekozen omdat ik dat laatste semester nog wat tijd over had. 'Over honderd jaar,' zei ze, 'zal het de schande van de literaire critici uit het midden van de twintigste eeuw zijn dat ze Lawrence bejubelden en Maugham negeerden.' Dat werd met geringschattend, opgewekt gelach begroet (ze wisten allemaal dat *Liefde en vrouwen* een van de allerbeste boeken was die ooit geschreven waren), maar ik lachte niet. Ik werd verliefd.

De speelkaart lag tussen de bladzijde 102 en 103 – Dirk Stroeve heeft net ontdekt dat zijn vrouw hem heeft verlaten voor Strickland, Maughams versie van Paul Gauguin. De verteller probeert Stroeve op te monteren. *Beste kerel, niet zo somber. Ze komt wel terug...*

'Jij hebt makkelijk praten,' mompelde ik tegen de kamer die nu alleen van mij was.

Ik sloeg de bladzijde om en las: *Stricklands beledigende kalmte beroofde Stroeve van zijn zelfbeheersing. Een blinde woede beving hem, en zonder te weten wat hij deed stortte hij zich op Strickland. Strickland werd verrast en hij wankelde, maar hij was erg sterk, ook na zijn ziekte, en in een oogwenk lag Stroeve, zonder precies te weten hoe, op de vloer.*

'Jij raar klein kereltje,' zei Strickland.

Ik bedacht dat Jo nooit de bladzijde zou omslaan, dat ze nooit zou horen dat Strickland die pathetische Stroeve een raar klein kereltje noemde. Op dat moment had ik een briljante openbaring die ik nooit vergeten ben – hoe zou ik kunnen? Het was een van de ergste momenten van mijn leven – en ik besefte dat het geen fout was die zou worden rechtgezet, geen droom waaruit ik wakker zou worden. Johanna was dood.

Het verdriet beroofde me van mijn kracht. Als het bed er niet was geweest, zou ik op de vloer gevallen zijn. We huilen uit onze ogen, dat is alles wat we kunnen, maar die avond was het of alle poriën van mijn lichaam huilden, alle hoeken en gaatjes. Ik zat daar op haar kant van het bed, met haar stoffige pocketeditie van *Het donkere vuur* in mijn hand, en ik huilde. Ik denk dat het net zo goed van verbijstering was als van verdriet. Ondanks het lijk dat ik op een beeldscherm had gezien en geïdentificeerd, ondanks de begrafenis en Pete Breedlove die met zijn mooie hoge tenorstem 'Blessed Assurance' had gezongen, ondanks de plechtigheid bij het graf met 'as tot as en stof tot stof', had ik het niet echt geloofd. De Penguinpocket deed wat de grote grijze kist niet had gedaan: mij duidelijk maken dat ze dood was.

Jij raar klein kereltje, zei Strickland.

Ik ging weer op ons bed liggen, met mijn onderarmen gekruist over mijn gezicht, en huilde mezelf in slaap, zoals kinderen doen als ze ongelukkig zijn. Ik had een afschuwelijke droom. In die droom werd ik wakker, zag de pocket van *Het donkere vuur* nog op de sprei naast me liggen, en besloot hem weer onder het bed te leggen, waar ik hem gevonden had. Je weet hoe rommelig dromen zijn – logica als klokken van Dali die zacht zijn geworden en slap over de takken van bomen hangen.

Ik legde de speelkaart weer tussen de bladzijden 102 en 103 – een wijsvingerbeweging verwijderd van *Jij raar klein mannetje, zei Strickland*, nu en in de eeuwigheid – en rolde me op mijn zij, met mijn hoofd over de rand van het bed om het boek weer terug te leggen op de plaats waar ik het had gevonden.

Jo lag daar tussen de stofpluizen. Een draad spinrag hing van de bodem van de boxspring omlaag en streelde haar wang als een veer. Haar rode haar zag er dof uit, maar haar ogen stonden donker en alert en onheilspellend in haar witte gezicht. En toen ze sprak, wist ik dat de dood haar krankzinnig had gemaakt.

'Geef hier,' snauwde ze. 'Dat is mijn stofnest.' Ze griste het pocketboek uit mijn hand voordat ik het haar kon aanreiken. Gedurende een ogenblik raakten onze vingers elkaar, en die van haar waren zo koud als takjes na een vriesnacht. Ze opende het boek op de plaats waar ze gebleven was. De speelkaart fladderde eruit en ze legde Somerset Maugham over haar gezicht – een sluier van woorden. Toen ze haar handen op haar boezem legde en stil bleef liggen, besefte ik dat ze de blauwe jurk droeg waarin ik haar had begraven. Ze was uit het graf gekomen om zich onder ons bed te verstoppen.

Ik werd wakker met een gesmoorde kreet en een pijnlijke paniekbeweging die me bijna naast het bed deed belanden. Ik had niet lang geslapen – de tranen lagen nog vochtig op mijn wangen en mijn oogleden hadden dat rare uitgerekte gevoel dat je krijgt als je een tijdje gehuild hebt. De droom was zo levendig geweest dat ik me op mijn zij moest rollen en mijn hoofd moest laten zakken om onder het bed te turen. Ik wist zeker dat ze daar lag, met het boek over haar gezicht, en dat ze haar koude vingers zou uitstrekken om me aan te raken.

Er was daar natuurlijk niets – dromen zijn maar dromen. Toch lag ik de rest van de nacht op de bank in mijn werkkamer. Dat was blijkbaar de juiste keuze, want er kwamen die nacht geen dromen meer. Alleen het niets van goede slaap.

2

In de tien jaar van mijn huwelijk heb ik nooit last gehad van een *writer's block*, en in de eerste tijd na Johanna's dood ook niet. Het probleem was me zo onbekend dat het al met volle kracht had toegeslagen toen ik merkte dat er iets bijzonders aan de hand was. Misschien geloofde ik in mijn hart dat zo'n writer's block alleen 'literaire' schrijvers trof, het soort schrijvers dat in de *New York Review of Books* wordt besproken, ontleed en soms afgekraakt.

Mijn carrière als schrijver en mijn huwelijk besloegen bijna precies dezelfde periode uit mijn leven. Ik voltooide de eerste versie van mijn eerste roman, *Tweezaam*, niet lang nadat Jo en ik ons officieel hadden verloofd (ik schoof een opalen ring aan haar linkerhand, honderdtien dollar bij Day's Jewellers, heel wat meer dan ik me indertijd kon permitteren, maar Johanna vond hem fantastisch) en ongeveer een maand nadat ze officieel dood was verklaard, voltooide ik de eerste versie van mijn laatste roman, *Helemaal van de top*. Dat was het boek over de psychotische moordenaar die van grote hoogten hield. Het werd gepubliceerd in het najaar van 1995. Ik heb sindsdien nog andere romans uitgebracht – een paradox die ik kan verklaren, maar ik denk niet dat er nog een boek van Michael Noonan op een lijst zal staan in de nabije toekomst. Ik weet nu donders goed wat writer's block is. Ik weet er meer van dan ik er ooit van wilde weten.

Toen ik Jo aarzelend de eerste versie van *Tweezaam* liet zien, las ze die in één avond uit, opgerold in haar favoriete stoel, slechts gekleed in een slipje en een T-shirt met de zwarte beer van Maine op de voorkant. Ze dronk het ene glas ijsthee na het andere. Ik ging naar de garage (we huurden samen met een ander stel een huis in Bangor, op een uiterst wankele financiële basis – en nee, Jo en ik waren toen nog niet officieel getrouwd, hoewel die opalen ring voorzover ik weet nooit van haar vinger af is geweest) en begon daar doelloos te rommelen. Ik voelde me net zo'n type uit een cartoon in de *New Yorker* – een van die cartoons over grappige kerels in de wachtkamer van de kraamafdeling. Als ik het me goed herinner, verprutste ik een zo-makkelijk-dat-een-kind-het-kan vogelhuispakket en sneed ik bijna de wijsvinger van mijn linkerhand af. Om het kwartier ging ik naar binnen om een kijkje bij Jo te nemen. Als ze het al merkte, liet ze het niet blijken. Ik vatte dat op als een hoopvol teken.

Ik zat op de achterveranda te roken en naar de sterren te kijken toen ze naar buiten kwam. Ze kwam naast me zitten en legde haar hand op mijn nek.

'En?' vroeg ik.

'Het is goed,' zei ze. 'En kom je nu naar binnen om het te doen?' En voordat ik kon antwoorden, was het nylon slipje dat ze had gedragen zacht ruisend op mijn schoot gevallen.

Toen we na afloop in bed lagen en sinaasappels aten (een zonde die we later ontgroeiden), vroeg ik haar: 'Goed in de zin van publicabel?'

'Nou,' zei ze. 'Ik weet niets van de glamourwereld van het uitgeven, maar ik lees mijn hele leven al voor mijn plezier – *Nieuwsgierig aapje* was mijn eerste liefde, als je het wilt weten...'

'Ik wil het niet weten.'

Ze boog zich naar me toe en stopte een sinaasappelschijfje in mijn mond. Haar warme borst kwam uitdagend tegen mijn arm. 'En ik heb dit met veel plezier gelezen. Ik voorspel dat je carrière als verslaggever voor de *Derry News* nooit verder komt dan de beginfase. Ik denk dat ik de vrouw van een schrijver word.'

Haar woorden ontroerden me – ik kreeg zelfs kippenvel op mijn armen. Nee, ze wist niets van de glamourwereld van het uitgeven, maar als zij erin geloofde, geloofde ik er ook in – en dat geloof bleek de juiste koers te zijn. Ik kreeg een agent via mijn oude leraar Creatief Schrijven (die mijn roman las en hem met zwakke lof veroordeelde, omdat hij de commerciële kwaliteiten als een vorm van ketterij beschouwde, denk ik), en die agent verkocht *Tweezaam* aan Random House, de eerste uitgever die het onder ogen kreeg.

Jo had ook gelijk wat mijn carrière in de journalistiek betrof. Vier maanden lang bracht ik verslag uit van bloemenshows, dragraces en liefdadigheidspicknicks, en daar kreeg ik zo'n honderd dollar per week voor. Toen kwam mijn eerste cheque van Random House: $ 27.000, na aftrek van de commissie van de agent. Ik had nog niet lang genoeg voor die krant gewerkt om zelfs de eerste kleine salarisverhoging te krijgen, maar ze organiseerden toch een afscheidsfeest voor me. Dat was in Jack's Pub, herinner ik me weer. Over de tafels in de achterzaal hing een spandoek met SUCCES MIKE – SCHRIJF ZE! Toen we die avond thuiskwamen, zei Johanna dat als jaloezie een zuur was, er van mij alleen de gesp van mijn riem en drie tanden zouden zijn overgebleven.

Later, in bed met het licht uit – de laatste sinaasappel was gegeten en de laatste sigaret gedeeld – zei ik: 'Niemand zal het ooit verwarren met

Look Homeward, Angel, hè?' Mijn boek, bedoelde ik. Dat wist ze, zoals ze ook wist dat ik een beetje in de put had gezeten toen mijn oude leraar Creatief Schrijven zo lauw op *Tweezaam* had gereageerd.

'We krijgen toch niet dat gelul van de gefrustreerde kunstenaar, hè?' zei ze, en ze ging op een elleboog liggen. 'In dat geval moet je het meteen zeggen, want dan haal ik morgen gelijk een van die doe-het-zelfpakketten voor echtscheiding.'

Ik vond het grappig, maar was ook een beetje gekwetst. 'Heb je dat eerste persbericht van Random House gezien?' Ik wist dat ze het had gezien. 'Het scheelt niet veel of ze noemen me V.C. Andrews met een pik!'

'Nou,' zei ze, en ze nam het voorwerp in kwestie losjes tussen haar vingers. 'Je hebt inderdaad een pik. En hoe ze je noemen... Mike, toen ik in de derde klas zat, noemde Patty Banning me een snothoertje. Maar dat was ik niet.'

'Alles is een kwestie van waarneming.'

'Gelul.' Ze hield mijn pik nog steeds vast en kneep er nu zo hard in dat het een beetje pijn deed en tegelijk geweldig aanvoelde. Die gekke oude broekenmuis kon het in die tijd nooit veel schelen waar hij naar binnen ging, zolang het maar vaak gebeurde. 'Alles is een kwestie van *geluk*. Ben je gelukkig als je schrijft, Mike?'

'Ja.' Dat wist ze best.

'En heb je last van je geweten als je schrijft?'

'Als ik schrijf, is er niets wat ik liever zou doen, behalve dit,' zei ik, en ik rolde me op haar.

'O hemeltje,' zei ze met dat nuffige stemmetje dat me altijd zo opwond. 'Er zit een penis tussen ons in.'

En toen we de liefde bedreven, drongen er een paar geweldige dingen tot me door: dat ze het had gemeend toen ze zei dat ze mijn boek mooi vond (ach, dat had ik eigenlijk al kunnen zien aan de manier waarop ze het in de luie stoel zat te lezen, een haarlok over haar voorhoofd, haar blote benen onder zich getrokken) en dat ik me niet hoefde te schamen voor wat ik had geschreven – in elk geval niet volgens haar. En er was nog iets geweldigs: haar waarneming, gecombineerd met de mijne voor de echte brede blik die je alleen in een huwelijk kunt krijgen, was de enige waarneming die telde.

Goddank was ze een fan van Maugham.

Ik was tien jaar V.C. Andrews met een pik – veertien jaar, als je de jaren na Johanna meerekent. De eerste vijf jaar zat ik bij Random, toen kreeg mijn agent een gigantisch aanbod van Putnam en ik greep die kans.

Je hebt mijn naam op een hoop bestsellerlijsten gezien – dat wil zeggen, als je boekenbijlage een top-vijftien heeft in plaats van een top-tien.

Ik ben nooit een Clancy, Ludlum of Grisham geweest, maar ik heb een fiks aantal hardcovers afgezet (V.C. Andrews nooit, vertelde mijn agent Harold Oblowski me een keer; de dame was eerder een pocketfenomeen) en ik stond zelfs een keer nummer vijf op de lijst van de *New York Times*. Dat was met mijn tweede boek, *De man in het rode overhemd*. Ironisch genoeg was een van de boeken die verhinderden dat ik nog hoger kwam *Staalmachien* van Thad Beaumont (onder het pseudoniem George Stark). De Beaumonts hadden in die tijd een zomerhuis in Castle Rock, nog geen tachtig kilometer ten zuiden van ons zomerhuis aan Dark Score Lake. Thad is nu dood. Zelfmoord. Ik weet niet of het iets met writer's block te maken had of niet.

Ik bleef net buiten de magische kring van megabestsellers, maar dat kon me nooit veel schelen. Toen ik eenendertig was, bezaten we twee huizen: de mooie oude villa in Derry en een groot houten huis aan een meer in het westen van Maine – dat was Sara Laughs, zo werd het al bijna een eeuw door de plaatselijke bevolking genoemd. En die twee huizen waren geheel schuldenvrij in een fase van het leven waarin veel echtparen al blij zijn wanneer ze een hypotheek voor hun startershuis kunnen lospeuteren. We waren gezond en trouw en hadden al onze lachbotjes nog. Ik was geen Thomas Wolfe (zelfs geen Tom Wolfe of Tobias Wolff), maar ik werd betaald om te doen wat ik graag deed, en er is op de hele wereld geen beter werk dan dat; het is net een vergunning om te stelen.

Ik schreef wat ze in de jaren veertig 'middenmootlectuur' noemden: door de critici genegeerd, gericht op een thema (in mijn geval was dat thema: Mooie Jonge Vrouw Alleen Ontmoet Fascinerende Vreemde), maar goed verkopend. Mijn boeken werden met enige tegenzin geaccepteerd, ongeveer zoals de door de staat gedoogde bordelen in Nevada geaccepteerd worden – er moet nu eenmaal een uitlaatklep voor de lagere instincten zijn en iemand moet Dat Soort Werk doen. Ik deed Dat Soort Werk met enthousiasme (en soms met Jo's enthousiaste medewerking, als mijn verhaallijn een beetje in de knoop was geraakt), en op een gegeven moment, zo rond de tijd dat George Bush tot president werd gekozen, vertelde onze boekhouder ons dat we miljonair waren.

We waren niet rijk genoeg om een straaljager te kopen (Grisham), of een deel van een professioneel honkbalteam (Clancy), maar voor de plaatselijke begrippen (van Derry, Maine,) bulkten we van het geld. We bedreven duizenden keren de liefde, zagen duizenden films, lazen duizenden boeken (Jo legde die van haar op het eind van de dag vaak onder haar kant van het bed). En misschien was het nog de grootste zegen wel dat we nooit wisten hoe kort de tijd was.

Meer dan eens vroeg ik me af of de doorbreking van het ritueel tot de writer's block had geleid. Overdag kon ik dat als zweverig gebazel van de hand wijzen, maar 's nachts was het moeilijker. 's Nachts hebben je gedachten de vervelende gewoonte om hun halsband af te doen en vrij rond te rennen. En als je het grootste deel van je volwassen leven verhalen hebt verzonnen, zitten die halsbanden nog losser en hebben de honden er nog meer de pest aan. Was het Shaw of Oscar Wilde die zei dat een schrijver een man was die zijn geest had geleerd zich te misdragen?

En is het nu echt zo vergezocht om te denken dat het doorbreken van het ritueel een rol kan hebben gespeeld bij mijn plotselinge en onverwachte (althans, door mij niet verwachte) stilzwijgen? Als je je dagelijks brood verdient in het land van de fantasie, is de streep tussen wat is en wat lijkt veel dunner. Schilders weigeren soms te schilderen als ze een bepaalde hoed niet op hebben, en honkbalspelers die goed slaan dragen altijd dezelfde sokken.

Het ritueel begon met het tweede boek, het enige boek waarvan ik me herinner dat ik er nerveus van werd – ik neem aan dat ik te veel naar gewauwel over tweede-keer-fiasco's had geluisterd, het idee dat een succesvol debuut misschien maar een toevalstreffer was. Ik weet nog dat een docent Amerikaanse Literatuur een keer zei dat van de moderne Amerikaanse schrijvers alleen Harper Lee een waterdichte manier had gevonden om de tweede-boek-dip te vermijden.

Toen ik aan het eind van *De man in het rode overhemd* was gekomen, maakte ik het net niet helemaal af. De villa aan Benton Street in Derry zouden we pas twee jaar later kopen, maar we hadden al wel Sara Laughs gekocht, het huis aan het Dark Score Lake (lang niet zo goed ingericht als later, en nog zonder het later aangebouwde atelier van Jo, maar evengoed best aardig), en daar waren we.

Ik schoof weg van mijn schrijfmachine – ik bleef in die tijd mijn oude IBM Selectric trouw – en ging naar de keuken. Het was midden september, de meeste vakantiegangers waren weg, en de kreten van de futen op het meer klonken onuitsprekelijk mooi. De zon ging onder en het meer zelf was een roerloze, warmteloze plaat van vuur geworden. Dit is een van de levendigste herinneringen die ik heb, zo helder dat ik soms het gevoel heb dat ik er zo in kan stappen en het allemaal opnieuw kan beleven. Zou ik dingen anders doen, en zo ja, welke? Soms vraag ik me dat af.

Eerder die avond had ik een fles Taittinger en twee flûtes in de koelkast gezet. Die haalde ik er nu uit, en ik zette ze op een blikken dienblad dat meestal werd gebruikt om kannen ijsthee of Kool-Aid van de keuken naar de veranda te brengen. Ik liep met het dienblad de zitkamer in.

Johanna zat diep weggedoken in haar sjofele oude luie stoel. Ze las een boek (niet Maugham die avond, maar William Denbrough, een van haar favoriete hedendaagse schrijvers). 'Ooo,' zei ze, terwijl ze opkeek en een boekenlegger tussen de bladzijden schoof. 'Champagne. Ter gelegenheid waarvan?' Alsof ze dat niet wist.

'Ik ben klaar,' zei ik. '*Mon livre est tout fini.*'

'Nou,' zei ze glimlachend, en ze pakte een van de flûtes toen ik me met het dienblad naar haar toe boog, 'dan is dát goed, hè?'

Ik besef nu dat de essentie van het ritueel – het element dat leefde, dat vitaal was, als het ene echt magische woord in een mondvol abracadabra – die zin was. We dronken bijna altijd champagne, en ze kwam na afloop bijna altijd naar de werkkamer voor dat andere, maar niet altijd.

Op een keer, een jaar of vijf voordat ze stierf, was ze in Ierland op het moment dat ik klaar was met een boek. Ze was daar met een vriendin op vakantie. Ik dronk de champagne toen in mijn eentje op, typte de laatste regel ook zelf (inmiddels gebruikte ik een Macintosh die een miljoen verschillende dingen kon en waar ik maar één ding mee deed) en sliep er geen minuut minder om. Maar ik belde haar in het hotelletje waar zij en haar vriendin Bryn logeerden. Ik vertelde haar dat ik klaar was, en hoorde haar de woorden zeggen die ik wilde horen – woorden die via een Ierse telefoonlijn naar een zender waren gegaan en vervolgens als een gebed naar een satelliet waren opgestegen om uiteindelijk weer af te dalen naar mijn oor: 'Nou, dan is dát goed, hè?'

Zoals ik al zei, ontstond de gewoonte na het tweede boek. Toen we elk een glas champagne hadden gehad en nog eens hadden ingeschonken, ging ik met haar naar de werkkamer, waar nog een vel papier uit mijn woudgroene Selectric stak. Op het meer riep een laatste fuut in het donker, de roep die in mijn oren altijd klinkt als iets roestigs dat langzaam meedraait met de wind.

'Ik dacht dat je zei dat je klaar was,' zei ze.

'Alles, behalve de laatste regel,' zei ik. 'Ik draag het boek aan jou op en ik wil dat jij de laatste woorden typt.'

Ze lachte of protesteerde niet, keek me alleen maar aan om te zien of ik het echt meende. Ik knikte, en ze ging in mijn stoel zitten. Ze had die avond gezwommen en haar haar was naar achteren getrokken, met een wit elastieken ding eromheen. Het was nat en twee tinten donkerder rood dan gewoonlijk. Ik streek er met mijn hand over. Het was of ik over vochtige zijde streek.

'Nieuwe alinea?' vroeg ze, zo ernstig als een meisje uit de stenokamer dat iets door de grote baas gedicteerd krijgt.

'Nee,' zei ik. 'Dit gaat verder.' En toen sprak ik de regel uit die ik in mijn hoofd had gehad vanaf het moment dat ik was opgestaan om de champagne in te schenken. '"Hij schoof de ketting over haar hoofd en toen liepen ze samen de trap af naar de plaats waar de auto geparkeerd stond." '

Ze typte het en keek me toen afwachtend aan. 'Dat is het,' zei ik. 'Je kunt er wel EINDE onder zetten.'

Jo drukte twee keer op de RETURN-knop, zocht het midden van het papier en typte EINDE onder de laatste regel proza. Het Courier-bolletje van de IBM (mijn favoriete bolletje) gooide de letters in een gehoorzaam dansje op het papier.

'Wat is dat voor een ketting die hij over haar hoofd schuift?' vroeg ze me.

'Om dat te weten te komen moet je het boek lezen.'

Omdat ze in mijn bureaustoel zat en ik naast haar stond, verkeerde ze in de perfecte positie om haar gezicht op de plaats te brengen waar ze het bracht. Toen ze sprak, bewogen haar lippen tegen mijn gevoeligste lichaamsdeel. Er zat een katoenen korte broek tussen ons in, meer niet.

'Wai ebben manieren om oe te laten praten,' zei ze.

'Daar twijfel ik niet aan,' zei ik.

Toen ik *Helemaal van de top* afmaakte, deed ik tenminste nog een poging om het ritueel te voltrekken. Het voelde hol aan, als een voorwerp waaruit de magische eigenschap was verdwenen, maar dat had ik wel verwacht. Ik deed het niet uit bijgeloof, maar uit respect en liefde. Een soort eerbetoon, als je het zo wilt noemen. Of, als je het anders wilt noemen, Johanna's echte uitvaartdienst, die nu eindelijk plaatsvond, een maand nadat ze in de grond was gelegd.

Het liep tegen het eind van september en het was nog warm – de warmste nazomer die ik me kan herinneren. Al die tijd dat ik aan de moeizame laatste loodjes van het boek bezig was, dacht ik er steeds weer aan hoe erg ik haar miste – maar dat hield me nooit op. En dan is er nog iets: hoe heet het in Derry ook was, zo heet dat ik onder het werk soms alleen een boxershort aanhad, ik dacht er geen moment over om naar ons huis aan het meer te gaan. Het was of Sara Laughs helemaal uit mijn geheugen was weggevaagd. Misschien had het ermee te maken dat in de tijd dat ik *Top* afmaakte de waarheid eindelijk tot me doordrong. Ze was deze keer niet alleen maar in Ierland.

Mijn werkkamer aan het meer is klein maar heeft een mooi uitzicht. De werkkamer in Derry is langgerekt, met boeken langs de wanden, en heeft geen raam. Op die avond stonden de drie plafondventilatoren aan. Ze wiekten door de benauwde lucht. Ik kwam in een short en T-shirt binnen, met rubberen teenslippers aan mijn voeten en met een blikken Coke-dienblad waarop ik de fles champagne en de twee gekoelde glazen had gezet. Aan het andere eind van die langwerpige kamer, onder een schuin plafond dat zo laag was dat ik moest uitkijken om bij het opstaan mijn hoofd niet te stoten (in de loop van de jaren had ik ook weerstand moeten bieden aan Jo's protesten dat ik werkelijk de slechtste plaats in de kamer als werkplek had gekozen), prijkten de woorden op het scherm van mijn Macintosh.

Ik dacht dat ik waarschijnlijk weer een storm van verdriet uitlokte – misschien wel de allerergste storm – maar ik deed het toch – en onze emoties laten ons altijd weer versteld staan, nietwaar? Het werd geen avond van geween en gejammer; ik denk dat ik daar gewoon overheen was. In plaats daarvan was er een diep en ellendig gemis – de lege stoel waarin ze altijd zat te lezen, de lege tafel waarop ze altijd haar glas te dicht bij de rand zette.

Ik schonk een glas champagne in, wachtte tot het schuim gezakt was en pakte het toen op. 'Ik ben klaar, Jo,' zei ik terwijl ik daar onder de draaiende ventilatoren zat. 'Dus dát is goed, hè?'

Er kwam geen reactie. In het licht van alles wat later nog kwam, lijkt het me de moeite waard dat te herhalen: er kwam geen reactie. Ik had toen niet, in tegenstelling tot later, het gevoel dat ik niet alleen was in een kamer die op het eerste gezicht leeg was.

Ik dronk de champagne, zette het glas weer op het Coke-dienblad en vulde het andere glas. Ik liep ermee naar de Mac en ging zitten waar Jo zou hebben gezeten als ieders favoriete liefhebbende God er niet was geweest. Geen geween en gejammer, maar de tranen brandden in mijn ogen. De woorden op het scherm luidden:

vandaag niet zo slecht, nam ze aan. Ze liep over het gras naar haar auto en lachte toen ze het vierkante witte papier achter de voorruit zag liggen. Cam Delancey, die zich niet liet ontmoedigen, en geen genoegen nam met 'nee', had haar voor een van zijn wijnproeverijen op donderdagavond uitgenodigd. Ze nam het papier, wilde het verscheuren, veranderde toen van gedachten en stak het in plaats daarvan in de zak van haar jeans.

'Geen nieuwe alinea,' zei ik. 'Dit gaat verder.' En toen typte ik de regel die ik in mijn hoofd had gehad vanaf het moment dat ik was opgestaan om de champagne te halen.

Er was daar buiten een hele wereld; ze kon net zo goed op Cam Delanceys wijnproeverij beginnen als ergens anders.

Ik hield op en keek naar de kleine knipperende cursor. De tranen brandden nog in mijn ooghoeken, maar ik herhaal dat er geen koude tocht langs mijn enkels trok en dat er geen spookvingers over mijn nek streken. Ik sloeg twee keer op de RETURN-toets en drukte op CENTER. Ik typte EINDE onder de laatste regel proza en hief toen het voor Jo bestemde glas champagne naar het scherm.

'Op jou, schat,' zei ik. 'Ik wou dat je hier was. Ik mis je verschrikkelijk.' Mijn stem trilde een beetje bij dat laatste woord, maar sloeg niet over. Ik dronk de Taittinger, sloeg mijn laatste regel kopij op, zette alles op floppy's en maakte back-ups. En afgezien van briefjes, boodschappenlijstjes en cheques was dat het laatste schrijfwerk dat ik de volgende vier jaar deed.

3

Mijn uitgever wist het niet, mijn redactrice Debra Weinstock wist het niet, mijn agent Harold Oblowski wist het niet. Frank Arlen wist het ook niet, al kwam ik meermalen in de verleiding het hem te vertellen. *Laat mij je broer zijn. Doe het desnoods voor Jo, als je het niet voor jezelf wilt doen*, zei hij tegen me op de dag dat hij terugkeerde naar zijn drukkerij en zijn grotendeels solitaire leven in Sanford, een stadje in het zuiden van Maine. Ik had nooit verwacht dat ik daarop in zou gaan, en dat deed ik ook niet – niet de elementaire kreet om hulp waar hij misschien aan dacht – maar ik belde hem om de paar weken. Mannenpraat, je kent het wel. *Hoe gaat het? Niet slecht, het is hier verrekte koud, Ja, hier ook, Je kunt naar Boston komen als ik Bruins-tickets kan krijgen, Misschien volgend jaar, ik heb het nu nogal druk, Ja, ik weet hoe het is. Tot kijk, Mikey, Goed, Frank, hou je taai.* Mannenpraat.

Ik weet vrijwel zeker dat hij me een of twee keer vroeg of ik aan een nieuw boek werkte, en ik denk dat ik zei...

Ach, verrek – dat is toch een leugen? Een leugen die zo diep geworteld is dat ik hem zelfs aan mezelf vertel. Hij vroeg het inderdaad en ik zei altijd ja, ik werkte aan een nieuw boek, het ging goed, erg goed. Meer dan eens kwam ik in de verleiding om tegen hem te zeggen: *Ik kan geen twee alinea's schrijven zonder mentaal en fysiek helemaal door te draaien: mijn hartslag verdubbelt, verdriedubbelt, ik raak buiten adem en begin te hijgen, ik heb het gevoel dat mijn ogen uit mijn hoofd zullen ploppen en op mijn wangen blijven bungelen. Ik ben net een claustrofoob in een zinkende onderzeeër. Zo gaat het met me, bedankt voor de belangstelling*, maar dat zei ik nooit. Ik roep niet om hulp. Ik kán niet om hulp roepen. Ik geloof dat ik je dat al heb verteld.

Nu ben ik natuurlijk bevooroordeeld, maar het is een feit dat succesvolle schrijvers – zelfs matig succesvolle schrijvers – het vetste baantje in de wereld van kunst en creativiteit hebben. Zeker, mensen kopen meer cd's dan boeken, gaan meer naar de film en kijken véél meer tv. Maar schrijvers hebben een langere adem, misschien omdat lezers een beetje intelligenter zijn dan liefhebbers van de niet-geschreven kunsten en dus een iets groter geheugen hebben. David Soul van *Starsky and Hutch* is nergens meer te bekennen, net als die eigenaardige blanke rapper Vanilla Ice, maar in 1994 waren Herman Wouk, James Michener en Norman Mailer er nog allemaal, alsof de dinosaurussen nog op aarde rondstampten.

Arthur Hailey was een nieuw boek aan het schrijven (tenminste, dat was het gerucht, en het bleek waar te zijn), Thomas Harris kon zeven jaar over een boek doen en toch bestsellers op de markt brengen, en hoewel hij al bijna veertig jaar niet meer had geschreven, was J.D. Salinger nog steeds aan de orde van de dag in colleges Engels en bij leesclubjes. Zo'n grote trouw als die van lezers vind je nergens anders in de kunst, en dat verklaart waarom zoveel schrijvers met een lege tank rustig doortuffen. Ze worden de bestsellerlijsten opgestuwd door de magische woorden AUTEUR VAN op het omslag van hun boeken.

Wat de uitgever daarvoor in ruil wil, vooral van een auteur wiens romans oplagen van vijfhonderdduizend exemplaren in gebonden uitvoering en een miljoen in pocketuitvoering halen, is heel eenvoudig: een boek per jaar. Dat, hebben de New Yorkse handelaren in bedrukt papier vastgesteld, is het optimale ritme. Elke twaalf maanden driehonderdtachtig pagina's die met garen of lijm bij elkaar worden gehouden, een begin, een midden en een eind, waarbij het weer ten tonele voeren van een hoofdpersoon als Kinsey Millhone of Kay Scarpetta niet verplicht maar wel gewenst is. Lezers komen graag steeds dezelfde personages tegen; het is net of ze bij familie terugkomen.

Schrijf je minder dan een boek per jaar, dan verkwansel je de investering die de uitgever in je heeft gedaan, maak je het je zakelijk manager moeilijk al je creditcards actief te houden, en maak je het je agent moeilijk om zijn psychiater op tijd te betalen. En als je te lang wacht, treedt er altijd wel enige slijtage aan je populariteit op. Niets aan te doen. Zoals er, wanneer je te veel publiceert, lezers zijn die zeggen: 'Poeh, ik heb nou wel even genoeg van die vent. Het smaakt zo langzamerhand naar een bord met beenderlijm.'

Ik vertel je dit alles opdat je begrijpt hoe ik vier jaar lang mijn computer als 's werelds duurste scrabblebord kon gebruiken zonder dat iemand iets vermoedde. Writer's block? Wat voor writer's block? We kennen geen writer's block. Hoe kon iemand zoiets denken als er met de regelmaat van de klok elk jaar in september een nieuw spannend boek van Michael Noonan verscheen, perfect leesvoer voor het eind van de zomer, luitjes, en o ja, vergeet niet dat de feestdagen eraan zitten te komen en dat al je familieleden waarschijnlijk ook van de nieuwe Noonan zullen genieten, die bij Borders verkrijgbaar is met dertig procent korting, vraag niet hoe het kan, profiteer ervan.

Het geheim is eenvoudig, en ik ben niet de enige populaire schrijver in Amerika die het kent – als de geruchten juist zijn, maakt Danielle Steel (om er maar eentje te noemen) al tientallen jaren gebruik van de Noonan-formule. Weet je, hoewel ik sinds *Tweezaam* in 1984 ieder jaar een boek heb gepubliceerd, schreef ik in vier van die tien jaar twéé boeken. Ik bracht er een op de markt en liet er een in de la liggen.

Ik weet niet of ik daar ooit met Jo over heb gesproken, en omdat ze er nooit naar vroeg, nam ik altijd aan dat ze begreep wat ik deed: noot-jes opsparen. Maar ik dacht niet aan writer's block. Welnee, ik had er gewoon lol in.

In februari 1995 kon ik, nadat minstens twee goede ideeën (die bijzondere creatieve functie – dat *Eureka!*-gevoel – is nooit weggegaan, en dat schept een heel apart soort hel) om zeep waren geholpen, niet meer ontkennen wat eigenlijk allang duidelijk had moeten zijn: ik verkeerde in het ergste soort moeilijkheden waarin een schrijver kan komen, Alzheimer of een beroerte daargelaten. Aan de andere kant had ik vier kartonnen manuscriptdozen in mijn grote safeloket bij de Fidelity Union liggen. Ze droegen de opschriften *Belofte*, *Dreiging*, *Darcy* en *Top*. Rond Valentijnsdag belde mijn agent me nogal nerveus op. Gewoonlijk leverde ik mijn nieuwste meesterwerk in januari bij hem in, en het was nu al half februari geweest. Ze zouden de productie moeten opjagen om de jaarlijkse Mike Noonan op tijd voor het gebruikelijke kooporgasme van Kerstmis op de markt te krijgen. Ging alles goed?

Dat was mijn eerste kans om te zeggen dat alles helemáál niet goed ging, maar de heer Harold Oblowski, 225 Park Avenue, was niet het soort man tegen wie je zulke dingen zei. Hij was een prima agent, zowel bemind als verguisd in kringen van uitgevers (soms allebei door dezelfde mensen), maar hij reageerde niet goed op slecht nieuws uit de duistere, vettige ruimten waar de goederen zelf geproduceerd werden. Hij zou meteen in paniek raken en het eerste het beste vliegtuig naar Derry nemen om mij met creatieve peptalk te bestoken en pas weggaan als hij me uit mijn schemertoestand had gekregen. Nee, ik had Harold liever waar hij was, in zijn kantoor op de achtendertigste verdieping met een adembenemend uitzicht op de East Side.

Ik zei, wat toevallig, Harold, je belt me net op de dag dat ik het nieuwe boek af heb, gossiemijne, wat zeg je me daarvan, ik stuur het met een koerier, dan heb je het morgen. Harold verzekerde me plechtig dat het helemaal geen toeval was, dat hij, waar het zijn schrijvers betrof, over telepathische gaven beschikte. Daarna feliciteerde hij me en hing op. Twee uur later kreeg ik een boeket van hem – even kruiperig en overdreven als zijn Jimmy Hollywood-lefdoekjes.

Nadat ik de bloemen in de eetkamer had gezet, waar ik sinds Jo's dood bijna nooit kwam, ging ik naar de Fidelity Union. Ik gebruikte mijn sleutel, de bankmanager gebruikte de zijne, en niet lang daarna was ik met het manuscript van *Helemaal van de top* op weg naar het koeriersbedrijf. Ik nam het recentste boek omdat het vooraan lag, dat is alles. In november werd het nog net op tijd voor de kerstdrukte op de markt gebracht. Ik droeg het op aan de nagedachtenis van mijn geliefde vrouw Johanna. Het steeg naar de elfde plaats op de bestsellerlijst van de *Times*, en iedereen ging tevreden naar huis. Zelfs ik. Want de dingen zouden toch beter worden? Niemand had toch *terminale* writer's block (nou ja, met Harper Lee als mogelijke uitzondering)? Het enige dat ik moest doen, was me ontspannen, zoals het revuemeisje tegen de aartsbisschop zei. En goddank was ik een brave eekhoorn geweest en had ik mijn nootjes opgespaard.

Toen ik het jaar daarop met *Dreigend gedrag* naar het koeriersbedrijf reed, was ik nog steeds optimistisch. Dat boek had ik in het najaar van 1991 geschreven en het was een van Jo's favorieten geweest. Dat optimisme was een beetje getemperd in maart 1997, toen ik met *Darcy's bewonderaar* door een natte-sneeuwstorm reed, maar als mensen me vroegen hoe het ging ('De laatste tijd nog goeie boeken geschreven?' is de existentiële manier waarop de meesten de vraag formuleren), antwoordde ik nog steeds dat het goed ging, ja, prima, ik schrijf de laatste tijd een hoop goeie boeken, ze komen eruit als stront uit een koeienreet.

Toen Harold *Darcy* had gelezen en had verklaard dat het mijn beste boek tot dan toe was, een bestseller die ook *serieus* was, opperde ik aarzelend dat ik een jaar vrij zou kunnen nemen. Hij reageerde meteen met de vraag die ik het meest verfoei: voelde ik me wel goed? Nou en of, zei ik, hartstikke goed, ik wou het alleen een tijdje rustig aan doen.

Toen volgde een van die stiltes waarop Harold Oblowski het patent had en die tot uitdrukking moesten brengen dat je een ontzaglijke klootzak was maar dat Harold, omdat hij je zo aardig vond, je dat zo vriendelijk mogelijk probeerde te vertellen. Dat is een geweldige truc, maar ook een truc die ik al zo'n zes jaar doorzag. Of beter gezegd was het Jo die hem doorzag. 'Hij doet alleen maar alsof hij met je meevoelt,' zei ze. 'In werkelijkheid is hij net een politieman in zo'n oude *film noir*: hij houdt zijn mond stijf dicht, opdat jij maar doorratelt en uiteindelijk alles bekent.'

Ditmaal hield ik mijn mond stijf dicht. Ik verplaatste alleen de telefoon van mijn rechter- naar mijn linkeroor en leunde nog wat verder achterover in mijn bureaustoel. Terwijl ik dat deed, viel mijn blik op de ingelijste foto boven mijn computer – Sara Laughs, ons huis aan Dark Score Lake. Ik was daar in geen eeuwigheid geweest, en een ogenblik vroeg ik me af waarom.

Toen hoorde ik Harolds stem – behoedzaam, geruststellend, de stem van een verstandig man die een krankzinnige iets uit zijn hoofd praat wat hopelijk niet meer dan een voorbijgaande waan is – weer bij mijn oor. 'Dat is misschien niet zo'n goed idee, Mike – niet in dit stadium van je carrière.'

'Dit is geen stadium,' zei ik. 'Ik bereikte mijn top in 1991 en daarna zijn mijn verkoopcijfers niet omhoog of omlaag gegaan. Dit is een *plafond*, Harold.'

'Ja,' zei hij, 'en schrijvers die in dat evenwichtige stadium zijn gekomen, hebben wat de verkoop betreft eigenlijk maar twee keuzen: ze kunnen op hetzelfde peil blijven, of ze kunnen omlaag gaan.'

Nou, dan ga ik omlaag, wilde ik zeggen, maar ik zei het niet. Harold mocht niet precies weten hoe diep dit zat, hoe onvast de grond onder mijn voeten was. Hij mocht niet weten dat ik tegenwoordig al hartkloppingen kreeg – ja, ik bedoel dit letterlijk – als ik het Word 6-programma op mijn computer opende en naar het lege scherm en de flikkerende cursor keek.

'Ja,' zei ik. 'Goed. Boodschap ontvangen.'

'Weet je zeker dat alles goed met je is?'

'Leest het boek alsof er iets mis met me is, Harold?'

'Welnee – het is een schitterend verhaal. Je beste boek tot nu toe, zei ik al. Geweldig om te lezen, maar ook *verdomd serieus*. Als Saul Bellow romantische suspense schreef, zou hij zoiets schrijven. Maar... je hebt toch geen problemen met het volgende? Ik weet dat je Jo nog steeds mist, dat doen we allemaal...'

'Nee,' zei ik. 'Helemaal geen problemen.'

Er volgde weer een van die lange stiltes. Ik onderging het. Ten slotte zei Harold: 'Grisham kon het zich veroorloven een jaar vrij te nemen. Clancy ook. Thomas Harris – ach, die lange stiltes horen bij zijn mystieke imago. Maar waar jij zit, is het leven nog moeilijker dan aan de top, Mike. Er staan vijf schrijvers klaar voor elk van die lagere plaatsen op de lijst, en je weet wie het zijn – sterker nog, drie maanden per jaar zijn het je buren. Sommigen zijn op weg naar boven, zoals Patricia Cornwell met haar laatste twee boeken naar boven ging, sommigen gaan naar beneden, en sommigen blijven op hetzelfde peil, zoals jij. Als Tom Clancy vijf jaar met vakantie zou gaan en dan met Jack Ryan terugkwam, zou hij meteen weer een kraker hebben, absoluut. Als jíj vijf jaar op vakantie zou gaan, kwam je misschien helemaal niet terug. Mijn advies is...'

'Men moet hooien als de zon schijnt.'

'Je haalt me de woorden uit de mond.'

We praatten nog wat en namen toen afscheid. Ik leunde nog verder achterover in mijn bureaustoel – niet helemaal naar het kantelpunt maar het scheelde niet veel – en keek naar de foto van ons vakantiehuis in het westen van Maine. Sara Laughs, ongeveer als de titel van die gouwe ouwe van Hall en Oates. Jo hield er meer van, dat was waar, maar het scheelde niet veel, dus waarom ging ik er nooit meer heen? Bill Dean, de beheerder, haalde ieder voorjaar de winterluiken weg en zette ze ieder najaar terug. Hij maakte in de herfst de goten schoon en zorgde in het voorjaar dat de pomp werkte. Hij controleerde de generator, zorgde dat het onderhoud werd gedaan en verankerde na elke Memorial Day het zwemvlot op zo'n vijftig meter afstand van ons kleine stukje strand.

Bill had in de voorzomer van 1996 de schoorsteen laten vegen, al had er in ruim twee jaar geen vuur in de haard gebrand. Ik betaalde hem per kwartaal, zoals de gewoonte is bij huisbewaarders in dat deel van de wereld. Bill Dean, een oude Yankee wiens familie al een eeuwigheid in die streek woonde, nam mijn geld aan en vroeg niet waarom ik nooit meer naar het huis kwam. Ik was er na Jo's dood twee of drie keer geweest en ik had er nooit geslapen. Het was maar goed dat Bill er niet naar vroeg, want ik weet niet welk antwoord ik hem zou hebben gegeven. Tot aan mijn gesprek met Harold had ik eigenlijk niet eens meer aan Sara Laughs gedacht.

Bij de gedachte aan Harold wendde ik mijn blik van de foto af en keek weer naar de telefoon. Ik stelde me voor dat ik tegen hem zei: *Goed, dan ga ik omlaag. Nou en? Is dat het einde van de wereld? Kom nou. Ik heb geen vrouw en kinderen te onderhouden – mijn vrouw is op het parkeerterrein van een drugstore gestorven, met permissie (of zelfs zonder jouw permissie), en het kind dat we zo vurig wensten is tegelijk met haar doodgegaan. Ik hunker ook niet naar roem – als je al van schrijvers die onderaan in de* Times*-bestsellerlijst staan kunt zeggen dat ze beroemd zijn – en als ik in slaap val, droom ik niet van Oprah's boekenclub. Dus waarom? Waarom zou ik me druk maken?*

Maar op die laatste vraag had ik wél een antwoord: omdat het zou zijn alsof ik het opgaf. Omdat ik zonder mijn vrouw én mijn werk een overbodige man was die in zijn eentje in een groot huis woonde dat helemaal betaald was en die niets anders deed dan bij de middagboterham het cryptogram in de krant oplossen.

Ik ging verder met wat voor mijn leven doorging. Ik dacht niet meer aan Sara Laughs (of misschien begroef een deel van me, dat er niet heen wilde, het idee) en bracht weer een smoorhete, ellendige zomer in Derry door. Ik zette een kruiswoordprogramma op mijn PowerBook en begon mijn eigen cryptogrammen te maken. Ik nam tijdelijk zitting in het bestuur van de plaatselijke YMCA en was jurylid bij de Summer Arts Competition in Waterville. Ik werkte mee aan een serie televisiespotjes voor het plaatselijke daklozentehuis, dat failliet dreigde te gaan, en zat toen een tijdje in dát bestuur. (Op een openbare vergadering van dat bestuur noemde een vrouw me een vriend van verloederde nietsnutten, waarop ik antwoordde: 'Dank u! Dat had ik nodig.' Dat leidde tot een daverend applaus dat ik nog steeds niet begrijp.) Ik ging in individuele therapie, maar gaf het na vijf afspraken op, want volgens mij waren de problemen van de therapeut veel groter dan de mijne. Ik sponsorde een Aziatisch kind en ging bowlen in wedstrijdverband.

Soms probeerde ik te schrijven, en telkens wanneer ik dat deed, liep ik meteen vast. Toen ik een keer probeerde een paar zinnen te vormen (gewoon wat willekeurige zinnen, zolang ze maar versgebakken uit mijn eigen hoofd kwamen), moest ik de prullenbak grijpen om erin te braken. Ik braakte tot ik dacht dat ik doodging... en toen moest ik letterlijk van het bureau en de computer vandaan kruipen, op handen en knieën over het hoogpolig tapijt. Toen ik aan de andere kant van de kamer kwam, voelde ik me weer wat beter. Ik kon zelfs over mijn schouder een blik op het computerscherm werpen. Later die dag liep ik met ogen dicht naar de computer en zette hem uit.

Tegen het eind van die zomer dacht ik steeds vaker aan Dennison Carville, de docent Creatief Schrijven die me met Harold in contact had gebracht en die *Tweezaam* met zijn karige lof veroordeeld had. Carville had eens iets gezegd wat ik nooit vergat. Hij schreef het toe aan Thomas Hardy, de negentiende-eeuwse romanschrijver en dichter. Misschien had Hardy het inderdaad gezegd, maar ik heb het nooit ergens anders gehoord of gelezen, niet in *Bartlett's*, niet in de biografie van Hardy die ik tussen de publicatie van *Helemaal van de top* en *Dreigend gedrag* las. Ik heb sterk het gevoel dat Carville het zelf had verzonnen en het aan Hardy had toegeschreven om het meer gewicht te geven. Het is een truc die ik zelf ook weleens heb toegepast, moet ik tot mijn schande bekennen.

Hoe dan ook, in die tijd, waarin ik tegen de paniek in mijn lichaam vocht, en tegen dat bevroren gevoel in mijn hoofd, dat afschuwelijke gevoel dat alles vastzat, dacht ik steeds vaker aan dat citaat. Het gaf mijn wanhoop goed weer, mijn groeiende overtuiging dat ik nooit meer zou kunnen schrijven (wat een tragedie, V.C. Andrews met een penis geveld door writer's block). Uit het citaat was af te leiden dat elke poging die ik deed om mijn situatie te verbeteren waarschijnlijk zinloos was zelfs als het lukte.

Volgens die sombere oude Dennison Carville moest de schrijver-inspe vanaf het begin begrijpen dat de doelstellingen van de fictie altijd buiten zijn bereik zouden blijven, dat het werk in feite nutteloos was. 'Vergeleken met de saaiste mens die op de aarde rondloopt en daar zijn schaduw werpt,' zou Hardy gezegd hebben, 'is het briljantst weergegeven personage van een roman niets dan een zak beenderen.' Ik begreep dat, want dat was precies wat ik me in die eindeloze, huichelachtige tijd voelde: een zak beenderen.

Vannacht droomde ik dat ik weer naar Manderley ging.

Als er een mooiere, meer aangrijpende eerste zin van een Engelse roman is, heb ik hem nooit gelezen. En het was een zin waaraan ik in het najaar van 1997 en de winter van 1998 veel moest denken. Ik droomde natuurlijk niet van Manderley, maar wel van Sara Laughs, dat Jo soms 'de schuilplaats' had genoemd. Dat was misschien wel een goede beschrijving voor een plaats zo ver weg in de bossen van west-Maine, een plaats die je eigenlijk geen dorp of stadje kunt noemen, maar een administratieve eenheid die op stafkaarten TR-90 wordt genoemd.

De laatste van die dromen was een nachtmerrie, maar die daarvoor hadden een soort surrealistische eenvoud gehad. Als ik uit die dromen wakker werd, wilde ik, voor ik weer ging slapen, het licht in de slaapkamer aandoen om te zien waar ik in werkelijkheid was. Weet je hoe de lucht aanvoelt als er onweer op komst is, als alles stil wordt en kleuren net zo intens zijn als wanneer je hoge koorts hebt? Zo waren mijn winterdromen over Sara Laughs ook. Ik hield er altijd een gevoel aan over dat net geen misselijkheid was. *Ik heb weer van Manderley gedroomd*, dacht ik soms, en soms lag ik in bed met het licht aan en luisterde ik naar de wind die buiten waaide en keek ik in de donkere hoeken van de kamer, en dan dacht ik dat Rebecca de Winter niet in de oceaan was verdronken, maar in Dark Score Lake. Dat ze kopje-onder was gegaan, gorgelend en spartelend, haar vreemde zwarte ogen vol water, terwijl de futen onverschillig hun kreten lieten horen in de schemering. Soms stond ik op en dronk ik een glas water. Soms deed ik alleen het licht uit zodra ik weer wist waar ik was. Ik rolde me op mijn zij en viel weer in slaap.

Overdag dacht ik bijna nooit aan Sara Laughs, en pas veel later besefte ik dat er iets grondig mis is als er zo'n duidelijke scheiding is tussen dat wat je overdag doet en dat wat je 's nachts droomt.

Ik denk dat die dromen begonnen waren door Harold Oblowski's telefoontje in oktober 1997. Harold belde zogenaamd om me te feliciteren met de naderende verschijning van *Darcy's bewonderaar*, dat verrekte boeiend was, zei hij, en ook *uiterst gedachtenprovocerend materiaal* bevatte. Ik vermoedde dat hij ten minste één andere reden had om te bellen – die heeft Harold meestal – en ik had gelijk. Hij had de vorige dag geluncht met Debra Weinstock, mijn redactrice, en ze hadden over het najaar van 1998 gepraat.

'Het wordt dringen,' zei hij. Hij doelde op de najaarsaanbiedingen, vooral op de afdeling fictie van die aanbiedingen. 'En er zijn een paar verrassende nieuwkomers in die tijd van het jaar. Dean Koontz...'

'Ik dacht dat die altijd in januari verscheen,' zei ik.

'Dat klopt, maar Debra heeft gehoord dat hij deze keer wat vertraging heeft. Hij wil er een stuk aan toevoegen of zoiets. En dan is er een Harold Robbins, *De rovers...*'

'Nou en?'

'Robbins heeft nog steeds fans, Mike, hij heeft nog steeds zijn fans.

Zoals je zelf meer dan eens hebt opgemerkt: romanschrijvers hebben een lange adem.'

'Ja.' Ik verplaatste de telefoon naar mijn andere oor en leunde achterover in mijn stoel. Daarbij ving ik een glimp op van de ingelijste foto van Sara Laughs boven mijn bureau. Die nacht zou ik dat huis in mijn dromen langduriger en van veel dichterbij bekijken, al wist ik dat toen nog niet. Het enige dat ik op dat moment wist, was dat ik verdomd graag zou willen dat Harold Oblowski een beetje opschoot en ter zake kwam.

'Ik merk dat je ongeduldig bent, Michael, jongen,' zei Harold. 'Houd ik je van je werk? Ben je aan het schrijven?'

'Het zit er weer op voor vandaag,' zei ik. 'Maar ik wilde net gaan lunchen.'

'Ik hou het kort,' beloofde hij, 'maar luister nog even, want dit is belangrijk. Er zijn misschien wel vijf andere schrijvers van wie we niet hadden verwacht dat ze het komend najaar iets zouden uitbrengen: Ken Follett... Dit schijnt zijn beste te worden sinds *Door het Oog van de Naald*... Belva Plain... John Jakes...'

'Die spelen in een andere divisie dan ik,' zei ik, al wist ik dat Harold iets anders bedoelde. Wat Harold bedoelde, was dat er maar vijftien plaatsen in de lijst van de *Times* waren.

'En Jean Auel dan, die eindelijk een vervolg op haar epos over seks onder de holbewoners gaat uitbrengen?'

Ik ging rechtop zitten. 'Jean Auel? Echt waar?'

'Nou... Ik weet het niet voor honderd procent zeker, maar het ziet er goed uit. En dan komt er ook nog een nieuwe Mary Higgins Clark. Ik weet in welke divisie zij speelt, en dat weet jij ook.'

Als ik dat soort nieuws zes of zeven jaar eerder had gekregen, toen ik nog het gevoel had dat ik heel wat te beschermen had, zou ik ziedend zijn geweest. Mary Higgins Clark speelde inderdaad in dezelfde divisie. Ze had precies hetzelfde publiek en tot dan toe was het altijd zo geregeld dat we nooit tegelijk publiceerden en elkaar dus niet in de weg zaten – iets wat meer in mijn voordeel dan in het hare was, neem dat maar van me aan. Als we tegen elkaar op moesten boksen, zou zij me inmaken. Zoals wijlen Jim Croce zo wijs opmerkte: je trekt niet aan Supermans cape, je spuugt niet tegen de wind in, je trekt het masker van die goeie ouwe Lone Ranger niet af, en je spot niet met Mary Higgins Clark. In elk geval niet als je Michael Noonan bent.

'Hoe kan dat nou?' vroeg ik.

Ik geloof niet dat mijn stem erg onheilspellend klonk, maar Harold antwoordde op de nerveuze, gejaagde manier van iemand die bang is dat hij ontslagen of zelfs onthoofd wordt omdat hij de boodschapper met slecht nieuws is.

'Ik weet het niet. Ze kwam dit jaar gewoon op een extra idee, denk ik. Zulke dingen schijnen te gebeuren.'

Als iemand die zijn portie dubbeljaren had gehad, wist ik dat heel goed, en daarom vroeg ik gewoon aan Harold wat hij wilde. Dat leek me de snelste en makkelijkste manier om hem de telefoon te laten ophangen. Het antwoord verbaasde me niet. Wat hij en Debra allebei wilden – om van al mijn andere Putnam-maatjes nog maar te zwijgen – was een boek dat ze in de nazomer van 1998 konden uitbrengen. Op die manier kregen we een paar maanden voorsprong op mevrouw Clark en de rest van de concurrentie. In november zouden de vertegenwoordigers van Putnam de roman een gezonde tweede duw geven, met het oog op het kerstseizoen.

'Dat zéggen ze,' antwoordde ik. Zoals de meeste schrijvers (en in dit opzicht verschillen de succesvollen niet van de rest, waaruit blijkt dat deze gang van zaken, naast de gebruikelijke ongebreidelde paranoia, misschien toch ook zijn positieve kanten heeft) vertrouwde ik de beloften van uitgevers voor geen cent.

'Ik denk dat je ze in dit geval wel kunt geloven, Mike. Vergeet niet dat *Darcy's bewonderaar* het laatste boek van je oude contract was.' Harold klonk bijna opgewekt bij de gedachte aan de komende onderhandelingen met Debra Weinstock en Phyllis Grann van Putnam over een nieuw contract. 'Ze zien namelijk nog steeds erg veel in je. Ze zouden zelfs nog meer in je zien, denk ik, als ze voor Thanksgiving een manuscript met jouw naam erop zouden zien.'

'Ze willen dat ik het volgende boek in november bij ze inlever? Volgende máánd?' Ik hoopte dat ik precies genoeg ongeloof in mijn stem legde, alsof ik *Helens belofte* niet al elf jaar in een bankkluis had liggen. Het was de eerste noot die ik had bewaard; het was nu de enige noot die ik over had.

'Nee, nee, je zou minstens tot half januari de tijd hebben,' zei hij in een poging tot grootmoedigheid. Ik vroeg me af waar hij en Debra hadden geluncht. Vast niet in de eerste de beste gelegenheid. Misschien in de Four Seasons. Johanna noemde dat altijd Frankie Valli and the Four Seasons. 'Het betekent dat ze de productie flink moeten versnellen, *serieus* moeten versnellen, maar daar zijn ze toe bereid. De vraag is: kun jíj de productie versnellen?'

'Ik denk van wel, maar dat gaat ze wel geld kosten,' zei ik. 'Zeg maar tegen ze dat ik het op één lijn stel met de ééndags-service van de stomerij.'

'O, wat jammer voor ze!' Harold klonk alsof hij zich aan het afrukken was en het punt had bereikt waarop de vulkaan begint te spuiten en iedereen met zijn Instamatic klikt.

'Hoeveel denk je...'

'Een extra bedrag boven op het voorschot, dat is waarschijnlijk de methode,' zei hij. 'Ze gaan natuurlijk moeilijk doen. Ze zullen zeggen dat de verschuiving ook in jouw belang is. *Vooral* in jouw belang, zelfs. Maar met het argument dat je extra moet werken... Dat je overuren moet maken...'

'De geestelijke kwelling van het scheppen... De pijnscheuten van de vroeggeboorte...'

'Ja... Ja... Ik denk dat een toeslag van tien procent wel haalbaar is.' Hij sprak op verstandige toon, als iemand die zijn best doet om zich zo redelijk mogelijk op te stellen. Ik voor mij vroeg me af hoeveel vrouwen een bevalling een maand of zo zouden vervroegen als ze daarvoor twee- of driehonderdduizend dollar extra kregen. Waarschijnlijk kun je sommige vragen maar beter onbeantwoord laten.

En wat maakte het in mijn geval voor verschil? Ik had dat verrekte boek toch al geschreven?

'Nou, probeer het maar voor elkaar te krijgen,' zei ik.

'Ja, maar ik vind niet dat we het dan over één boek moeten hebben. Ik denk...'

'Harold, wat ik op dit moment wil, is lunchen.'

'Je klinkt een beetje gespannen, Michael. Is alles...'

'Alles gaat goed. Praat met ze over één enkel boek, met een extraatje om mijn productie op te krikken. Goed?'

'Goed,' zei hij na een van zijn veelbetekenende stiltes. 'Maar ik hoop dat je later nog bereid bent een contract voor drie of vier boeken te tekenen. Men moet hooien als de zon schijnt, weet je nog. Dat is het motto van kampioenen.'

'Een brug pas oversteken als je ervoor komt te staan, dát is het motto van kampioenen,' zei ik, en die nacht droomde ik dat ik weer naar Sara Laughs ging.

In die droom – in alle dromen die ik dat najaar en die winter had – loop ik over de weg naar het huis. Die weg is een drie kilometer lange lus door het bos die op Route 68 uitkomt. Hij heeft een bordje aan weerskanten (Weg 42, als dat er iets toe doet), voor het geval je een brand moet melden, maar hij heeft geen naam. Jo en ik hebben hem ook geen naam gegeven, zelfs niet onder elkaar. Hij is smal, eigenlijk niet meer dan een karrenspoor met timotee en heksengras op de middenstrook. Als je erover rijdt, kun je het gras als zachte stemmen tegen het chassis van je auto horen fluisteren.

Maar in de droom rijd ik niet. Ik rijd nooit. In die dromen loop ik.

De bomen staan tot vlak langs de weg. De schemerige hemel is weinig meer dan een gleuf. Straks kan ik de eerste sterren zien. De zon is al onder. Krekels sjirpen. Futen roepen op het meer. Kleine dingen – eekhoorns waarschijnlijk – ritselen in het bos.

Nu kom ik bij een onverharde oprijlaan die rechts van me de helling afgaat. Het is onze eigen oprijlaan, voorzien van een houten bordje met

SARA LAUGHS. Ik sta aan het begin, maar ik ga niet naar beneden. Daar beneden staat het huis. Het is een grote blokhut met aanbouw en met een terras aan de achterkant. Veertien kamers in totaal, een belachelijk aantal kamers. Het zou er lelijk en wanstaltig moeten uitzien, maar op de een of andere manier is dat niet zo. Sara heeft iets van een onverschrokken weduwe, een dame die resoluut op weg is naar haar honderdste jaar en nog steeds veerkrachtige passen maakt, ondanks haar versleten heupen en haar vergroeide oude knieën.

Het middelste gedeelte is het oudst. Het dateert van omstreeks 1900. In de jaren dertig, veertig en zestig zijn er stukken aangebouwd. Ooit was het een jachthut. In het begin van de jaren zeventig heeft er korte tijd een kleine commune van transcendentale hippies in gezeten. Dat waren huurders. Van het eind van de jaren veertig tot 1984 was het eigendom van de Hingermans, Darren en Marie, op het eind alleen Marie, want Darren overleed in 1971. De enige zichtbare toevoeging sinds het van ons is, is de kleine schotelantenne op het middelste dak. Dat was een idee van Johanna, en ze heeft eigenlijk nooit de kans gekregen ervan te genieten.

Voorbij het huis glanst het meer in de nagloed van de zonsondergang. De oprijlaan, zie ik, heeft een laagje dennennaalden, met overal afgebroken takken. De struiken die aan weerskanten groeien, zijn verwilderd en strekken zich als verliefden naar elkaar uit over de smalle strook die ze scheidt. Als je hier met een auto kwam, zouden de takken met een lelijk geluid langs je zijkanten schuren. Beneden, zie ik, groeit er mos op de houtblokken van het hoofdgebouw en er zijn drie grote zonnebloemen met gezichten als zoeklichten hoog opgeschoten, tussen de planken van de veranda aan de kant van de oprijlaan door. Er hangt niet zozeer een sfeer van verwaarlozing als wel van *vergetelheid*.

Er staat een heel lichte bries en als ik de koelte daarvan op mijn huid voel, besef ik dat ik zweet. Ik ruik dennengeur – een geur die tegelijk bitter en zuiver is – en ook de vage maar op de een of andere manier alomtegenwoordige geur van het meer. Het Dark Score Lake is een van de schoonste, diepste meren van Maine. Tot aan het eind van de jaren dertig was het groter, heeft Marie Hingerman ons verteld. Toen kreeg Western Maine Electric, dat nauw samenwerkte met de papierfabrieken en andere bedrijven bij Rumford, toestemming van de staat om de rivier de Gessa af te dammen. Marie liet ons ook alleraardigste foto's van dames in witte jurken en heren met vesten aan in kano's zien – die kiekjes dateerden uit de tijd van de Eerste Wereldoorlog, zei ze, en ze wees naar een van de jonge vrouwen, voor altijd onbeweeglijk op de rand van het jazztijdperk, met een peddel omhoog gestoken. 'Dat is mijn moeder,' zei ze, 'en de man die ze met die peddel bedreigt, is mijn vader.'

Futen roepen, hun stemmen niets dan verlorenheid. Nu kan ik Venus in de verduisterende hemel zien. Maan en sterren, sterren en maan, laat mijn wens in vervulling gaan... In die dromen wens ik altijd dat ik Johanna terugkrijg.

Als ik mijn wens heb gedaan, probeer ik over de oprijlaan te lopen. Natuurlijk doe ik dat. Het is toch mijn eigen huis? Waar kan ik anders heen gaan dan naar mijn eigen huis, nu het donker wordt en nu dat geheimzinnig geritsel in het bos steeds dichterbij en op de een of andere manier ook steeds doelbewuster lijkt? Waar kan ik anders heen? Het is donker en ik vind het angstaanjagend om in mijn eentje dat donkere huis in te gaan (als Sara het me nu eens kwalijk neemt dat ze zo lang alleen gelaten is? als ze nu eens kwaad op me is?), maar ik moet. Als de elektriciteit is afgesloten, steek ik een van de stormlantaarns uit de keukenkast aan.

Maar ik kan niet naar beneden lopen. Mijn benen willen niet bewegen. Het is of mijn lichaam iets over het huis weet wat mijn hersenen niet weten. De avondbries steekt weer op en ik krijg kippenvel en vraag me af wat ik heb gedaan om opeens zo erg te zweten. Heb ik gerend? En zo ja, waar rende ik dan heen? Of waar vandaan?

Mijn haar is ook bezweet. Het hangt in een pluk over mijn voorhoofd. Ik breng mijn hand omhoog om het weg te strijken en zie dat er een ondiepe snee, tamelijk vers nog, over de rug van mijn hand loopt, net voorbij de knokkels. Soms heb ik die snee in mijn rechterhand, soms in mijn linkerhand. Ik denk: *als dit een droom is, zijn de details erg goed.* Altijd dezelfde gedachte: *als dit een droom is, zijn de details erg goed.* Dat is de absolute waarheid. Het zijn de details van een schrijver, alleen is in dromen misschien iedereen een schrijver. Hoe kun je dat weten?

Nu is Sara Laughs alleen nog een donkere vorm daar ergens beneden, en ik besef dat ik er toch niet heen wil. Ik ben iemand die zijn geest heeft geleerd zich te misdragen en ik kan me te veel dingen voorstellen die daar binnen op me wachten. Een hondsdolle wasbeer in een hoekje van de keuken. Vleermuizen in de badkamer – als ze gestoord worden, fladderen ze met zijn allen wild rond mijn angstige gezicht, piepend en met hun stoffige vleugels tegen mijn wangen meppend. Zelfs een van William Denbroughs beroemde Schepsels van Buiten het Universum zit onder de veranda verborgen. Zijn glinsterende, met pus omrande ogen kijken naar me op.

'Nou, ik kan niet hier boven blijven,' zeg ik, maar mijn benen willen niet in beweging komen, en het lijkt erop dat ik hier boven zal blijven, op de plek waar de oprijlaan op het pad uitkomt – dat ik hier boven zal blijven, of ik dat nu leuk vind of niet.

Het geritsel in het bos achter me klinkt nu niet als het geluid van kleine dieren (de meeste zullen toch al hun nest of hol hebben opgezocht voor de nacht), maar als naderende voetstappen. Ik wil me omdraaien om te kijken, maar zelfs dat kan ik niet...

... en op dat moment werd ik meestal wakker. Het eerste dat ik altijd deed, was me omdraaien, mijn terugkeer in de werkelijkheid vaststellen door mezelf te demonstreren dat mijn lichaam weer aan mijn geest gehoorzaamde. Soms – of eigenlijk meestal – dacht ik: *Manderley, ik heb weer van Manderley gedroomd.* Dat had iets griezeligs (maar elke droom die zich herhaalt, heeft iets griezeligs, vind ik, want je beseft dat je onderbewustzijn obsessief aan het spitten is in iets wat niet van zijn plaats wil komen), maar ik zou liegen als ik daar niet aan toevoegde dat een deel van mij ook wel genoot van de ademloze zomerse rust die de droom altijd over me liet neerdalen, en dat deel genoot ook van de droefheid en het onheilspellende gevoel bij het wakker worden. De droom had iets vreemds, iets exotisch dat in mijn gewone leven ontbrak omdat de weg naar mijn fantasie geblokkeerd was.

Voor zover ik me herinner (en ik moet je vertellen dat ik niet helemaal op die herinneringen kan afgaan, want het leek er zo lang op dat ze helemaal niet bestonden), ben ik maar één keer bang geweest. Op een nacht werd ik wakker en zei ik hardop in de duisternis van mijn slaapkamer: 'Er is iets achter me, laat het me niet te pakken krijgen, iets in het bos, alsjeblieft, laat het me niet te pakken krijgen.' Niet de woorden zelf maakten me bang, maar de toon waarop ze werden uitgesproken. Het was de stem van iemand die op de brokkelige rand van de paniek balanceert, en het leek nauwelijks mijn eigen stem.

Twee dagen voor Kerstmis 1997 reed ik weer naar de Fidelity Union, waar de bankmanager me opnieuw naar mijn safeloket in de door tl-buizen verlichte catacomben begeleidde. Toen we de trap afgingen, verzekerde hij me (voor de tiende keer, minstens) dat zijn vrouw een gróte fan van mijn werk was, ze had al mijn boeken gelezen, kon er niet genoeg van krijgen. Voor de tiende keer (minstens) antwoordde ik dat ik nu hém nog in mijn klauwen moest krijgen. Hij antwoordde met zijn gebruikelijke grinniklachje. In mijn gedachten noemde ik dit vaak herhaalde gesprekje de bankierscommunie.

Quinlan stak zijn sleutel in opening A en draaide hem om. En toen ging hij weg, zo discreet als een pooier die een klant naar een peeskamertje heeft gebracht. Ik stak mijn eigen sleutel in opening B, draaide hem om en trok de lade eruit. Die leek nu erg groot. De enige overgebleven manuscriptdoos leek terug te deinzen in de verste hoek, als een achtergebleven puppy die op de een of andere manier weet dat zijn broertjes en zusjes zijn weggehaald en vergast. *Belofte* stond er met dikke zwarte letters op de bovenkant. Ik kon me nauwelijks herinneren waar dat verrekte verhaal over ging.

Ik pakte die tijdreiziger uit de jaren tachtig op en gooide het safeloket dicht. Er lag daar nu alleen nog stof in. *Geef hier*, had Jo in mijn droom gesnauwd – het was de eerste keer in jaren dat ik daaraan dacht. *Geef hier, dat is mijn stofnest.*

'Meneer Quinlan, ik ben klaar,' riep ik. Mijn stem klonk me schor en onzeker in de oren, maar Quinlan merkte blijkbaar niets – of misschien was hij alleen maar discreet. Ik zal heus niet de enige klant zijn geweest die zijn bezoeken aan deze financiële versie van Forest Lawn emotioneel aangrijpend vond.

'Ik moet nu echt eens een van uw boeken lezen,' zei hij, en hij wierp onwillekeurig een blik op de doos die ik in mijn handen had (ik had eigenlijk een aktentas moeten meenemen om hem in te doen, maar die had ik nooit bij me). 'Ik denk zelfs dat ik het op mijn lijst van voornemens voor het nieuwe jaar zet.'

'Doet u dat,' zei ik. 'Doet u dat, meneer Quinlan.'

'Mark,' zei hij. 'Alstublieft.' Ook dat had hij al eerder gezegd.

Ik had twee brieven geschreven die ik in de manuscriptdoos deed voordat ik naar het expresbedrijf ging. Ze waren allebei op mijn computer geschreven. Mijn lichaam stond namelijk toe dat ik mijn computer gebruikte, mits ik me beperkte tot de Note Pad-functie. Ik hoefde Word 6 alleen maar te openen of de stormen staken al op. Ik heb nooit geprobeerd om met de Note Pad-functie een roman te schrijven, want als ik dat deed, zou ik die optie waarschijnlijk ook verliezen – om nog maar te zwijgen van de mogelijkheid om op de computer scrabble te spelen en cryptogrammen op te lossen. Ik had een paar keer geprobeerd met de hand te schrijven, met spectaculair weinig succes. Het probleem was niet wat ik eens 'schermangst' had horen noemen; dat had ik mezelf bewezen.

Het ene briefje was gericht aan Harold, het andere aan Debra Weinstock, en in beide stond ongeveer hetzelfde: dit is het nieuwe boek, *Helens belofte*, en ik hoop dat het jullie net zo goed bevalt als mij; als het een beetje onbehouwen is, komt dat doordat ik veel extra uren moest draaien om het snel af te krijgen, vrolijk kerstfeest, gelukkig Chanoeka, Erin go bragh, ik hoop dat iemand jullie een paard geeft.

Ik stond bijna een uur in een rij van schuifelende, norse late pakjesverzenders (Kerstmis is zo'n zorgeloze tijd zonder stress – dat is een van de dingen die me aan de kerstdagen bevallen), met *Helens belofte* onder mijn linkerarm en een pocketexemplaar van *Het internaat* van Nelson DeMille in mijn rechterhand. Ik las bijna vijftig bladzijden voordat ik mijn laatste ongepubliceerde roman aan een jachtige postbeambte ter hand stelde. Toen ik haar een vrolijk kerstfeest wenste, huiverde ze en ze zei niets.

4

Toen ik mijn huis inkwam, ging de telefoon. Het was Frank Arlen. Hij vroeg me of ik Kerstmis bij hem wilde vieren. Of beter gezegd, bij hén, want al zijn broers en hun gezinnen kwamen.

Ik deed mijn mond open om nee te zeggen – het laatste waar ik behoefte aan had, was een wild Iers kerstfeest waarop iedereen whisky dronk en sentimenteel over Jo deed, terwijl minstens twintig kwijlende snotterende peuters over de vloer kropen – en hoorde mezelf zeggen dat ik zou komen.

Frank klonk net zo verrast als ik me voelde, maar hij was oprecht blij. 'Fantastisch!' riep hij uit. 'Wanneer kun je hier zijn?'

Ik stond in de hal; het water droop van mijn overschoenen op de tegels. Vanaf de plaats waar ik stond kon ik door de boogopening in de huiskamer kijken. Er stond geen kerstboom; die had ik niet meer genomen sinds Jo stierf. De kamer zag er somber uit, en veel te groot voor mij, een rolschaatsbaan ingericht in Early American.

'Ik heb net boodschappen gedaan,' zei ik. 'Als ik nou eens ondergoed in een tas gooi, weer in de auto stap en naar het zuiden rij terwijl de blazer nog warme lucht verspreidt?'

'Geweldig,' zei Frank zonder enige aarzeling. 'Dan maken we er een echte vrijgezellenavond van voordat de Zonen en Dochteren van East Malden komen. Ik schenk je iets te drinken in zodra ik de telefoon heb neergelegd.'

'Dan moet ik maar gauw vertrekken,' zei ik.

Dit waren verreweg de beste feestdagen sinds Johanna's dood. De enige goede feestdagen, denk ik. Vier dagen lang was ik een honoraire Arlen. Ik dronk te veel, toostte te vaak op Johanna's nagedachtenis – en wist op de een of andere manier dat ze blij zou zijn dat ik dit deed. Twee baby's spuugden over me heen, een hond stapte midden in de nacht bij me in bed, en Nicky Arlens schoonzus maakte benevelde avances naar me op de avond na Kerstmis, toen ze me alleen in de keuken trof, waar ik een broodje kalkoen aan het maken was. Ik kuste haar omdat ze blijkbaar gekust wilde worden, en een avontuurlijke (of misschien moet ik 'ondeugende' zeggen?) hand betastte me even op een plaats waar niemand anders dan ikzelf in bijna drieëneenhalf jaar had getast. Het was een schok, maar geen geheel onprettige.

Het ging niet verder – omdat het huis vol Arlens zat en omdat Susy Donahue nog niet officieel gescheiden was (net als ik was ze die kerstdagen een honoraire Arlen), had dat ook nauwelijks gekund – maar toch vond ik dat het tijd werd om weg te gaan – dat wil zeggen, tenzij ik nog langer met hoge snelheid door een smalle straat wilde rijden die bijna zeker op een hoge muur uitkwam. Ik ging weg op de zevenentwintigste, blij dat ik gekomen was, en ik omhelsde Frank hartelijk toen we bij mijn auto stonden. Vier dagen lang had ik er helemaal niet aan gedacht dat er nu alleen nog stof in mijn safeloket bij de Fidelity Union lag, en vier nachten had ik gewoon doorgeslapen tot acht uur in de ochtend. Soms was ik wakker geworden met brandend maagzuur en hoofdpijn van een kater, maar nooit midden in de nacht met de gedachte *Manderley, ik heb weer van Manderley gedroomd* in mijn hoofd. Verkwikt en verfrist ging ik naar Derry terug.

De eerste dag van 1998 begon met een heldere, koude, roerloze en prachtige dageraad. Ik stond op, douchte, ging voor het slaapkamerraam staan en dronk koffie. Plotseling schoot me te binnen – met de simpele, krachtige realiteit van ideeën als: 'boven' is hoger dan je hoofd en 'beneden' is onder je voeten – dat ik nu kon schrijven. Het was een nieuw jaar, er was iets veranderd, en ik kon nu schrijven, als ik dat wilde. Het rotsblok was weggerold.

Ik liep de werkkamer in, ging achter de computer zitten en zette hem aan. Mijn hart sloeg normaal, er zat geen zweet op mijn voorhoofd of mijn nek, en mijn handen waren warm. Ik riep het hoofdmenu op, het menu dat je krijgt als je op de appel klikt, en daar was mijn oude vriend Word 6. Ik klikte erop. Het logo van pen en perkament verscheen, en toen dat gebeurde, kreeg ik plotseling geen adem meer. Het was of er ijzeren banden om mijn borst werden samengetrokken.

Ik schoof van het bureau vandaan, kokhalsde en trok aan de ronde hals van het sweatshirt dat ik droeg. De wieltjes van mijn bureaustoel bleven achter een kleedje haken – een van Jo's vondsten in het laatste jaar van haar leven – en ik kantelde achterover. Mijn achterhoofd klapte tegen de vloer en ik zag een fontein van heldere vonken voor mijn ogen vliegen. Waarschijnlijk mag ik nog blij zijn dat ik niet buiten westen raakte, maar ik denk dat juist die val met mijn stoel het grootste geluk was dat me op de nieuwjaarsochtend van 1998 overkwam. Als ik mijn stoel alleen maar van het bureau had weggeduwd en naar het logo was blijven kijken – en naar het afschuwelijke lege scherm dat erop volgde – zou ik vermoedelijk gestikt zijn.

Toen ik wankelend overeind kwam, kon ik tenminste ademhalen. Mijn keel voelde aan alsof hij zo dun als een rietje was en elke ademtocht maakte een vreemd gierend geluid, maar ik haalde tenminste adem. Ik strompelde naar de badkamer en kotste zo heftig in de wasbak dat het braaksel tegen de spiegel spatte. Ik werd helemaal grijs en mijn knieën knikten. Ditmaal was het mijn voorhoofd dat ik bezeerde, ik viel ermee tegen de rand van de wasbak, en hoewel mijn achterhoofd niet bloedde (al zat er tegen de middag wel een knoeperd van een bult), deed mijn voorhoofd dat wel een beetje. Er bleef ook een grote blauwe plek achter, en natuurlijk loog ik daarover en zei ik desgevraagd tegen mensen dat ik midden in de nacht tegen de badkamerdeur was gelopen, sufferd die ik was, dat zal me leren geen licht aan te doen als ik om twee uur 's nachts uit mijn bed kom.

Toen ik weer helemaal bij bewustzijn kwam (als zoiets mogelijk is), lag ik opgerold op de vloer. Ik stond op, desinfecteerde de snee in mijn voorhoofd en ging op de rand van het bad zitten, met mijn hoofd op mijn knieën, totdat ik het aandurfde om op te staan. Ik zat daar wel een kwartier, denk ik, en in die tijd kwam ik tot de conclusie dat als er geen wonder gebeurde, mijn carrière voorbij was. Harold zou het uitschreeuwen van verdriet en Debra zou kreunen van verbijstering, maar wat konden ze doen? De publicatiepolitie sturen? Me dreigen met de Boek-van-de-Maand-Gestapo? En gesteld dat ze dat konden, wat zou dat voor verschil maken? Je kon geen sap uit een baksteen persen, geen bloed uit een kei. Als zich geen wonderbaarlijk herstel voordeed, was mijn leven als schrijver voorbij.

En als dat nu eens zo is? vroeg ik mezelf. *Wat staat er voor de volgende veertig jaar op het programma, Mike? Je kunt in veertig jaar veel scrabble spelen, een hoop cryptogrammen oplossen, een hoop whisky drinken. Maar is dat genoeg? Wat ga je in de laatste veertig jaar van je leven nog meer doen?*

Ik wilde daar niet over nadenken, niet op dat moment. De volgende veertig jaar moesten zichzelf maar redden; ik zou al blij zijn als ik die nieuwjaarsdag van 1998 doorkwam.

Toen ik het gevoel had dat ik mezelf onder controle had, ging ik naar mijn werkkamer terug, schuifelde met mijn blik strak op mijn voeten naar de computer, tastte naar de juiste toets en zette het apparaat uit. Je kunt het programma beschadigen als je het op die manier afsluit, maar onder de omstandigheden leek dat me niet van belang.

Die nacht droomde ik weer dat ik in de schemering over Weg 42 liep, die naar Sara Laughs leidt. Opnieuw deed ik mijn wens bij de avondster terwijl de futen over het meer riepen, en opnieuw voelde ik dat er iets achter me in het bos was, iets wat steeds dichterbij kwam. Blijkbaar was mijn kerstvakantie voorbij.

Het was een strenge, koude winter, met veel sneeuw en in februari een griepepidemie die heel wat oude mensen in Derry te pakken kreeg. De griep velde hen zoals een harde wind oude bomen velt na een ijzige winterstorm. Aan mij ging de epidemie volkomen voorbij. Ik heb die winter amper snot in mijn neus gehad.

In maart vloog ik naar Providence om aan het Cryptogrammenkampioenschap van New England deel te nemen. Ik werd vierde en won vijftig dollar. De cheque verzilverde ik niet. Ik lijstte hem in en hing hem in de huiskamer. Er was een tijd dat mijn ingelijste Certificaten van Triomf (Jo's uitdrukking; alle goede uitdrukkingen waren van Jo, leek het wel) meestal aan de muren van mijn werkkamer kwamen te hangen, maar in maart 1998 kwam ik daar niet veel meer. Als ik scrabble tegen de computer wilde spelen of een cryptogram op wedstrijdniveau wilde oplossen, ging ik met het PowerBook aan de keukentafel zitten.

Ik herinner me dat ik daar op een dag zat en het hoofdmenu van het PowerBook opende om naar de cryptogrammen te gaan – en de cursor twee of drie items lager liet zakken, tot hij mijn oude vriend Word 6 liet oplichten.

Wat toen over me kwam, was geen frustratie of machteloze woede (ik had uitgebreid met beide kennisgemaakt sinds ik *Helemaal van de top* had voltooid), maar droefheid en een eenvoudig verlangen. Toen ik naar het icoon van Word 6 keek, was dat opeens net zoiets als wanneer ik naar een van de foto's van Jo keek die ik in mijn portefeuille had. Als ik die bekeek, had ik soms het gevoel dat ik mijn onsterfelijke ziel zou verkopen om haar maar weer bij me te hebben – en op die dag in maart dacht ik dat ik mijn ziel zou willen verkopen om weer een verhaal te kunnen schrijven.

Probeer het dan, fluisterde een stem. *Misschien zijn de dingen veranderd.*

Maar er was niets veranderd, dat wist ik donders goed. In plaats van Word 6 te openen verplaatste ik het naar de prullenbak in de rechter benedenhoek van het scherm. Vaarwel, ouwe makker.

Debra Weinstock belde die winter vaak, vooral met goed nieuws. *Helens belofte* was een van de twee boeken die door het Literary Guild voor de maand augustus waren uitgekozen. Het andere boek was een rechtbankthriller van Steve Martini, ook een veteraan uit het acht-totvijftien-segment van de *Times*-bestsellerlijst. En mijn Britse uitgever, zei Debra, was gek op *Helen* en zei dat het mijn 'doorbraakboek' zou worden. (Mijn boeken hadden in Engeland altijd wat minder goed verkocht.)

'*Belofte* is een soort nieuwe koers voor je,' zei Debra. 'Denk je ook niet?'

'Ik dacht inderdaad zoiets,' bekende ik, en ik vroeg me af hoe Debbie zou reageren als ik haar vertelde dat dit boek, dat een nieuwe koers aangaf, al bijna twaalf jaar geleden geschreven was.

'Het heeft... ik weet het niet... een zekere *rijpheid*.'

'Dank je.'

'Mike? Volgens mij is de verbinding niet goed. Je klinkt gedempt.'

Nou en of ik gedempt klonk. Ik beet in de zijkant van mijn hand om niet in lachen uit te barsten. Voorzichtig haalde ik mijn hand uit mijn mond en keek naar de tandafdrukken. 'Nu beter?'

'Ja, veel beter. Zeg, waar gaat je nieuwste over? Geef me eens een hint.'

'Je kent het antwoord op die vraag, Debbie.'

Debra lachte. 'Je moet het boek lezen om daar achter te komen, Josephine,' zei ze. 'Ja?'

'Ja.'

'Nou, laat maar komen. Je vrienden bij Putnam zijn dolenthousiast over de manier waarop je je werk op een hoger plan hebt gebracht.'

Ik nam afscheid en hing op, en toen lachte ik zo'n tien minuten aan één stuk door. Ik lachte tot ik huilde. Maar zo ben ik. Altijd naar een hoger plan.

In die tijd verklaarde ik me ook bereid tot een telefonisch interview door een journalist van *Newsweek* die een stuk over de Nieuwe Amerikaanse Gotiek aan het schrijven was (wat dat ook mocht wezen, behalve een kreet waardoor je een paar exemplaren meer verkocht), en tot een interview met *Publisher's Weekly*, dat kort voor de verschijning van *Helens belofte* zou uitkomen. Ik was tot die interviews bereid omdat ze me allebei nogal tam leken, het soort interviews dat je telefonisch kon doen terwijl je je post zat door te nemen. En Debra was dolblij, want anders zeg ik doorgaans nee tegen alle publiciteit. Ik heb altijd de pest gehad aan dat deel van het werk, vooral aan de hel van die praatshows op de televisie, waarin niemand ooit je boek heeft gelezen en de eerste vraag altijd dezelfde is: 'Waar haal je in godsnaam die idiote ideeën vandaan?' Het publiciteitsproces is net zoiets als naar een sushi-bar gaan waar jij de sushi bent, en het was geweldig dat ik er ditmaal aan kon ontkomen en toch goed nieuws voor Debra had dat ze aan haar bazen kon overbrengen. 'Ja,' kon ze zeggen, 'hij heeft nog steeds de pest aan publiciteit, maar ik heb hem overgehaald een paar dingen te doen.'

In die tijd gingen mijn dromen over Sara Laughs gewoon door – niet elke nacht, maar om de twee of drie nachten, en overdag dacht ik er nooit aan. Ik loste mijn cryptogrammen op, ik kocht een akoestische steelguitar en leerde daarop spelen (maar ik zou nooit voor een tournee met Patty Loveless of Alan Jackson worden uitgenodigd). Ik keek elke dag de in overdreven taal gestelde overlijdensberichten in de *Derry News* door om te zien of er mensen bij waren die ik kende. Met andere woorden, ik ging zo'n beetje slapend door het leven.

Aan dit alles kwam een eind door een telefoontje van Harold Oblowski. Hij belde drie dagen na Debra. Buiten was het noodweer – een harde bui, sneeuw die in hagel overging, de laatste en hevigste stuiptrekking van de winter. In de loop van de avond zou heel Derry zonder stroom komen te zitten, maar toen Harold om vijf uur 's middags belde, was het allemaal nog maar net begonnen.

'Ik heb net een erg goed gesprek met je redactrice gehad,' zei Harold. 'Een erg informatief, erg *stimulerend* gesprek. Ik had haar een paar minuten geleden nog aan de lijn.'

'O?'

'Zeg dat wel. Bij Putnam hebben ze het gevoel, Michael, dat dit nieuwste boek van je een positief effect op je marktpositie zou kunnen hebben. Het is erg goed.'

'Ja,' zei ik. 'Ik til alles op een hoger plan.'

'Huh?'

'Ik zeg maar wat, Harold. Ga verder.'

'Nou... Helen Nearing is een geweldige hoofdpersoon, en Skate is je beste schurk tot nu toe.'

Ik zei niets.

'Debra had het over de mogelijkheid om naar aanleiding van *Helens belofte* een contract voor drie boeken te sluiten. Een erg *lucratief* contract. Dat alles zonder enig aandringen van mijn kant. Tot nu toe wilden uitgevers zich nooit vastleggen op meer dan twee boeken. Ik noemde negen miljoen dollar, drie miljoen per boek dus, en ik dacht dat ze in lachen zou uitbarsten – maar een agent moet *ergens* beginnen en ik kies altijd voor het hoogste terrein dat ik kan vinden. Ik denk dat ik een stel Romeinse legerleiders in mijn familiestamboom heb.'

Eerder Ethiopische kleedjesverkopers, dacht ik, maar dat zei ik niet. Ik voelde me zoals je je voelt als de tandarts een beetje te scheutig met de novocaïne is geweest en je het spul niet alleen in je rotte kies en het tandvlees eromheen hebt gekregen maar ook in je lippen en tong. Als ik probeerde te praten, zou ik waarschijnlijk alleen maar met mijn lippen klapperen en speeksel uitspuwen. Harold spinde bijna als een kat. Een contract voor drie boeken voor de nieuwe, rijpe Michael Noonan. Dat is niet niks, jongen.

Ditmaal had ik geen zin om te lachen. Ditmaal had ik zin om te schreeuwen. Harold ging maar door. Hij merkte niets, was in de zevende hemel. Harold wist niet dat de boekbessenboom was doodgegaan. Harold wist niet dat de nieuwe Mike Noonan, wanneer hij probeerde te schrijven, meteen in acute ademnood raakte en braaksel uitspuwde alsof hij raketten lanceerde.

'Wil je horen wat ze daarop zei, Michael?'

'Kom maar op.'

'Ze zei: "Nou, negen is natuurlijk nogal hoog, maar het is een goed uitgangspunt. We denken dat dit nieuwe boek een grote stap voorwaarts voor hem is." Dit is buitengewoon. *Buitengewoon*. Nou, ik heb niks losgelaten, want ik wilde natuurlijk eerst met jou praten, maar ik denk

dat we op minstens zeveneneenhalf kunnen rekenen. Eigenlijk...'
'Nee.'
Hij zweeg even. Lang genoeg om mij te laten beseffen dat ik de telefoon zo krampachtig vasthield dat mijn hand er pijn van deed. Ik moest heel bewust mijn greep laten ontspannen. 'Mike, als je nou even naar de rest wilt luisteren...'
'Ik hoef niet naar de rest te luisteren. Ik wil niet over een nieuw contract praten.'
'Het spijt me dat ik je moet tegenspreken, maar er komt nooit een beter moment. Denk er in godsnaam over na. We hebben het over het grote geld. Als je tot na de publicatie van *Helens belofte* wacht, kan ik niet garanderen dat hetzelfde aanbod...'
'Ik weet dat je dat niet kunt,' zei ik. 'Ik wil geen garanties, ik wil geen aanbod, *ik wil niet over een contract praten.*'
'Je hoeft niet te schreeuwen, Mike. Ik kan je goed verstaan.'
Had ik geschreeuwd? Ja, ik denk van wel.
'Ben je ontevreden over Putnam? Ik denk dat Debra dat heel erg zou vinden. Ik denk ook dat Phyllis Grann zo ongeveer alles zou doen om eventuele problemen die jij met ze hebt uit de wereld te helpen.'
Ga jij met Debra naar bed, Harold? dacht ik, en opeens leek me dat het meest logische idee van de wereld – die dikke, kale, middelbare kleine Harold Oblowski in bed met mijn blonde, aristocratische, verfijnde redactrice. *Ga je met haar naar bed, praten jullie over mijn toekomst terwijl jullie samen in een kamer in het Plaza liggen? Proberen jullie uit te rekenen hoeveel gouden eieren jullie uit die vermoeide oude gans kunnen halen voordat jullie hem eindelijk de nek omdraaien en paté van hem maken? Is dat jullie tactiek?*
'Harold, ik kan hier nu niet over praten en ik wíl er nu niet over praten.'
'Wat is er mis? Waarom ben je zo van streek? Ik dacht dat je blij zou zijn. Jezus, ik dacht dat je een gat in de lucht zou springen.'
'Er is niets mis. Het is voor mij gewoon een slecht moment om over een langetermijncontract te praten. En nu moet je me excuseren, Harold. Ik moet iets uit de oven halen.'
'Kunnen we hier dan niet volgende w...'
'Néé,' zei ik, en ik hing op. Dat was, denk ik, de eerste keer in mijn volwassen leven dat ik de hoorn op de haak gooide bij iemand die geen telefonische verkoper was.
Ik had natuurlijk niets in de oven staan en ik was zo van streek dat ik er niet eens over dacht er iets in te zetten. In plaats daarvan ging ik naar de huiskamer, schonk me een bodempje whisky in en ging voor de tv zitten. Ik zat daar bijna vier uur. Ik keek naar alles en zag niets. Buiten zwol het noodweer aan. De volgende dag zouden er in heel Derry omgevallen bomen liggen en zou de wereld op een ijssculptuur lijken.

Om kwart over negen viel de stroom uit. Het licht ging na zo'n dertig seconden weer aan, maar daarna ging het weer uit en bleef het uit. Ik vatte dat op als een teken dat ik niet meer aan Harolds nutteloze contract moest denken, of aan de manier waarop Jo om het idee van negen miljoen dollar zou hebben gegrinnikt. Ik stond op, trok de stekker van de verduisterde tv uit het contact opdat het ding niet om twee uur in de nacht opeens door het huis zou schetteren (ik had me de moeite kunnen besparen; Derry zou bijna twee dagen zonder stroom blijven zitten), en ging naar boven. Ik liet mijn kleren op het voeteneind van het bed vallen, kroop erin zonder zelfs de moeite te nemen mijn tanden te poetsen, en sliep binnen vijf minuten. Ik weet niet hoe lang daarna de nachtmerrie kwam.

Het was de laatste droom van wat ik nu als mijn 'Manderley-serie' beschouw, de culminatie van al die dromen. Het werd allemaal nog versterkt, denk ik, door de totale zwartheid waarin ik wakker werd.

De droom begon als de andere. Ik loop over de weg, luister naar de krekels en de futen en kijk vooral naar de steeds donkerder strook lucht. Ik kom bij de oprijlaan, en hier is iets veranderd: iemand heeft een kleine sticker op het bord met SARA LAUGHS geplakt. Ik buig me voorover en zie dat het een sticker van een radiostation is. WBLM, staat erop, 102.9, portland's rock and roll blimp.

Van de sticker kijk ik naar de hemel, en daar is Venus. Ik doe een wens zoals altijd. Met de bedompte en vaag onheilspellende geur van het meer in mijn neus wens ik dat Johanna bij me is.

Er beweegt iets in het bos, het laat dorre bladeren ritselen en breekt een tak. Het klinkt groot.

Ik zou maar naar beneden gaan, zegt een stem in mijn hoofd. *Iets heeft het op je voorzien, Michael. Er is een prijs op je hoofd gezet. Een drieboekenprijs, en dat is de ergste soort.*

Ik kan niet bewegen, ik kan nooit bewegen, ik kan hier alleen maar staan. Ik heb een walker's block.

Dat is maar gepraat. Ik kan wél lopen. Deze keer kan ik wél lopen. Ik ben opgetogen. Dit is een grote doorbraak. In de droom denk ik: *Dit verandert alles! Dit verandert alles!*

Ik loop over de oprijlaan, dieper en dieper de zuivere maar bittere dennengeur in. Ik stap over afgebroken takken, schop andere opzij. Ik breng mijn hand omhoog om het vochtige haar van mijn voorhoofd weg te strijken en zie de kleine snee op de rug van die hand. Nieuwsgierig blijf ik staan om ernaar te kijken.

Daar is geen tijd voor, zegt de droomstem. *Ga naar het huis. Je moet een boek schrijven.*

Ik kan niet schrijven, antwoord ik. *Dat is voorbij. Ik ben aan mijn laatste veertig jaar begonnen.*

Nee, zegt de stem. Die stem heeft iets onverbiddelijks wat me bang maakt. *Je had een walker's block, geen writer's block, en zoals je kunt zien, is het weg. En nu vlug naar het huis.*

Ik ben bang, zeg ik tegen de stem.

Bang waarvoor?

Nou... Wat doe ik als mevrouw Danvers daar is?

De stem geeft geen antwoord. De stem weet dat ik niet bang ben voor Rebecca deWinters huishoudster, dat is maar een personage uit een oud boek, een stel beenderen met een vel eromheen. En dus begin ik weer te lopen. Ik heb blijkbaar geen keus, maar bij elke stap wordt mijn angst groter, en als ik halverwege ben en het kolossale donkere silhouet van het houten huis kan zien, is de angst als koorts in mijn botten gezakt. Er is hier iets mis, er is hier iets niet pluis.

Ik ren weg, denk ik. *Ik ren het hele eind terug, ik ren als de peperkoekman, helemaal terug naar Derry als dat nodig is, en ik kom hier nooit meer.*

Alleen hoor ik iets kwijlen en ademhalen, achter me in de vallende duisternis, en ook sloffende voetstappen. Het ding in het bos is nu het ding op de oprijlaan. Het is vlak achter me. Als ik me omdraai, zal ik het zien, en die aanblik zal het verstand uit mijn hoofd slaan als een welgemikte vuistslag. Iets met rode ogen, iets wat ineengezakt en hongerig is.

In het huis ben ik misschien veilig.

Ik loop door. De dicht opeengedrongen struiken graaien als handen naar me. In het licht van een opkomende maan (de maan is nooit eerder opgekomen in die droom, maar ik ben ook nooit eerder zo lang in de droom gebleven) lijken de ritselende bladeren net spottende gezichten. Ik zie knipperende ogen en lachende monden. Beneden me zie ik de zwarte ramen van het huis. Ik weet dat er geen stroom is als ik binnenkom, door het noodweer is de stroom uitgevallen, ik zal de lichtschakelaar op en neer bewegen, op en neer, tot er iets naar me grijpt en mijn pols vastpakt en me als een minnaar de duisternis in trekt.

Ik heb nu driekwart van de oprijlaan afgelegd. Ik zie de trap van spoorbielzen die naar het meer leidt, en ik zie het vlot op het water, een zwart vierkant in een baan van het maanlicht. Bill Dean heeft het te water gelaten. Ik kan ook iets rechthoekigs op het eind van de oprijlaan, bij de veranda van het huis, zien liggen. Daar heeft nooit eerder zoiets gelegen. Wat kan het zijn?

Nog twee of drie stappen en ik weet het. Het is een doodskist, de kist waar Frank Arlen om pingelde – omdat, zei hij, de begrafenisondernemer me probeerde te tillen. Het is Jo's kist, en hij ligt op zijn kant met de bovenkant een eindje open, zodat ik kan zien dat hij leeg is.

Ik denk dat ik wil schreeuwen. Ik denk dat ik me wil omdraaien en over de oprijlaan terug wil rennen – ook al is dat ding achter me. Maar voordat ik dat kan doen, gaat de achterdeur van Sara Laughs open en stormt een afschuwelijke gestalte de vallende duisternis in. Het is menselijk, dat wezen, en tegelijk is het dat niet. Het is een verkreukeld wit ding met opgeheven armen, die net zakken zijn. Er is geen gezicht waar het gezicht zou moeten zijn, en toch krijst het met een harde, fuutachtige stem. Het moet Johanna zijn. Ze kon uit haar kist ontsnappen, maar niet uit haar kronkelende lijkwade. Ze is er helemaal in verstrikt geraakt.

Wat afschuwelijk *snel* is dat wezen! Het zweeft niet zoals je verwacht van geesten, maar het *rent* over de veranda naar de oprijlaan. Het heeft binnen gewacht in alle dromen waarin ik verstijfd ben geweest, en nu ik eindelijk naar beneden kan lopen, wil het me grijpen. Ik zal schreeuwen als het zijn zijdezachte armen om me heen slaat, en ik zal schreeuwen als ik het rottende, aangevreten vlees ruik en de donkere starende ogen door het fijne weefsel van het gewaad heen zie. Ik zal schreeuwen als het verstand mijn geest voorgoed verlaat. Ik zal schreeuwen... Maar er is hier niemand die me kan horen. Alleen de futen zullen me horen. Ik ben weer naar Manderley gegaan, en ditmaal zal ik nooit meer vertrekken.

Het krijsende witte ding graaide naar me en ik werd wakker op de vloer van mijn slaapkamer, schreeuwend met een overslaande paniekstem. Ik sloeg de hele tijd met mijn hoofd tegen iets aan. Hoe lang duurde het voordat ik eindelijk besefte dat ik niet meer sliep, dat ik niet in Sara Laughs was? Hoe lang duurde het voordat ik besefte dat ik uit bed gevallen was en in mijn slaap door de kamer was gekropen, dat ik op mijn handen en knieën in een hoek zat en met mijn hoofd tegen de plek bonkte waar de muren samenkwamen, dat ik dat keer op keer deed, als een krankzinnige in een inrichting?

Ik wist het niet, kon het niet weten, want de stroom was uitgevallen en de wekker op het nachtkastje deed het niet. Ik weet dat ik niet meteen uit die hoek kon komen, want die voelde veiliger aan dan de grote kamer, en ik weet dat de kracht van de droom me nog een hele tijd in die hoek liet liggen, ook toen ik allang wakker was (vooral, denk ik, omdat ik geen licht kon aandoen om de droom helemaal te verdrijven). Ik was bang dat als ik uit mijn hoek kroop, het witte ding mijn badkamer uit zou stormen, zijn doodskreet uitkrijsend, om af te maken waaraan het begonnen was. Ik weet dat ik trilde als een rietje, en dat ik het koud had en nat was vanaf mijn middel naar beneden, want mijn blaas had het laten afweten.

Ik bleef daar in de hoek zitten, huiverend en nat, en staarde in de duisternis. Ik vroeg me af of een nachtmerrie zulke krachtige beelden kon hebben dat je er krankzinnig van werd. In die nacht in maart dacht ik dat ik er bijna achter was gekomen, en dat denk ik nog steeds.

Ten slotte voelde ik me in staat die hoek te verlaten. Toen ik halverwege de vloer was, trok ik mijn natte pyjamabroek uit, en op dat moment raakte ik gedesoriënteerd. Toen volgden vijf ellendige, surrealistische minuten waarin ik doelloos heen en weer kroop door mijn eigen vertrouwde slaapkamer. Ik botste tegen dingen op en kreunde als ik met mijn blinde, rondtastende hand tegen iets aan kwam. Bij alles wat ik aanraakte, dacht ik even dat het dat afschuwelijke witte ding was. Niets wat ik aanraakte, voelde vertrouwd aan. Omdat de geruststellende groene cijfers van de wekker weg waren en ik mijn gevoel voor richting tijdelijk kwijt was, had ik net zo goed door een moskee in Addis Abeba kunnen kruipen.

Ten slotte kwam ik met mijn schouder tegen het bed. Ik stond op, trok de sloop van het extra kussen en veegde daar mijn kruis en bovenbenen mee af. Vervolgens hees ik me weer in bed, trok de dekens omhoog en bleef huiverend liggen luisteren naar het gestage tikken van de hagel tegen de ramen.

De rest van die nacht sliep ik niet meer, en de droom trok niet weg, zoals dromen meestal doen als je wakker wordt. De huiveringen trokken langzaam weg. Ik lag op mijn zij en dacht aan haar kist die daar op de oprijlaan lag, dacht dat het op een krankzinnige manier ook wel logisch was – Jo had veel van Sara gehouden, en als ze ergens zou gaan spoken, zou het daar zijn. Maar waarom zou ze mij kwaad willen doen? Waarom zou Jo mij ooit kwaad willen doen? Ik kon geen enkele reden bedenken.

Op de een of andere manier ging de tijd voorbij, en er kwam een moment waarop ik besefte dat de lucht een donkergrijze tint had aangenomen. De silhouetten van het meubilair doemden daar in op als schildwachten in de mist. Dat was iets beter. Dat leek er meer op. Ik zou het houtfornuis in de keuken aansteken, besloot ik, en sterke koffie zetten. Ik moest aan de slag om dit alles achter me te laten.

Ik zwaaide mijn benen uit het bed en bracht mijn hand omhoog om mijn bezwete haar van mijn voorhoofd te strijken. Ik verstijfde toen die hand ter hoogte van mijn ogen kwam. Blijkbaar had ik hem geschaafd toen ik gedesoriënteerd door het donker kroop, op zoek naar het bed. Er zat een ondiepe snee met een korst over de rug van mijn hand, net onder de knokkels.

5

Toen ik zestien was, doorbrak een vliegtuig precies boven mijn hoofd de geluidsbarrière. Ik liep in het bos toen dat gebeurde en dacht misschien aan een verhaal dat ik ging schrijven, of hoe geweldig het zou zijn als Doreen Fournier op een vrijdagavond een beetje meewerkte en zou toestaan dat ik haar slipje uitdeed als we aan het eind van Cushman Road geparkeerd stonden.

Hoe dan ook, in mijn gedachten bereisde ik verre wegen, en toen die knal kwam, werd ik er volkomen door verrast. Ik liet me plat op de met bladeren bedekte grond vallen, met mijn handen over mijn hoofd en met een wild bonkend hart, want ik dacht dat mijn laatste uur geslagen had (en dat terwijl ik nog maagd was). In de veertig jaar van mijn leven was dat het enige dat wat angst en verschrikking betrof bij de laatste droom van de 'Manderley-serie' in de buurt kwam.

Ik lag op de grond te wachten tot de hamer neerkwam, en toen er een seconde of dertig verstreken waren en er geen hamer viel, drong tot me door dat het gewoon een straaljagerpiloot van de marinebasis Brunswick was geweest die niet had kunnen wachten tot hij over de Atlantische Oceaan vloog en nu alvast naar Mach 1 was gegaan. Maar allemachtig, wie had ooit kunnen denken dat die knal zo *hard* zou zijn?

Ik kwam langzaam overeind, en toen ik daar stond en mijn hart geleidelijk tot rust kwam, besefte ik dat ik niet de enige was die zich wezenloos was geschrokken van die plotselinge daverslag bij klaarlichte dag. Voor het eerst zolang ik me kon herinneren was het kleine bos achter ons huis in Prout's Neck helemaal stil. Ik stond daar in een stoffige bundel zonlicht met verkreukelde bladeren op mijn T-shirt en spijkerbroek, en luisterde met ingehouden adem. Zo'n stilte had ik nooit eerder gehoord. Zelfs op een koude dag in januari is het bos meestal vol conversatie.

Eindelijk begon er een vink te zingen. Er volgden twee of drie seconden van stilte en toen antwoordde een gaai. Nog eens twee of drie seconden en toen deed ook een kraai zijn duit in het zakje. Een specht begon te hameren, op zoek naar insecten. Een eekhoorn rende links van me door het kreupelhout. Een minuut nadat ik was opgestaan, was het bos weer helemaal met kleine geluidjes tot leven gekomen. Alles ging weer zijn gewone gangetje, en ik ging het mijne. Maar ik vergat die onverwachte knal nooit, en ook niet de doodse stilte die erop volgde.

In de tijd na de nachtmerrie dacht ik vaak terug aan die dag in juni, en dat was op zichzelf niet zo opmerkelijk. De dingen waren op de een of andere manier veranderd, of ze kónden veranderen. Maar eerst is er de stilte waarin we tegen onszelf zeggen dat we nog ongedeerd zijn en dat het gevaar – als er al gevaar was – geweken is.

Derry was het grootste deel van de daaropvolgende week toch al van de buitenwereld afgesneden. De ijzige, harde stormwinden hadden veel schade aangericht, en toen de temperatuur daarna opeens met tien graden zakte, werd het moeilijk om alles uit te graven en de wegen weer vrij te maken. Daar kwam nog bij dat de stemming onder de mensen na een maartse storm altijd somber en pessimistisch is. We krijgen ze hier elk jaar (en als we pech hebben, ook nog twee of drie in april), maar het lijkt wel of we ze nooit verwachten. Iedere keer dat we de wind van voren krijgen, vatten we dat persoonlijk op.

Op een dag tegen het eind van die week kwam er eindelijk verbetering in het weer. Ik profiteerde daarvan om een kop koffie en een pasteitje te nemen in een klein restaurant bij de Rite Aid waar Johanna haar laatste boodschap had gedaan. Ik zat daar te drinken en te kauwen en het cryptogram in de krant op te lossen toen iemand vroeg: 'Mag ik aan uw tafel komen zitten, meneer Noonan? Het is hier vandaag nogal druk.'

Ik keek op en zag een oude man die ik kende maar niet meteen kon thuisbrengen.

'Ralph Roberts,' zei hij. 'Ik werk als vrijwilliger bij het Rode Kruis. Ik en mijn vrouw Lois.'

'O, ja,' zei ik. Ik gaf om de zes weken bloed aan het Rode Kruis. Ralph Roberts was een van de oudere vrijwilligers die na afloop sap en koekjes uitdeelden en tegen je zeiden dat je niet moest opstaan en geen plotselinge bewegingen moest maken als je je duizelig voelde. 'Gaat u zitten.'

Toen hij aan de tafel kwam zitten, keek hij naar mijn krant, die in een reepje zonlicht lag en bij het cryptogram was opengeslagen. 'Vindt u niet dat het cryptogram van de *Derry News* oplossen net zoiets is als de werper in een honkbalwedstrijd uitslaan?' vroeg hij.

Ik lachte en knikte. 'Ik doe het om dezelfde reden als mensen die de Mount Everest beklimmen, meneer Roberts: omdat hij er is. Alleen kun je van het cryptogram in de *News* niet naar beneden vallen.'

'Noemt u me toch Ralph.'

'Goed. Ik heet Mike.'

'Mooi.' Hij grijnsde en ik zag tanden die scheef en een beetje geel waren, maar nog wel allemaal van hemzelf. 'Ik hou er wel van om mensen bij de voornaam aan te spreken. Het is net als wanneer je je das kunt afdoen. Wat een weertje, hè?'

'Ja,' zei ik, 'maar het ergste is weer achter de rug.' De thermometer had een van die lenige maartse sprongen gemaakt, van min vier die nacht tot plus tien die ochtend. En wat nog beter was dan de stijging van de luchttemperatuur: de zon scheen weer warm op ons gezicht. Die warmte had me het huis uit gelokt.

'De lente komt eraan, denk ik. Sommige jaren raakt hij een beetje verdwaald, maar uiteindelijk vindt hij altijd de weg naar huis.' Hij nam een slokje van zijn koffie en zette zijn kop toen neer. 'Ik heb je de laatste tijd niet bij het Rode Kruis gezien.'

'Ik ben aan het recupereren,' zei ik, maar dat was een uitvlucht; ik mocht al twee weken weer een halve liter geven. De herinneringskaart lag op de koelkast. Het was me gewoon ontschoten. 'Volgende week kom ik weer.'

'Ik zeg het alleen omdat ik weet dat je een A bent, en dat kunnen we altijd gebruiken.'

'Hou maar een bank voor me vrij.'

'Reken maar. Alles goed? Ik vraag het alleen omdat je er moe uitziet. Als het slapeloosheid is, kan ik met je meevoelen.'

Hij zag er inderdaad uit als iemand die aan slapeloosheid leed, dacht ik – met van die holle ogen. Maar hij was ook een man van achter in de zeventig en ik denk niet dat iemand zo ver komt zonder dat het te zien is. Als je korte tijd hier rondloopt, port het leven misschien alleen een beetje in je wangen en ogen. Blijf je nog wat langer hangen, dan zie je eruit als Jake La Motta na vijftien zware ronden.

Ik deed mijn mond open om te zeggen wat ik altijd zeg als iemand me vraagt of ik me goed voel, maar toen vroeg ik me af waarom ik altijd vond dat ik met dat stomme Marlboro Man-gelul moest aankomen, wie dacht ik dat ik belazerde? Wat dacht ik dat er zou gebeuren als ik tegen de man die me op het Rode Kruis een chocoladekoekje gaf wanneer de zuster de naald uit mijn arm had gehaald, zou zeggen dat ik me niet honderd procent voelde? Een aardbeving? Een springvloed? Onzin.

'Nee,' zei ik. 'Ik voel me de laatste tijd niet zo goed, Ralph.'

'Griep? Dat heerst.'

'Nee. De griep is deze keer aan me voorbijgegaan. En ik slaap goed.' Dat was waar – de Sara Laughs-droom was niet teruggekomen, niet in de normale versie en niet in de versie met een hoger octaangehalte. 'Ik denk dat ik gewoon in de put zit.'

'Nou, dan zou je vakantie moeten nemen,' zei hij, en hij nam nog een slokje koffie. Toen hij weer naar me opkeek, fronste hij zijn wenkbrauwen en zette zijn kopje neer. 'Is er iets mis?'

Nee, zei ik bijna, *jij was gewoon het eerste vogeltje dat in de stilte zong, Ralph, dat is alles.*

'Nee, er is niets mis,' zei ik, en omdat ik min of meer wilde nagaan hoe het woord smaakte als het uit mijn eigen mond kwam, herhaalde ik het. 'Vakantie.'

'Ja,' zei hij glimlachend. 'Dat doen mensen wel vaker.'

Dat doen mensen wel vaker. Daar had hij gelijk in. Zelfs mensen die het zich eigenlijk niet konden permitteren, gingen op vakantie. Als ze moe waren. Als ze het allemaal zat waren. Als de wereld hen te veel werd, al dat jachten en jagen.

Ik kon me ruimschoots een vakantie permitteren, en ik kon ook ruimschoots tijd vrijmaken van mijn werk – wélk werk, ha ha? – en toch had de koekjesman van het Rode Kruis eraan te pas moeten komen om me erop te wijzen wat een gestudeerd iemand als ik uit zichzelf had moeten weten: dat ik niet meer op vakantie was geweest sinds Jo en ik naar Bermuda waren gegaan, de winter voordat ze stierf. Mijn slijpsteen draaide niet meer, maar evengoed was ik er met mijn neus bovenop blijven staan.

Pas die zomer, toen ik Ralph Roberts' overlijdensbericht in de *News* las (hij was aangereden door een auto), besefte ik ten volle hoeveel ik aan hem te danken had. Dat advies van hem was beter geweest dan alle glazen sinaasappelsap die ik ooit na het geven van bloed had gekregen, neem dat maar van mij aan.

Toen ik het restaurant verliet, ging ik niet naar huis maar liep ik de halve stad door, het stuk krant met het half afgemaakte cryptogram nog onder mijn arm. Ik liep tot ik het ondanks de hoge temperatuur koud kreeg. Ik dacht aan niets, en toch dacht ik aan alles. Het was een bijzonder soort denken, het soort denken dat ik altijd had gehad als ik bijna aan een boek begon, en hoewel ik in geen jaren op die manier had gedacht, ging het me gemakkelijk af, alsof ik nooit weg was geweest.

Het is alsof een stel kerels met een grote truck bij je voor de deur staat en dingen naar je kelder draagt. Beter kan ik het niet uitleggen. Je kunt niet zien wat voor dingen het zijn, want er zitten gewatteerde dekens omheen, maar je hoeft ze ook niet te zien. Het is meubilair, alles wat je nodig hebt om het gezellig te maken in huis, precies zoals je het wilde hebben.

Als die kerels weer in hun truck zijn gestapt en zijn weggereden, ga je naar de kelder en loop je daar rond (zoals ik tegen het eind van die ochtend door Derry rondliep, heuvel op, heuvel af in mijn oude overschoenen). Je raakt een beschermhoekje aan. Is dit een bank? Is dit een dressoir? Het doet er niet toe. Alles is er, de verhuizers zijn niets vergeten, en hoewel je het allemaal zelf naar boven moet dragen (en daarbij meestal je arme ouwe rug verrekt), is dat niet erg. Waar het om gaat, is dat alles is afgeleverd.

Ditmaal dacht ik – hoopte ik – dat de truck het spul had gebracht dat ik nodig had voor de andere kant van de veertig: de jaren die ik in een Zone Zonder Schrijven moest doorbrengen. Ze waren naar de kelderdeur gekomen en hadden beleefd aangeklopt, en toen er na een aantal maanden nog steeds niet was opengedaan, hadden ze uiteindelijk een stormram gehaald. *HÉ MAKKER, HOPELIJK BEN JE NIET TE ERG GESCHROKKEN VAN HET LAWAAI, EN SORRY VAN DE DEUR!*

Die deur kon me niet schelen; het ging mij alleen om het meubilair. Ontbraken er dingen? Waren er dingen kapot? Ik dacht van niet. Ik wist wat me te doen stond, dacht ik: alles naar boven sjouwen, de beschermhoekjes verwijderen en alles neerzetten waar het moest staan.

Op weg naar huis kwam ik langs The Shade, Derry's charmante kleine filmhuis, dat het ondanks (of misschien juist dankzij) de videorevolutie goed was blijven doen. Deze maand vertoonden ze klassieke sciencefictionfilms uit de jaren vijftig, maar april was gewijd aan Humphrey Bogart, Jo's favoriete acteur. Ik stond een tijdje onder de luifel naar een van de WORDT VERWACHT-posters te kijken. Toen ging ik naar huis, pikte een willekeurig reisbureau uit het telefoonboek en zei tegen de man dat ik naar Key Largo wilde. Key *West*, bedoelt u, zei de man. Nee, zei ik tegen hem, ik bedoel Key Largo, net als in die film met Bogie en Bacall. Drie weken. Toen bedacht ik me. Ik was rijk, ik was alleen, en ik werkte niet meer. Wat was dat voor onzin van 'drie weken'? Maak er zes van, zei ik. Zoek daar een huisje voor me of zoiets. Dat zal duur worden, zei hij. Ik zei dat het me niet kon schelen. Als ik in Derry terugkwam, zou het lente zijn.

Intussen had ik wat meubilair uit te pakken.

De eerste maand was ik gecharmeerd van Key Largo, en de laatste twee weken verveelde ik me te pletter. Toch bleef ik daar, want verveling is een goede zaak. Mensen die veel verveling kunnen verdragen, kunnen ook veel denkwerk verrichten. Ik at ongeveer een miljard garnalen, dronk ongeveer duizend margarita's en las precies drieëntwintig romans van John D. MacDonald. Ik verbrandde, vervelde en werd uiteindelijk bruin. Ik kocht een pet waarop met knalgroen garen de naam PARROTHEAD was aangebracht. Ik liep steeds weer over hetzelfde stuk strand tot ik iedereen bij zijn voornaam kende. En ik pakte meubilair uit. Een een groot deel daarvan stond me niet aan, maar het leed geen enkele twijfel dat het allemaal in het huis paste.

Ik dacht aan Jo en ons leven met elkaar. Ik herinnerde me dat ik tegen haar had gezegd dat niemand *Tweezaam* ooit zou verwarren met *Look Homeward, Angel*. '*We krijgen toch niet dat gelul van de gefrustreerde kunstenaar, Noonan?*' had ze geantwoord – en daar op Key Largo kwamen die woorden steeds terug, altijd met Jo's stem: gelul, gelul van de gefrustreerde kunstenaar, al dat kloterige schooljongensgelul van de gefrustreerde kunstenaar.

Ik stelde me Jo voor in haar lange rode schort. Ze kwam naar me toe met een hoed vol zwarte trompetpaddestoelen, triomfantelijk lachend: '*Niemand in de TR eet vanavond beter dan de Noonans!*' had ze uitgeroepen. Ik stelde me haar voor terwijl ze haar teennagels lakte, voorovergebogen tussen haar eigen dijen zoals alleen vrouwen kunnen die dat karweitje verrichten. Ik stelde me haar voor terwijl ze een boek naar me gooide omdat ik haar om een nieuw kapsel had uitgelachen. Ik stelde me haar voor terwijl ze probeerde een breakdown-dans op haar banjo te spelen, en zonder beha in een dun truitje. Ik stelde me haar voor terwijl ze huilde en lachte en kwaad was. Ik stelde me haar voor terwijl ze tegen me zei dat het gelul was, al dat gelul van de gefrustreerde kunstenaar.

En ik dacht aan de dromen, vooral die laatste droom. Dat kostte me geen moeite, want die droom zakte nooit weg, in tegenstelling tot gewone dromen. De laatste Sara Laughs-droom en mijn allereerste natte droom (klaarkomen op een meisje dat naakt in een hangmat lag en een pruim at) zijn de enige twee dromen die me nog volkomen helder voor de geest staan, jaar na jaar. Alle andere dromen zijn alleen nog maar wazige fragmenten of zijn zelfs helemaal verdwenen.

Er zaten erg veel scherpe details in de Sara-dromen – de futen, de krekels, de avondster en mijn wens, om er maar een paar te noemen – maar ik dacht dat de meeste van die dingen alleen maar schijn waren. Decoropbouw, zo je wil. In dat geval kon ik ze buiten mijn gedachten laten. Zo bleven er drie hoofdelementen over: drie grote meubelstukken die moesten worden uitgepakt.

Toen ik op het strand zat en de zon tussen mijn zanderige tenen zag ondergaan, geloofde ik niet dat je psychiater hoefde te zijn om te zien hoe die drie dingen samengingen.

In de Sara-dromen waren de hoofdelementen het bos achter me, het huis beneden me en Michael Noonan zelf, verstijfd in het midden. Het wordt donker en er dreigt gevaar in het bos. Het zal angstaanjagend zijn om naar het huis af te dalen, misschien omdat het zo lang leeg heeft gestaan, maar ik twijfel er nooit aan dat ik daarheen moet gaan. Angstaanjagend of niet, het is mijn enige toevluchtsoord. Alleen kan ik het niet doen. Ik kan niet bewegen. Ik heb *walker's block*.

In de nachtmerrie kan ik uiteindelijk naar het toevluchtsoord gaan, maar dat blijkt geen bescherming te bieden. Het blijkt gevaarlijker te zijn dan ik ooit in mijn... hm, ja, in mijn wildste dromen had verwacht. Mijn dode vrouw komt naar buiten gerend, krijsend en met haar lijkwade nog om zich heen, en wil me te lijf gaan. Zelfs vijf weken later en zo'n vijfduizend kilometer van Derry vandaan huiverde ik bij de herinnering aan dat rennende witte ding met loshangende armen. Onwillekeurig keek ik over mijn schouder.

Maar wás het Johanna wel? Ik wist het immers niet zeker? Het ding was helemaal ingepakt. Zeker, de kist leek op de kist waarin ze begraven was, maar dat kon misleiding zijn.

Writer's walk, writer's block.

Ik kan niet schrijven, zei ik tegen de stem in de droom. De stem zegt dat ik het kan. De stem zegt dat de writer's block weg is, en ik geloof dat, want de walker's block is weg, ik loop eindelijk over de oprijlaan, op weg naar beschutting. Toch ben ik bang. Al voordat het vormloze witte ding op het toneel verschijnt, ben ik doodsbang. Ik zeg dat ik bang ben voor mevrouw Danvers, maar dat is mijn dromende geest die Sara Laughs en Manderley met elkaar verwart. Ik ben bang voor...

'Ik ben bang voor het schrijven,' hoorde ik mezelf hardop zeggen. 'Ik durf het zelfs niet te proberen.'

Dat was op de avond voordat ik eindelijk naar Maine terugvloog, en ik was nog maar half nuchter, op weg om dronken te worden. Aan het eind van mijn vakantie dronk ik 's avonds veel. 'Het is niet de *writer's block* waar ik bang voor ben, maar het *opheffen* daarvan. Ik ben er beroerd aan toe, jongens en meisjes. Heel beroerd.'

Beroerd of niet, ik had het gevoel dat ik eindelijk tot de kern van de zaak was doorgedrongen. Ik was bang om de writer's block op te heffen, misschien zelfs om de losse eindjes van mijn leven op te pakken en zonder Jo verder te gaan. Toch geloofde ik diep in mijn hart dat ik het moest doen; dat had met die dreigende geluiden in het bos achter me te maken. En geloof weegt zwaar. Te zwaar misschien, vooral wanneer je veel fantasie hebt. Als iemand met veel fantasie in geestelijke nood komt te verkeren, dreigt de scheidslijn tussen schijn en werkelijkheid te verdwijnen.

Dingen in het bos, jazeker, meneer. Ik had er een in mijn hand toen ik aan die dingen dacht. Ik hief mijn glas, hield het naar de westelijke hemel zodat het was of de ondergaande zon in het glas brandde. Ik dronk veel, en misschien was dat op Key Largo niet zo erg – mensen worden nu eenmaal geacht veel te drinken als ze op vakantie zijn; dat is bijna de wet – maar ik dronk ook al te veel voordat ik wegging. Het soort drinken dat binnen de kortste keren uit de hand kon lopen. Het soort drinken dat je in de problemen kon brengen.

Dingen in het bos – en wat een toevluchtsoord zou kunnen zijn, werd bewaakt door een griezelig spookbeeld dat niet mijn vrouw was maar misschien wel de herinnering aan mijn vrouw. Dat zou logisch zijn, want Sara Laughs was altijd Jo's favoriete plek op aarde geweest. Die gedachte leidde tot een andere, een gedachte waardoor ik mijn benen over de leuning van het bankje legde waarin ik achterover had gezeten. Opgewonden kwam ik overeind. Sara Laughs was ook de plaats geweest waar het ritueel was begonnen... Champagne, laatste regel, en de uiterst belangrijke zegening: *Nou, dan is dát goed, hè?*

Wilde ik dat de dingen weer goed werden? Wilde ik dat echt? Een maand of een jaar geleden zou ik daar niet zeker van zijn geweest, maar nu wel. Het antwoord was ja. Ik wilde verder gaan met mijn leven – mijn dode vrouw loslaten, mijn hart oppeppen, verder gaan. Maar om dat te kunnen doen zou ik terug moeten gaan.

Terug naar het houten huis aan het meer. Terug naar Sara Laughs.

'Ja,' zei ik, en ik kreeg kippenvel over mijn hele lichaam. 'Ja, zo is het.'

Dus waarom niet?

De vraag gaf me het gevoel dat ik oliedom was, zoals Ralph Roberts' opmerking dat ik vakantie nodig had me dat gevoel ook had gegeven. Als ik, nu mijn vakantie voorbij was, naar Sara Laughs moest gaan, waarom zou ik dat dan niet doen? Het zou de eerste nachten misschien een beetje angstaanjagend zijn, een kater van mijn laatste droom, maar als ik daar was, zou de droom misschien sneller weggaan.

En (deze laatste gedachte liet ik maar in één nederig hoekje van mijn bewustzijn toe) heel misschien zou ik weer kunnen schrijven. Het was niet waarschijnlijk... maar het was ook niet onmogelijk. *Als er geen wonder gebeurde*, was dat niet mijn gedachte op nieuwjaarsdag geweest toen ik op de rand van het bad zat en een vochtig washandje tegen de snee op mijn voorhoofd hield? Ja. *Als er geen wonder gebeurde*. Soms gebeurt het dat blinde mensen vallen en hun hoofd stoten en dan ineens weer kunnen zien. Soms gebeurt het echt dat kreupelen hun krukken kunnen weggooien als ze boven aan de trap van de kerk staan.

Ik had nog acht of negen maanden voordat Harold en Debra me aan mijn kop gingen zeuren over mijn volgende roman. Ik besloot om zolang naar Sara Laughs te gaan. Ik had wat tijd nodig om alles in Derry af te wikkelen, en Bill Dean zou enige tijd nodig hebben om het huis aan het meer in gereedheid te brengen voor iemand die er het hele jaar zou zitten, maar ik kon daar met groot gemak op vier juli, de nationale feestdag, heen gaan. Dat leek me een geschikte streefdatum. Het was niet alleen de verjaardag van ons land, maar ook zo ongeveer het eind van het lastige-insecten-seizoen in het westen van Maine.

Op de dag dat ik mijn vakantiespullen inpakte (de John D. Macdonald-pockets liet ik voor de volgende bewoner van het huisje achter), en de stoppels van een week afschoor van een gezicht dat zo bruin was dat het zelfs voor mij niet meer op mezelf leek, en naar Maine terugvloog, had ik mijn besluit genomen: ik zou terugkeren naar het huis waarvan mijn onderbewustzijn dacht dat het beschutting kon bieden tegen de invallende duisternis. Ik zou teruggaan, al gaf mijn geest me ook in dat daar risico's aan verbonden waren. Ik ging niet terug met de verwachting dat Sara zoiets als Lourdes was – maar ik zou mezelf toestaan te hopen, en als ik de avondster voor het eerst boven het meer zag opduiken, zou ik een wens mogen doen.

Er was maar één ding dat niet in mijn analyse van de Sara-dromen paste, en omdat ik het niet kon verklaren, probeerde ik het te negeren. Maar dat wilde niet erg lukken. Een deel van me was nog steeds schrijver, denk ik, en een schrijver is iemand die zijn geest heeft geleerd zich te misdragen.

Het was de snee op de rug van mijn hand. Die snee had ik in alle dromen gehad, dat zou ik zweren – en toen was hij er opeens ook in het echt geweest. Dat soort dingen kwam je niet in de werken van professor Freud tegen; dat soort dingen was strikt voorbehouden aan de telefonische hulplijn voor helderzienden.

Het was gewoon toeval, dacht ik toen mijn vliegtuig begon te dalen. Ik zat op plaats A-2 (het mooie van een zitplaats voorin is dat als het vliegtuig neerstort, je het eerst op de grond bent) en terwijl we de dalingsweg naar het vliegveld Bangor volgden, keek ik naar dennenbossen. De sneeuw van de afgelopen winter was weg; die had ik met mijn vakantie doodgemaakt. *Gewoon toeval. Hoeveel keer heb je in je leven in je handen gesneden? Ik bedoel, ze gaan altijd voorop, hè, en ze bewegen toch alle kanten op? Eigenlijk smeken ze erom.*

Dat alles had geloofwaardig moeten klinken, en toch deed het dat niet. Het had wel gemoeten, maar... nou...

Het waren de kerels in de kelder. Die trapten er niet in. Die trapten er helemaal niet in.

Op dat moment raakte de 737 met een schok de grond en zette ik die hele gedachtegang uit mijn hoofd.

Op een middag kort na mijn thuiskomst zocht ik in de kasten tot ik de schoenendozen met Jo's oude foto's vond. Ik sorteerde ze en keek toen aandachtig naar die van het Dark Score Lake. Het waren er ontzaglijk veel, maar omdat Jo altijd de foto's maakte, waren er niet veel bij waar zij op stond. Toch vond ik er een waarvan ik me herinnerde dat hij in 1990 of 1991 gemaakt was.

Soms kan zelfs een ongetalenteerde fotograaf een goede foto maken – als zevenhonderd apen zevenhonderd jaar op zevenhonderd schrijfmachines hameren, enfin, je snapt het wel – en dit was een goede. Jo stond op het vlot en achter haar verdween de zon met een roodgouden gloed aan de horizon. Ze was net het water uit en nog druipnat, gekleed in een bikini, grijs met rode biezen. Ik had afgedrukt op het moment dat ze lachend haar drijfnatte haar van haar voorhoofd en slapen wegstreek. Haar tepels drukten tegen de cups van haar bovenstuk. Ze leek net een actrice op een poster voor een melodramatische B-film over monsters in Party Beach of een seriemoordenaar die op een campus rondwaart.

Opeens was ik helemaal van de kaart, zo hevig verlangde ik naar haar. Ik wilde haar hebben zoals ze op die foto was, met haarslierten op haar wangen en die natte bikini tegen haar huid geplakt. Ik wilde aan haar tepels zuigen door het topje heen, de stof proeven en hun hardheid er dwars doorheen voelen. Ik wilde water uit het katoen zuigen als melk, en dan het broekje van haar bikini wegtrekken en haar neuken tot we allebei explodeerden.

Met enigszins bevende handen legde ik de foto's bij een paar andere foto die me iets deden (al waren er geen andere die me op precies diezelfde manier iets deden). Ik had een kolossale stijve, een van die erecties die aanvoelen als steen die met huid bedekt is. Als je er zo een hebt, ben je niets meer waard tot hij weg is.

De snelste manier om dat probleem op te lossen als je geen vrouw in de buurt hebt die je wil helpen, is masturberen, maar in die tijd kwam dat idee nooit in me op. In plaats daarvan liep ik rusteloos door de bovenkamers van mijn huis, telkens mijn vuisten ballend en met iets wat op een vaas leek in de voorkant van mijn broek.

Woede mag dan een normaal stadium in het rouwproces zijn – dat heb ik gelezen – maar ik was na Johanna's dood nooit kwaad op haar geweest tot aan de dag waarop ik die foto vond. En toen... Wam. Ik liep rond met een stijve waar maar geen eind aan wilde komen, *woedend* op haar. Het stomme kreng, waarom had ze ook zo hard gelopen op een van de heetste dagen van het jaar? Hoe had dat stomme, egoïstische kreng me op deze manier alleen kunnen laten, ik kon niet eens meer werken?

Ik ging op de trap zitten en vroeg me af wat ik moest doen. Een borrel nemen, dat zou ik doen, besloot ik, en dan misschien nog een borrel om de rug van de eerste te krabben. Ik kwam al overeind toen ik besloot dat het toch niet zo'n erg goed idee was.

In plaats daarvan ging ik naar mijn werkkamer, zette de computer aan en maakte een cryptogram. Toen ik die avond naar bed ging, overwoog ik om nog eens naar de foto van Jo in haar bikini te kijken. Maar dat leek me een bijna even slecht idee als drinken, wanneer ik me woedend en gedeprimeerd voelde. *Maar ik krijg vannacht de droom*, dacht ik toen ik het licht uitdeed. *Ik krijg vast en zeker de droom.*

Maar ik kreeg hem niet. Aan mijn dromen over Sara Laughs was blijkbaar een eind gekomen.

Na een week leek het idee om in elk geval de zomer aan het meer door te brengen me beter dan ooit. En dus belde ik Bill Dean op een zaterdagmiddag in het begin van mei, toen ik veronderstelde dat elke zichzelf respecterende huizenbeheerder in Maine thuis zou zijn om naar de Red Sox te kijken, en vertelde hem dat ik vanaf ongeveer de vierde juli in mijn huis aan het meer zou zijn – en dat ik, als de dingen gingen zoals ik hoopte, de herfst en de winter daar ook zou doorbrengen.

'Nou, dat is geweldig,' zei hij. 'Dat is erg goed nieuws. Veel mensen hier hebben je gemist, Mike. Er zijn ook veel mensen die je willen condoleren met je vrouw.'

Klonk er een vaag verwijt door in zijn stem of verbeeldde ik me dat maar? Zeker, Jo en ik hadden onze sporen achtergelaten. We hadden veel bijgedragen aan de kleine bibliotheek voor Motton en Kashwakamak en Castle View, en Jo had het voortouw genomen bij een succesvolle geldinzameling om een bibliotheekbus op de weg te krijgen. Verder was ze lid geweest van een damesnaaikrans (Afghaanse kleedjes waren haar specialiteit), en vooraanstaand lid van de Castle County Crafts Co-op. Ziekenbezoeken afleggen, helpen bij de jaarlijkse bloeddonoractie van de vrijwillige brandweer, een kraam bevrouwen op het zomerfestival van Castle Rock – en dat was nog maar het begin. Ze deed het ook niet op een opzichtige manier, zo van kijk mij eens goed werk doen, maar onopvallend en bescheiden, met gebogen hoofd (vaak om een nogal scherpe glimlach te camoufleren, moet ik eraan toevoegen – mijn Jo had het gevoel voor humor van een Ambrose Bierce). Jezus, dacht ik, misschien had Bill ook wel het recht om verwijtend te klinken.

'De mensen missen haar,' zei ik.

'Nou en of.'

'Ik mis haar zelf ook nog erg. Ik denk dat ik daarom niet naar het meer ben gegaan. We hebben daar zulke mooie tijden beleefd.'

'Dat geloof ik graag. Toch zal het ons goed doen je hier weer te zien. Ik ga meteen aan het werk. Het huis is in orde – je zou er vanmiddag in kunnen trekken, als je dat wilde – maar als een huis zo lang leeg heeft gestaan als Sara, wordt het muf.'

'Dat weet ik.'

'Ik laat Brenda Meserve het hele huis van onder tot boven schoonmaken. Ze kwamen ook altijd bij jullie, weet je nog wel?'

'Is Brenda niet een beetje oud voor een grote voorjaarsschoonmaak?' De dame in kwestie was ongeveer vijfenzestig, stevig gebouwd, goedaardig en heerlijk vulgair. Ze was vooral gek op grappen over de vertegenwoordiger die de nacht als een konijn doorbracht, springend van hol naar hol. Ze was beslist geen mevrouw Danvers.

'Dames als Brenda Meserve worden nooit te oud om toezicht op de festiviteiten te houden,' zei Bill. 'Ze neemt twee of drie meiden mee voor het stofzuigen en het zware werk. Het gaat je zo'n driehonderd dollar kosten. Is dat goed?'

'Een koopje.'

'De put moet worden gecontroleerd, en de generator ook, al denk ik dat ze beide in orde zijn. Ik heb een wespennest bij Jo's oude atelier gezien. Dat wil ik uitroken voordat het bos droog wordt. O, en het dak van het middengedeelte heeft nieuwe shingles nodig. Dat had ik vorig jaar al tegen je moeten zeggen, maar omdat je het huis toch niet gebruikte, heb ik het maar zo gelaten. Ga je daar ook mee akkoord?'

'Ja, tot tienduizend. Als het meer wordt, moet je me bellen.'

'Als we boven de tien komen, kus ik een varken op zijn snuit.'

'Kun je het allemaal gedaan krijgen voordat ik kom?'

'Tuurlijk. Je zult je privacy willen, dat begrijp ik – als je maar weet dat je nooit iemand in de weg zou lopen. We waren diep geschokt toen ze zo jong overleed, dat waren we allemaal. Geschokt en verdrietig. Ze was zo'n schat.'

'Dank je, Bill.' De tranen prikten in mijn ogen. Verdriet is net een dronken gast die steeds weer terugkomt om je nog een afscheidsomhelzing te geven. 'Fijn dat je dat zegt.'

'Je zult je portie worteltaart wel krijgen, beste kerel.' Hij lachte, maar een beetje onzeker, alsof hij bang was dat hij iets onbetamelijks deed.

'Ik kan heel wat worteltaart op,' zei ik, 'en als de mensen overdrijven, nou, heeft Kenny Auster nog steeds die grote Ierse wolfshond?'

'Ja, dat beest vreet koek tot hij barst!' riep Bill goedgehumeurd uit. Hij lachte tot het hoesten werd. Ik wachtte en glimlachte een beetje in mezelf. 'Blueberry noemt hij die hond, verdomd als ik weet waarom. Een lompe vreetzak dat het is!' Ik nam aan dat hij de hond bedoelde en niet de baas van de hond. Kenny Auster, amper een meter vijftig en tenger gebouwd, was het tegenovergestelde van een lompe vreetzak.

Het drong opeens tot me door dat ik die mensen miste – Bill en Brenda en Buddy Jellison en Kenny Auster en alle anderen die het hele jaar bij het meer woonden. Ik miste zelfs Blueberry, de Ierse wolfshond, die altijd met zijn kop omhoog liep, alsof er halve hersenen in zaten, en die altijd lange slierten kwijl aan zijn bek had hangen.

'Ik moet er toch heen om de troep op te ruimen die van de winter naar beneden gewaaid is,' zei Bill. Hij klonk een beetje beschaamd. 'Het is dit jaar niet zo erg – bij die laatste buien viel hier alleen maar sneeuw, goddank – maar evengoed is er een hoop te doen waar ik niet aan toe gekomen ben. Dat had ik al veel eerder moeten doen. Dat jij het huis niet gebruikte, is geen excuus. Ik heb je geld aangenomen.' Ergens was het wel grappig om te horen hoe die grijze oude baas zich van schaamte op de borst sloeg; Jo zou giechelend met haar voeten hebben getrappeld van pret.

'Als op vier juli alles weer in orde is, Bill, ben ik gelukkig.'

'Dan zul je zo gelukkig zijn als een slijkgaper op een moddervlakte. Dat beloof ik je.' Bill klonk zelf ook zo gelukkig als een slijkgaper op een moddervlakte, en dat deed me goed. 'Kom je hierheen om bij het water een boek te schrijven? Net als vroeger? Niet dat de laatste paar boeken niet goed waren, mijn vrouw heeft het laatste in één adem uitgelezen, maar...'

'Ik weet het niet,' zei ik, en dat was de waarheid. En toen kwam ik op een idee. 'Bill, wil je iets voor me doen voordat je de oprijlaan vrijmaakt en Brenda Meserve op het huis loslaat?'

'Graag, als ik kan,' zei hij, en ik vertelde hem wat ik wilde.

Vier dagen daarna kreeg ik een pakje met een nogal summiere afzender: DEAN/ PR/ TR 90 (dark score). Ik maakte het open en schudde er twintig foto's uit die gemaakt waren met zo'n klein toestelletje dat je één keer gebruikt en dan weggooit.

Bill had het rolletje volgeschoten met foto's van het huis. Op die foto's zag je vooral de sfeer van verwaarlozing die over een huis komt te hangen dat niet genoeg wordt gebruikt – zelfs een huis dat beheerd wordt, krijgt dat na een tijdje.

Ik keek nauwelijks naar die foto's. Het ging me om de eerste vier, en die legde ik naast elkaar op de keukentafel, waar het felle zonlicht er recht op viel. Bill had die foto's vanaf het begin van de oprijlaan genomen. Hij had de wegwerpcamera op Sara Laughs gericht. Ik kon zien dat het mos niet alleen op de houtblokken van het hoofdgebouw groeide, maar ook op de houtblokken van de noordelijke en zuidelijke aanbouw. Ik zag de gevallen bladeren en opgewaaide dennennaalden op de oprijlaan. Bill was vast wel in de verleiding gekomen om dat allemaal op te ruimen voordat hij zijn foto's maakte, maar hij had dat niet gedaan. Ik had hem precies verteld wat ik wilde – 'met wratten en al' was de uitdrukking die ik had gebruikt – en Bill had zich daaraan gehouden.

De struiken aan weerskanten van de oprijlaan waren veel dichter geworden sinds Jo en ik veel tijd bij het meer doorbrachten. Ze waren niet echt gaan woekeren, maar ja, sommige lange takken strekten zich als minnaars die van elkaar gescheiden waren over het asfalt naar elkaar toe.

Maar waar ik steeds weer naar keek, was de veranda aan het eind van de oprijlaan. De andere gelijkenissen tussen de foto's en mijn dromen van Sara Laughs mochten dan louter toeval zijn (of het werk van de vaak verrassend praktische verbeeldingskracht van een schrijver), maar ik kon net zo min verklaren waarom er zonnebloemen door de planken van de veranda heen groeiden als dat ik kon vertellen hoe ik aan die snee in mijn hand was gekomen.

Ik draaide een van de foto's om. Op de achterkant had Bill met een krabbelig handschrift geschreven: *Die jongens zijn veel te vroeg... en het zijn indringers!*

Ik draaide hem weer om. Drie zonnebloemen groeiden tussen de planken van de veranda door. Niet twee, niet vier, maar drie grote zonnebloemen met gezichten als zoeklichten.

Net als de zonnebloemen in mijn droom.

6

Op 3 juli 1998 gooide ik twee koffers en mijn PowerBook in de kofferbak van mijn middenklasse Chevrolet, begon achteruit het pad af te rijden, maar stopte toen en ging het huis weer in. Het voelde leeg en nogal verloren aan, als een trouwe minnaar die aan de kant is gezet en niet begrijpt waarom. Het meubilair was niet afgedekt en de elektriciteit was niet afgesloten (ik hoorde dat het Great Lake Experiment weleens een snelle en volslagen mislukking zou kunnen worden), maar 14 Benton Street voelde toch verlaten aan. Kamers met te veel meubilair om een echo te kunnen hebben, galmden toch toen ik erdoorheen liep, en het was of er overal te veel stoffig licht was.

Over de monitor in mijn studeerkamer zat een soort beulskap tegen het stof. Ik knielde ervoor neer en opende een van de bureauladen. Er zaten vier pakken papier in. Ik nam er een uit, wilde weglopen, bedacht me toen en ging terug. Ik had die provocatieve foto van Jo in haar bikini in de brede middenla gelegd. Ik pakte hem er nu uit, scheurde de papierverpakking aan één kant open en schoof de foto er halverwege in, als een boekenlegger. Mocht ik ooit weer beginnen met schrijven, en mocht het schrijven goed vorderen, dan zou ik Johanna in de buurt van pagina tweehonderdvijftig tegenkomen.

Ik verliet het huis, deed de achterdeur op slot, stapte in mijn auto en reed weg. Ik ben nooit meer terug geweest.

Ik was meermalen in de verleiding gekomen om naar het meer te gaan en te kijken hoe het werk vorderde – het bleek dat er veel meer moest gebeuren dan Bill Dean oorspronkelijk had gedacht. Wat me daar had weggehouden was het gevoel, nooit bewust ervaren maar daarom niet minder krachtig, dat ik het niet op die manier moest doen; dat als ik weer in Sara was, ik mijn spullen moest uitpakken en er moest blijven.

Bill liet Kenny Auster nieuwe shingles op het dak leggen en hij liet Kenny's neef Timmy Larribee 'de boel afschrapen', een reinigingsproces dat op pannen schuren lijkt en dat soms bij blokhutten wordt toegepast. Bill liet ook een loodgieter komen om de afvoeren na te kijken en kreeg mijn toestemming om een aantal oudere buizen en de putpomp te vervangen.

Bill maakte zich door de telefoon nogal druk om al die uitgaven; ik liet hem begaan. Als het op Yankees van de vijfde of zesde generatie en geld uitgeven aankomt, kun je maar beter een stapje terugdoen en ze rustig laten uitrazen. Op de een of andere manier heeft een Yankee moeite met geld neertellen, net als met vrijen in het openbaar. Persoonlijk had ik geen enkele moeite met die extra uitgaven. Ik leef meestal zuinig, niet vanuit morele overwegingen maar omdat mijn fantasie, die in de meeste andere opzichten erg levendig is, niet goed werkt als het op geld aankomt. Mijn idee van een braspartij is drie dagen Boston, een Red Sox-wedstrijd, een trip naar Tower Records and Video, plus een bezoek aan de Wordsworth-boekwinkel in Cambridge. Zo'n levensstijl slaat geen grote bres in de rente, laat staan in de hoofdsom. Ik had een goede vermogensbeheerder in Waterville, en op de dag dat ik de deur van het huis in Derry op slot deed en koers zette naar de TR-90, was ik iets meer dan vijf miljoen dollar waard. Niet veel in vergelijking met Bill Gates, maar een groot kapitaal voor iemand anders. Ik hoefde me absoluut niet druk te maken om de hoge reparatiekosten van het huis.

Het was voor mij een vreemde tijd, deze overgang van voorjaar naar zomer. Ik deed niet veel bijzonders, vooral wachten, mijn zaken in Derry afhandelen, met Bill Dean praten als hij de laatste problemen doorbelde, en mijn best doen om niet na te denken. Ik deed het *Publisher's Weekly*-interview, en toen de interviewer me vroeg of ik er moeite mee had om 'in de tijd na mijn grote verlies' weer aan het werk te gaan, zei ik met een stalen gezicht nee. Waarom ook niet? Het was waar. Mijn moeilijkheden waren pas begonnen toen ik *Helemaal van de top* af had. Tot dan toe had ik aan één stuk door gebuffeld.

Half juni lunchte ik een keer met Frank Arlen in het Starlite Café. Het Starlite is in Lewiston, het geografisch middelpunt tussen zijn woonplaats en de mijne. Onder het dessert (de beroemde aardbeiencake van het Starlite) vroeg Frank of ik een verhouding had. Ik keek hem verrast aan.

'Waarom kijk je zo raar?' vroeg hij. Op zijn gezicht tekende zich een van zijn negenhonderd naamloze emoties af – deze zat ergens tussen geamuseerdheid en ergernis in. 'Ik zou het heus niet als ontrouw ten opzichte van Jo beschouwen. Ze is in augustus al weer vier jaar dood.'

'Nee,' zei ik. 'Ik heb geen verhouding.'

Hij keek me zwijgend aan. Ik keek enkele seconden terug en begon toen mijn lepel door de slagroom op mijn cake te halen. De cake was nog warm van de oven en de slagroom begon te smelten. Het deed me denken aan dat gekke ouwe liedje over iemand die de cake in de regen liet staan.

'Héb je een verhouding gehad, Mike?'

'Ik weet niet of dat jou iets aangaat.'

'O, jezus nog aan toe. In je vakantie? Heb je...?'

Ik dwong me om van de smeltende slagroom op te kijken. 'Nee,' zei ik. 'Dat heb ik niet.'

Hij zweeg nog even. Ik dacht dat hij op zoek was naar een ander onderwerp. Dat zou mij goed uitkomen. In plaats daarvan vroeg hij me ronduit of ik na Johanna's dood ooit een nummertje had gemaakt. Hij zou een leugen over dat onderwerp hebben geaccepteerd, al zou hij me nooit voor de volle honderd procent geloofd hebben – mannen liegen voortdurend over seks. Maar ik sprak de waarheid – en nog met een zeker pervers genoegen ook.

'Nee.'

'Niet één keer?'

'Niet één keer.'

'En een massagehuis? Je weet wel, om tenminste een...'

'Nee.'

Hij zat daar met zijn lepel tegen de rand van het kommetje met zijn dessert te tikken. Hij had nog geen hap genomen. Hij keek me aan alsof ik een nieuw en bizar soort insect was. Dat beviel me niet erg, maar ik kon er ook wel begrip voor opbrengen.

Ik was twee keer dicht in de buurt gekomen van wat vandaag de dag 'een relatie' heet, geen van beide keren op Key Largo, waar ik een stuk of tweeduizend knappe vrouwen, gekleed in niets dan een draadje en een belofte, had zien rondlopen. De eerste keer was het een roodharige serveerster, Kelli, geweest in een restaurant aan de Extension, waar ik vaak ging lunchen. Na een tijdje raakten we aan de praat, maakten grappen met elkaar, en toen begon er wat van dat oogcontact, je weet wel waar ik het over heb, blikken die net een beetje te lang duren. Ik begon op haar benen te letten, en op de manier waarop haar uniform zich om haar heupen spande als ze zich omdraaide, en ze zag me kijken.

En er was een vrouw in Nu You, mijn sportschool. Een lange vrouw met een voorkeur voor roze sporttopjes en zwarte wielrenshorts. Echt een stuk. Bovendien had ik een zekere waardering voor de dingen die ze las wanneer ze op een van de stilstaande fietsen peddelde, die eindeloze aerobic-trips naar nergens – niet *Mademoiselle* of *Cosmo*, maar romans van mensen als John Irving en Ellen Gilchrist. Ik hou van mensen die boeken lezen, en heus niet alleen omdat ik ze vroeger zelf schreef. Boekenlezers zijn net zo goed als ieder ander geneigd om over het weer te beginnen, maar in de regel kunnen ze daar nog iets anders aan vastbreien.

De blonde vrouw met de roze topjes en zwarte shorts heette Adria Bundy. We begonnen over boeken te praten als we zij aan zij naar nergens fietsten, en op een gegeven moment lette ik een of twee ochtenden per week voor haar op bij het gewichtheffen. Op een vreemde manier heeft dat iets intiems, dat opletten. Dat komt voor een deel door de liggende houding van de gewichtheffer, denk ik (vooral wanneer dat een vrouw is), maar niet helemaal of zelfs niet voor het grootste deel. Het komt vooral door de afhankelijkheid. Hoewel het er bijna nooit op aankomt, vertrouwt de gewichtheffer de opletter zijn of haar leven toe. En op een gegeven moment in de winter van 1996 waren er die blikken als zij op de bank lag en ik bij haar stond en ze naar me omhoogkeek. Die blikken die net een beetje te lang duurden.

Kelli was een jaar of dertig, Adria misschien iets jonger. Kelli was gescheiden, Adria nooit getrouwd. Het was in geen van beide gevallen zo dat ik als oude bok een groen blaadje plukte, en ik denk dat ze allebei best in alle vrijblijvendheid met me naar bed hadden gewild. Je zou het een soort proefrit kunnen noemen. Maar wat ik in Kelli's geval deed, was dat ik in een ander restaurant ging lunchen, en toen de YMCA me een gratis proefperiode in hun sportschool aanbood, ging ik daarop in en kwam ik nooit meer bij Nu You. Ik weet nog dat ik een maand of zes daarna Adria Bundy een keer op straat tegenkwam, en hoewel ik haar gedag zei, zorgde ik wel dat ik haar verbaasde, lichtelijk gekwetste blik niet zag.

In zuiver fysiek opzicht wilde ik ze allebei (ik meen me zelfs een droom te herinneren waarin ik ze allebei hád, in hetzelfde bed en op hetzelfde moment), en toch wilde ik ze geen van beiden. Enerzijds kwam dat doordat ik niet meer kon schrijven – ik had al genoeg rottigheid zonder dat er extra complicaties bijkwamen. Anderzijds is het een heel gedoe om uit te zoeken of de vrouw die je blikken beantwoordt geïnteresseerd is in jou en niet in je nogal extravagante bankrekening.

Voor het grootste deel, denk ik, kwam het doordat ik Jo nog in mijn hoofd en hart had. Er was geen ruimte voor iemand anders, zelfs niet na vier jaar. Mijn verdriet was als cholesterol, en als je dat grappig of idioot vindt, mag je je gelukkig prijzen.

'En vrienden?' vroeg Frank, die eindelijk aan zijn aardbeiencake begon. 'Je hebt toch wel vrienden?'

'Ja,' zei ik. 'Massa's vrienden.' Dat was een leugen, maar ik hád veel cryptogrammen te maken, veel boeken te lezen en veel films om 's avonds op mijn video naar te kijken; ik kende de FBI-waarschuwing tegen illegaal kopiëren praktisch uit mijn hoofd. Wat echte levende mensen betrof, bezocht ik in de tijd dat ik me op mijn vertrek uit Derry voorbereidde alleen mijn huisarts en mijn tandarts, en de meeste post die ik in die junimaand verstuurde, bestond uit adreswijzigingen voor tijdschriften als *Harper's* en *National Geographic*.

'Frank,' zei ik, 'je praat als een joodse moeder.'

'Soms voel ik me als ik bij jou ben inderdaad een joodse moeder,' zei hij. 'Een die in de genezende kracht van gebakken aardappelen in plaats van matseballen gelooft. Je ziet er sinds tijden weer wat beter uit. Je bent eindelijk aangekomen, denk ik...'

'Te veel.'

'Onzin, toen je met Kerstmis bij ons was, zag je eruit als Ichabod Crane. En je hebt ook wat zon op je gezicht en armen gehad.'

'Ik heb veel gelopen.'

'Dus je ziet er beter uit – behalve je ogen. Soms heb je een vreemde blik in je ogen, en dan maak ik me iedere keer zorgen. Ik denk dat Jo blij zou zijn dat *iemand* zich zorgen maakt.'

'Wat voor blik is dat dan?' vroeg ik.

'Jouw blik van duizend meter. Wil je de waarheid horen? Je ziet eruit als iemand die ergens in vast is komen te zitten en niet meer los kan komen.'

Ik verliet Derry om halfvier, stopte in Rumford om te eten en reed toen langzaam in het licht van de ondergaande zon door de heuvels van westelijk Maine. Ik had mijn vertrek- en aankomsttijd zorgvuldig gepland, zij het niet helemaal bewust, en toen ik Motton achter me liet en in de administratieve eenheid TR-90 kwam, merkte ik dat mijn hart was gaan bonken. Ondanks de airconditioning in de auto stond het zweet op mijn gezicht en armen. Niets op de radio klonk goed, alle muziek leek herrie, en ik zette hem uit.

Ik was bang, en daar had ik ook alle reden voor. Nog afgezien van die eigenaardige kruisbestuiving tussen de dromen en de echte wereld (en ik kon die dingen, de snee in mijn hand en de zonnebloemen die door de planken van de veranda heen groeiden, gemakkelijk afdoen als toeval of paranormale onzin) had ik reden om bang te zijn. Want het waren geen gewone dromen geweest en mijn besluit om na al die tijd naar het meer terug te gaan was geen gewoon besluit geweest. Ik voelde me geen moderne *fin de millénaire*-man die een spirituele zoektocht onderneemt om zijn angsten onder ogen te zien (ik ben oké, jij bent oké, laten we met zijn allen in een kringetje gaan zitten en ons emotioneel afrukken terwijl William Ackerman zachtjes op de achtergrond speelt). Ik voelde me meer een gekke oudtestamentische profeet die de woestijn inging om van hagedissen en alkalisch water te leven omdat God in een droom tot hem heeft gesproken.

Ik was er slecht aan toe. Mijn leven was een gematigde tot ernstige puinhoop, en het feit dat ik niet meer kon schrijven was daar maar een deel van. Ik verkrachtte geen kinderen en rende niet met een megafoon over Times Square luidkeels om complottheorieën te verkondigen, maar evengoed was ik er slecht aan toe. Ik had mijn plaats in de dingen verloren en kon die plaats niet terugvinden. Op zich is dat niet zo verrassend; per slot van rekening is het leven geen boek. Op die hete avond in juli was ik in feite bezig mezelf een shocktherapie toe te dienen, en dat moet je me nageven: ik wist hoe dat moest.

Je komt als volgt bij het Dark Score Lake. Je neemt de I-95 van Derry naar Newport, Route 2 van Newport naar Bethel (met een tussenstop in Rumford, dat vroeger stonk als het voorportaal van de hel, totdat de papiereconomie tijdens Reagans tweede ambtstermijn nagenoeg tot stilstand kwam), Route 5 van Bethel naar Waterford. Dan neem je Route 68, de oude County Road, via Castle View en Motton (waar de binnenstad uit een verbouwde schuur bestaat waar je video's, bier en tweedehands geweren kunt kopen) en dan langs het bord waarop TR-90 staat en het bord met DE BOSWACHTER IS DE BESTE HULP IN NOOD, DRAAI 1-800-555 of *72 OP MOBIELE TELEFOON. Iemand had daar met een spuitbus aan toegevoegd: FUCK DE HUFTERS.

Acht kilometer voorbij dat bord kom je bij een smal weggetje naar rechts, slechts aangeduid met een vierkant blikken bordje waarop het cijfer 42 staat. Daarboven zitten als een umlaut twee .22-gaten.

Ik kwam ongeveer op het geplande tijdstip bij dat weggetje aan – de dashboardklok van de Chevrolet gaf aan dat het 19:16 uur was.

En ik kwam helemaal in de stemming.

Ik reed driehonderd meter over de onverharde weg en luisterde naar het gras dat daar groeide en dat tegen het chassis van mijn auto ritselde, en naar de takken die van tijd tot tijd over het dak schraapten of als een vuist tegen de passagierskant sloegen.

Ten slotte parkeerde ik de auto en zette de motor af. Ik stapte uit, liep naar de achterkant van de auto, ging op mijn buik liggen en begon al het gras weg te plukken dat tegen de hete uitlaat van mijn Chevrolet kwam. Het was een droge zomer geweest en je kon niet voorzichtig genoeg zijn. Ik was hier precies op dit tijdstip aangekomen om mijn dromen te imiteren, in de hoop dat ik ze beter zou begrijpen of een idee zou krijgen van wat me nu te doen stond. Ik was hier niet gekomen om een bosbrand te veroorzaken.

Toen dat gebeurd was, stond ik op en keek om me heen. De krekels sjirpten zoals in mijn dromen, en de bomen stonden dicht naar elkaar toe aan weerskanten van de weg, zoals altijd in mijn dromen. De hemel was een steeds vagere strook van blauw.

Ik ging op pad, liep over het linker wielspoor. Jo en ik hadden één buurman aan dit eind van de weg gehad, de oude Lars Washburn, maar Lars' pad was nu overwoekerd met jeneverbesstruiken en er hing een roestige ketting voor. Aan een boom links van de ketting was een bordje met VERBODEN TOEGANG gespijkerd. Rechts zag ik een bord met NEXT CENTURY VASTGOED en een plaatselijk telefoonnummer. De woorden waren vervaagd en moeilijk te lezen in de vallende schemering.

Ik liep door. Ik was me weer bewust van het bonken van mijn hart en van de manier waarop de muggen rond mijn gezicht en armen zoemden. Hun hoogseizoen was voorbij, maar ik zweette hevig en dat is een geur waar ze van houden. Blijkbaar deed het zweet ze aan bloed denken.

Hoe bang was ik precies toen ik naar Sara Laughs toe liep? Ik weet het niet meer. Ik denk dat angst, net als pijn, een van die dingen is die na afloop meteen uit onze geest wegglippen. Wat ik me wel herinner, is een gevoel dat ik al eerder had gehad toen ik hier was, vooral wanneer ik in mijn eentje over dit pad liep: het gevoel dat de realiteit dun was. Ik denk namelijk dat de realiteit dun ís, dun als het ijs op een meer na het invallen van de dooi, en dat we ons leven met geluid en licht en beweging vullen om die dunheid voor onszelf verborgen te houden. Maar op plaatsen als die weg merk je dat alle rookgordijnen zijn opgetrokken. Wat achterblijft, is het geluid van krekels en de aanblik van groene bladeren die langzaam zwart worden, takken die de vorm van een gezicht aannemen, het geluid van je hart, het kloppen van het bloed achter je ogen, en de hemel waaruit het blauwe bloed van de dag wegtrekt.

Wat komt als het daglicht vertrekt, is een soort zekerheid: dat er onderhuids een geheim is, een mysterie dat tegelijk zwart en helder is. Je voelt dat mysterie in elke ademtocht, je ziet het in elke schaduw, je denkt er ieder moment in terecht te komen. Het is er; je glijdt er met een ademloze curve overheen, als een schaatser die een boog beschrijft om naar huis terug te gaan.

Een kleine kilometer ten zuiden van de plaats waar ik de auto had achtergelaten, en nog steeds een kleine kilometer ten noorden van de oprijlaan, bleef ik staan. Hier maakt de weg een scherpe bocht. Rechts is een open veld dat steil afhelt naar het meer. Tidwell's Meadow, noemt de plaatselijke bevolking dat veld, of soms het Oude Kamp. Daar bouwden Sara Tidwell en haar merkwaardige volgelingen hun blokhutten, tenminste volgens Marie Hingerman (en toen ik er Bill Dean een keer naar vroeg, zei hij ook dat het op die plaats was geweest – al voelde hij er blijkbaar weinig voor het gesprek voort te zetten, iets wat ik indertijd een beetje vreemd vond).

Ik bleef daar even naar het noordelijk eind van het Dark Score Lake staan kijken. Het water was helder en kalm, nog snoepkleurig in de nagloed van de zonsondergang, zonder een rimpeling en zonder zelfs maar het kleinste vaartuig. De bootmensen zouden inmiddels al in de jachthaven zijn, in Warrington's Sunset Bar, waar ze broodjes kreeft aten en enorme cocktails dronken. Later zouden een paar van hen, in een roes van snelheid en martini's, in het maanlicht over het meer op en neer racen. Ik vroeg me af of ik er nog zou zijn om ze te horen. Ik dacht dat er een redelijke kans was dat ik dan alweer op de terugweg naar Derry was, hevig geschrokken van wat ik had ontdekt of gedesillusioneerd omdat ik helemaal niets had ontdekt.

'Jij raar klein mannetje, zei Strickland.'

Ik wist niet dat ik iets ging zeggen tot de woorden mijn mond uit kwamen, en ik had ook geen idee waarom ik juist die woorden had gezegd. Ik herinnerde me mijn droom van Jo onder het bed en huiverde.

Er gonsde een mug bij mijn oor. Ik sloeg hem dood en liep verder.

Uiteindelijk stemde het tijdstip waarop ik bij het begin van de oprijlaan kwam bijna te goed overeen met mijn droom. Het gevoel dat ik mijn droom weer was binnengegaan was bijna te volmaakt. Zelfs de ballonnen die aan het bord van SARA LAUGHS waren gebonden (een witte en een blauwe, en op beide was heel zorgvuldig met zwarte inkt *WELKOM THUIS, MIKE!* geschreven) en die tegen de steeds donkerder achtergrond van de bomen zweefden, leken het déjà vu-gevoel dat ik min of meer opzettelijk had opgewekt te versterken, want geen twee dromen zijn helemaal gelijk, nietwaar? Dingen die met de handen en dingen die met de geest zijn gemaakt, kunnen nooit helemaal hetzelfde zijn, zelfs niet wanneer ze hun uiterste best doen om identiek te zijn, want we zijn van dag tot dag of zelfs van moment tot moment nooit helemaal hetzelfde.

Ik liep naar het bord en voelde hoe mysterieus deze plaats in de schemering was. Ik drukte mijn hand tegen het bord, voelde de ruwe werkelijkheid daarvan, en streek toen met mijn duim over de letters. Ik maakte me niet druk om de splinters en las met mijn huid, als een blinde die braille leest: S en A en R en A; L en A en U en G en H en S.

Dennennaalden en takken waren van de oprijlaan verwijderd, maar het Dark Score Lake glansde als een verbleekte roos, net als in mijn dromen, en het kolossale silhouet van het huis was ook hetzelfde. Bill was zo attent geweest het licht boven de achterveranda te laten branden, en de zonnebloemen die tussen de planken door groeiden, waren allemaal weggehaald, maar verder was alles hetzelfde.

Ik keek naar boven, naar het stukje hemel boven de oprijlaan. Niets... Ik wachtte... Nog steeds niets... Ik wachtte nog wat langer... En toen was het er, precies op het punt waar ik naar keek. Het ene moment was er alleen nog de steeds donkerder hemel (waar het indigo zich net vanaf de randen begon uit te breiden, als inkt die uitliep) en het volgende moment stond Venus daar te schitteren, helder en standvastig. Mensen hebben het erover dat sterren opkomen, en sommige mensen zullen dat ook wel zo zien, maar volgens mij was dit de enige keer in mijn leven dat ik er een zag verschijnen. Ik deed ook een wens, maar ditmaal was het echt, en ik wenste niet dat Jo terugkwam.

'Help me,' zei ik, kijkend naar de ster. Ik had meer willen zeggen, maar ik kon niets bedenken. Ik wist niet wat voor hulp ik nodig had.

Zo is het genoeg, zei een stem in me gespannen. *Nu is het genoeg. Ga terug en haal je auto op.*

Alleen was ik dat niet van plan. Ik was van plan om over de oprijlaan te lopen, precies zoals ik in die laatste droom, die nachtmerrie, had gedaan. Ik was van plan mezelf te bewijzen dat er geen monster in een lijkwade in de schaduw van dat grote oude houten huis zat weggekropen. Dat plan was min of meer gebaseerd op een stukje New Age-wijsheid: het woord angst staat voor Afwachtend Naderen en Geen Stap Terugdoen. Maar terwijl ik daar stond en naar dat stipje verandalicht keek (in de toenemende duisternis leek het erg klein), schoot me te binnen dat er nog een ander stukje wijsheid is, een stukje wijsheid dat niet zo fris en opgewekt was: Alarm, Neem Grote Stappen Terug. Toen ik daar in het bos stond terwijl het licht uit de hemel wegtrok, leek dat laatste advies me veel en veel verstandiger. Geen twijfel mogelijk.

Ik keek omlaag en glimlachte toen ik zag dat ik een van de ballonnen had meegenomen. In gedachten verzonken had ik hem losgemaakt zonder het te merken. Hij zweefde aan zijn koord een eindje van mijn hand vandaan, en het was nu zo donker dat de woorden niet meer te lezen waren.

Misschien hoef ik geen beslissing te nemen; misschien kan ik me toch niet bewegen. Misschien blijf ik hier weer geblokkeerd staan, als een standbeeld, tot er iemand komt om me weg te halen.

Maar dit was de echte werkelijkheid in de echte wereld, en in de echte wereld gebeurt het nooit dat je opeens niet verder kunt lopen. Ik opende mijn hand. Het koordje dat ik had vastgehouden, zweefde weg en ik liep onder de opstijgende ballon door, de oprijlaan op. Voetje voor voetje, ongeveer zoals ze hadden gedaan sinds ik het kunstje in 1959 had geleerd. Ik ging dieper en dieper de zuivere maar bittere dennengeur in, en op een gegeven moment betrapte ik me erop dat ik een extra grote stap nam om een afgebroken tak te ontwijken die er in de droom wel had gelegen maar hier in het echte leven niet lag.

Mijn hart bonkte nog steeds en het zweet liep nog uit mijn poriën. Het oliede mijn huid en trok muggen aan. Ik bracht mijn hand omhoog om het haar van mijn voorhoofd weg te strijken en hield hem toen met gespreide vingers voor mijn ogen. Ik hield de andere hand ernaast. Geen van beide droeg een spoor; er zat niet het minste litteken van de snee die ik had opgelopen toen ik in de hagelstorm door mijn slaapkamer kroop.

'Ik mankeer niets,' zei ik. 'Ik mankeer niets.'

Jij raar klein mannetje, zei Strickland, antwoordde een stem. Het was niet mijn stem en ook niet die van Jo; het was de UFO-stem die commentaar had gegeven over mijn nachtmerrie, de stem die me had voortgedreven toen ik zelf wilde stoppen. De stem van een buitenstaander.

Ik begon weer te lopen. Ik was nu over de helft van de oprijlaan. Ik had het punt bereikt waarop ik in de droom tegen de stem zei dat ik bang was voor mevrouw Danvers.

'Ik ben bang voor mevrouw Danvers,' zei ik. Ik probeerde de woorden hardop uit in de vallende duisternis. 'Als die gemene oude huishoudster daar nu eens is?'

Op het meer riep een fuut, maar de stem gaf geen antwoord. Dat hoefde ook niet. Er wás geen mevrouw Danvers, ze was maar een zak met beenderen in een oud boek, en de stem wist dat.

Ik begon weer te lopen. Ik kwam langs de grote den waar Jo een keer met onze Jeep tegenaan was gebotst toen ze achteruit over de oprijlaan probeerde te rijden. Wat had ze gevloekt! Als een ketellapper! Het was me gelukt mijn gezicht in de plooi te houden tot ze bij 'Fuck a duck' was aanbeland. Toen had ik me niet meer kunnen inhouden. Ik had tegen de zijkant van de Jeep gestaan, met de muizen van mijn handen tegen mijn slapen, en ik had het uitgebulderd tot de tranen over mijn wangen rolden, en al die tijd hadden Jo's woedende ogen blauwe vonken op me afgevuurd.

Ik kon het spoor op de stam van de boom zien, ongeveer een meter boven de grond. In het schemerduister leek het wit boven de donkere schors te zweven. Op dat moment was het onbehaaglijke gevoel uit de andere dromen ineens omgeslagen in iets veel ergers. Al voordat dat ding in die lijkwade uit het huis kwam rennen, had ik het gevoel gehad dat er iets mis was, dat er iets niet pluis was. Ik had het gevoel gehad dat het huis zelf krankzinnig was geworden. Het was op dat punt, toen ik langs die oude, gehavende den liep, dat ik er net als de peperkoekman vandoor wilde gaan.

Dat gevoel had ik nu niet. Zeker, ik was bang, maar niet doodsbang. Er was bijvoorbeeld niets achter me, geen geluid of kwijlerige ademhaling. Het ergste dat je hier in deze bossen kon tegenkomen, was een prikkelbare eland. Of misschien, als je erg veel pech had, een kwaaie beer.

In de droom was de maan voor minstens driekwart vol geweest, maar die nacht stond er helemaal geen maan. En hij zou ook niet komen. Ik had die ochtend in de weerrubriek van de *Derry News* gezien dat het nieuwe maan was.

Zelfs de krachtigste déjà vu-ervaringen zijn kwetsbaar, en bij de gedachte aan die maanloze hemel hield de mijne meteen op. Het gevoel dat ik mijn nachtmerrie beleefde, ging zo abrupt weg dat ik me zelfs afvroeg waarom ik dit deed, wat ik hiermee hoopte te bereiken. Nu moest ik helemaal over die donkere weg teruglopen om mijn auto op te halen.

Goed, maar dan deed ik dat wel met een zaklantaarn uit het huis. Er lag er vast nog wel een in de...

Een serie harde explosies roffelde aan de overkant van het meer, de laatste zo hard dat er een echo uit de heuvels terugkwam. Ik bleef staan en hield meteen mijn adem in. Enkele ogenblikken eerder zou ik bij het horen van die onverwachte knallen waarschijnlijk in paniek over de oprijlaan terug zijn gerend, maar nu bleef ik alleen even geschrokken staan. Het waren natuurlijk voetzoekers. De laatste – en hardste – was misschien een M-80 geweest. Morgen was het vier juli, de nationale feestdag, en de kinderen bij het meer begonnen al vroeg met de viering, zoals kinderen vaak doen.

Ik liep door. De struiken kwamen nog tegen mijn handen, maar ze waren bijgesnoeid en ze rukten niet meer zo dreigend op. Ik hoefde ook niet bang te zijn dat er geen stroom was. Ik was nu zo dicht bij de achterveranda dat ik nachtvlinders zag fladderen om de lamp die Bill Dean voor me had aangelaten. Ook als de stroom inderdaad was uitgevallen (in het westelijk deel van de staat hebben we nog veel bovengrondse leidingen, en die vallen vaak uit), zou de generator automatisch zijn aangeslagen.

Toch vond ik het indrukwekkend dat zoveel van de droom ook in de werkelijkheid bestond, ook nu het krachtige gevoel dat alles zich herhaalde – dat ik alles *herleefde* – weg was. Jo's bloembakken stonden waar ze altijd hadden gestaan, langs het pad dat naar het kleine strandje van Sara leidde. Ik neem aan dat Brenda Meserve ze in de kelder had zien staan en ze door een van haar hulpjes naar buiten had laten brengen. Ze waren nog leeg, maar dat zou vast niet lang meer duren. En ook zonder de maan uit mijn droom kon ik op vijftig meter afstand de zwarte rechthoek op het water zien. Het drijvende vlot.

Maar er lag geen rechthoekige vorm voor de veranda; geen doodkist. Toch bonkte mijn hart weer, en ik denk dat ik, als er op dat moment nog meer voetzoekers hadden geknald aan de Kashwakamak-kant van het meer, een harde schreeuw zou hebben gegeven.

Jij raar klein mannetje, zei Strickland.

Geef hier, dat is mijn stofnest.

En als de dood ons tot waanzin drijft? En als we het nu eens overleven maar er krankzinnig van worden? Wat dan?

Ik had het punt bereikt waarop in mijn nachtmerrie de deur openvliegt en die witte gedaante met opgeheven armen naar buiten komt rennen. Ik deed nog een stap en bleef toen staan luisteren naar het scherpe geluid van mijn ademhaling. Ik zoog de adem telkens door mijn keel naar binnen en duwde de lucht dan weer weg over de droge bodem van mijn tong. Het déjà vu-gevoel kwam niet terug, maar een ogenblik dacht ik dat de gestalte toch zou verschijnen – hier in de echte wereld, in de werkelijkheid. Ik stond erop te wachten, mijn zwetende handen tot vuisten gebald. Ik haalde nog eens diep adem en hield de lucht ditmaal binnen.

Het zachte kabbelen van het water tegen de oever.

Een bries die over mijn gezicht streek en de struiken liet ritselen.

Een fuut riep op het meer; vleermuizen fladderden tegen de verandalamp.

De deur werd niet opengegooid door een monster in lijkwade, en door de grote ramen links en rechts van de deur zag ik niets bewegen, niets wits en ook niets anders. Er zat een briefje boven de knop, waarschijnlijk van Bill, en verder zag ik niets bijzonders. Ik liet mijn adem in één keer ontsnappen en liep het laatste stukje van de oprijlaan naar Sara Laughs.

Het briefje was inderdaad van Bill Dean. Hij schreef dat Brenda wat boodschappen voor me had gedaan, dat het supermarktbonnetje op de keukentafel lag en dat er een voorraad conservenvoedsel in de bijkeuken stond. Ze had niet te veel bederfelijke waar gekocht, maar wel melk, boter, gehakt en hamburgers, het hoofdvoedsel van de alleenstaande man.

Ik zie je a.s. maandag, had Bill geschreven. *Als het aan mij lag, zou ik je persoonlijk verwelkomen, maar moeder de vrouw zegt dat het onze beurt is te reizen en dus gaan we naar Virginia (heet!) om de feestdag bij haar zuster door te brengen. Als je iets nodig hebt of in de problemen komt...*

Hij had het telefoonnummer van zijn schoonzuster in Virginia genoteerd, en ook het nummer van Butch Wiggins in het dorp, dat door de plaatselijke bevolking 'de TR' wordt genoemd, zo van: 'En toen hadden ik en mijn moeder genoeg van Bethel en toen gingen we met de caravan naar de TR.' Er stonden nog meer nummers op het briefje – van de loodgieter, de elektricien, Brenda Meserve, zelfs de televisiereparateur in Harrison die de DSS-schotel voor optimale ontvangst had afgesteld. Bill nam geen risico's. Ik draaide het briefje om en verwachtte een laatste PS: *Zeg Mike, als er een kernoorlog uitbreekt voordat ik en Yvette terug zijn uit Virginia...*

Er bewoog iets achter me.

Ik draaide me meteen om en het briefje viel uit mijn hand. Het fladderde naar de planken van de achterveranda, als een grotere, wittere versie van de nachtvlinders die om de lamp vlogen. Op dat moment wist ik zeker dat het lijkwadending kwam, een waanzinnige verschijning in het rottende lichaam van mijn vrouw. *Geef me mijn stofnest*, geef *hier, hoe durf je hier te komen en mijn rust te verstoren, hoe durf je weer naar Manderley te komen, en nu je hier bent, hoe kom je hier ooit weer weg? Jij gaat het mysterie in, jij raar klein mannetje. Jij gaat het mysterie in.*

Er was niets. Het was weer alleen maar de avondbries geweest die de struiken een beetje liet ritselen – alleen had ik geen bries op mijn bezwete huid gevoeld, deze keer niet.

'Nou, dat moet het wel geweest zijn. Er is niets anders,' zei ik.

Als je alleen bent, kan het geluid van je eigen stem angstaanjagend of juist geruststellend zijn. Het was ditmaal het laatste. Ik bukte me, pakte Bills briefje op en stopte het in mijn achterzak. Toen haalde ik mijn sleutelring te voorschijn. Ik stond onder de verandalamp, in de grote, grillige schaduwen van de nachtvlinders, en zocht tussen mijn sleutels tot ik de goede had gevonden. Hij zag er vreemd en ongebruikt uit, en toen ik met mijn duim over de gekartelde rand streek, vroeg ik me weer af waarom ik hier nooit meer was geweest – afgezien van een paar keer overdag, om vlug iets te halen of te brengen – in alle maanden en jaren sinds Jo gestorven was. Als ze nog had geleefd, zou ze erop hebben gestaan dat we...

Toen schoot me iets vreemds te binnen: het was niet alleen een kwestie van *sinds Jo gestorven was*. Het was gemakkelijk om in die trant te denken, en in de zes weken op Key Largo had ik er geen moment anders over gedacht – maar nu ik daar in de schaduw van de dansende nachtvlinders stond (het was net of ik onder een vreemde organische discobol stond) en naar de futen op het meer luisterde, herinnerde ik me dat Jo weliswaar in augustus 1994 was gestorven, maar dan wel in Derry, niet hier. Het was smoorheet geweest in de stad – wat deden we daar eigenlijk? Waarom zaten we niet in zwemtenue op ons schaduwrijke terras aan de meerkant van het huis ijsthee te drinken en te kijken naar de langsvarende boten en commentaar te leveren op de waterskiërs op het meer? Wat deed ze eigenlijk op dat vervloekte parkeerterrein van Rite Aid, terwijl we daar anders in augustus altijd ver vandaan waren?

En dat was nog niet alles. Meestal bleven we tot het eind van september in Sara Laughs – dat was een vredige, mooie tijd, even warm als de zomer. Maar in 1993 waren we al na de eerste week van augustus weggegaan. Ik wist dat, want ik kon me herinneren dat Johanna later die maand met me naar New York ging, voor een of ander uitgeverscontract met bijbehorende publiciteit. In New York was het bloedheet geweest. In de East Village hadden de brandspuiten gesproeid en de straten in de binnenstad hadden gezinderd van de hitte. Op een avond hadden we *Het Spook van de opera* gezien. Tegen het eind had Jo zich naar me toe gebogen en gefluisterd: 'O verdorie! Het Spook snottert weer!' De rest van de voorstelling had ik grote moeite gehad om niet in lachen uit te barsten. Zo scherp kon Jo soms zijn.

Waarom was ze toen in augustus met me meegegaan? Jo hield niet eens in april of oktober van New York, als de stad op zijn best is. Ik wist het niet. Ik kon het me niet herinneren. Het enige waar ik zeker van was, was dat ze na het begin van augustus 1993 nooit naar Sara Laughs terug was geweest – en al gauw was ik zelfs daar niet zeker meer van.

Ik stak de sleutel in het slot en draaide hem om. Ik zou naar binnen gaan, het licht in de keuken aandoen, een zaklantaarn pakken en de auto halen. Als ik dat niet deed zou een dronken kerel met een huisje aan het zuidelijk eind van de weg te hard komen aanrijden, mijn Chevrolet rammen en een schadevergoeding van een miljard dollar van me eisen.

Het huis was gelucht en rook helemaal niet muf. In plaats van roerloze, bedompte lucht hing er een vage, aangename dennengeur. Ik tastte naar het lichtknopje naast de deur, en toen hoorde ik opeens ergens in de zwartheid van het huis een kind snikken. Mijn hand verstijfde en mijn huid werd koud. Ik raakte niet echt in paniek, maar alle rationele gedachten trokken uit me weg. Het was gehuil, het huilen van een kind, maar ik had geen idee waar het vandaan kwam.

Toen begon het weg te ebben. Het werd niet zachter maar het ebde weg, alsof iemand dat kind had opgepakt en door een lange gang wegdroeg – niet dat er in Sara Laughs zo'n gang was. Zelfs de gang die door het midden van het huis liep en het middendeel met de twee aanbouwen verbindt is niet zo erg lang.

Het ebde weg... ebde weg... was bijna niet meer te horen.

Ik stond met kippenvel in het donker, met mijn hand op het lichtknopje. Een deel van me wilde hard wegrennen, van het huis weg, zo snel als mijn korte benen me konden dragen, rennend als de peperkoekman. Maar een ander deel – het rationele deel – was zich al aan het herstellen.

Ik deed het licht aan. Het deel dat wilde weglopen, zei nu: vergeet het maar, dit lukt niet, het is de droom, sukkel, je droom wordt werkelijkheid. Maar het lukte wél. Het licht in de hal ging aan en de schaduwen waren op slag verdwenen. Ik zag Jo's verzameling klein boers aardewerk aan de linker- en de boekenkast aan de rechterkant. Ik had in minstens vier jaar niet naar die dingen gekeken, maar ze waren er nog en zagen er nog hetzelfde uit. Op een middenplank van de boekenkast zag ik de drie vroege Elmore Leonard-romans staan – *Swag, The Big Bounce* en *Mr. Majestyk* – die ik opzij had gezet voor als het nog eens regenachtig weer was; in de natuur moet je op regen voorbereid zijn. Zonder een goed boek kunnen twee dagen regen in het bos al genoeg zijn om je gek te maken.

Er was vaag nog wat gehuil te horen, en toen was het stil. In die stilte kon ik getik in de keuken horen. De klok bij het fornuis, een van Jo's zeldzame staaltjes van slechte smaak, is Felix de Kat met grote ogen die heen en weer kijken, met de slinger mee. Ik denk dat hij in elke goedkope horrorfilm voorkomt.

'Wie is daar?' riep ik. Ik deed een stap in de richting van de keuken, die niet meer dan een vage ruimte was, zwevend voorbij de hal, en bleef toen weer staan. In het donker was het huis een spelonk. Het huilen kon overal vandaan zijn gekomen, ook uit mijn eigen fantasie. 'Is daar iemand?'

Geen antwoord – maar ik geloofde niet dat het geluid in mijn hoofd had gezeten. Was dat wel zo, dan hoefde ik me niet druk meer te maken om writer's block.

Op de boekenkast, links van de Elmore Leonards, stond een lange zaklantaarn, zo een waar acht grote batterijen in moeten en die iemand tijdelijk verblindt als je ermee in zijn ogen schijnt. Ik pakte hem en toen hij bijna uit mijn hand gleed, besefte ik pas hoe erg ik zweette, hoe bang ik was. Ik greep hem op het laatste moment vast. Mijn hart bonkte opnieuw en ik verwachtte ieder moment dat vreemde gesnik weer te horen. Ieder moment verwachtte ik dat het lijkwadending de zwarte huiskamer uit kwam zweven, de vormloze armen hooggeheven: een oude rot van een politicus die uit het graf was verrezen en het nog een keer wou proberen. Stem op de Partij van de Ware Wederopstanding, broeders, en ge zult gered worden.

Ik knipte de zaklantaarn aan. Hij schoot een felle rechte straal de huiskamer in en pikte de elandskop boven de veldstenen haard eruit. Hij scheen in de glazen ogen van de kop, alsof het twee lichtjes waren die onder water brandden. Ik zag de oude stoelen van riet en bamboe, de oude bank, de gehavende eetkamertafel die een gevouwen speelkaart of een paar bierviltjes onder een van de poten nodig had om niet te wankelen. Ik zag geen geesten, maar toch vond ik het allemaal maar niks. Om met de woorden van de onsterfelijke Cole Porter te spreken: let's call the whole thing off. Als ik naar mijn auto terugliep en meteen naar het oosten reed, kon ik tegen middernacht in Derry zijn en in mijn eigen bed slapen.

Ik deed het licht in de hal uit en liet de zaklantaarn een streep door het donker trekken. Ik luisterde naar het tikken van die stomme Felix de Kat-klok, die Bill blijkbaar in gang had gezet, en naar het vertrouwde zachte gezoem van de koelkast. Toen ik daarnaar luisterde, besefte ik dat ik niet had verwacht een van die twee geluiden ooit nog te horen. En wat dat huilen betrof...

Was er wel gehuil geweest? Echt waar?

Ja. Gehuil of *iets*. Het deed er misschien niet toe wat het was geweest. Waar het om ging, was dat mijn komst hierheen een gevaarlijk idee was geweest, dom gedrag van een man die zijn geest had geleerd zich te misdragen. Ik stond daar in die hal, met geen ander licht dan dat van de zaklantaarn en het schijnsel van de lamp op de achterveranda dat door de ramen naar binnen viel, en besefte dat de scheidslijn tussen wat ik wist dat echt was en wat ik wist dat fantasie was, nagenoeg helemaal verdwenen was.

Ik verliet het huis, controleerde of ik de deur goed op slot had gedaan en liep over de oprijlaan terug. Daarbij liet ik de zaklantaarn als een pendule heen en weer zwaaien – als de staart van Felix de Krazy Kat in de keuken. Toen ik daar liep, schoot me te binnen dat ik een of ander verhaal voor Bill Dean zou moeten verzinnen. Ik kon moeilijk zeggen: 'Hé, Bill, toen ik daar was, hoorde ik opeens een kind huilen in mijn afgesloten huis, en daar werd ik zo bang van dat ik in de peperkoekman veranderde en naar Derry terugrende. Ik stuur je de zaklantaarn die ik heb meegenomen; wil je hem op de plank naast de pockets zetten?' Dat kon ik niet doen, want dat verhaal zou worden rondverteld en de mensen zouden zeggen: 'Dat verbaast me niks. Hij zal wel te veel boeken hebben geschreven. Van dat soort werk krijg je hersenverweking. Nu is hij al bang voor zijn eigen schaduw. Een beroepsrisico.'

Al kwam ik hier mijn hele leven niet terug, ik wilde niet dat de mensen in de TR op die manier over me zouden denken, zo'n half minachtende houding van zo-zie-je-maar-wat-er-gebeurt-als-je-te-veel-denkt. Zo wordt vaak gedacht over mensen die van hun fantasie leven.

Ik zou tegen Bill zeggen dat ik ziek was. In zekere zin was dat de waarheid. Of nee, ik kon beter zeggen dat iemand anders ziek was... een kennis... iemand in Derry met wie ik omging... een vriendin, misschien. 'Bill, een vriendin van me werd ziek, weet je, en dus...'

Ik bleef opeens staan en scheen met de zaklantaarn op de voorkant van de auto. Ik had anderhalve kilometer in het donker gelopen zonder veel van de geluiden uit het bos op te merken, zelfs zonder tegen mezelf te zeggen dat de hardere geluiden herten waren die een rustplek zochten voor de nacht. Ik had me niet omgedraaid om te kijken of dat lijkwadending (of misschien een huilend spookkind) achter me aan kwam. Ik was namelijk druk bezig een verhaal te verzinnen en te verfraaien. Ik deed dat ditmaal niet op papier maar in mijn hoofd, maar ik volgde dezelfde bekende paden. Ik was daar zo door in beslag genomen dat ik mijn angst vergeten was. Mijn hartslag was weer normaal, het zweet droogde op, en de muggen zoemden niet meer zo in mijn oren. En toen ik daar stond, schoot me iets te binnen. Het was of mijn geest geduldig had gewacht tot ik voldoende gekalmeerd was om een essentieel feit te kunnen bevatten.

De buizen. Bill had mijn toestemming gekregen om de meeste oude buizen te laten vervangen, en de loodgieter had dat gedaan. Nog maar kort geleden.

'Lucht in de buizen,' zei ik, terwijl ik de straal van de grote zaklantaarn over de radiateur van mijn Chevrolet liet gaan. 'Dat was wat ik hoorde.'

Ik wachtte af of het diepere deel van mijn geest dat een domme, rationaliserende leugen noemde. Dat gebeurde niet, waarschijnlijk omdat ik besefte dat het waar zou kunnen zijn. Buizen waar lucht in komt, kunnen hetzelfde geluid voortbrengen als pratende mensen, blaffende honden of huilende kinderen. Misschien had de loodgieter ze leeg laten lopen en was het geluid iets anders geweest... maar misschien ook niet. De vraag was: moest ik in mijn auto stappen, driehonderd meter achteruitrijden naar de grote weg en dan terugkeren naar Derry, en dat alles op grond van een geluid dat ik tien (misschien maar vijf) seconden had gehoord terwijl ik in een opgewonden, gestresste staat verkeerde?

Ik beantwoordde die vraag met 'nee'. Misschien was er nog maar één vreemd ding nodig om me rechtsomkeert te laten maken – waarschijnlijk gebrabbel als van een personage uit *Verhalen uit het graf* – maar het geluid dat ik in de hal had gehoord, was niet genoeg. Niet als het zo belangrijk voor me was dat ik weer in Sara Laughs probeerde te leven.

Ik hoor stemmen in mijn hoofd. Die hoor ik al zolang ik me kan herinneren. Ik weet niet of dat deel uitmaakt van de uitrusting die je nodig hebt om schrijver te zijn; ik heb het nooit aan een andere schrijver gevraagd. Ik heb daar ook nooit behoefte aan gehad, want ik weet dat alle stemmen die ik hoor versies van mezelf zijn. Toch lijken ze vaak levensechte versies van andere mensen, en niets is voor mij levensechter – of vertrouwder – dan Jo's stem. Die stem kwam nu ook. Ze klonk geïnteresseerd, geamuseerd op een ironische maar milde manier – en goedkeurend.

Ga je vechten, Mike?

'Ja,' zei ik. Ik stond daar in het donker en liet het licht op het chroom van de radiateur schitteren. 'Ik denk van wel, schat.

Nou, dan is dát goed, hè?

Ja. Dat was het. Ik stapte in mijn auto, startte en reed langzaam over het weggetje. En toen ik bij de oprijlaan kwam, sloeg ik die in.

Toen ik voor de tweede keer het huis inging, was er geen gehuil te horen. Ik liep langzaam door de benedenverdieping en hield de zaklantaarn in mijn hand tot ik alle lampen die ik kon vinden had aangedaan. Als er nog mensen in boten op het noordelijke stuk van het meer waren, leek Sara nu waarschijnlijk net een vreemde Spielbergiaanse vliegende schotel die een eindje boven hen hing.

Ik denk dat huizen hun eigen leven leiden in een andere tijdstroom dan die waarop hun eigenaren drijven, een langzamere stroom. In een huis, vooral een oud huis, is het verleden dichterbij. In mijn leven was Johanna bijna vier jaar dood, maar voor Sara was ze nog veel dichterbij. Pas toen ik echt binnen was, alle lichten had aangedaan en de zaklantaarn weer op de boekenplank had gezet, besefte ik hoe erg ik tegen mijn komst naar dit huis had opgezien. Ik was bang geweest dat mijn verdriet weer tot leven kwam als ik de sporen van Johanna's afgebroken leven zag. Een boek met een omgevouwen hoek op een tafeltje naast de bank, waar Jo graag in haar nachthemd op had liggen lezen en pruimen eten. De doos Quaker Oats, het enige ontbijt dat ze wilde, op een plank in de bijkeuken; haar oude rode ochtendjas aan de badkamerdeur in de zuidelijke aanbouw, die Bill Dean 'de nieuwe aanbouw' noemde, al was hij gebouwd voordat wij Sara Laughs ooit hadden gezien.

Brenda Meserve had goed werk geleverd – humaan werk. Ze had die sporen en herinneringen verwijderd, maar ze had niet alles kunnen weghalen. Jo's gebonden Peter Wimsey-romans van Dorothy Sayers stonden nog vol trots in het midden van de boekenkast in de huiskamer. Jo had de elandskop boven de haard altijd Bunter genoemd, en op een dag had ze, al wist ik niet meer waarom (het was in ieder geval een erg on-Bunterachtige accessoire), een bel om de harige nek van de eland gehangen. Die hing daar nog, aan een roodfluwelen lint. Mevrouw Meserve had zich misschien over die bel verbaasd, had zich misschien afgevraagd of ze hem moest laten hangen of moest weghalen, zonder te weten dat als Jo en ik de liefde bedreven op de bank in de huiskamer (en ja, daar kregen we vaak zin) we de daad 'Bunters bel laten rinkelen' noemden. Brenda Meserve had haar best gedaan, maar ieder goed huwelijk is geheim terrein, een noodzakelijke witte vlek op de kaart van de samenleving. De dingen die anderen er niet van weten, maken het tot iets van jezelf.

Ik liep rond, raakte dingen aan, keek naar dingen, zag ze op een nieuwe manier. Jo was overal aanwezig. Na een tijdje liet ik me in een van de oude rieten stoelen voor de televisie vallen. Het kussen zuchtte onder me, en ik kon Jo horen zeggen: 'Pardón zeggen, Michael!'

Ik legde mijn gezicht in mijn handen en huilde. Het zal wel het laatste restje van mijn rouw zijn geweest, maar dat maakte het niet gemakkelijker. Ik huilde tot ik dacht dat er iets in me zou breken als ik niet ophield. Toen het me eindelijk losliet, was mijn gezicht drijfnat, had ik de hik en dacht ik dat ik me nog nooit in mijn leven zo moe had gevoeld. Mijn hele lichaam was moe – nu kwam dat misschien ook door al dat lopen, maar vooral door de spanning... en door mijn besluit om hier te blijven. Om te vechten. Dat vreemde huilen dat ik had gehoord toen ik hier de eerste keer was, leek nu weliswaar erg ver weg, maar het was mijn gemoedsrust bepaald niet ten goede gekomen.

Ik waste mijn gezicht bij het aanrecht, wreef met de binnenkant van mijn handen de tranen weg en snoot mijn volgelopen neus. Toen droeg ik mijn koffers naar de logeerkamer in de noordelijke aanbouw. Ik was niet van plan om in de zuidelijke aanbouw te gaan slapen, in de grote slaapkamer waar ik voor het laatst met Jo had geslapen.

Dat was een keuze die Brenda Meserve had voorzien. Er stond een vers veldboeket op het bureau, met een kaartje: WELKOM THUIS, MENEER NOONAN. Als ik niet emotioneel uitgeput was geweest, zou ik bij de aanblik van dat briefje, in mevrouw Meserves spichtige blokletters, weer een huilbui hebben gekregen. Ik bracht mijn gezicht naar de bloemen en haalde diep adem. Ze roken goed, naar zonneschijn. Ik trok mijn kleren uit, liet ze gewoon op de vloer vallen en sloeg het bed open. Schone lakens, schone kussenslopen; dezelfde oude Noonan schoof tussen de eerste en legde zijn hoofd op de laatste.

Ik lag daar met het leeslampje aan en keek naar de schaduwen op het plafond. Nog steeds kon ik niet geloven dat ik in dit huis was en in dit bed lag. Er was natuurlijk niets in een lijkwade geweest om me te begroeten... maar ik had het gevoel dat het me in mijn dromen wel zou vinden.

Soms – tenminste, bij mij – is er een overgangshobbel tussen waken en slapen. Die avond niet. Ik zakte weg zonder iets van die hobbel te merken, en toen ik de volgende morgen wakker werd, scheen de zon door het raam naar binnen en brandde het leeslampje nog. Ik kon me geen dromen herinneren, alleen het vage gevoel dat ik 's nachts even wakker was geweest en een bel had horen rinkelen, heel ijl en ver weg.

7

Het kleine meisje – eigenlijk was ze nog maar een peuter – liep midden over Route 68. Ze droeg een rood badpak, gele plastic slippers en een honkbalpet van de Boston Red Sox met de klep naar achteren. Ik was net langs de Lakeview General Store en Dickie Brooks' Garage All-purpose gereden, en de maximumsnelheid daalt daar van negentig naar zestig. Goddank hield ik me daar die dag aan, anders had ik haar misschien doodgereden.

Het was mijn eerste dag aan het meer. Ik was laat opgestaan en had het grootste deel van de ochtend in de bossen langs het meer gelopen om te zien wat er hetzelfde was gebleven en wat er veranderd was. Het water leek een beetje lager en er waren minder boten dan ik zou hebben verwacht, vooral op de belangrijkste feestdag van de zomer, maar afgezien daarvan was het of ik nooit weg was geweest. Het leek zelfs of ik dezelfde insecten wegjoeg.

Om een uur of elf maakte mijn maag me erop attent dat ik het ontbijt had overgeslagen. Ik besloot naar het Village Cafe te gaan. Het restaurant in Warrington's was veel stijlvoller, maar daar zouden de mensen naar me staren. Het Village Cafe zou beter zijn – als het nog bestond. Buddy Jellison was een slechtgehumeurde rotzak, maar hij was altijd de beste frituurder in het westen van Maine geweest en mijn maag wilde nu een grote vettige Villageburger.

En nu liep dat kleine meisje daar over de witte middenstreep van de weg, als een majorette die een onzichtbare optocht leidde.

Omdat ik maar zestig reed, zag ik haar ruimschoots op tijd, maar deze weg was 's zomers druk en er waren niet veel mensen die de moeite namen om langzamer te gaan rijden in de zone waar dat moest. Per slot van rekening waren er in Castle County maar een stuk of tien politiewagens, en als die geen specifieke oproep kregen, kwamen ze niet vaak in de TR.

Ik zette de Chevrolet in de berm, zette hem in de parkeerstand en was al uitgestapt voordat het stof was gaan liggen. Het was een benauwde, drukkende, windstille dag, met wolken die zo laag hingen dat het was of je ze kon aanraken. Het kind – een klein blond meisje met een stomp neusje en korstjes op de knieën – stond op de witte streep alsof het een strak gespannen koord was. Ze zag me aankomen en keek niet angstiger dan een reekalf zou doen.

'Hallo,' zei ze. 'Ik ga strand. Mammie brengt mij niet en ik heel boos.' Ze stampte met haar voet om te laten zien dat ze net zo goed als ieder ander wist wat het was om boos te zijn. Drie of vier, schatte ik haar. Ze was op haar eigen manier welsprekend en bijdehand genoeg, maar evengoed was ze niet ouder dan drie of vier.

'Nou, vier juli is een goede dag om naar het strand te gaan,' zei ik, 'maar...'

'Vier juli en óók vuurwerk,' beaamde ze, en ze liet dat 'ook' exotisch en lieflijk klinken, als een woord in het Vietnamees.

'... maar als je er over de grote weg naar toe probeert te lopen, kom je in het Castle Rock-ziekenhuis terecht.'

Ik besloot niet midden op Route 68 met haar te blijven palaveren, niet op vijftig meter afstand van een bocht, zodat er ieder moment een auto met een snelheid van honderd kilometer per uur kon komen aansjezen. Ik hoorde trouwens al een motor, en die draaide op hoge toeren.

Ik pakte het kind op en droeg haar naar mijn stationair draaiende auto, en hoewel ze het niet erg scheen te vinden dat ze gedragen werd en helemaal niet bang was, voelde ik me, zodra ze op mijn arm zat, net Okker de Kinderlokker. Ik was me er heel goed van bewust dat iemand die in de wacht- annex kantoorruimte van Brooksie's Garage zat me kon zien. Dit is een van de vreemde midlife-realiteiten van mijn generatie: we kunnen geen kind dat niet van onszelf is aanraken zonder bang te zijn dat anderen iets ontuchtigs in onze aanraking zien – of zonder diep in de krochten van onze ziel te denken dat er misschien inderdaad iets ontuchtigs in zit. Maar ik haalde haar van de weg. Dat deed ik tenminste. Laat de Woedende Moeders van West-Maine maar achter me aan komen en me straffen.

'Gaan we naar strand?' vroeg het kleine meisje. Ze keek me met haar heldere ogen aan en glimlachte. Ik verwachtte dat ze op haar twaalfde waarschijnlijk al zwanger zou zijn, vooral omdat ze die honkbalpet achterstevoren droeg. 'Heb je zwembroekie?'

'Ik denk dat ik mijn zwembroekie thuis heb gelaten. Is dat niet erg? Schatje, waar is je mama?'

Alsof mijn vraag meteen werd beantwoord, kwam op dat moment de auto die ik had gehoord door de binnenbocht scheuren. Het was een Jeep Scout met opgespatte modder tot hoog op de beide zijkanten. De motor gromde als iets wat hoog in een boom zat en zich daar kwaad om maakte. Uit het zijraam werd een vrouwenhoofd gestoken. De mama van dat kleine schatje moest wel ziek zijn geweest van bezorgdheid. Ze reed als een gek, en als er een tegenligger om die bocht in Route 68 was gekomen, zou mijn vriendinnetje in het rode badpak waarschijnlijk ter plekke een weeskind zijn geworden.

De Scout slingerde, het hoofd werd weer in de cabine getrokken en de bestuurder schakelde met veel geknars door. Blijkbaar probeerde ze haar oude kavalje in zo'n negen seconden van nul naar honderd te krijgen. Als dat met dodelijke ongerustheid te doen was, zou het haar vast en zeker gelukt zijn.

'Dat is Mattie,' zei het meisje in het badpak. 'Ik ben boos op haar. Ik loop weg om vier juli aan het strand te zijn. Als ze boos is, ga ik naar mijn witte oma.'

Ik had geen idee waar ze het over had, maar het schoot me wel te binnen dat Miss Badpak 1998 vier juli best op het strand kon doorbrengen; ik zou genoegen nemen met een bord gezonde havermout thuis. Intussen zwaaide ik zo heftig met de arm die ik niet onder het zitvlak van het meisje hield, dat lokken van haar fijne blonde haar opwaaiden.

'Hé!' schreeuwde ik. 'Hé, dame! Hier is ze!'

De Scout stoof voorbij, nog steeds accelererend met woedend geronk. De uitlaat blies wolken blauwe rook uit. Er zat een afschuwelijk geknars in de oude transmissie van de Scout, net een krankzinnige versie van *Let's Make a Deal*: 'Mattie, het is je gelukt om in de tweede versnelling te komen – wil je nu stoppen en de Maytag-wasmachine mee naar huis nemen, of wil je door naar de derde ronde?'

Ik deed het enige dat ik kon bedenken. Ik stapte de weg op, met mijn gezicht naar de Jeep die nu met grote snelheid van me vandaan reed (de oliestank was vettig en doordringend) en hield het kind hoog boven mijn hoofd, in de hoop dat Mattie ons in haar spiegeltje zou zien. Ik voelde me niet meer Okker de Kinderlokker, maar een wrede veilingmeester in een Disney-tekenfilm, iemand die het liefste kleine biggetje aan de hoogste bieder presenteert. Maar het werkte. De bemodderde remlichten van de Scout gingen aan en er volgde een duivels gekrijs op het moment dat de hard ingetrapte remmen blokkeerden. Dat gebeurde vlak voor Brooksie's. Als daar inderdaad ouwe kerels zaten om vier juli-roddels uit te wisselen, hadden ze nu tenminste genoeg om over te praten. Ze zouden vooral genieten als de moeder tegen me schreeuwde dat ik haar kind moest teruggeven. Als je na een lange afwezigheid naar je zomerhuis terugkeert, is het altijd prettig om een goed begin te maken.

De achteruitrijlichten kwamen dichterbij en de Jeep begon met een snelheid van misschien wel veertig kilometer per uur achteruit over de weg te rijden. De versnellingsbak klonk nu niet kwaad maar paniekerig – alsjeblieft, zei hij, alsjeblieft hou op, je molt me. De achterkant van de Scout schommelde heen en weer als de staart van een tevreden hond. Gehypnotiseerd zag ik hem op me af komen – nu eens op de ene weghelft, dan weer over de witte streep en op de andere weghelft, dan weer overcorrigerend, zodat de linker banden stof uit de berm sloegen.

'Mattie rijdt hard,' zei mijn nieuwe vriendin op een achteloze toon van is-het-niet-interessant. Ze had haar arm om mijn hals geslagen; we waren dikke vrienden.

Maar de woorden van het kind troffen me wel. Mattie reed inderdaad hard, té hard. De kans was groot dat Mattie de achterkant van mijn Chevrolet zou rammen. En als ik daar gewoon bleef staan, zouden Mientje Mopsneus en ik waarschijnlijk als tandpasta tussen de twee auto's terechtkomen.

Ik liep langs mijn auto achteruit, maar hield mijn blik strak op de Jeep gericht en schreeuwde: 'Langzamer, Mattie! Langzamer!'

Dat vond de kleine meid wel leuk. 'La'zamer!' schreeuwde ze, en ze begon te lachen. 'La'zamer, Mattie, la'zamer!'

De remmen krijsten opnieuw in doodsnood. De Jeep maakte een laatste schokkende, nukkige slingering naar achteren doordat Mattie stopte zonder de koppeling in te trappen. Die laatste schok bracht de achterbumper van de Scout zo dicht bij de achterbumper van mijn Chevrolet dat je de afstand met een sigaret had kunnen overbruggen. Er hing een weeïge oliewalm in de lucht. Het meisje woof met haar hand voor haar gezicht en begon overdreven te hoesten.

De deur aan de bestuurderskant vloog open; Mattie Devore vloog uit de jeep als een circusacrobaat die uit een kanon wordt geschoten, als je je tenminste een circusacrobaat in een oud geruit short en een katoenen shirtje kunt voorstellen. Het eerste dat ik dacht, was dat de grote zus van het kleine meisje op haar had gepast, dat Mattie en mammie twee verschillende mensen waren. Ik wist dat kleine kinderen in een bepaald stadium van hun ontwikkeling hun ouders bij de voornaam noemen, maar dit bleke blonde meisje leek me niet ouder dan een jaar of veertien. Ik veronderstelde nu dat haar idiote rijgedrag niet werd veroorzaakt door angst om haar kind (of niet alléén door die angst) maar door een volslagen gebrek aan rijervaring.

Er was ook nog iets anders, nietwaar? Ik veronderstelde ook nog iets anders. Die modderige Jeep, dat flodderige geruite short, dat shirtje dat als het ware schreeuwde dat het uit de Kmart kwam, dat lange blonde haar dat met rode elastiekjes bijeen werd gehouden, en vooral de onoplettendheid waardoor een kind van drie jaar dat aan je zorg is toevertrouwd ervandoor kan gaan – al die dingen betekenden voor mij maar één ding: caravanuitschot, armoedzaaiers die in stacaravans woonden. Ik weet hoe dat klinkt, maar ik wist waar ik het over had. Bovendien ben ik verdomme Iers. Mijn voorouders waren caravanuitschot toen de caravans nog woonwagens waren.

'*Stinkie bah!*' zei het kleine meisje, dat nog steeds met haar handje voor haar gezicht woof. 'Scoutie *stinkt*!'

Waar is Scouties zwembroekie? dacht ik, en toen werd mijn nieuwe vriendinnetje uit mijn armen gerukt. Nu ze dichterbij was, twijfelde ik weer aan mijn idee dat Mattie de grote zus van Miss Badpak was. Mattie zou pas ver in de volgende eeuw van middelbare leeftijd zijn, maar ze was ook geen twaalf of veertien. Ik schatte haar nu op twintig, misschien een jaar jonger. Toen ze het kind uit mijn armen rukte, zag ik de trouwring aan haar linkerhand. Ik zag ook de wallen onder haar ogen, de grauwe huid die in purper overging. Ze was jong, maar ik dacht dat ik naar de angst en vermoeidheid van een moeder keek.

Ik verwachtte dat ze het kind zou slaan, want zo reageert caravanuitschot op vermoeidheid en angst. Als ze dat deed, zou ik haar op de een of andere manier tegenhouden – haar afleiden zodat ze haar woede op mij zou richten, als het moest. Dat was niet iets nobels, moet ik eraan toevoegen. Het enige dat ik wilde, was dat het meppen, het door elkaar schudden en het kwaad toeschreeuwen werd uitgesteld tot een zodanige tijd en plaats dat ik er geen getuige van hoefde te zijn. Het was de eerste keer dat ik in het dorp terug was. Ik wilde niet op deze dag al zien hoe een onoplettende slet haar kind mishandelde.

In plaats van haar door elkaar te rammelen en 'Waar wou jij heen, klein kreng?' te schreeuwen, omhelsde Mattie het meisje (dat enthousiast terugknuffelde en absoluut geen tekenen van angst vertoonde) en ze bedekte haar gezicht met kussen.

'Waarom deed je dat nou?' riep ze uit. 'Wat was je van plan? Toen ik je niet kon vinden, stierf ik van de zenuwen.'

Mattie barstte in tranen uit. Het kind in het badpak keek haar met zoveel verbazing aan dat het onder andere omstandigheden komisch zou zijn geweest. Toen betrok haar eigen gezicht. Ik stapte achteruit, zag hoe ze huilden en elkaar omhelsden en schaamde me voor mijn vooroordelen.

Een auto naderde en ging langzamer rijden. Een bejaard echtpaar – opa en opoe op weg naar de winkel voor een voordeelverpakking Grape-Nuts – keek met grote ogen naar ons. Ik woof ongeduldig met beide handen, zo'n gebaar van 'waar kijken jullie naar, doorrijden a.u.b., stop een ei in je schoen en wegwezen'. Ze gingen harder rijden, maar ik zag geen nummerbord van buiten de staat, zoals ik had gehoopt. Deze oudjes waren mensen uit de streek, en het verhaal zou gauw genoeg de ronde doen: Mattie de tienerbruid en haar kleine bundeltje vreugde (een bundeltje dat ongetwijfeld enkele maanden voor de huwelijksvoltrekking verwekt was op de achterbank van een auto of in de laadbak van een pick-uptruck) huilden tranen met tuiten langs de kant van de weg. Met een vreemde. Nee, niet echt een vreemde. Mike Noonan, die schrijver die hier een zomerhuis heeft.

'Ik wilde naar het strand en zwe-zwe-zwemmen!' huilde het kleine meisje, en nu was het 'zwemmen' dat exotisch klonk – het Vietnamese woord voor 'extase' misschien.

'Ik zei dat we vanmiddag zouden gaan.' Mattie snoof nog, maar ze had zichzelf weer redelijk onder controle. 'Dat mag je nooit meer doen, kleintje, doe dat alsjeblieft nooit meer. Mammie was zo bang.'

'Ik zal het nooit meer doen,' zei het kind. 'Echt waar.' Nog steeds huilend klampte ze zich vast aan het oudere meisje, met haar hoofd tegen de zijkant van Matties hals. Haar honkbalpetje viel af. Ik pakte het op en begon me zo langzamerhand een buitenstaander te voelen. Ik tikte met het blauw-rode petje tegen Matties hand tot haar vingers zich eromheen sloten.

De manier waarop de dingen waren verlopen, gaf me een goed gevoel, en misschien was dat wel terecht. Ik heb het incident hier beschreven alsof het grappig was, en dat was het ook, maar het was het soort grappigheid waarvan je je pas na afloop bewust bent. Toen het gebeurde, was het angstaanjagend. Als er nu eens een vrachtwagen uit de andere richting was gekomen? Als hij om die bocht was gekomen, met te hoge snelheid?

Er kwam inderdaad een auto die bocht om, een pick-up van het soort waarin geen toerist ooit rijdt. Weer twee mensen uit het dorp keken met grote ogen naar het tafereel.

'Mevrouw?' zei ik. 'Mattie? Ik geloof dat ik maar weer eens ga. Ik ben blij dat je kleine meisje ongedeerd is.' Zodra ik dat had gezegd, voelde ik een onweerstaanbaar verlangen om te lachen. Ik kon me voorstellen dat ik deze woorden tegen Mattie zei (een naam die als geen andere in een film als *De genadelozen* of *Helden van de prairie* paste) met mijn duimen achter de riem van mijn *chapparajos* en mijn stetson naar achteren geschoven zodat mijn nobele voorhoofd te zien was. Ik voelde een krankzinnige aandrang om eraan toe te voegen: 'U bent een knappe dame, mevrouw, bent u niet de nieuwe schooljuffrouw?'

Ze keek me aan en ik zag dat ze inderdaad erg knap was. Zelfs met wallen onder haar ogen en met haar blonde haar in pieken aan weerskanten van haar hoofd. En voor een meisje dat waarschijnlijk nog niet oud genoeg was om iets te drinken te krijgen in een bar was ze me best meegevallen. In elk geval had ze het kind niet geslagen.

'Heel erg bedankt,' zei ze. 'Liep ze midden op de weg?' Zeg dat het niet zo was, smeekten haar ogen. Zeg tenminste dat ze in de berm liep.

'Nou...'

'Ik liep op de streep,' zei het meisje, en ze wees het aan. 'Het is net de zeepla.' Haar stem kreeg een lichtelijk verontwaardigde klank. 'De zeepla is veilig.'

Matties wangen werden nog witter dan ze al waren. Dat stond me helemaal niet aan, en ik vond het ook geen prettig idee dat ze op die manier naar huis zou rijden, vooral niet met een kind.

'Waar woont u, mevrouw...?'

'Devore,' zei ze. 'Ik ben Mattie Devore.' Ze zette het kind op haar andere arm en stak haar hand uit. Ik schudde hem. Het was een warme ochtend en het zou 's middags heet worden – absoluut strandweer – maar haar vingers waren koud als ijs. 'We wonen daar.'

Ze wees naar het kruispunt waar de Scout vandaan gekomen was, en ik zag – verrassing, verrassing! – een dubbelbrede caravan in een bosje dennen staan, zo'n vijftig meter verderop aan een zijweg. Wasp Hill Road, herinnerde ik me. Die was een kleine kilometer lang en leidde van Route 68 naar het water dat de Middle Bay genoemd werd. O ja, Doc, het komt nu allemaal weer boven. Ik ben de held van Dark Score Lake. Kinderen redden is mijn specialiteit.

Toch vond ik het een hele opluchting dat ze zo dichtbij woonde – niet meer dan een paar honderd meter van de plaats waar onze voertuigen bijna met hun achterkanten tegen elkaar stonden – en nu ik daarover nadacht, vond ik het ook wel logisch. Zo'n jong kind als Miss Badpak kon niet ver zijn gelopen – al had het kind in kwestie al blijk gegeven van een eigen willetje. En ik vond het verwilderde uiterlijk van de moeder een nog duidelijker teken van de wilskracht van de dochter. Ik was blij dat ik te oud was om een van haar toekomstige vriendjes te zijn; ze zou ze de hele middelbare school en universiteit op de huid zitten. Met een brandijzer, denk ik.

Nou, in elk geval op de middelbare school. Meisjes uit de dubbelbrede kant van de stad gingen in de regel niet naar de universiteit, tenzij iemand hen aan een beurs hielp. En ze zou die jongens alleen maar op de huid zitten tot de juiste jongen (of waarschijnlijker nog de verkeerde jongen) door de Grote Bocht des Levens kwam rijden en haar aansprak op de snelweg, omdat ze nog steeds niet wist dat de witte streep en de zebra twee verschillende dingen waren. Dan zou de hele cyclus zich herhalen.

Godallemachtig, Noonan, hou op, zei ik tegen mezelf. *Ze is drie jaar oud en je zadelt haar al op met drie kinderen, twee met ringworm en een met een geestelijke achterstand.*

'Héél erg bedankt,' herhaalde Mattie.

'Geen dank,' zei ik, en ik drukte even op de neus van het kleine meisje. Hoewel haar wangen nog nat van de tranen waren, lachte ze me zonnig toe. 'Dit dametje is erg welbespraakt.'

'Erg welbespraakt, en erg wilskrachtig.' Nu schudde Mattie haar kind lichtjes heen en weer, maar het kind toonde geen angst, liet niet blijken dat slaan en heen en weer schudden aan de orde van de dag waren. Integendeel, haar glimlach werd alleen maar breder. Haar moeder glimlachte terug. En ja – als je eenmaal door haar slonzige uiterlijk heen keek, was ze erg knap. Als je haar een tennispakje aantrok en in de Castle Rock Country Club zette (waar ze waarschijnlijk in haar hele leven nooit zou komen, behalve misschien als kamermeisje of serveerster), zou ze misschien meer dan knap zijn. Een jonge Grace Kelly wellicht.

Toen keek ze me weer aan, haar ogen groot en ernstig.

'Meneer Noonan, ik ben geen slechte moeder,' zei ze.

Ik schrok een beetje toen ik mijn naam uit haar mond hoorde komen, maar dat duurde niet lang. Per slot van rekening had ze er de leeftijd voor, en mijn boeken waren waarschijnlijk beter voor haar dan dat ze de hele middag naar *General Hospital* en *One Life to Live* keek. Nou ja, een beetje beter.

'We waren het er niet over eens wanneer we naar het strand zouden gaan. Ik wilde de was ophangen, eten en vanmiddag gaan. Kyra wilde...' Ze onderbrak zichzelf. 'Wat? Wat zei ik?'

'Heet ze Kia? Heeft...' Voordat ik nog iets kon zeggen, gebeurde er iets buitengewoons: mijn mond was opeens vol water. Zoveel water dat ik even in paniek raakte, als iemand die in zee zwemt en een golf over zich heen krijgt en zijn mond opeens vol zeewater heeft. Alleen was dit geen zout water; het was koud en fris, met een vage metaalsmaak, als bloed.

Ik draaide me om en spuwde. Ik verwachtte dat er een straal vloeistof uit mijn mond zou komen – zo'n straal die je soms ziet als je kunstmatige beademing op een drenkeling begint toe te passen. Wat in plaats daarvan uit mijn mond kwam, was wat er meestal uitkomt als je op een warme dag spuwt: een klein wit kloddertje. En dat gevoel was al weg voordat het kleine witte kloddertje in het stof van de berm viel. Het was of het er nooit was geweest.

'Die meneer spuugde,' merkte het meisje nuchter op.

'Sorry,' zei ik. Ik was ook verbijsterd. Wat ter wereld was dát nu weer geweest? 'Het zal wel een vertraagde reactie zijn geweest.'

Mattie keek bezorgd, alsof ik tachtig in plaats van veertig was. Ik dacht dat voor een meisje van haar leeftijd veertig misschien hetzelfde was als tachtig. 'Wilt u met ons mee naar huis? Dan geef ik u een glas water.'

'Nee, het gaat alweer.'

'Goed. Meneer Noonan... Ik wil alleen maar zeggen dat zoiets me nog nooit eerder is overkomen. Ik hing lakens op – ze zat binnen naar een video van *Supermuis* te kijken... en toen ik naar binnen ging om wasknijpers te pakken...' Ze keek het meisje aan, dat nu niet meer glimlachte. Het begon tot haar door te dringen. Haar ogen waren groot en konden ieder moment weer vollopen met tranen. 'Ze was weg. Ik dacht even dat ik dood zou gaan van angst.'

Nu begon de mond van het kind te trillen, en haar ogen liepen precies op het juiste moment vol. Ze begon te huilen. Mattie streek over haar haar, streelde het kleine hoofdje tot het tegen het shirtje van de Kmart lag.

'Rustig maar, Ki,' zei ze. 'Het is deze keer goed afgelopen, maar je mag niet op de weg komen. Dat is gevaarlijk. Op de weg worden kleine dingen overreden, en jij bent een klein ding. Het kostbaarste kleine ding op de wereld.'

Het meisje huilde nu nog harder. Het was het uitgeputte geluid van een kind dat een dutje moest doen voordat het aan nieuwe avonturen, op het strand of ergens anders, kon beginnen.

'Kia stout, Kia stout,' snikte ze in de hals van haar moeder.

'Nee, schatje, Kia drie,' zei Mattie, en als ik nog had gedacht dat ze misschien een slechte moeder was, was die gedachte nu op slag verdwenen. Of misschien al eerder. Per slot van rekening was het kind weldoorvoed, goed verzorgd en prettig in de omgang en had het geen blauwe plekken.

Op een bepaald niveau drongen die dingen tot me door. Op een ander niveau probeerde ik het vreemde te verwerken dat zojuist was gebeurd, en nog iets vreemds dat ik meende te hebben gehoord: dat het kleine meisje dat ik van de witte streep had gehaald de naam droeg die wij aan ons kind hadden willen geven als het een meisje zou worden.

'Kia,' zei ik. Ik stond er nog steeds versteld van. Alsof ik haar met mijn aanraking zou kunnen breken, streek ik aarzelend over haar achterhoofd. Haar haar was stevig en warm van de zon.

'Nee,' zei Mattie. 'Ze kan het nog niet goed uitspreken. *Kyra*, niet Kia. Het komt uit het Grieks. Het betekent: als een dame.' Ze maakte een nerveuze beweging. 'Ik koos hem uit een boek met babynamen. Toen ik nog zwanger was, ging ik nogal op de Oprah-toer. Dat is beter dan een postnatale depressie, denk ik.'

'Het is een mooie naam,' zei ik, 'en ik denk niet dat je een slechte moeder bent.'

Op dat moment moest ik denken aan een verhaal dat Frank Arlen me tijdens een kerstdiner had verteld – het ging over Petie, de jongste broer, en we hadden allemaal dubbel gelegen van het lachen. Zelfs Petie, die beweerde dat hij zich niets van het incident kon herinneren, lachte tot de tranen hem over de wangen liepen.

Toen Petie vijf jaar oud was, zei Frank, hadden hun ouders hen met Pasen naar eieren laten zoeken. Met zijn tweeën hadden ze de avond ervoor meer dan honderd geverfde hardgekookte eieren rond het huis verstopt, nadat ze eerst de kinderen naar hun grootouders hadden gebracht. Het werd een heel gezellige paasochtend, in ieder geval totdat Johanna opkeek van de patio, waar ze haar deel van de buit aan het tellen was, en een harde gil slaakte. Daar was Petie: hij scharrelde opgewekt rond over de uitstekende rand van de eerste verdieping aan de achterkant van het huis, nog geen anderhalve meter van een val op de betonnen patio verwijderd.

Meneer Arlen had Petie gered terwijl de rest van het gezin beneden stond. Ze hielden elkaars hand vast en waren verstijfd van angst en spanning. Mevrouw Arlen had een rozenhoedje gebeden ('zo snel dat ze net als een van die eekhoorns op die oude *Witch Doctor*-plaat klonk,' had Frank gezegd, bulderend van het lachen), totdat haar man weer door het open slaapkamerraam was verdwenen, met Petie in zijn armen. Toen was ze flauwgevallen op het beton en had daarbij haar neus gebroken. Toen Petie om uitleg werd gevraagd, had hij gezegd dat hij wilde kijken of er in de dakgoot ook eieren lagen.

Ik denk dat elk gezin wel minstens één zo'n verhaal heeft. Het feit dat de Peties en Kyra's van deze wereld zo'n groot gevaar hebben overleefd, is – tenminste voor de ouders – een overtuigend argument voor het bestaan van God.

'Ik was zo bang,' zei Mattie, die nu weer veertien leek. Hooguit vijftien.

'Maar het is voorbij,' zei ik. 'En Kyra zal nooit meer op de weg lopen. Nee, hè, Kyra?'

Ze schudde haar hoofd tegen de schouder van haar moeder zonder op te kijken. Ik vermoedde dat ze waarschijnlijk al zou slapen voordat Mattie met haar die goeie ouwe dubbelbrede caravan had bereikt.

'U weet niet hoe bizar dit voor me is,' zei Mattie. 'Een van mijn favoriete schrijvers duikt uit het niets op en redt mijn kind. Ik wist dat u een huis in de TR had, dat grote oude huis dat iedereen Sara Laughs noemt, maar ze zeggen dat u hier niet meer komt sinds uw vrouw gestorven is.'

'Ik ben er een hele tijd niet geweest,' zei ik. 'Als Sara geen huis maar een huwelijk was, zou je dit een proefverzoening kunnen noemen.'

Ze glimlachte even en keek toen weer ernstig. 'Ik wil u iets vragen. Een gunst.'

'Vraag maar.'

'Wilt u hier niet met anderen over praten? Het is niet zo'n beste tijd voor Ki en mij.'

'Waarom niet?'

Ze beet op haar lip, vroeg zich blijkbaar af of ze de vraag zou beantwoorden – een vraag die ik misschien niet had gesteld als ik even had nagedacht – en schudde toen met haar hoofd. 'Gewoon geen beste tijd. En ik zou u dankbaar zijn als u in het dorp niet sprak over wat er zojuist gebeurd is. Dankbaarder dan u ooit zult weten.'

'Geen probleem.'

'U meent het?'

'Ja. Ik ben hier een vakantieganger die een hele tijd niet is geweest – dat betekent dat ik niet veel mensen heb om mee te praten.' Er was natuurlijk Bill Dean, maar ik hoefde hem niets te vertellen. Niet dat hij het niet zou weten. Als dit dametje dacht dat de mensen in het dorp niet zouden horen dat haar dochtertje de benenwagen had genomen om naar het strand te gaan, nam ze zichzelf in de maling. 'Maar ik denk dat ze ons al gezien hebben. Kijk maar eens naar Brooksie's Garage. Even kijken, niet staren.'

Ze deed het, en zuchtte. Twee oude mannen stonden op het beton waar ooit benzinepompen hadden gestaan. Een van hen was hoogstwaarschijnlijk Brooksie zelf; ik meende het pluizige randje rood haar te zien waardoor hij er altijd als een plattelandsversie van Pipo de Clown had uitgezien. De ander, zo dat Brooksie een schooljongen leek, leunde op een wandelstok met gouden knop en deed dat op een vreemde, sluwe manier.

'Aan hen kan ik niets doen,' zei ze somber. 'Níemand kan iets aan hen doen. Eigenlijk mag ik blij zijn dat het een nationale feestdag is, anders waren het er misschien wel meer geweest dan die twee.'

'Trouwens,' voegde ik eraan toe, 'waarschijnlijk zien ze niet veel.' Daarmee ging ik voorbij aan twee dingen; ten eerste dat er een stuk of zes auto's voorbij waren gereden in de tijd dat wij daar stonden, en ten tweede dat als Brooksie en zijn bejaarde vriend iets niet hadden gezien, ze het geen enkel probleem vonden om het erbij te verzinnen.

Kyra lag als een dame tegen Matties schouder te snurken. Mattie keek even met een glimlach vol berouw en liefde naar haar. 'Ik vind het jammer dat we elkaar moesten ontmoeten onder omstandigheden waarin ik zo dom lijk, want ik ben echt een grote fan van u. In de boekwinkel in Castle Rock zeggen ze dat er van de zomer een nieuwe van u uitkomt.'

Ik knikte. 'Het heet *Helens belofte*.'

Ze grijnsde. 'Goede titel.'

'Dank je. Ga nu maar met je dochtertje naar huis, voordat ze je arm breekt.'

'Ja.'

Er zijn mensen op deze wereld die erin uitblinken om gênante, pijnlijke vragen te stellen zonder het te willen – dat is net zoiets als een talent om tegen deuren op te lopen. Ik behoor tot die mensen, en toen ik met haar meeliep naar de passagierskant van de Scout, bedacht ik een goede. En toch viel me niet zoveel te verwijten, want ik had immers de trouwring aan haar hand gezien.

'Ga je het je man vertellen?'

De glimlach bleef op haar gezicht maar verflauwde enigszins. En verstrakte. Als het mogelijk was een uitgesproken vraag te 'verwijderen' zoals je met een druk op de knop een regel tekst kunt verwijderen wanneer je een verhaal schrijft, zou ik dat hebben gedaan.

'Hij is in augustus overleden.'

'Mattie, dit spijt me. Ik kan mijn tong wel afbijten.'

'U kon het niet weten. Een meisje van mijn leeftijd wordt eigenlijk niet eens geacht getrouwd te zijn, hè? En als ze getrouwd is, wordt haar man geacht in het leger te zijn of zoiets.'

Er zat een roze kinderzitje – ook van de Kmart, denk ik – aan de passagierskant van de Scout. Mattie probeerde Kyra erin te hijsen, maar ik zag dat het haar moeite kostte. Ik stapte naar voren om haar te helpen, en heel even maar, toen ik langs haar reikte om een mollig beentje vast te grijpen, streek de rug van mijn hand over haar borst. Ze kon geen stap terug doen, want dan riskeerde ze dat Kyra uit het zitje op de vloer gleed, maar ik kon merken dat de aanraking haar niet was ontgaan. Mijn man is dood, dus die kan niets meer doen en nu denkt die grote schrijver dat hij op een warme zomerochtend rustig even aan mijn tiet mag komen. En wat kan ik zeggen? Die grote meneer heeft mijn kind van de weg gehaald, misschien zelfs haar leven gered.

Nee, Mattie, ik mag dan mijn gebreken hebben, maar ik was je niet stiekem aan het betasten. Alleen kon ik dat niet zeggen, want het zou de dingen alleen maar erger maken. Ik voelde dat ik enigszins bloosde.

'Hoe oud ben je?' vroeg ik, toen we de peuter in het zitje hadden en weer op veilige afstand van elkaar stonden.

Ze keek me aan. Moe of niet, ze had zichzelf weer in de hand. 'Oud genoeg om te weten in wat voor situatie ik verkeer.' Ze stak haar hand uit. 'Nogmaals bedankt, meneer Noonan. God heeft u op het juiste moment langsgestuurd.'

'Nee, God zei alleen tegen me dat ik een hamburger moest gaan eten in het Village Cafe,' zei ik. 'Of misschien was het Zijn tegenhanger. Zeg alsjeblieft dat Buddy op zijn oude plek zit.'

Ze glimlachte. Dat maakte haar gezicht weer een beetje vriendelijker, en het deed me goed om dat te zien. 'Hij zal daar ook nog zitten als Ki's kinderen oud genoeg zijn om te proberen met een vervalste identiteitskaart bier te kopen. Tenzij er iemand komt binnenlopen die om iets als garnalen tetrazzini vraagt. In dat geval sterft hij waarschijnlijk ter plekke aan een hartaanval.'

'Ja. Als ik exemplaren van het nieuwe boek heb, kom ik er een brengen.'

De glimlach bleef hangen, maar nu met een zweem van behoedzaamheid. 'Dat hoeft echt niet, meneer Noonan.'

'Nee, maar ik doe het wel. Mijn agent stuurt me vijftig presentexemplaren. Ik merk dat ik daar meer aan heb naarmate ik ouder word.'

Misschien hoorde ze meer in mijn stem dan ik erin had willen leggen – mensen doen dat soms volgens mij.

'Goed. Ik verheug me erop.'

Ik keek nog eens naar het kind, dat lag te slapen op die vreemde zorgeloze manier van kleine kinderen – haar hoofd op haar schouder, haar mooie kleine lippen op elkaar, een bel blazend. Ik vind vooral hun huid mooi – zo zuiver en volmaakt dat er helemaal geen poriën lijken te zijn. Haar Sox-pet stond scheef. Mattie keek toe terwijl ik mijn hand uitstak en de pet verschoof zodat de schaduw van de klep over haar dichte ogen viel.

'Kyra,' zei ik.

Mattie knikte. 'Als een dame.'

'Kia is een Afrikaanse naam,' zei ik. 'Het betekent het begin van het seizoen.' Toen liet ik haar alleen. Ik woof nog even toen ik naar de bestuurderskant van de Chevrolet terugliep. Ik voelde dat ze nieuwsgierig naar me keek en ik had het vreemde gevoel dat ik moest huilen.

Dat gevoel bleef bij me toen die twee allang uit het zicht verdwenen waren, zelfs toen ik bij het Village Cafe aankwam. Ik stopte op het onverharde parkeerterrein links van de merkloze benzinepompen en bleef daar nog een tijdje zitten denken aan Jo en een zwangerschapstest die tweeëntwintig dollar vijftig had gekost. Een klein geheimpje dat ze wilde bewaren tot ze absolute zekerheid had. Dat moest het zijn geweest; wat kon het anders zijn geweest?

'Kia,' zei ik. 'Het begin van het seizoen.' Maar daardoor kreeg ik weer aandrang om te huilen, en dus stapte ik uit de auto en ik gooide het portier hard achter me dicht, alsof ik op die manier mijn verdriet kon binnenhouden.

8

Buddy Jellison was inderdaad nog niets veranderd – dezelfde oude witte koksklerен, hetzelfde vieze, vlekkerige witte schort, hetzelfde wilde grijze haar onder een papieren muts waar vlekken van hetzij runderbloed hetzij aardbeiensiroop op zaten. Zelfs, zo te zien, dezelfde haverkoekjeskruimels in zijn ruige snor. Hij was misschien vijfenvijftig en misschien zeventig, een leeftijd die bij sommige genetisch bevoordeelde mannen nog binnen de grenzen van de middelbare leeftijd valt. Hij was groot en dik – naar schatting een meter negentig, honderdveertig kilo – en bezat nog net zoveel wellevendheid, humor en *joi de vivre* als vier jaar daarvoor.

'Wil je een menukaart of weet je het nog?' bromde hij, alsof ik de vorige dag nog bij hem in de zaak was geweest.

'Heb je de Villageburger Deluxe nog?'

'Schijten kraaien nog in de dennentoppen?' Zijn fletse ogen keken me aan. Geen condoleances, en dat was mij best.

'Waarschijnlijk wel. Ik neem er een met alles – een Villageburger, geen kraai – plus een chocolademilkshake. Goed je weer te zien.'

Ik stak mijn hand uit. Hij keek verrast maar pakte hem toch aan. In tegenstelling tot het schort, de rest van de kleren en de muts, was die hand schoon. Zelfs de nagels waren schoon. 'Ja,' zei hij, en toen draaide hij zich om naar de vaalgele vrouw die uien stond te hakken naast de grill. 'Villageburger, Audrey,' zei hij. 'Trek hem door de tuin.'

Ik ben anders iemand die het liefst aan de bar zit, maar die dag nam ik een tafel bij de frisdrankautomaat en wachtte tot Buddy riep dat het klaar was – Audrey maakt het spul klaar, maar ze serveert niet. Ik wilde nadenken, en Buddy's tent was daar heel geschikt voor. Een paar dorpelingen aten broodjes en dronken frisdrank rechtstreeks uit blik, maar dat was het wel zo'n beetje. Mensen met zomerhuisjes moesten wel uitgehongerd zijn om in het Village Cafe te gaan eten, en zelfs dan zouden ze waarschijnlijk nog schoppen en spartelen als je hen naar binnen probeerde te trekken. De vloer was bedekt met verschoten rood linoleum met een glooiende topografie van heuvels en dalen. Net als Buddy's koksklerеn was die vloer niet al te schoon (de zomermensen die hier kwamen, zouden waarschijnlijk niet op zijn handen letten). Het houtwerk was vettig en donker. Daarboven, waar de pleisterkalk begon, zat een aantal bumperstickers – Buddy's idee van decoratie.

CLAXON DEFECT – LET OP VINGER.

VERMIST: VROUW EN HOND. BELONING VOOR HOND.

ER IS HIER GEEN DORPSDRONKAARD; WE ZIJN HET OM BEURTEN.

Humor is bijna altijd woede met make-up op, denk ik, maar in kleine plaatsjes is dat laagje make-up vaak erg dun. Drie plafondventilatoren wiekten lusteloos door de hete lucht, en links van de frisdrankautomaat hingen twee stroken vliegenpapier, beide royaal bestippeld met kleine gevleugelden, waarvan sommige nog zwakjes spartelden. Als je daarnaar kon kijken en toch kon eten, zat het waarschijnlijk wel goed met je spijsvertering.

Ik dacht aan de overeenkomst van namen die vast toeval was – die toeval móest zijn. Ik dacht aan een jong, knap meisje dat moeder was geworden op haar zestiende of zeventiende en weduwe op haar negentiende of twintigste. Ik dacht aan mijn onopzettelijke aanraking met haar borst, en hoe de wereld dacht over mannen van in de veertig die plotseling de fascinerende wereld van jonge vrouwen en hun attributen ontdekten. Vooral dacht ik aan de vreemde ervaring die ik had gehad toen Mattie me vertelde hoe het kind heette – het gevoel dat mijn mond en keel opeens volliepen met koud mineraalwater. Die stortvloed.

Toen mijn burger klaar was, moest Buddy twee keer roepen. Toen ik hem ging ging halen, zei hij: 'Blijf je hier of doek je de zaak op?'

'Hoezo?' vroeg ik. 'Heb je me gemist, Buddy?'

'Nee,' zei hij, 'maar jij komt tenminste hier uit Maine. Wist je dat "Massachusetts" Piscataqua voor "klootzak" is?'

'Jij bent nog net zo grappig als vroeger,' zei ik.

'Ja. Ze hebben me gevraagd bij Letterman. Ik moet hem uitleggen waarom God de meeuwen vleugels heeft gegeven.'

'Waarom was dat, Buddy?'

'Dan waren ze eerder bij de vuilnisbelt dan de Fransozen.'

Ik pakte een krant uit het rek en een rietje voor mijn milkshake. Toen liep ik naar de munttelefoon en sloeg, met de krant onder mijn arm, het telefoonboek open. Je kon ermee rondlopen als je dat wilde; het zat niet met een koordje aan de telefoon vast. Want wie zou nou een telefoongids van Castle County willen stelen?

Er waren meer dan twintig Devores, en dat verbaasde me niet erg – het is zo'n naam als Pelkey of Bowie of Toothaker, die je steeds weer tegenkomt als je daar woont. Ik denk dat het overal hetzelfde is – sommige families fokken meer en reizen minder.

Er zat een Devore aan 'RD Wsp Hll Rd', maar dat was geen Mattie, Mathilda, Martha of M. Het was een Lance Devore. Ik keek naar de voorkant van het telefoonboek en zag dat het een exemplaar uit 1997 was, gedrukt en verspreid terwijl Matties man nog in het land der levenden was. Goed... maar er was nog iets anders met die naam aan de hand. Devore, Devore, laat ons thans roemruchte Devores loven; waartoe zijt gij Devore? Maar wat het ook was, het wilde me niet te binnen schieten.

Ik at mijn burger, dronk mijn vloeibaar gemaakte ijs en deed mijn best om niet te kijken naar wat er aan het vliegenpapier was blijven plakken.

Terwijl ik wachtte tot de vaalgele, zwijgzame Audrey me mijn wisselgeld gaf (je kon nog steeds voor vijftig dollar een week lang in het Village Cafe eten – dat wil zeggen, als je bloedvaten ertegen bestand waren), las ik de sticker die op het kasregister was geplakt. Het was weer typisch iets voor Buddy Jellison: DE CYBERSPACE MAAKTE ME ZO BANG DAT IK IN MIJN BROEK DOWNLOADDE. Ik stond niet echt te schuddebuiken van het lachen, maar het leverde me misschien wel de oplossing op van een van de mysteries van die dag: waarom de naam Devore me niet alleen bekend voorkwam maar ook een bijzondere klank voor me had.

Ik was financieel goed af, rijk volgens de normen van velen. Maar hier in de TR was minstens één persoon die rijk was volgens de normen van iedereen, en stinkend rijk volgens de normen van de meeste vaste bewoners van deze contreien. Dat wil zeggen, als hij nog at en ademhaalde en rondliep.

'Audrey, leeft Max Devore nog?'

Ze keek me met een vaag lachje aan. 'Ja, maar we zien hem hier niet zo vaak.'

Dat bracht me tot de lach die al Buddy's grappige stickers niet aan me hadden kunnen ontlokken. Audrey, die altijd al gelig was geweest en nu op een kandidate voor een levertransplantatie leek, moest zelf ook grinniken. Buddy keek ons vanaf de andere kant van het buffet met de zedige blik van een bibliothecaresse aan. Hij stond daar een brochure over een NASCAR-race in Oxford Plains te lezen.

Ik reed over dezelfde weg terug. Eigenlijk moet je niet midden op een warme dag een grote hamburger eten; je wordt er slaperig en suf van. Het enige dat ik wilde, was naar huis gaan (ik was er nog geen vierentwintig uur en beschouwde het al als 'thuis'), op het bed onder de plafondventilator in de noordelijke slaapkamer neerploffen en een paar uur slapen.

Toen ik langs Wasp Hill Road kwam, nam ik gas terug. De was hing lusteloos aan de lijnen en er lag speelgoed in de voortuin, maar de Scout was weg. Mattie en Kyra hadden hun zwempakkies aangedaan, nam ik aan, en waren naar het openbare strantie gegaan. Ik mocht ze allebei erg graag. Matties kortstondige huwelijk had haar waarschijnlijk een of andere band met Max Devore opgeleverd – maar toen ik de roestige dubbelbrede caravan met zijn onverharde oprit en armetierige voortuin zag en me Matties flodderige short en Kmart-shirtje herinnerde, nam ik aan dat die band niet erg hecht was.

Voordat Maxwell William Devore zich eind jaren tachtig in Palm Springs terugtrok, was hij een stuwende kracht in de computerrevolutie geweest. Dat is vooral een revolutie van jonge mensen, maar Devore deed het voor een ouwetje erg goed – hij kende het terrein en begreep de regels. Hij begon in de tijd dat geheugen nog op magnetische band in plaats van in chips werd opgeslagen en een rekenkolos ter grootte van een pakhuis, UNIVAC genaamd, het nieuwste van het nieuwste was. Hij sprak vloeiend COBOL en FORTRAN. Toen het terrein zich zo sterk uitbreidde dat hij het niet meer kon bijbenen, zo sterk dat het de hele wereld begon te beheersen, kocht hij het talent dat hij nodig had om te blijven groeien.

Zijn bedrijf, Visions, had scanningprogramma's ontworpen die hard copy bijna ogenblikkelijk op floppy discs konden uploaden. Het ontwierp grafische imaging-programma's die de standaard van de bedrijfstak werden. Het ontwierp Pixel Easel, dat laptopgebruikers liet muisschilderen... ja zelfs vingerverven, als je er iets bij nam wat Jo 'de clitorale cursor' noemde. Devore had niets van die nieuwe dingen uitgevonden, maar hij had begrepen dat ze kónden worden uitgevonden en mensen in dienst genomen om dat te doen. Hij bezat tientallen patenten en was mede-eigenaar van nog eens honderden patenten. Ze zeiden dat hij zo'n zeshonderd miljoen dollar waard was, afhankelijk van de koers van de technologieaandelen.

In de TR had hij de naam chagrijnig en lomp te zijn. Dat hoefde niemand te verbazen: voor een Nazarener kan er niets goeds uit Nazareth komen. En de mensen zeiden natuurlijk dat hij excentriek was. Luister maar eens naar oude mensen die zich rijke en succesvolle mensen herinneren uit de tijd dat ze nog jong waren (en alle oude mensen beweren dat). Je zult te horen krijgen dat ze behang vraten, de hond neukten en slechts in hun onderbroek met pisvlekken op het avondmaal in de kerk verschenen. Al zou dat in Devores geval allemaal waar zijn, al was hij Scrooge McDuck in eigen persoon, ik kon me niet voorstellen dat hij twee van zijn naaste verwanten in een dubbelbrede stacaravan zou laten wonen.

Ik reed over de weg boven het meer en bleef aan het begin van mijn oprijlaan staan en keek naar het bord: SARA LAUGHS, in een gelakte plank gebrand die aan een boom was gespijkerd. Zo doen ze de dingen hier. Toen ik ernaar keek, moest ik weer aan de laatste droom uit de Manderley-serie denken. In die droom had iemand een radiosticker op het bord geplakt, zoals je altijd stickers op de apparaten van de gepastgeld-rijstroken van de tolwegdoorgangen ziet zitten.

Ik stapte uit mijn auto, liep naar het bord en bekeek het. Geen sticker. De zonnebloemen waren er wel geweest, ze waren door de veranda heen gegroeid – ik had een foto in mijn koffer om het te bewijzen – maar er zat geen radiosticker op het naambord van het huis. Wat bewees dat precies? Kom op, Noonan, laat je fantasie niet op de loop gaan.

Ik liep weer terug naar de auto – de deur stond open en de Beach Boys klonken uit de speakers – maar veranderde van gedachten en liep weer naar het bord. In de droom was de sticker net boven de RA van SARA en de LAU van LAUGHS geplakt. Ik raakte die plek met mijn vingers aan en meende dat ik iets kleverigs voelde. Natuurlijk kon dat de plakkerigheid van lak op een warme dag zijn geweest. Of mijn verbeelding.

Ik reed naar het huis, parkeerde, trok de handrem aan (op de hellingen rond het Dark Score Lake en het dozijn andere meren in het westen van Maine trek je altijd je handrem aan) en luisterde naar de rest van 'Don't Worry, Baby', dat ik altijd het beste nummer van de Beach Boys heb gevonden, niet ondanks de slappe tekst maar juist daardoor. Als je wist hoeveel ik van je hou, schat, zingt Brian Wilson, zou er niets verkeerd kunnen gaan met jou. En o mensen, wat zou dat een geweldige wereld zijn.

Ik zat daar te luisteren en keek naar het hok dat tegen de rechterkant van de veranda was gebouwd. Daarin hielden we onze vuilnis buiten bereik van de wasberen. Zelfs vuilnisbakken met veerdeksels hielden ze niet altijd tegen. Als ze maar hongerig genoeg zijn, zien ze op de een of andere manier kans de deksels met hun soepele kleine handjes omhoog te krijgen.

Je gaat toch niet doen wat ik denk dat je gaat doen, zei ik tegen mezelf. Ik bedoel... Nee toch?

Blijkbaar toch wel – of in ieder geval zou ik het proberen. Toen de Beach Boys plaatsmaakten voor Rare Earth, stapte ik uit de auto, maakte het opslaghok open en haalde er twee plastic vuilnisbakken uit. Een zekere Stan Proulx kwam twee keer per week de vuilnis ophalen (tenminste, dat deed hij vier jaar geleden, verbeterde ik mezelf). Hij behoorde tot Bill Deans uitgebreide netwerk van parttime beunhazen. Ik dacht niet dat Stan op vier juli het afval kwam ophalen, en daar bleek ik gelijk in te hebben. Er zaten twee plastic vuilniszakken in elke bak. Ik tilde ze eruit (mezelf intussen de huid volscheldend) en maakte de gele sluitingen los.

Ik geloof niet echt dat ik zo geobsedeerd was dat ik een berg nat afval op mijn veranda zou hebben gegooid, als het nat was geweest (natuurlijk zal ik dat nooit zeker weten, en misschien is dat maar goed ook), maar het was niet nat. Vergeet niet dat het huis vier jaar leeg had gestaan, en het zijn bewoners die nat afval produceren – van koffiedrab tot en met gebruikt maandverband. Het spul in deze zakken was droog afval, bij elkaar geveegd en naar buiten gebracht door Brenda Meserves schoonmaaksters.

Er zaten negen stofzuigerzakken in met het stof, het vuil en de dode vliegen van achtenveertig maanden. Verder waren er proppen tissuepapier, waarvan sommige naar aromatische meubelwas roken en andere de scherpere maar toch ook aangename geur van Glassex verspreidden. Er zat een schimmelig matrasdek in, en een zijden jasje waaraan goed te zien was dat de motten er een feestmaal op hadden aangericht. Het deed me geen pijn om dat jasje te zien. Het was een miskoop uit mijn jonge jaren en leek op iets uit de *I Am the Walrus*-tijd van de Beatles. *Goo-goo-joob, baby.*

Er was een doos met glasscherven. Een doos met ondefinieerbare (en waarschijnlijk verouderde) waterleidingmaterialen. Een gescheurd en vies stukje vloerbedekking. Tot op de draad versleten theedoeken, verschoten en gerafeld. De oude ovenwanten die ik had gebruikt als ik hamburgers of kip op de barbecue roosterde...

De sticker zat verfrommeld onder in de tweede zak. Ik had geweten dat ik hem zou vinden – vanaf het moment dat ik dat kleverige plekje op het bord had gevoeld, had ik dat geweten – maar ik moest het zelf zien. Zoals de Ongelovige Thomas het bloed onder zijn nagels moest hebben, denk ik.

Ik legde mijn vondst op een plank van de zonnige veranda en streek haar met mijn hand glad. De sticker was gescheurd aan de randen. Bill zou wel een plamuurmes hebben gebruikt om hem weg te schrapen. Hij had natuurlijk niet gewild dat meneer Noonan na vier jaar bij het meer terugkwam en dan constateerde dat een of andere aangeschoten tiener, beneveld van bier, een sticker van een radiostation op zijn bord had geplakt. Drommels, dat kunnen we niet hebben! En dus was de sticker van het bord afgeschraapt en in de vuilniszak gedaan, en hier was hij dan, weer een stukje van mijn nachtmerrie dat boven tafel was gekomen, en ook nog in vrijwel ongeschonden staat. Ik streek er met mijn vingers over. WBLM, 102.9, portlands rock and roll blimp.

Ik zei tegen mezelf dat ik niet bang hoefde te zijn. Dat het niets betekende, zoals de rest ook niets betekende. Toen haalde ik de bezem uit de kast, veegde alle rommel bij elkaar en deed alles weer in de plastic zakken. De sticker ook.

Ik ging naar binnen om het stof en vuil weg te douchen, maar toen zag ik in een van mijn open koffers mijn zwembroekie liggen en ik besloot te gaan zwemmen. Het was een vrolijke zwembroek met spuitende walvissen; ik had hem in Key Largo gekocht. Ik dacht dat mijn vriendinnetje met de Bosox-pet hem wel mooi zou hebben gevonden. Ik keek op mijn horloge en zag dat ik drie kwartier geleden mijn Villageburger had gegeten. Tijd voor een ambtenarenpauze, *kemo sabe*, vooral na een inspannend partijtje vuilnisschatzoeken.

Ik trok mijn zwembroek aan en liep de bielzentrap af die van Sara naar het water leidde. Mijn teenslippers flapten en flopten. Er zoemden een paar late muggen. Het meer lag glinsterend voor me, roerloos en uitnodigend onder die lage vochtige hemel. Van noord naar zuid, langs de hele oostelijke oever, liep een pad met recht van overpad (in de akten heet zoiets 'gemeenschappelijk eigendom') dat de mensen in de TR gewoon De Straat noemen. Als je aan de voet van mijn trap linksaf De Straat insloeg, kon je het hele eind naar de Dark Score Jachthaven lopen, langs Warrington's en Buddy Jellisons vieze eethuis, en ook langs een stuk of vijftig zomerhuisjes, discreet verstopt tussen de met sparren en dennen beboste hellingen. Als je rechtsaf ging, kon je tot Halo Bay lopen, al zou je daar, omdat De Straat helemaal overwoekerd was, een hele dag over doen.

Ik bleef even op het pad staan, rende toen naar voren en sprong in het water. Nog toen ik met groot gemak door de lucht vloog, schoot me te binnen dat ik, toen ik de vorige keer op deze manier in het water was gesprongen, dat hand in hand met mijn vrouw had gedaan.

De landing werd bijna een catastrofe. Het water was zo koud dat ik meteen voelde dat ik veertig was, geen veertien, en een ogenblik hield mijn hart er helemaal mee op. Terwijl het Dark Score Lake zich boven mijn hoofd sloot, was ik er zeker van dat ik niet meer levend boven zou komen. Ze zouden me op mijn buik drijvend vinden, tussen het zwemvlot en mijn kleine stukje van De Straat, een slachtoffer van koud water en een vette Villageburger. Ze zouden 'Je moeder zei altijd: wacht minstens een uur' in mijn grafsteen beitelen.

Toen landden mijn voeten op de stenen en slijmerige planten op de bodem. Mijn hart kwam weer op gang en ik stuwde me naar boven als iemand die van plan is het laatste beslissende punt van een basketbalwedstrijd te scoren. Toen ik boven water kwam, zoog ik de lucht in mijn longen. Er kwam ook water in mijn mond en ik hoestte het weer uit en sloeg daarbij met één hand op mijn borst om mijn hart een beetje aan te moedigen – kom op, jongen, doorgaan, je kunt het wel.

Even later stond ik tot aan mijn middel in het meer. Mijn mond zat vol met die koude smaak – meerwater met een bijsmaak van mineralen, het soort water waar je rekening mee moest houden als je je kleren waste. Het was precies wat ik had geproefd toen ik in de berm van Route 68 stond. Het was wat ik had geproefd toen Mattie Devore me vertelde hoe haar dochter heette.

Ik legde een psychologisch verband, dat is alles. Tussen de overeenkomst van de namen en mijn dode vrouw en dit meer. Dat...

'Dat ik een paar keer eerder heb geproefd,' zei ik hardop. Alsof ik dat wilde onderstrepen, schepte ik een handvol water op – dat tot het schoonste en helderste water van de staat behoorde, volgens de analyserapporten die ik en alle andere leden van de zogeheten Western Lake Association ieder jaar krijgen – en dronk het op. Er volgde geen openbaring. Er kwamen geen plotselinge gedachteflitsen. Het was gewoon Dark Score, eerst in mijn mond en toen in mijn maag.

Ik zwom naar het vlot, beklom het laddertje met drie sporten en liet me op de warme planken vallen. Plotseling was ik erg blij dat ik hierheen was gekomen. Ondanks alles. De volgende dag zou ik beginnen hier een of ander leven op te bouwen – ik zou het in ieder geval proberen. Voorlopig was het genoeg om met mijn hoofd in de kromming van mijn arm te liggen, bijna slapend, erop vertrouwend dat de avonturen voor die dag voorbij waren.

Dat bleek niet zo te zijn.

Tijdens onze eerste zomer in de TR ontdekten Jo en ik dat je op vier juli vanaf het terras aan de kant van het meer het vuurwerk van Castle Rock kon zien. Dat herinnerde ik me toen het donker begon te worden. Ik besloot deze uren dit jaar in de huiskamer door te brengen, waar ik naar een videofilm zou kijken. Het leek me geen goed idee om al onze gezamenlijke vier juli-avonden opnieuw te beleven, avonden waarop we lachend en bier drinkend naar het vuurwerk hadden gekeken. Ik was al eenzaam genoeg, al was ik me daar in Derry niet van bewust geweest. Toen vroeg ik me af wat ik hier eigenlijk kwam doen, als het niet was om de herinnering aan Johanna eindelijk onder ogen te zien en uiteindelijk met liefde tot rust te brengen. In ieder geval leek de mogelijkheid dat ik ooit nog zou schrijven me die avond verder weg dan ooit.

Er was geen bier – ik was vergeten een sixpack in de General Store of het Village Cafe te kopen – maar dankzij Brenda Meserve was er wel frisdrank. Ik nam een blikje Pepsi en ging zitten om naar de lichtshow te kijken, in de hoop dat het niet te veel pijn zou doen. In de hoop, neem ik aan, dat ik niet zou huilen. Niet dat ik mezelf in de maling nam; er zaten tranen aan te komen, reken maar. Ik moest er gewoon doorheen.

De eerste explosie van de avond was net achter de rug – een schitterende uitbarsting van blauw, even later gevolgd door de knal – toen de telefoon ging. Ik schrok er meer van dan van de verre explosie in Castle Rock. Ik nam aan dat het Bill Dean was, die interlokaal belde om te horen of alles goed was.

In de zomer voordat Jo stierf hadden we een draadloze telefoon genomen, zodat we onder het bellen naar beneden konden lopen, iets wat we allebei graag mochten doen. Ik ging door de schuifdeur naar de huiskamer, drukte op de HAAK en zei 'Hallo, met Mike', terwijl ik naar mijn ligstoel terugging en me daar weer in liet zakken. Aan de overkant van het meer explodeerden groene en gele sterrenregens onder de wolken die laag over Castle View hingen. Ze werden gevolgd door geluidloze flitsen die mij uiteindelijk als geluid zouden bereiken.

Een ogenblik was er niets door de telefoon te horen, en toen zei een hese mannenstem – een oudere stem maar niet die van Bill Dean – tegen me: 'Noonan? Meneer Noonan?'

'Ja?' Een grote schittering van goud lichtte op in het westen en bleef enkele ogenblikken als trillend filigrein in de laaghangende wolken hangen. Het deed me denken aan de prijsuitreikingen die je op de televisie ziet, al die beeldschone vrouwen in glitterjurken.

'Devore.'

'Ja?' zei ik opnieuw, behoedzaam.

'Max Devore.'

We zien hem hier niet zo vaak, had Audrey gezegd. Ik had dat als Yankee-humor opgevat, maar blijkbaar had ze het serieus gemeend. De wonderen waren de wereld nog niet uit.

Goed, wat nu? Ik wist echt niet wat mijn openingszet moest zijn. Ik zou hem kunnen vragen hoe hij aan mijn nummer was gekomen, want dat stond niet in de gids, maar wat had dat voor zin? Als je meer dan een half miljard dollar waard was – als ik echt met dé Max Devore sprak – kon je ieder geheim nummer opvragen dat je maar wilde hebben.

Ik zei nog een keer ja, ditmaal niet op vragende toon.

Er volgde weer een stilte. Als ik die stilte verbrak en vragen begon te stellen, zou hij het gesprek beheersen – als je op dat moment kon zeggen dat we een gesprek voerden. Een goede openingszet, maar ik had het voordeel dat ik op mijn langdurige samenwerking met Harold Oblowski kon terugvallen – Harold, meester van de veelbetekenende stilte. Ik bleef roerloos zitten, dat slimme draadloze telefoontje tegen mijn oor, en keek naar het vuurwerk in het westen. Rood dat in groen uitbarstte, groen in goud; onzichtbare vrouwen liepen in de glitterende avondjurken van prijsuitreikingen over de wolken.

'Ik hoorde dat u vandaag mijn schoondochter hebt ontmoet,' zei hij ten slotte. Hij klonk geërgerd.

'Dat is best mogelijk,' zei ik. Ik probeerde niet verrast te klinken. 'Mag ik vragen waarom u belt, meneer Devore?'

'Ik hoorde dat er iets is voorgevallen.'

Witte lichten dansten aan de hemel – het zouden exploderende ruimteschepen kunnen zijn. En even later hoorde ik de knallen. *Ik heb het geheim van tijdreizen ontdekt*, dacht ik. *Het is een auditief verschijnsel.*

Ik hield mijn hand strak om de telefoon geklemd en ik ontspande hem. Maxwell Devore. Een half miljard dollar. Niet in Palm Springs, zoals ik had gedacht, maar dichtbij – hier in de TR, als ik op de karakteristieke zoemtoon van de telefoonlijn kon afgaan.

'Ik maak me zorgen over mijn kleindochter.' Zijn stem klonk uiterst hees. Hij was kwaad, en dat was te horen – dit was een man die al heel wat jaren zijn emoties niet meer hoefde te verbergen. 'Ik hoorde dat mijn schoondochter afgeleid was. Dat gebeurt vaak.'

Nu werd de avondhemel door zes kleurrijke sterrenregens verlicht, opbloeiend als bloemen in een oude Disney-natuurfilm. Ik kon me een voorstelling maken van al die mensen die op Castle View waren samengekomen en met gekruiste benen op hun dekens zaten, en ijshoorntjes aten en bier dronken en allemaal tegelijk *Oooo* riepen. Dat maakt iets tot een succesvol kunstwerk, denk ik – als iedereen tegelijk *Oooo* roept.

Je bent bang voor die kerel, hè?' vroeg Jo. *Goed, misschien doe je er ook wel goed aan om bang te zijn. Een man die vindt dat hij kwaad mag zijn wanneer hij maar wil en op wie hij maar wil... dat is een man die gevaarlijk kan zijn.*

Toen hoorde ik Matties stem: *Meneer Noonan, ik ben geen slechte moeder. Zoiets is me nog nooit eerder overkomen.*

Natuurlijk is dat precies wat de meeste slechte moeders onder zulke omstandigheden zeggen, dacht ik – maar ik had haar geloofd.

Daar kwam nog bij dat mijn nummer verdomme geheim was. Ik had hier met een glaasje cola naar het vuurwerk zitten kijken, zonder iemand tot last te zijn, en toen had die kerel...

'Meneer Devore, ik heb geen idee waar...'

'Kom me daar niet mee aanzetten, met alle respect, kom me daar niet mee aanzetten, meneer Noonan. Mensen hebben gezien dat u met ze praatte.' Hij klonk zoals Joe McCarthy vermoedelijk klonk als hij tegen de arme stumpers sprak die tot vuile communisten waren bestempeld en voor zijn commissie moesten verschijnen.

Wees voorzichtig, Mike, zei Jo. *Pas op voor 'Maxwell's silver hammer'*.

'Ik heb vanmorgen een vrouw en een klein meisje ontmoet en gesproken,' zei ik. 'Ik neem aan dat u het over hen hebt.'

'Nee, u zag een *peuter* in haar *eentje* over de weg lopen,' zei hij. 'En toen zag u een vrouw die achter haar aan kwam. Mijn schoondochter, in dat oude vehikel van haar. Het kind had onder een auto kunnen komen. Waarom beschermt u die jonge vrouw, meneer Noonan? Heeft ze u iets beloofd? U bewijst het kind beslist geen dienst, dat kan ik u wel vertellen.'

Ze beloofde me mee te nemen naar haar caravan en dan de hele wereld rond, zou ik kunnen zeggen. *Ze beloofde dat ze de hele tijd haar mond open zou houden als ik de mijne dichthield – wilt u dat horen?*

Ja, zei Jo. *Hoogstwaarschijnlijk wil hij dat horen. Dat wil hij geloven. Laat je niet door hem tot dat studentikoze sarcasme van je provoceren, Mike – daar kun je spijt van krijgen.*

Waarom wilde ik Mattie Devore eigenlijk beschermen? Ik wist het niet. Ik had geen flauw idee waar ik me mee inliet. Ik wist alleen dat ze er moe had uitgezien, en dat het kind niet angstig of mat was geweest en geen blauwe plekken had gehad.

'Er wás een auto. Een oude Jeep.'

'Dat lijkt er meer op.' Voldoening. Een intense belangstelling. Bijna gretigheid. 'Wat...'

'Ik dacht natuurlijk dat ze samen met die auto waren gekomen,' zei ik. Tot mijn duizeligmakend genoegen ontdekte ik dat ik nog steeds heel goed in staat was dingen te verzinnen. Ik voelde me net een werper die niet meer in het bijzijn van de menigte kan werpen maar in zijn achtertuin nog een heel goede bal kan gooien. 'Ik veronderstelde dat het kleine meisje bloemen aan het plukken was.' Zorgvuldige kwalificaties, alsof ik niet op mijn terras aan het meer zat, maar als getuige in een rechtszaal optrad. Harold zou trots op me zijn geweest. Nou, nee. Harold zou het weerzinwekkend vinden dat ik zo'n gesprek voerde.

'Ik zal wel hebben verondersteld dat ze bloemen aan het plukken waren. Jammer genoeg kan ik me niet veel van het voorval herinneren. Ik ben schrijver, meneer Devore, en als ik rijd, zweef ik vaak weg in mijn eigen persoonlijke...'

'U liegt.' De woede kwam nu openlijk naar buiten, helder en kloppend als een steenpuist. Zoals ik had vermoed, was het niet moeilijk geweest om die man tot voorbij de grenzen van de beleefdheid te krijgen.

'Meneer Devore. Die van de computers, neem ik aan?'

'Dat neemt u terecht aan.'

Jo begon altijd op een koelere toon te spreken als haar niet onaanzienlijke woede oplaaide. Nu merkte ik dat ik haar op een griezelige manier imiteerde. 'Meneer Devore, ik ben het niet gewend om 's avonds gebeld te worden door mannen die ik niet ken, en ik ben ook niet van plan een gesprek voort te zetten met iemand die me dan belt en me ook nog voor leugenaar uitmaakt. Goedenavond, meneer.'

'Als er niets aan de hand was, waarom stopte u dan?'

'Ik ben een tijdje uit de TR weg geweest en wilde weten of het Village Cafe nog steeds bestond. En trouwens – ik weet niet waar u mijn telefoonnummer vandaan hebt, maar ik weet wel waar u het in kunt steken. Goedenavond.'

Ik verbrak de verbinding met mijn duim en keek toen een tijdje naar de telefoon, alsof ik mijn hele leven nog nooit zo'n apparaat had gezien. De hand die het vasthield, beefde. Mijn hart bonkte; ik voelde het niet alleen in mijn borst maar ook in mijn hals en polsen. Ik vroeg me af of ik tegen Devore had kunnen zeggen dat hij mijn telefoonnummer in zijn reet kon steken als ik zelf niet ook een paar miljoen dollar op de bank had staan.

De strijd van de Titanen, schat, zei Jo met haar koele stem. *En dat alles om een tienermeisje in een caravan. Ze had niet eens noemenswaardige borsten.*

Ik schoot in de lach. Strijd van de Titanen? Nou, nee. Een grootindustrieel van rond de eeuwwisseling had gezegd: 'Tegenwoordig denkt iedereen met een miljoen dollar dat hij rijk is.' Zo dacht Devore waarschijnlijk ook over mij, en als je het in het juiste perspectief zag, had hij misschien wel gelijk.

Nu lichtte aan de westelijke hemel een onnatuurlijke, pulserende kleur op. Het was de finale.

'Wat zat er achter?' vroeg ik.

Geen antwoord, alleen een fuut die over het meer riep. Hij protesteerde waarschijnlijk tegen het ongewone kabaal aan de hemel.

Ik stond op, ging naar binnen en legde de telefoon weer in het oplaadapparaat terug. Terwijl ik dat deed, besefte ik dat ik verwachtte dat hij opnieuw zou gaan, verwachtte ik dat Devore het ene filmcliché na het andere zou spuien: *Als je me dwars zit, zal ik...* en *Ik waarschuw je, vriend...* en *Laat me je een goede raad geven...*

De telefoon ging niet. Ik goot de rest van mijn cola door mijn keelgat, dat natuurlijk droog was, en besloot naar bed te gaan. In elk geval was het op het terras niet tot wenen en jammeren gekomen. Devore had me uit mijn verdriet losgetrokken. Op een vreemde manier was ik hem dankbaar.

Ik ging naar de noordelijke slaapkamer, kleedde me uit en ging liggen. Ik dacht aan het kleine meisje, Kyra, en haar moeder, die haar oudere zus had kunnen zijn. Devore was kwaad op Mattie, dat was duidelijk, en als ik in de ogen van die kerel al een financiële nul was, hoe zou hij dan wel niet over haar denken? En welke middelen zou ze hebben als hij tegen haar in het strijdperk was getreden? Dat was niet zo'n prettige gedachte, maar het was wel de gedachte waarmee ik in slaap viel.

Drie uur later stond ik op om de cola te lozen die ik dom genoeg had gedronken vlak voordat ik naar bed ging, en toen ik voor de wc-pot stond en met één oog open stond te pissen, hoorde ik dat snikken weer. Een kind ergens in het donker, eenzaam en bang... of misschien deed het alleen maar alsof het eenzaam en bang was.

'Niet doen,' zei ik. Ik stond naakt voor de wc-pot, met kippenvel op mijn rug. 'Alsjeblieft, begin niet weer met dat gedoe. Het is angstaanjagend.'

Het huilen ebde op dezelfde manier weg als de vorige keer. Het leek af te nemen als iets wat door een tunnel wordt gedragen. Ik ging weer naar bed, draaide me op mijn zij en deed mijn ogen dicht.

'Het was een droom,' zei ik. 'Gewoon weer een Manderley-droom.'

Ik wist wel beter, maar ik wist ook dat ik weer ging slapen, en op dat moment leek dat me het belangrijkste. Terwijl ik wegzakte, dacht ik met een stem die helemaal van mezelf was: *Ze leeft. Sara leeft.*

En ik begreep ook iets: ze behoorde mij toe. Ik had haar teruggenomen. Wat er ook van komen zou: ik was thuisgekomen.

9

Om negen uur de volgende morgen vulde ik een bidon met grapefruitsap en begon aan een stevige wandeling in zuidelijke richting over De Straat. De dag was helder en al warm. Het was ook stil – het soort stilte dat je alleen ondergaat na een feestdag die op zaterdag valt, denk ik, een stilte die voor gelijke delen uit gewijdheid en katterigheid bestaat. Ik kon twee of drie vissers ver op het meer zien, maar er snorde niet één motorboot en er schreeuwde en plonsde niet één groepje kinderen. Ik kwam langs een stuk of zes huisjes op de helling boven me, en hoewel ze om deze tijd van het jaar waarschijnlijk allemaal bewoond waren, zag ik geen andere tekenen van leven dan de zwemkleding die bij de Passendales over het verandahek hing en een half leeggelopen fluorescerend groen zeepaard op het minuscule steigertje van de Rimers.

Maar was het kleine grijze huisje van de Passendales nog wel van de Passendales? Was het grappige ronde huis van de Batchelders, met zijn panoramische raam dat op het meer en de bergen uitkeek, nog wel van de Batchelders? Dat kon ik natuurlijk niet weten. In vier jaar tijd kan er veel veranderen.

Ik liep en deed geen poging om te denken – een oude truc uit de tijd dat ik nog schreef. Laat je lichaam werken, laat je geest rusten, laat de jongens in de kelder hun werk doen. Ik kwam langs huizen waar Jo en ik vroeger hadden gedronken en gebarbecued en soms ook gekaart. Ik zoog de stilte als een spons in me op, ik dronk van mijn sap, ik veegde zweet van mijn voorhoofd en ik wachtte af welke gedachten zich vanzelf zouden aandienen.

De eerste gedachte was een vreemd besef: dat het huilende kind in de nacht op de een of andere manier echter was dan dat telefoontje van Max Devore. Had ik werkelijk op mijn eerste echte avond in de TR een telefoontje gekregen van een rijke en zo te horen erg slechtgehumeurde technomagnaat? Had voornoemde magnaat me op een gegeven moment echt voor leugenaar uitgemaakt? (Dat was ik ook geweest, gezien het verhaal dat ik had verteld, maar daar ging het nu even niet om.) Ik wist dat het gebeurd was, maar toch was het gemakkelijker om in de Geest van het Dark Score Lake te geloven, rondom sommige kampvuren beter bekend als het Mysterieuze Huilende Kindje.

Mijn volgende gedachte – dat was kort voordat ik de laatste slok van mijn sap nam – was dat ik Mattie Devore zou moeten bellen om haar te vertellen wat er gebeurd was. Dat leek me een begrijpelijke impuls maar waarschijnlijk een slecht idee. Ik was te oud om in zulke simpele dingen als de Dame in Nood en de Boze Stiefvader – of in dit geval Schoonvader – te geloven. Ik had deze zomer al genoeg aan mijn eigen sores en ik wilde de zaken niet nodeloos ingewikkeld maken door me in een geschil tussen meneer Computer en mevrouw Dubbelbreed te mengen, een geschil dat heel nare trekjes kon aannemen. Devore had me tegen de haren in gestreken – en hard ook – maar dat hoefde niet persoonlijk bedoeld te zijn. Zulke dingen deed hij waarschijnlijk automatisch. Zoals er kerels zijn die een beha omdoen. Wilde ik hem in de wielen rijden? Nee. Dat wilde ik niet. Ik had dat juffertje Rode Sokken gered, ik had per ongeluk mama's kleine maar aangenaam stevige borsten aangeraakt, ik had geleerd dat Kyra het Griekse woord voor 'als een dame' is. Daar had ik, bij God, voorlopig wel genoeg aan.

Op dat moment stopte ik, zowel met mijn voeten als met mijn hersenen. Ik besefte dat ik al helemaal naar Warrington's was gelopen, een enorm houten bouwsel dat door de plaatselijke bevolking soms de *country club* wordt genoemd. In zekere zin was het dat ook – het had een golfbaan met zes holes, een stal en rijpaden, een restaurant, een bar en overnachtingsmogelijkheden voor zo'n veertig mensen in het hoofdgebouw en de acht of negen bijbehorende huisjes. Er was zelfs een dubbele kegelbaan, hoewel de spelers zelf om beurten de kegels moesten neerzetten. Warrington's was rond het begin van de Eerste Wereldoorlog gebouwd. Dat maakte het iets jonger dan Sara Laughs.

Een lange steiger leidde naar een kleiner gebouw dat de Sunset Bar heette. Daar kwamen de zomergasten van Warrington's iets drinken op het eind van de dag (en sommigen ook een Bloody Mary aan het begin daarvan). En toen ik die kant op keek, merkte ik dat ik niet meer alleen was. Een vrouw stond op de veranda van de drijvende bar, links van de deur, naar me te kijken.

Ik schrok flink van haar. Mijn zenuwen verkeerden op dat moment niet in zo'n puike conditie, en dat had waarschijnlijk iets te maken met... Maar ik denk dat ik anders ook wel geschrokken zou zijn. Al was het maar omdat ze daar zo roerloos stond. En ook omdat ze zo buitengewoon mager was. Maar het was vooral haar gezicht. Heb je ooit die tekening van Edvard Munch, *De schreeuw*, gezien? Nou, als je je dat schreeuwende gezicht voorstelt, maar dan in rust, de mond dicht en de ogen waakzaam, dan heb je een vrij goed beeld van de vrouw die met haar slanke hand op de reling aan het eind van de steiger stond. Al moet ik je wel vertellen dat ik in eerste instantie niet aan *Edvard Munch* dacht maar aan *mevrouw Danvers*.

Ze leek een jaar of zeventig en droeg een zwarte short over een zwart badpak. Die combinatie kwam op een vreemde manier nogal formeel over, een variant op de tijdloze korte zwarte cocktailjurk. Haar huid was roomwit, behalve boven haar bijna platte boezem en op haar benige schouders. Daar had ze allemaal grote bruine ouderdomsvlekken. Haar gezicht was een wig met vooruitstekende skeletachtige jukbeenderen en een breed voorhoofd zonder rimpels. Onder die uitstulping gingen haar ogen verloren in kassen van schaduw. Wit haar hing in dunne lange slierten over haar oren, tot aan haar spitse kin.

God, wat is ze mager, dacht ik. *Ze is niets dan een zak beende...*

Op dat moment ging er een huivering door me heen. Het was een krachtige huivering, alsof iemand een metalen draad liet rondzwieren in mijn lichaam. Ik wilde niet dat ze het zag – wat een manier om aan een zomerdag te beginnen, een man zo van weerzin vervullen dat hij bevend en grimassend tegenover je staat – en dus bracht ik mijn hand omhoog om haar te groeten. Ik probeerde ook te glimlachen. Hallo daar, dame bij de drijvende bar. Hallo daar, ouwe zak met beenderen, je hebt me de stuipen op het lijf gejaagd, maar daar is tegenwoordig niet veel voor nodig en ik neem het je niet kwalijk. Alles kits? Mijn glimlach voelde aan als een grimas en ik vroeg me af hoe hij op haar overkwam.

Ze woof niet terug.

Omdat ik me nogal belachelijk voelde – ER IS HIER GEEN DORPSGEK, WE ZIJN HET ALLEMAAL OM BEURTEN – liet ik mijn wuifgebaar overgaan in een halfzachte begroeting en ging toen terug in de richting vanwaar ik gekomen was. Na vijf stappen moest ik achteromkijken. Het gevoel dat ze naar me keek, was zo sterk dat het was of iemand een hand tussen mijn schouderbladen drukte.

De steiger waarop ze had gestaan, was volkomen verlaten. Ik tuurde en meende er eerst zeker van te zijn dat ze zich alleen maar dieper in de schaduw van het kleine dranklokaal had teruggetrokken, maar ze was weg. Alsof ze zelf een geest was geweest.

Ze ging de bar in, schat, zei Jo. *Dat weet je toch wel? Ik bedoel... Dat wéét je toch?*

'Ja, ja,' mompelde ik, en ik begon in noordelijke richting over De Straat te lopen, de kant van mijn huis op. 'Natuurlijk weet ik dat. Waar moest ze anders heen?' Alleen had ik het gevoel dat ze daar geen tijd voor had gehad. Ik had het gevoel dat ze niet naar binnen had kunnen gaan, zelfs niet op haar blote voeten, zonder dat ik het hoorde. Niet op zo'n stille ochtend.

Jo weer: *Misschien kan ze goed sluipen.*

'Ja,' mompelde ik. Ik praatte die zomer veel hardop. 'Ja, misschien kan ze dat. Misschien kan ze goed sluipen.' Jazeker. Net als mevrouw Danvers.

Ik bleef weer staan en keek achterom, maar het pad volgde de meeroever met een flauwe bocht en ik kon Warrington's en de Sunset Bar niet meer zien. En eigenlijk was dat maar goed ook.

Op de terugweg probeerde ik een lijst te maken van de vreemde dingen die zich voor en rondom mijn terugkeer naar Sara Laughs hadden voorgedaan: de terugkerende dromen, de zonnebloemen, de radiosticker, het huilen in de nacht. Ik nam aan dat mijn ontmoeting met Mattie en Kyra en het daaropvolgende telefoontje van meneer Pixel Easel ook in de categorie 'vreemd' vielen... maar dan toch wel anders vreemd dan een kind dat je in de nacht hoorde snikken.

En het feit dat we, toen Johanna stierf, in Derry en dus niet aan het Dark Score Lake waren? Kwam dat ook voor de lijst in aanmerking? Ik wist het niet. Ik wist niet eens meer waarom we in Derry waren. In het najaar en de winter van 1993 had ik aan een scenario voor *De man in het rode overhemd* gewerkt. In februari 1994 begon ik aan *Helemaal van de top*, en dat nam mijn aandacht grotendeels in beslag. Trouwens, de beslissing om naar de TR te gaan, naar Sara...

'Dat was het werk van Jo,' zei ik tegen niemand, en zodra ik de woorden hoorde, begreep ik hoeveel waarheid ze bevatten. We waren allebei gek op het huis aan het meer geweest, maar Jo was altijd degene die zei: 'Hé Mikey, laten we een paar dagen naar de TR gaan.' Ze kon het om de haverklap zeggen, behalve in het jaar voor haar dood: toen had ze het niet één keer gezegd. En ik had er nooit aan gedacht het in haar plaats te zeggen. Het leek wel of ik Sara Laughs op de een of andere manier helemaal vergeten was, zelfs toen het zomer werd. Was het mogelijk dat ik zozeer door het schrijven in beslag werd genomen? Het leek me niet waarschijnlijk... maar welke andere verklaring was er?

Er was iets helemaal verkeerd aan dit plaatje, maar ik wist niet wat het was. Absoluut niet.

Dat deed me denken aan Sara Tidwell, en de tekst van een van haar nummers. Ze had nooit een plaat gemaakt, maar ik bezat de versie van Blind Lemon Jefferson van dit ene liedje. Een van de coupletten luidde:

It ain't nuthin but a barn-dance sugar
It ain't nuthin but a round-and-round
Let me kiss you on your sweet lips sugar
You the good thing that I found.

Ik hield van dat lied en had me altijd afgevraagd hoe het zou hebben geklonken als het door een vrouw werd gezongen, en niet door die oude troubadour met zijn whiskystem. Als Sara Tidwell het zou zingen.

Ik wed dat ze een geweldige stem had. En allemachtig, ik wed dat ze kon swingen.

Ik was bij mijn eigen huis terug. Ik keek om me heen en omdat ik niemand in de onmiddellijke nabijheid zag (al kon ik nu de eerste skiboot van de dag horen ronken over het water), trok ik al mijn kleren uit, behalve mijn onderbroek, en zwom ik naar het vlot. Ik klom er niet op, bleef er alleen naast liggen, met mijn ene hand op de ladder en loom met mijn voeten trappend. Dat was leuk, maar wat ging ik de rest van de dag doen?

Ik besloot mijn werkruimte op de eerste verdieping te gaan schoonmaken. Als dat gebeurd was, zou ik misschien een kijkje nemen in Jo's atelier. Tenminste, als ik daar dan de moed voor had.

Ik zwom met bedaarde slagen terug, mijn hoofd beurtelings boven en onder het water dat als koele zijde langs mijn lichaam stroomde. Ik voelde me een otter. Ik was halverwege naar de oever toen ik mijn druipende gezicht ophief en een vrouw op De Straat zag staan. Ze keek naar me en ze was zo mager als de vrouw die ik bij Warrington's had gezien... maar deze vrouw was groen. Ze was groen en ze wees over het pad naar het noorden, als een bosnimf in een oude legende.

Ik deed mijn mond open, hapte water, hoestte het weer uit. Ik ging staan, het water kwam tot mijn borst, en veegde over mijn natte ogen. Toen lachte ik (zij het een beetje aarzelend). De vrouw was groen omdat ze een berk was, een eindje ten noorden van de plaats waar mijn bielzentrap op De Straat uitkwam. En zelfs nu ik geen water meer in mijn ogen had, was het griezelig om te zien hoe de bladeren rond de ivoorwitte stam met zwarte strepen bijna een turend gezicht vormden. De lucht was volkomen roerloos en het gezicht was dat dus ook (zo roerloos als het gezicht van de vrouw in het zwarte short en het zwarte badpak was geweest), maar op een dag met een beetje wind zou het lijken of het grijnsde of de wenkbrauwen optrok... of misschien lachte. Achter de berk sstond een zieke den. Een kale tak daarvan wees naar het noorden. Die tak had ik voor een magere arm met een benige, uitgestoken hand aangezien.

Het was niet de eerste keer dat ik mezelf op die manier voor de gek hield. Ik zie dingen, dat is alles. Als je maar genoeg verhalen schrijft, ziet elke schaduw op de vloer er als een voetafdruk uit, is elke lijn in het zand een geheime boodschap. Dat maakte het natuurlijk niet gemakkelijker om te beslissen wat er nu echt vreemd was aan Sara Laughs en wat alleen maar vreemd was omdat mijn *geest* vreemd was.

Ik keek om me heen, zag dat ik dit deel van het meer nog voor me alleen had (zij het niet lang meer; de eerste zoemende motorboot had gezelschap gekregen van een tweede en derde) en trok mijn doorweekte onderbroek uit. Ik wrong hem uit, legde hem op mijn korte broek en T-shirt en liep naakt de bielzentrap op, met mijn kleren tegen mijn borst. Ik deed alsof ik Bunter was die lord Peter Wimsey het ontbijt en het ochtendblad kwam brengen. Toen ik weer in het huis was, grijnsde ik als een idioot.

Op de eerste verdieping was het ondanks de open ramen verstikkend benauwd, en zodra ik boven kwam, zag ik waarom. Jo en ik hadden hierboven de ruimte gedeeld, zij aan de linkerkant (alleen een klein kamertje, nauwelijks meer dan een hokje; samen met het atelier ten noorden van het huis was dat alles wat ze nodig had), ik aan de rechterkant. Aan het eind van de gang zat het rooster van de monsterlijke airco-installatie die we hadden gekocht in het tweede jaar dat we het huis hadden. Toen ik ernaar keek, besefte ik dat ik het karakteristieke gezoem had gemist zonder dat het tot me was doorgedrongen. Er zat een papiertje op geplakt: *Meneer Noonan: Defect. Blaast hete lucht uit als je hem aanzet & klinkt alsof hij vol glasscherven zit. Dean zegt dat het Western Auto in Castle Rock het vervangende onderdeel zal opsturen. Dat moet ik nog zien. B. Meserve.*

Ik grijnsde om dat laatste – dat was typisch mevrouw M. – en probeerde de schakelaar. Machines reageren vaak gunstig als ze voelen dat er iemand met een penis in de buurt is, zei Jo altijd, maar deze keer niet. Ik luisterde een seconde of vijf naar het knarsen van de airconditioning en zette hem toen uit. 'Dat verrekte ding schijt in bed,' zeiden de mensen in de TR dan. En zolang het niet gerepareerd was, kon ik hier boven niet eens cryptogrammen oplossen.

Ik wierp evengoed een blik in mijn werkkamer, net zo nieuwsgierig naar de gevoelens die ik zou krijgen als naar de dingen die ik zou zien. Het antwoord was: bijna niets. Ik keek naar het bureau waaraan ik *De man in het rode overhemd* had afgemaakt en mezelf had bewezen dat het eerste boek geen toevalstreffer was geweest. Ik zag de foto van Richard Nixon, zijn armen omhoog om met zijn vingers een dubbel V-teken te maken, met het onderschrift ZOU U EEN TWEEDEHANDS AUTO KOPEN VAN DEZE MAN? Ik zag het lappenkleedje dat Jo voor me had gehaakt, een winter of twee voordat ze de geweldige wereld van Afghaanse tapijtjes had ontdekt en niet veel meer haakte.

Het was niet het kantoor van een vreemde, maar ieder voorwerp (vooral het opvallend lege bureaublad) vertelde dat het de werkplek van de Mike Noonan uit een vorige generatie was geweest. Het leven van een man, had ik ooit gelezen, wordt meestal bepaald door twee primaire krachten: werk en huwelijk. In mijn leven was het huwelijk voorbij en leek het werk in een permanent gat terecht te zijn gekomen. Daarom vond ik het niet vreemd dat de kamer waar ik zoveel dagen had doorgebracht en waar ik meestal met veel enthousiasme allerlei denkbeeldige levens had gecreëerd, me nu niets meer deed. Het was of ik in de kamer keek van een werknemer die ontslagen was... of plotseling gestorven.

Ik wilde weggaan maar kreeg toen een idee. De archiefkast in de hoek puilde uit – bankafschriften (de meeste acht of tien jaar oud), correspondentie (voor het merendeel nooit beantwoord), een stuk of wat verhaalfragmenten – maar wat ik zocht, vond ik niet. Ik ging naar de vaste kast, waar de temperatuur minstens vijfenveertig graden moest zijn, en in een kartonnen doos waarop mevrouw M. ROMMELTJES had geschreven vond ik het – een Sanyo Memo-Scriber die ik van Debra Weinstock had gekregen toen we klaar waren met ons eerste Putnam-boek. Je kon hem zo instellen dat hij vanzelf aanging als je begon te spreken. Hield je even op om na te denken, dan ging hij automatisch in de pauzestand.

Ik heb Debra nooit gevraagd of ze, toen ze dat ding zag, meteen dacht: Hé, ik wed dat iedere zichzelf respecterende schrijver van populaire romans graag zo'n apparaatje zou willen hebben, dat het iets anders was – een hint misschien? Waarom zou je die kleine faxen uit je onderbewustzijn niet onder woorden brengen zolang ze nog vers zijn, Noonan? Ik wist dat toen niet en nu nog steeds niet. Maar ik had het nu eenmaal, een echt dicteerapparaat van professionele kwaliteit, en er lagen minstens tien cassettebandjes in mijn auto, met opnamen die ik thuis had gemaakt om onder het rijden naar te luisteren. Een daarvan zou ik die avond in de Memo-Scriber doen. Ik zou de volumeknop zo hoog mogelijk draaien en het apparaat in de dicteerstand zetten. Als het geluid dat ik zeker twee keer had gehoord zich zou herhalen, zou ik het op de band hebben. Dan kon ik het aan Bill Dean laten horen en hem vragen wat het volgens hem was.

Maar als ik vanavond dat snikkende kind hoor en het apparaat slaat niet aan?

'Nou, dan weet ik iets anders,' zei ik tegen de lege, zonovergoten werkkamer. Ik stond daar in de deuropening met de Memo-Scriber onder mijn arm en keek naar het lege bureau en zweette als een otter. 'Of in ieder geval vermoed ik dan iets.'

Mijn werkkamer leek vol en gezellig in vergelijking met Jo's hokje aan de andere kant van de gang. Het kamertje was nooit overvol geweest, maar het was nu alleen nog maar een vierkante, kamervormige ruimte. Het kleedje was weg, haar foto's waren weg, zelfs het bureau was weg. Het leek net een doe-het-zelfproject dat was opgegeven toen negentig procent van het werk gedaan was. Jo was eruit geboend – eruit *geschraapt* – en heel even voelde ik me onredelijk woedend op Brenda Meserve. Ik dacht aan wat mijn moeder altijd zei als ik op eigen houtje iets had gedaan wat ze afkeurde. 'Je bent iets te enthousiast geweest, hé?' Dat dacht ik toen ik Jo's hokje zag: dat mevrouw Meserve, door het helemaal leeg te halen, iets te enthousiast was geweest.

Misschien was het niet mevrouw M. die het kamertje had leeggehaald, zei de UFO-stem. *Misschien heeft Jo het zelf gedaan. Heb je daar ooit aan gedacht, kerel?*

'Dat is idioot,' zei ik. 'Waarom zou ze? Ik geloof echt niet dat ze een voorgevoel van haar eigen dood had. Als je nagaat wat ze net had gekocht...'

Maar ik wilde het niet uitspreken. Niet hardop. Op de een of andere manier leek dat me een slecht idee.

Ik maakte aanstalten om de kamer te verlaten, en een plotselinge zucht van koele lucht, verrassend in die hitte, streek langs de zijkanten van mijn gezicht. Niet mijn lichaam; alleen mijn gezicht. Het was een heel bijzonder gevoel, als handen die zachtjes over mijn wangen en voorhoofd streken. Tegelijk zuchtte er iets in mijn oor. Nee, dat was het niet precies. Het was een geruis dat *langs* mijn oren ging, als een gefluisterde boodschap, haastig uitgesproken.

Ik draaide me om en verwachtte te zien dat de gordijnen voor het raam van de kamer in beweging waren gekomen... maar ze hingen helemaal recht.

'Jo?' zei ik, en bij het horen van haar naam moest ik zo heftig huiveren dat ik de Memo-Scriber bijna liet vallen. 'Jo, was jij dat?'

Niets. Geen spookhanden die over mijn huid streken, geen beweging van de gordijnen... die er vast en zeker geweest zou zijn als er echt een luchtstroom door het huis was getrokken. Alles was stil. Er was niets in het huis, alleen een lange man die met een bezweet gezicht en een bandrecordertje onder zijn arm in de deuropening van een lege kamer stond – maar op dat moment begon ik voor het eerst te geloven dat ik niet alleen was in Sara Laughs.

Nou en? vroeg ik mezelf. *Ook als het waar is, wat dan nog? Geesten kunnen niemand kwaad doen.*

Dat dacht ik toen.

Toen ik na het middageten in Jo's atelier (met airconditioning) kwam, dacht ik al weer heel wat positiever over Brenda Meserve – ze was toch niet te enthousiast geweest. De weinige dingen die ik me uit Jo's kleine werkkamertje herinnerde – haar eerste Afghaan in een vierkante lijst, het groene lappenkleedje, haar ingelijste poster met de wilde bloemen van Maine – waren hierheen gebracht, samen met bijna alle andere dingen die ik me kon herinneren. Het was of mevrouw M. een boodschap had uitgezonden – *ik kan uw pijn niet verlichten, uw verdriet niet verkorten, en ik kan niet voorkomen dat oude wonden zich door uw terugkeer opnieuw zullen openen, maar ik kan wel alles wat u pijn doet naar één plaats brengen, zodat u er niet onverwachts of onvoorbereid op stuit. Dat kan ik tenminste doen.*

Hier waren de muren niet leeg. Hier waren de muren gevuld met het enthousiasme en de creativiteit van mijn vrouw. Er waren gebreide dingen (sommige serieus, sommige niet meer dan een inval), batikdoeken, lappenpoppen die naar voren staken uit wat ze 'mijn babycollages' noemde, een abstract woestijnschilderij van stroken gele, zwarte en oranje zijde, haar bloemenfoto's, en zelfs, boven op haar boekenplank, iets wat op werk-in-uitvoering leek, een hoofd van Sara Laughs zelf. Het was gemaakt van tandenstokers en lollystokjes.

In een hoek stond haar kleine weefgetouw, en daar stond ook een houten kast met aan de deurknop een kaartje met JO'S BREIWERKEN! VERBODEN TOEGANG! In een andere kast lag de banjo waarop ze wilde leren spelen, iets wat ze had opgegeven omdat het te veel pijn deed aan haar vingers. In een derde vond ik een kajakpeddel en een paar Rollerblades met versleten neuzen en kleine paarse pompons op de uiteinden van de veters.

Het voorwerp dat meteen mijn aandacht trok, stond op het oude cilinderbureau in het midden van de kamer. In de vele mooie zomers, herfsten en winterweekends die we hier hadden doorgebracht was dat bureau altijd bezaaid geweest met klosjes garen, strengen wol, speldenkussens, schetsjes en bijvoorbeeld een boek over de Spaanse Burgeroorlog of beroemde Amerikaanse honden. Johanna kon irritant zijn, vond ik, doordat ze nooit probeerde om de dingen die ze deed in een systeem onder te brengen. Ze kon ook ontzagwekkend, ja soms zelfs intimiderend zijn. Ze was een briljant warhoofd, en dat was altijd aan haar bureau te zien.

Maar nu niet. Het was mogelijk om te denken dat mevrouw M. de rommel van het bureau had weggehaald en erop had neergezet wat er nu stond, maar het was onmogelijk om dat te geloven. Waarom zou ze? Het zou onzinnig zijn.

Het voorwerp was afgedekt met een grijze plastic kap. Ik stak mijn hand uit om het aan te raken, en mijn hand bleef er vlak boven hangen, want op dat moment schoot de herinnering aan een oude droom

(geef hier, dat is mijn stofnest)

me te binnen, ongeveer zoals die vreemde luchtstroom over mijn gezicht was gestreken. Toen was die herinnering verdwenen en haalde ik de plastic hoes weg. Daaronder stond mijn oude groene IBM Selectric, die ik in geen jaren had gezien en waaraan ik in geen jaren had gedacht. Ik boog me voorover en wist al dat het schrijfbolletje de Courier – mijn oude favoriet – zou zijn voordat ik het zag.

Wat deed mijn oude schrijfmachine in godsnaam hier?

Johanna schilderde (zij het niet erg goed), maakte foto's (wel erg goed) en verkocht ze soms, en breide, haakte, weefde en verfde textiel. Ze kon acht of tien basisakkoorden op de gitaar spelen. Ze kón natuurlijk schrijven; de meeste mensen die Engels hebben gestudeerd kunnen dat. Gaf ze blijk van een hoog niveau van literaire creativiteit? Nee. Na enkele experimenten met poëzie in haar studententijd had ze die specifieke kunstvorm opgegeven. *Schrijf jij maar voor ons beiden, Mike*, had ze eens gezegd. *Dat is helemaal van jou; ik doe gewoon een beetje van al het andere.* Gezien de kwaliteit van haar gedichten, in vergelijking met die kwaliteit van haar foto's en textielwerkstukken, leek me dat erg verstandig.

Maar nu stond hier mijn oude IBM. Waarom?

'Brieven,' zei ik. 'Ze vond hem in de kelder of zoiets en redde hem om er brieven mee te schrijven.'

Alleen was dat niets voor Jo. Ze liet me meestal haar brieven zien, vroeg me vaak er een PS aan toe te voegen, bezorgde me dan een schuldgevoel met het oude gezegde over schoenmakerskinderen die altijd op blote voeten lopen ('en de vrienden van een schrijver zouden nooit iets van hem horen als Alexander Graham Bell er niet was geweest,' voegde ze er dan ook nog aan toe). In alle jaren van ons huwelijk had ik nooit een getypte persoonlijke brief van mijn vrouw gezien – al was het alleen maar omdat ze het ontzaglijk stijlloos vond. Ze kón typen, produceerde zakenbrieven zonder fouten, langzaam en zorgvuldig, maar ze gebruikte daarvoor altijd mijn pc of haar eigen PowerBook.

'Wat was je aan het doen, schat?' vroeg ik, en toen begon ik haar bureauladen te doorzoeken.

Brenda Meserve had haar best gedaan op die laden, maar Jo's aangeboren slordigheid was haar te veel geweest. De oppervlakkige orde (bijvoorbeeld klosjes garen die naar kleur gesorteerd waren) week al gauw voor Jo's dierbare chaos. Ik vond genoeg van haar in die laden om door wel honderd onverwachte herinneringen gekweld te worden, maar ik vond geen papieren die op mijn oude IBM, met of zonder Courier-bolletje, getypt waren. Nog niet één velletje papier.

Toen ik klaar was met mijn zoekactie, leunde ik in mijn stoel (háár stoel) achterover en keek ik naar de kleine ingelijste foto op haar bureau, een foto die me niet bekend voorkwam. Jo had hem waarschijnlijk zelf afgedrukt (het origineel kwam misschien van de zolder van een dorpeling) en met de hand kleuren aangebracht op de afdruk. Het uiteindelijke product leek op een ingekleurde 'opsporing verzocht'-poster van Ted Turner.

Ik pakte hem op en streek verwonderd met mijn duim over het glas. Sara Tidwell, de blueszangeres van rond de eeuwwisseling die hier in de TR-90 haar laatste ankerplaats had gehad. Toen zij en de haren – vrienden en familieleden – de TR hadden verlaten, waren ze voor een tijdje naar Castle Rock gegaan... en daarna waren ze gewoon verdwenen, als een wolk over de horizon of mist op een zomerochtend.

Op de foto glimlachte ze een beetje, maar het was moeilijk iets uit die glimlach af te leiden. Haar ogen waren half dicht. Het koord van haar gitaar – geen riem maar een koord – liep over een van haar schouders. Op de achtergrond zag ik een zwarte man die een bolhoed scheef op zijn hoofd had (dat moet je musici nageven: ze weten hoe je een hoed moet dragen) en die naast iets stond wat op een wastobbebas leek.

Jo had Sara's huid de tint van koffie met melk gegeven, misschien op grond van andere foto's die ze had gezien (daar zijn er nogal wat van in omloop, en meestal zie je Sara dan met haar hoofd in de nek en haar haar bijna tot haar middel, terwijl ze haar beroemde zorgeloze lachkreet liet schallen), hoewel die natuurlijk niet in kleur waren. Niet rond de eeuwwisseling. Sara Tidwell had ook niet alleen sporen in de vorm van oude foto's nagelaten. Ik herinnerde me dat Dickie Brooks, de eigenaar van de garage in het dorp, me eens vertelde dat zijn vader ooit een teddybeer op de schietwedstrijd van de Castle County-kermis had gewonnen en dat hij, Dickies vader dus, die beer aan Sara Tidwell had gegeven. Ze had hem, zei Dickie, met een kus beloond. Volgens Dickie was de oude man dat nooit vergeten en had hij gezegd dat het de beste kus van zijn leven was... al zal hij dat wel niet gezegd hebben wanneer zijn vrouw binnen gehoorsafstand was.

Op deze foto glimlachte ze alleen maar. Sara Tidwell, bekend als Sara Laughs. Nooit een plaat gemaakt, maar haar songs leefden evengoed voort. Een ervan, 'Walk Me Baby', vertoont een opmerkelijke gelijkenis met 'Walk This Way' van Aerosmith. Tegenwoordig zou de dame een Afro-Amerikaanse worden genoemd. In 1984, toen Johanna en ik het huis aan het meer kochten en ons daardoor voor haar gingen interesseren, zou ze een zwarte zijn genoemd. In haar eigen tijd zal ze een negerin of een mulattin of misschien een octoroon genoemd zijn. En een nikker, natuurlijk. Er zullen genoeg mensen zijn geweest die dat woord gebruikten. En geloofde ik dat ze Dickie Brooks' vader – een blanke man – in het bijzijn van half Castle County had gekust? Nee, dat geloofde ik niet. Aan de andere kant: wie kon dat met zekerheid zeggen? Dat was het fascinerende van het verleden.

'*It ain't nuthin but a barn-dance sugar*,' zong ik terwijl ik de foto op het bureau terugzette. '*It ain't nuthin but a round-and-round*.'

Ik pakte de hoes van de schrijfmachine op maar besloot die er niet meer overheen te doen. Tegelijkertijd dwaalden mijn ogen weer naar Sara, zoals ze daar met haar ogen dicht stond, en met het koord dat als gitaarriem fungeerde over haar ene schouder. Iets in haar gezicht en glimlach was me altijd bekend voorgekomen, en plotseling zag ik het. Ze vertoonde een vreemde gelijkenis met Robert Johnson, wiens primitieve loopjes schuilgingen achter de akkoorden van bijna alle nummers van Led Zeppelin en de Yardbirds die ooit zijn opgenomen. Die volgens de legende op een keerpunt had gestaan en toen zijn ziel aan Satan had verkocht voor zeven jaren van heftig leven, spanning en drank en meiden van de straat. En natuurlijk ook voor een soort onsterfelijkheid in jukeboxtenten. En die had hij gekregen. Robert Johnson, die om een vrouw vergiftigd was, zeiden ze.

Laat in de middag ging ik naar de winkel en zag in de koelvitrine een moot bot liggen die er goed uitzag. Heel geschikt voor mijn avondeten. Ik kocht er een fles witte wijn bij, en terwijl ik in de rij bij de kassa stond, hoorde ik achter me een bevende oudemannenstem. 'Schijnt dat je gisteren iemand hebt ontmoet.' Het Yankee-accent was zo zwaar dat het bijna als een grap klonk – alleen komt dat maar ten dele door het accent en volgens mij voor het grootste deel door de zangerige toon. Echte Mainers praten allemaal als veilingmeesters.

Ik draaide me om en zag de oude man die de vorige dag samen met Dickie Brooks bij de garage had toegekeken terwijl ik Kyra, Mattie en Scoutie ontmoette. Hij had nog steeds die wandelstok met gouden knop, en nu herkende ik die stok. Ergens in de jaren vijftig had de *Boston Post* zo'n stok aan elke county in de staten van New England gegeven. Ze werden aan de oudste inwoners gegeven en doorgegeven van oude lul op oude lul. En de grap is dat de *Post* al jaren geleden het loodje heeft gelegd.

'Eigenlijk twee nieuwe vrienden,' antwoordde ik, en intussen probeerde ik zijn naam uit mijn geheugen op te diepen. Het lukte me niet, maar ik herkende hem uit de tijd dat Jo nog leefde. Hij bezette toen altijd een van de fauteuils in Dickies wachtkamer, waar over het weer en de politiek, de politiek en het weer werd gepraat terwijl de hamers dreunden en de compressoren ronkten. Een vaste klant. En als er daar op Highway 68 iets gebeurde, nou, dan stond hij er met zijn snufferd bovenop.

'Ik hoor dat Mattie Devore heel aardig kan zijn,' zei hij, en een van zijn grove oogleden ging omlaag. Ik heb van mijn leven heel wat suggestieve knipogen gezien, maar dat was allemaal niets in vergelijking met de knipoog van die oude man met zijn bijzondere wandelstok. Ik voelde een sterke aandrang om die bleke spitse neus in elkaar te slaan. Het geluid waarmee die neus afscheid nam van zijn gezicht zou zoiets zijn als het kraken van een dode tak die over een knie wordt gebroken.

'Hoor je veel, ouwe?' vroeg ik.

'O, ja!' zei hij. Zijn lippen – donker als plakken lever – weken uiteen in een grijns. Zijn tandvlees was bedekt met witte vlekken. In de bovenkaak had hij nog een paar gele tanden zitten, en onder ook nog een paar. 'En ze heeft dat kleintje – leep dat die is!'

'Zo leep als een geep,' beaamde ik.

Hij keek me knipperend met zijn ogen aan, een beetje verrast om zo'n oud gezegde uit mijn nieuwerwetsige mond te horen, en toen werd die ergerlijke grijns nog breder. 'Ze past niet goed op haar, weet je,' zei hij. 'Dat kind kan gaan en staan waar het wil. Zo is het.'

Ik werd me ervan bewust – beter laat dan nooit – dat zeker zes mensen naar ons stonden te kijken en te luisteren. 'Die indruk had ik niet,' zei ik, en ik verhief mijn stem een beetje. 'Nee, die indruk had ik helemaal niet.'

Hij grijnsde alleen maar – zo'n oudemannengrijns, die wil zeggen *Ja, ja, zo weet ik er nog wel een paar.*

Toen ik de winkel verliet, maakte ik me zorgen over Mattie Devore. Ik had het gevoel dat te veel mensen zich met haar bemoeiden.

Toen ik thuiskwam, liep ik met mijn fles wijn naar de keuken – die kon afkoelen terwijl ik de barbecue op het terras aan de gang bracht. Ik greep naar de koelkastdeur, maar opeens verstijfde ik. Zo'n vijftig kleine magneetjes hadden kriskras verspreid op de deur gezeten – groenten, vruchten, plastic letters en cijfers, zelfs een goede selectie van de California Raisins – maar ze zaten niet langer kriskras. Ze vormden nu een kring op de deur. Er was iemand binnen geweest. Iemand was binnengekomen en...

... had de magneetjes op de koelkast verplaatst? In dat geval was het een inbreker die dringend arbeidstherapie nodig had. Ik raakte er een aan – voorzichtig, met het topje van mijn vinger. Toen was ik plotseling kwaad op mezelf. Ik deed ze weer door elkaar en deed dat met zoveel kracht dat er een paar op de vloer vielen. Ik raapte ze niet op.

Voordat ik die avond naar bed ging, legde ik de Memo-Scriber op de tafel onder Bunter de Grote Opgezette Eland. Ik deed hem aan en zette hem in de dicteerstand. Vervolgens schoof ik er een van mijn oude cassettes in, zette de teller op nul en ging naar bed, waar ik acht uur lang zonder dromen ononderbroken sliep.

De volgende dag, maandag, was zo'n soort dag waarvoor de toeristen naar Maine komen. De lucht was 's morgens meteen al zo zonnig en helder dat het was of de heuvels aan de andere kant van het meer op een subtiele manier vergroot werden. Mount Washington, de hoogste top van New England, zweefde helemaal in de verte.

Ik zette koffie en liep fluitend de huiskamer in. Alles wat ik me de afgelopen dagen in mijn hoofd had gehaald, leek me ineens belachelijk. Toen hield ik abrupt op met fluiten. De teller van de Memo-Scriber, die ik op 000 had gezet toen ik naar bed ging, stond op 012.

Ik spoelde het bandje terug, hield mijn vinger aarzelend boven de PLAY-knop, zei tegen mezelf (met Jo's stem) dat ik niet zo idioot moest doen, en drukte de knop in.

'O *Mike*,' fluisterde – klaagde, kon je bijna zeggen – een stem op het bandje, en ik drukte onwillekeurig met mijn hand tegen mijn mond om een schreeuw binnen te houden. Het was wat ik in Jo's kantoor had gehoord toen opeens die luchtstroom langs de zijkanten van mijn gezicht ging – alleen waren de woorden nu zo vertraagd dat ik ze kon verstaan. 'O *Mike*,' zei de stem opnieuw. Er volgde een zacht klikgeluid. Het apparaat had zich een tijdje uitgeschakeld. En toen was het er opnieuw, uitgesproken in de huiskamer terwijl ik in de noordelijke aanbouw sliep: 'O *Mike*.'

Toen was het weg.

10

Om een uur of negen kwam een pickup-truck de oprijlaan op. Hij stopte achter mijn Chevrolet. De wagen was nieuw – een Dodge Ram, zo schoon en glanzend dat het leek of het nummerbord er die ochtend pas was opgeschroefd – maar hij had dezelfde gebroken witte kleur als de vorige en het opschrift op het portier aan de bestuurderskant was ook nog hetzelfde als ik me herinnerde: WILLIAM 'BILL' DEAN, BLOKHUTBEHEER, HUIZENBEHEER, ONDERHOUDSWERKEN, plus zijn telefoonnummer. Ik ging de achterveranda op om hem te begroeten, een kop koffie in mijn hand.

'Mike!' riep Bill, en hij klom achter het stuur vandaan. Yankee-mannen omhelzen elkaar niet – dat is een waar woord, hang het maar naast 'stoere kerels dansen niet' en 'echte mannen eten geen quiche' – maar Bill zwengelde mijn hand zo hard op en neer dat het restje koffie bijna uit mijn kop walste, en gaf me een stevige klap op mijn rug. Toen hij grijnsde, zag ik een schitterend kunstgebit – het soort dat ze vroeger Roebuckers noemden, want je kon ze bij een postorderbedrijf bestellen. Het flitste door mij heen dat mijn bejaarde gesprekspartner in de Lakeview General Store ook wel zo'n gebit zou kunnen gebruiken. In ieder geval zou de bemoeizuchtige ouwe lul dan wat meer plezier aan zijn maaltijden beleven. 'Mike, wat ben ik blij dat je terug bent!'

'Ik ben ook blij jou te zien,' zei ik grijnzend. En dat was geen valse grijns; ik voelde me goed. Dingen die je in een nacht vol donder en bliksem de stuipen op het lijf kunnen jagen, lijken in het heldere licht van een zomerochtend vaak alleen maar interessant. 'Je ziet er goed uit, kerel.'

Dat was waar. Bill was vier jaar ouder geworden, en een beetje grijzer aan de randen, maar verder was hij dezelfde gebleven. Vijfenzestig? Zeventig? Het deed er niet toe. Hij had niet die wasbleke huid van iemand met een slechte gezondheid, en hij had ook niet die slappe huidplooien bij de ogen en in de wangen die ik altijd met fysiek verval in verband breng.

'Jij ook,' zei hij, en hij liet mijn hand los. 'We vonden het allemaal zo erg van Jo, Mike. In het dorp was iedereen dol op haar. Het was een schok, ze was zo jong. Mijn vrouw heeft me gevraagd haar condoleances over te brengen. Jo maakte ooit een Afghaan voor haar in het jaar dat ze longontsteking had, en dat is Yvette nooit vergeten.'

'Dank je,' zei ik, en even had ik mijn stem niet helemaal onder controle. Blijkbaar was mijn vrouw in de TR nog maar net dood. 'En bedank Yvette ook.'

'Ja. Alles goed met het huis? Afgezien van de airconditioner, bedoel ik. Dat verrekte ding! Bij Western Auto hebben ze me dat onderdeel vorige week beloofd, en nu zeggen ze dat het wel tot augustus kan duren.'

'Dat geeft niet. Ik heb mijn PowerBook. Als ik dat wil gebruiken, neem ik de keukentafel als bureau. En ik zóu het willen gebruiken – zoveel cryptogrammen, zo weinig tijd.'

'Heb je warm water?'

'Dat is allemaal in orde, maar er is één probleem.'

Ik zweeg. Hoe vertelde je de beheerder van je huis dat je dacht dat het er spookte? Waarschijnlijk was er geen goede manier en kon je maar het beste gewoon met de deur in huis vallen. Ik had vragen, maar ik wilde niet om de hete brij heen draaien. Al was het alleen maar omdat Bill het zou merken. Hij mocht zijn kunstgebit dan van een postorderbedrijf hebben gekocht, hij was niet dom.

'Wat is er, Mike? Zeg het maar.'

'Ik weet niet hoe je hierop zult reageren, maar...'

Hij glimlachte als iemand die plotseling iets begrijpt, en hief zijn hand omhoog. 'Misschien weet ik het al.'

'O ja?' Ik was enorm opgelucht en kon bijna niet wachten tot hij vertelde wat hij in Sara had meegemaakt, misschien toen hij keek of alle gloeilampen het nog deden of zich ervan vergewiste dat het dak een vracht sneeuw kon houden. 'Wat heb jíj gehoord?'

'Vooral wat Royce Merrill en Dickie Brooks me hebben verteld,' zei hij. 'Afgezien daarvan weet ik niet veel. Vergeet niet, ik was met moeder de vrouw in Virginia. We zijn pas gisteravond om een uur of acht teruggekomen. Maar: in het dorp praten ze nergens anders over.'

Een ogenblik werd ik nog zo door Sara Laughs in beslag genomen dat ik niet wist waar hij het over had. Het enige dat ik kon bedenken, was dat de mensen over de vreemde geluiden in mijn huis roddelden. Toen viel de naam Royce Merrill op zijn plaats, en de rest ook. Merrill was de ouwe buidelrat met de gouden knop op zijn wandelstok en de suggestieve knipoog. Oude Viertand. De beheerder van mijn huis had het niet over spookachtige geluiden; hij had het over Mattie Devore.

'Ik zal een kop koffie voor je halen,' zei ik. 'Je moet me vertellen waar ik in verzeild ben geraakt.'

Toen we op het terras zaten, ik met verse koffie en Bill met een kop thee ('Koffie verbrandt me tegenwoordig aan beide kanten,' zei hij), vroeg ik hem eerst naar de Royce Merrill-Dickie Brooks-versie van mijn ontmoeting met Mattie en Kyra.

Het bleek niet zo erg te zijn als ik had gedacht. Beide oude mannen hadden me met het meisje in mijn armen langs de weg zien staan, en ze hadden mijn Chevrolet half in de berm zien staan, met de deur aan de bestuurderskant open, maar blijkbaar hadden ze geen van beiden gezien dat Kyra de witte middenlijn van Route 68 als evenwichtsbalk had gebruikt. Maar om dat te compenseren beweerde Royce dat Mattie me had omhelsd alsof ik haar grote held was en me een kus op de mond had gegeven.

'Heeft hij ook gezien dat ik haar bij haar achterste greep en haar heb afgelikt?' vroeg ik.

Bill grijnsde. 'Zo ver gaat Royce' fantasie niet meer sinds hij een jaar of vijftig was, en dat is minstens veertig jaar geleden.'

'Ik heb haar niet aangeraakt.' Nou... Er was dat moment geweest waarop de rug van mijn hand langs de ronding van haar borst streek, maar dat was per ongeluk geweest, al dacht de jongedame in kwestie misschien iets anders.

'Hé, dat hoef je me niet te vertellen,' zei hij. 'Máár...'

Hij zei dat 'maar' zoals mijn moeder het altijd had gezegd. Hij liet het in de lucht hangen als de staart van een onheilspellende vlieger.

'Maar wat?'

'Je kunt beter bij haar uit de buurt blijven,' zei hij. 'Ze is heel aardig – bijna een gewoon meisje uit het dorp – maar ze kan je in moeilijkheden brengen.' Hij zweeg even. 'Nee, nu doe ik haar onrecht. Ze verkeert zelf in moeilijkheden.'

'De oude man wil de voogdij over haar kind, hè?'

Bill zette zijn theekopje op de reling van het terras en keek me met opgetrokken wenkbrauwen aan. De weerspiegelde rimpelingen van het meer trokken over zijn gezicht en gaven hem iets exotisch. 'Hoe weet jij dat?'

'Kwestie van raden, maar wel op grond van enige feiten. Haar schoonvader belde me zaterdagavond tijdens het vuurwerk. Hij heeft me niet precies verteld wat hij wil, maar Max Devore is vast niet helemaal naar TR-90 in het westen van Maine teruggekomen om de Jeep en de caravan van zijn schoondochter op te eisen. Nou, hoe zit dat, Bill?'

Enkele ogenblikken keek hij me alleen maar aan, bijna als iemand die weet dat je een ernstige ziekte hebt opgelopen en niet weet of hij het je moet vertellen. Dat gaf me een erg onbehaaglijk gevoel. Het gaf me ook het gevoel dat ik Bill Dean misschien in een lastig parket bracht. Per slot van rekening kwam Devore hier vandaan. En hoe Bill ook op me gesteld was, ik kwam hier niet vandaan. Jo en ik kwamen van ver weg. Het had nog erger kunnen zijn – het had Massachusetts of New York kunnen zijn – maar Derry, weliswaar nog in Maine, was ver weg.

'Bill? Ik kan wel wat navigatiehulp van je gebruiken...'

'Je kunt beter bij hem uit de buurt blijven,' zei hij. Zijn ongedwongen glimlach was weg. 'Die man is gek.'

'Gek?' vroeg ik. 'Gek als Charles Manson? Als Hannibal Lecter? Hoe?'

'Als Howard Hughes,' zei hij. 'Heb je ooit verhalen over Hughes gelezen? Wat hij allemaal deed om de dingen te krijgen die hij wilde hebben? Het deed er niet toe of het een bijzonder soort hotdog was dat ze alleen in Los Angeles verkochten, of een vliegtuigontwerper die hij bij Lockheed of McDonnell-Douglas wilde wegkapen: hij moest hebben wat hij wilde hebben, en hij rustte niet tot hij het had. Devore is net zo. Hij is altijd zo geweest. Volgens de verhalen die je in het dorp hoort, wilde hij als kind al altijd zijn zin hebben.

Mijn vader vertelde daar altijd een verhaal over. Hij zei dat Max Devore als jongetje op een winter in Scant Larribees gereedschapsschuur inbrak omdat hij de Flexible Flyer wilde hebben die Scant met Kerstmis aan zijn zoon Scooter had gegeven. Dat zal omstreeks 1923 zijn geweest. Devore haalde allebei zijn handen open aan glasscherven, zei pa, maar hij kreeg de slee te pakken. Ze vonden hem tegen middernacht. Hij gleed van Sugar Maple Hill af en hield zijn handen tegen zijn borst als hij naar beneden ging. Zijn wanten en sneeuwpak zaten onder het bloed. Er worden in het dorp nog meer verhalen over toen Maxie Devore nog jong was verteld – als je ernaar vraagt, krijg je honderd verschillende te horen – en de meeste daarvan zullen helemaal niet waar zijn. Maar dat verhaal over die slee ís beslist waar. Daar durf ik alles onder te verwedden. Want mijn vader loog niet. Dat mocht niet van zijn geloof.'

'Baptist?'

'Nee. Yankee.'

'1923 is vele manen geleden, Bill. Soms veranderen mensen.'

'Ja, maar meestal niet. Ik heb Devore niet meer gezien sinds hij terugkwam en in Warrington's ging wonen, dus ik kan het niet met zekerheid zeggen, maar ik heb dingen gehoord waardoor ik denk dat als hij veranderd is, het niet ten goede is. Hij is niet helemaal van de andere kant van het land hierheen gekomen omdat hij vakantie wil houden. Hij wil het *kind*. Voor hem is dat meisje alleen maar een nieuwe versie van de Flexible Flyer van Scooter Larribee. En ik raad je aan om niet tussen hem en haar in te gaan staan.'

Ik nam een slokje koffie en keek uit over het meer. Bill gaf me de tijd om na te denken en schraapte intussen met een van zijn werkschoenen over een klodder vogelpoep op de planken. Kraaienstront, dacht ik; alleen kraaien schijten zulke langgerekte, grote klodders.

Eén ding leek me volkomen zeker: Mattie Devore zat tot aan haar nek in de stront. Ik ben niet meer zo cynisch als toen ik twintig was –

wie is dat wel? – maar ik was niet zo naïef of idealistisch om te geloven dat de wet mevrouw Dubbelbreed tegen meneer Computer zou beschermen – niet als meneer Computer een vuil spelletje speelde. Als jongen had hij de slee gepakt die hij wilde hebben en was hij midden in de nacht in zijn eentje gaan sleeën, met bloedende handen nota bene. En als volwassene? Een oude man die al minstens veertig jaar elke slee kreeg die hij wilde hebben?

'Wie is die Mattie, Bill? Vertel me dat eens.'

Hij had niet veel tijd nodig. Dorpsverhalen zijn bijna altijd eenvoudige verhalen. Al zijn ze daar vaak niet minder boeiend om.

Mattie Devore was haar leven begonnen als Mattie Stanchfield, niet precies in de TR maar nog net in Motton. Haar vader was houthakker geweest, en haar moeder schoonheidsspecialiste met een praktijk aan huis (dat maakte het op een vreemde manier tot het perfecte plattelandshuwelijk). Er waren drie kinderen. Toen Dave Stanchfield een bocht in Lovell miste en met een truck vol houtpulp Kewadin Pond inreed, verloor zijn weduwe de moed, zoals ze dan zeggen. Ze stierf kort daarna. Er was geen verzekering, behalve de verzekering die Stanchfield verplicht voor zijn gereedschap en zijn wagen had moeten nemen.

Over de gebroeders Grimm gesproken, hè? Je hoefde alleen maar het Fisher-Price-speelgoed achter het huis weg te denken, en de twee haardrogers in de schoonheidssalon in de kelder, en de gammele Toyota op de oprit, en je had alle ingrediënten: *Er was eens een arme weduwe met drie kinderen...*

Mattie is de prinses in het verhaal – arm maar mooi (dat ze mooi was, kon ik persoonlijk beamen). En dan verschijnt de prins op het toneel. In dit geval is het een stotterende, roodharige slungel, Lance Devore. Het kind dat Max Devore op zijn oude dag had gekregen. Toen Lance en Mattie elkaar ontmoetten, was hij eenentwintig. Zij was net zeventien geworden. De ontmoeting vond plaats in Warrington's, waar Mattie een vakantiebaantje als serveerster had.

Lance Devore woonde aan de Upper Bay, aan de andere kant van het meer, maar op dinsdagavond waren er softbalwedstrijden bij Warrington's, de dorpelingen tegen de vakantiegangers, en hij stak vaak met zijn kano het meer over om mee te doen. Softbal is geweldig voor de Lance Devores van deze wereld. Als je met een slaghout in het slagperk staat, maakt het niet uit of je slungelig bent. En het maakt helemaal niet uit of je stottert.

'Bij Warrington's wisten ze niet goed raad met hem,' zei Bill. 'Ze wisten niet bij welk team hij hoorde – de mensen van hier of de mensen van buiten. Lance kon het niet schelen. Hij wilde wel in beide teams spelen. Soms speelde hij in het ene team, soms in het andere. In beide gevallen waren ze erg blij met hem, want hij kon keihard meppen en was een fantastische veldspeler. Ze zetten hem vaak op het eerste honk omdat hij lang was, maar eigenlijk was dat zonde. Op het tweede honk of als korte stop – allemachtig! Hij sprong en draaide als die Noriega.'

'Je bedoelt waarschijnlijk Noerejev,' zei ik.

Hij haalde zijn schouders op. 'Waar het om gaat, is dat de mensen graag naar hem keken. En ze mochten hem. Hij hoorde erbij. Het zijn vooral jonge mensen die spelen, weet je, en voor hen gaat het erom hoe goed je het doet, niet wie je bent. Trouwens, veel van die jongelui weten het verschil niet tussen Max Devore en een gat in de grond.'

'Tenzij ze de *Wall Street Journal* en de computerbladen lezen,' zei ik. 'Daarin kom je de naam Devore bijna net zo vaak tegen als die van God in de bijbel.'

'Meen je dat nou?'

'Nou, ik denk dat God in de computerbladen vaak als "Gates" wordt gespeld, maar je weet wat ik bedoel.'

'O, ja. Maar het is evengoed vijfenzestig jaar geleden dat Max Devore in de TR was. Je weet zeker wel wat er gebeurde toen hij wegging?'

'Nee, hoe zou ik dat moeten weten?'

Hij keek me verrast aan. Toen was het of er een sluier voor zijn ogen zakte. Hij knipperde even en zijn ogen werden weer helder. 'Dat vertel ik je een andere keer – het is geen geheim – maar ik moet om elf uur bij de Harrimans zijn om hun pomp te repareren. Laten we nu niet afdwalen. Wat ik je probeerde te vertellen, is het volgende: Lance Devore werd geaccepteerd als een aardige jonge kerel die een softbal honderd meter ver de bomen in kon slaan als hij hem goed op zijn slaghout kreeg. Er was niemand die oud genoeg was om hem kwalijk te nemen dat hij de zoon van zijn vader was – niet op dinsdagavond bij Warrington's – en er was ook niemand die het hem kwalijk nam dat zijn familie geld had. Ach, er zijn hier 's zomers zoveel rijke mensen. Dat weet jij ook wel. Niet zo rijk als Max Devore, maar rijk zijn is alleen maar een kwestie van gradatie.'

Dat was niet waar, en ik had net genoeg geld om het te weten. Rijkdom is net als de schaal van Richter – als je eenmaal over een bepaald punt heen bent, zijn de sprongen van het ene naar het volgende niveau geen verdubbelingen of verdrievoudigingen maar verbijsterende, verpletterende vermenigvuldigingen waar je liever niet aan wilt denken. Fitzgerald had het goed gezien, al denk ik dat hij het zelf niet geloofde: de allerrijksten zíjn inderdaad anders dan jij en ik. Ik dacht erover om Bill dat te vertellen en besloot mijn mond te houden. Hij moest een pomp repareren.

Kyra's ouders ontmoetten elkaar bij een vaatje bier dat in de modder was gezet. Mattie reed het wekelijkse vaatje op een dinsdagavond met een kruiwagen van het hoofdgebouw naar het softbalveld. Ze had het grootste deel van de afstand zonder problemen afgelegd, maar het had eerder die week hard geregend en de kruiwagen zakte weg in een zachte plek. Lance's team was aan slag, en Lance zat aan het eind van de bank op zijn beurt te wachten. Hij zag het meisje in het witte short en het blauwe poloshirt van Warrington's met de weggezakte kruiwagen worstelen en stond op om haar te helpen. Drie weken later waren ze onafscheidelijk en was Mattie zwanger; tien weken later trouwden ze; zevenendertig maanden later lag Lance Devore in een doodkist. Het was voorbij met softbal en koud bier op zomeravonden, met 'door het bos sjouwen', zoals hij het noemde, met het vaderschap, met de liefde voor de mooie prinses. Een typisch geval van een voortijdig einde, dus niet van 'ze leefden nog lang en gelukkig'.

Bill Dean beschreef hun ontmoeting niet in details. Hij zei alleen: 'Ze ontmoetten elkaar op het veld – zij kwam met het bier aanrijden en hij hielp haar uit de modder waar ze met haar kruiwagen in was blijven steken.'

Omdat Mattie daar nooit veel over heeft verteld, weet ik er niet veel van. Toch weet ik het – en hoewel sommige details misschien niet kloppen, wil ik er wel honderd dollar onder verwedden dat ik de meeste dingen goed heb. In die zomer wist ik een hoop dingen die me eigenlijk niet aangingen.

Om te beginnen is het die zomer erg heet – 1994 is de heetste zomer van het decennium en juli is de heetste maand van de zomer. President Clinton wordt op de achtergrond gedrongen door Newt en de Republikeinen. De mensen zeggen dat Slick Willie zich misschien niet eens herkiesbaar zal stellen. Ze zeggen ook dat Boris Jeltsin een dodelijke hartkwaal heeft of in een ontwenningskliniek is opgenomen. De Red Sox doen het beter dan ze verdienen. In Derry begint Johanna Arlen Noonan zich 's morgens misschien een beetje misselijk te voelen. In dat geval vertelt ze het niet aan haar man.

Ik zie Mattie in haar blauwe poloshirt, haar naam in witte letters boven haar linkerborst genaaid. Haar witte short vormt een mooi contrast met haar gebruinde benen. Ik zie ook dat ze een blauwe honkbalpet draagt, met de rode *W* van Warrington's boven de lange klep. Haar mooie donkerblonde haar is door het gat aan de achterkant van de pet getrokken en valt over de kraag van haar shirt. Ik zie hoe ze probeert de kruiwagen uit de modder te trekken zonder dat het vaatje bier omkiept. Ze houdt haar hoofd gebogen. De schaduw van de pet verduistert haar hele gezicht, behalve haar mond en kleine wilskrachtige kin.

'Z-Zal i-ik h-h-helpen,' zegt Lance, en ze kijkt op. De schaduw van de klep valt weg en hij ziet haar grote blauwe ogen – de ogen die ze aan haar dochter zal doorgeven. Eén blik in die ogen en de oorlog is voorbij zonder dat er een schot is gelost. Hij valt als een baksteen voor haar.

De rest, zoals ze hier dan zeggen, was flirten en vrijen.

De oude man had drie kinderen, maar Lance was de enige om wie hij iets leek te geven. ('Zijn dochter is gekker dan een muis in een schijthuis,' merkte Bill zakelijk op. 'Ze zit in een gesticht in Californië. Ik meen te hebben gehoord dat ze ook nog kanker heeft.') Het feit dat Lance zich niet voor computers en software interesseerde, scheen zijn vader wel te bevallen. Hij had een andere zoon die de zaak kon voortzetten. Maar in een ander opzicht was Lance Devores oudere halfbroer helemaal niet capabel: via hem zou de oude Max geen kleinkinderen krijgen.

'Bruinwerker,' zei Bill. 'Dat schijnt veel voor te komen daar in Californië.'

Dat kwam ook veel voor in de TR, nam ik aan, maar dit leek me niet het moment om mijn huisbeheerder seksuele voorlichting te geven.

Lance Devore had bosbeheer gestudeerd aan het Reed College in Oregon. Hij was het type dat van groene flanellen broeken, rode bretels en de aanblik van condors in de vroege ochtend hield. Een houthakker van de gebroeders Grimm, als je het academisch jargon buiten beschouwing liet. In de zomer tussen zijn eerste en tweede studiejaar had zijn vader hem naar het familielandgoed in Palm Springs ontboden en hem daar een dikke advocatenkoffer met kaarten, luchtfoto's en juridische papieren gegeven. Voor zover Lance kon zien, lag het allemaal lukraak door elkaar, maar dat zal hij vast niet erg hebben gevonden. Stel je een verzamelaar van stripalbums voor die een kist boordevol zeldzame oude nummers van *Donald Duck* krijgt. Stel je een filmverzamelaar voor die een ruwe versie van een nooit uitgebrachte film met Humphrey Bogart en Marilyn Monroe in handen krijgt. En stel je dan een enthousiaste jonge bosbeheerder voor die beseft dat zijn vader niet zomaar wat hectaren of vierkante kilometers in de onmetelijke bossen van het westen van Maine bezat, maar complete *koninkrijken.*

Hoewel Max Devore de TR in 1933 had verlaten, had hij door de jaren heen veel belangstelling gehouden voor de streek waar hij was opgegroeid. Hij had altijd een abonnement gehad op regionale kranten, en op tijdschriften als *Downeast* en de *Maine Times*. In het begin van de jaren tachtig was hij begonnen lange stroken land ten oosten van de grens tussen Maine en New Hampshire te kopen. Er was toen genoeg te koop. De papierbedrijven die het meeste land in bezit hadden, leden onder de recessie en vonden dat ze, als er dan toch bezit moest worden afgestoten, het best met hun bossen en fabrieken in New England konden beginnen. En zo kwam dit land, dat van de indianen was gestolen en waar in de jaren twintig en vijftig een meedogenloze kaalslag was aangericht, in handen van Max Devore. Hij had het misschien alleen maar gekocht omdat het aangeboden werd, een voordelige aankoop waarvan hij dankzij zijn grote rijkdom kon profiteren. Misschien kocht hij het om zichzelf te bewijzen dat hij zijn kinderjaren echt had overleefd, ja dat hij erover had getriomfeerd.

Of misschien kocht hij het als speelgoed voor zijn dierbare jongste zoon. In de jaren dat Devore zijn grote landaankopen in het westen van Maine deed, was Lance nog maar een kind... maar wel zo oud dat een scherpzinnige vader kon zien waarnaar zijn belangstelling uitging.

Devore vroeg Lance om in de zomer van 1994 stukken land te inspecteren die voor het merendeel al tien jaar eerder waren aangekocht. Hij wilde dat de jongen de papieren in orde bracht, maar hij wilde nog meer – hij wilde dat Lance inzicht in de aankopen kreeg. Hij vroeg zijn zoon niet echt om advies over het gebruik van het land, al zou hij vast wel aandachtig hebben geluisterd als Lance met zo'n advies was gekomen. Nee, hij wilde gewoon inzicht krijgen in wat hij had gekocht. Wilde Lance een zomer in het westen van Maine doorbrengen om te kijken hoe het met al dat land gesteld was? Tegen een salaris van twee- of drieduizend dollar per maand?

Ik denk dat Lance's antwoord een beleefdere versie van Buddy Jellisons 'Schijten kraaien in dennentoppen?' was.

De jongen arriveerde in juni 1994 en installeerde zich in een tent aan de overkant van het Dark Score Lake. Hij moest eind augustus in Reed terug zijn, maar in plaats daarvan besloot hij zijn studie een jaar te onderbreken. Zijn vader was daar niet blij mee. Zijn vader vond dat het naar 'meidenproblemen' riekte.

'Ja, maar het is een verdomd eind ruiken van Californië naar Maine,' zei Bill Dean. Hij stond tegen de deur van zijn wagen geleund, met zijn gebruinde armen over elkaar. 'Hij had hier in de buurt iemand die voor hem snuffelde.'

'Waar heb je het over?'

'Over praten. Mensen doen het gratis en de meesten doen het nog liever als ze betaald worden.'

'Mensen als Royce Merrill?'

'Royce misschien,' beaamde hij, 'maar hij niet alleen. In veel streken gaat het soms slecht en soms goed, maar hier gaat het soms slecht en soms nog slechter. Dus wanneer iemand als Max Devore iemand met een stapel vijftigjes en honderdjes langs stuurt...'

'Was het iemand van hier? Een advocaat of zo?'

Geen advocaat. Een makelaar, een zekere Richard Osgood ('een gladde kerel' volgens Bill Dean), die in Motton woonde en daar zijn zaken deed. Uiteindelijk had Osgood een advocaat uit Castle Rock in de arm genomen. De gladde kerel had, toen de zomer van 1994 ten einde liep en Lance Devore in de TR bleef, aanvankelijk opdracht uit te zoeken wat er aan de hand was en daar een stokje voor te steken.

'En toen?' vroeg ik.

Bill keek op zijn horloge, keek naar de lucht en richtte zijn blik toen op mij. Hij haalde op een grappige manier zijn schouders op, alsof hij wilde zeggen 'we zijn allebei mannen van de wereld, op een rustige, bedaarde manier, dus het is nergens voor nodig dat je zo'n stomme vraag stelt'.

'Toen trouwden Lance Devore en Mattie Stanchfield in de Grace Baptist Church, hier aan Highway 68. Er gingen verhalen over wat Osgood had willen doen om het tegen te houden – ik hoorde dat hij zelfs dominee Gooch geld heeft geboden om hem te laten weigeren die twee te trouwen, maar dat lijkt me onzinnig, want dan waren ze gewoon naar een andere dominee gegaan. Trouwens, waarom zou ik dingen doorvertellen die ik zelf niet zeker weet?'

Bill haalde een arm los en begon puntsgewijs af te tellen op de gelooide vingers van zijn rechterhand.

'Ze trouwden half september 1994, dat weet ik wel.' Zijn duim ging omhoog. 'De mensen waren nieuwsgierig of de vader van de bruidegom zou verschijnen, maar hij kwam niet.' Daar ging de wijsvinger omhoog. Samen met de duim vormde hij een pistool. 'Mattie kreeg een baby in april 1995. Het kind werd iets te vroeg geboren, maar niet zo vroeg dat het schadelijk was. Ik heb het met eigen ogen in de winkel gezien toen het nog geen week oud was, en het had een normale omvang.' Daar ging de middelvinger omhoog. 'Ik weet niet of Lance Devores vader weigerde ze financieel te helpen, maar ik weet wél dat ze in die caravan daar bij Dickie's garage woonden, dus erg breed zullen ze het niet gehad hebben.'

'Devore zette ze de duimschroeven aan,' zei ik. 'Dat doet iemand die gewend is zijn zin te krijgen... Maar als hij zoveel van die jongen hield als jij schijnt te denken, zou hij wel zijn bijgedraaid.'

'Misschien wel, misschien niet.' Hij keek weer op zijn horloge. 'Nou, ik maak het vlug af, want ik moet ervandoor... Maar je moet nog één verhaaltje horen, want daaruit blijkt goed hoe de vork in de steel zit.

In juli vorig jaar, nog geen maand voor zijn dood, gaat Lance Devore naar het postagentschap in de Lakeview General. Hij heeft een bruine envelop die hij wil versturen, maar eerst wil hij Carla DeCinces laten zien wat erin zit. Ze zei dat hij apetrots was, zoals jonge vaders dat soms zijn op hun kinderen.'

Ik knikte. Ik vond het een grappig idee dat die magere, stotterende Lance Devore apetrots was geweest, maar ik kon het me levendig voorstellen en het was een mooi beeld.

'Het was een studiofoto die ze in de Rock hadden laten maken. Dat kind stond erop... Hoe heet ze ook weer? Kayla?'

'Kyra.'

'Ja, wat ze al niet verzinnen tegenwoordig? Je zag Kyra in een grote leren stoel zitten, met zo'n grappig brilletje op haar kleine mopsneus. Ze keek naar een luchtfoto van de bossen aan de overkant van het meer, in TR-100 of TR-110 – in elk geval een deel van wat de oude man had opgekocht. Carla zei dat de baby verbaasd keek, alsof ze niet had gedacht dat er op de hele wereld zoveel bos kon zijn. Ze zei dat het kind verrekte leep was.'

'Zo leep als een geep,' mompelde ik.

'En die envelop – aangetekend en per expresse – was geadresseerd aan Maxwell Devore in Palm Springs, Californië.'

'En nu denk jij dat de oude man al een beetje ontdooid was en om een foto van zijn enige kleinkind had gevraagd, of dat Lance Devore dacht dat hij misschien zou ontdooien als hij een foto te zien kreeg.'

Bill knikte. Hij keek zo vergenoegd als een ouder wiens kind een moeilijke som heeft opgelost. 'Ik weet niet of dat gelukt is,' zei hij. 'Er was geen tijd meer om erachter te komen. Lance had zo'n kleine schotelantenne gekocht, zoals jij hier ook hebt. Op de dag dat hij dat ding installeerde, was het slecht weer – hagel, storm, windstoten langs de oever van het meer, donder en bliksem. Het liep tegen de avond. Lance zette 's middags zijn schotel op het dak. Er was niets aan de hand, maar net toen het onweer begon, herinnerde hij zich dat hij zijn dopsleutel op het dak van de caravan had laten liggen. Hij klom erop om het ding te pakken, omdat het anders nat en roestig zou worden...'

'Hij is door de bliksem getroffen? Jezus, Bill!'

'Nou, de bliksem sloeg wel in, maar een eind verderop. Als je voorbij het punt rijdt waar Wasp Hill Road op Route 68 uitkomt, zie je de stronk van de boom die toen door de bliksem is getroffen. Precies op dat moment, kwam Lance met zijn dopsleutel de ladder af. Als je nooit hebt meegemaakt dat een bliksemschicht net over je hoofd schiet, weet je niet hoe angstaanjagend dat is – het is of een dronken automobilist opeens op jouw weghelft komt, recht op je af en dan nog terugzwenkt. Zo'n blikseminslag heel dichtbij laat je haren recht overeind staan – laat je *pik* overeind staan. Je kunt opeens radiozenders ontvangen met je metalen vullingen, je oren gaan ervan gonzen, en de lucht smaakt opeens naar rook. Lance viel van de ladder af. Als hij nog tijd had om aan iets te denken voordat hij tegen de grond sloeg, dacht hij vast dat hij geëlektrocuteerd was. Arme jongen. Hij hield veel van de TR, maar de TR heeft hem geen geluk gebracht.'

'Hij brak zijn nek?'

'Ja. Door al die donderslagen hoorde Mattie hem niet vallen of schreeuwen of zoiets. Toen het een minuut of wat later begon te hagelen, keek ze naar buiten, omdat hij nog steeds niet binnen was. En toen zag ze hem op de grond liggen. Hij staarde met open ogen recht de hagel in, verdomme.'

Bill keek een laatste keer op zijn horloge en trok toen de deur van zijn wagen open. 'De oude man wilde niet naar hun huwelijk komen, maar hij kwam wel naar de begrafenis van zijn zoon en hij is sindsdien gebleven. Hij wilde niets met de jonge vrouw te maken hebben...'

'Maar hij wil het kind,' zei ik. Dat had ik al geweten, maar toch voelde ik me opeens misselijk. *Wil je hier niet met anderen over praten?* had Mattie me op de ochtend van de vierde juli gevraagd. *Het is niet zo'n beste tijd voor Ki en mij.* 'Hoe ver is hij daar al mee gevorderd?'

'Bij het derde honk en op weg naar een homerun, zou ik zeggen. Er komt een zitting in de rechtbank van Castle County, misschien deze maand nog, misschien volgende maand. De rechter kan dan bepalen dat ze het meisje moet afstaan, of het uitstellen tot komend najaar. Ik denk niet dat het veel uitmaakt, want het enige dat nooit op Gods aardbodem zal gebeuren, is dat de rechter een uitspraak doet in het voordeel van de moeder. Hoe het ook loopt, uiteindelijk groeit dat meisje in Californië op.'

Er ging meteen een kille huivering door me heen.

Bill ging achter het stuur van zijn pickup-truck zitten. 'Hou je erbuiten, Mike,' zei hij. 'Blijf ver van Mattie Devore en haar dochter vandaan. En als je door de rechtbank wordt opgeroepen omdat je zaterdag met haar samen bent gezien, moet je veel glimlachen en zo min mogelijk zeggen.'

'Max Devore beweert dat ze niet in staat is het kind op te voeden.'

'Ja.'

'Bill, ik heb het kind *gezien*, en het mankeert niets.'

Hij grijnsde weer, maar ditmaal zonder enige humor. 'Dat kan best. Maar daar gaat het niet om. Hou je erbuiten, ouwe jongen. Het is mijn taak om je dat te vertellen. Nu Jo er niet meer is, ben ik misschien wel de enige die een beetje op je past.' Hij trok de deur van zijn Ram dicht, startte de motor, greep naar de versnellingspook, maar liet zijn hand weer zakken omdat hem blijkbaar nog iets te binnen schoot. 'Als je de gelegenheid hebt, ga dan eens op zoek naar de uilen.'

'Wat voor uilen?'

'Er moeten hier ergens een paar plastic uilen staan, misschien in de kelder, misschien in Jo's atelier. Ze zijn in het najaar voordat ze overleed door een postorderbedrijf bezorgd.'

'Het najaar van 1993?'

'Ja.'

'Dat kan niet.' We waren in het najaar van 1993 niet in Sara geweest.

'Toch wel. Ik was hier met de tochtdeuren bezig, toen Jo opeens kwam. We hebben een tijdje staan praten en toen kwam er een wagen van UPS. Ik sjouwde de doos naar de hal en dronk koffie – toen dronk ik dat nog – en intussen haalde zij de uilen uit de doos en liet ze aan me zien. Jezus, wat zagen die er echt uit. Nog geen tien minuten daarna ging ze weg. Het was net of ze speciaal daarvoor gekomen was, al snap ik niet waarom iemand helemaal uit Derry hierheen zou rijden om een paar plastic uilen in ontvangst te nemen.'

'Wanneer in het najaar was dat, Bill? Weet je dat nog?'

'De tweede week van november,' zei hij meteen. 'Ik en mijn vrouw gingen later die middag naar Lewiston, naar Yvettes zuster. Die was jarig. Op de terugweg stopten we even bij de Castle Rock Agway, want daar wilde Yvette haar Thanksgiving-kalkoen kopen.' Hij keek me verbaasd aan. 'Wist je echt niets van die uilen?'

'Nee.'

'Dat is een beetje vreemd, hè?'

'Misschien heeft ze me het verteld en ben ik het vergeten,' zei ik. 'Nou ja, het doet er ook niet veel toe.' En toch deed het ertoe. Het was iets kleins, maar ik had het gevoel dat het ertoe deed. 'Wat moest Jo nou met een paar plastic uilen?'

'Zorgen dat de kraaien niet op het houtwerk schijten, zoals ze bij jou op het terras doen. Als kraaien die plastic uilen zien, gaan ze ervandoor.'

Ik barstte ondanks mijn verbazing in lachen uit... of misschien juist daardoor. 'O ja? Werkt dat echt?'

'Ja, zolang je ze maar van tijd tot tijd verplaatst, anders krijgen de kraaien het door. Kraaien zijn zo ongeveer de slimste vogels die er zijn, weet je. Als je die uilen vindt, bespaar je jezelf een hoop viezigheid.'

'Ik zal eens op zoek gaan,' zei ik. Plastic uilen om de kraaien weg te jagen – dat was precies het soort kennis dat Jo ergens opdeed (wat dat betrof, was ze zelf ook net een kraai: ze pikte glinsterende stukjes informatie op die toevallig haar aandacht trokken) en die ze zou gebruiken zonder het mij te vertellen. Opeens verlangde ik weer naar haar – ik miste haar verschrikkelijk.

'Goed. Als ik binnenkort even tijd heb, lopen we het hele huis nog eens door. En het bos ook, als je wilt. Ik denk dat je wel tevreden zult zijn.'

'Vast wel. Waar logeert Devore?'

Hij trok zijn borstelige wenkbrauwen op. 'In Warrington's. Jullie zijn praktisch buren. Ik dacht dat je dat wel wist.'

Ik herinnerde me de vrouw die ik had gezien – zwart badpak en zwart short, een combinatie waardoor ze eruitzag alsof ze naar een exotische cocktailparty ging – en knikte. 'Ik heb zijn vrouw ontmoet.'

Bill moest zo hard lachen dat zijn zakdoek eraan te pas moest komen. Hij viste hem uit het dashboardkastje (een blauw geruit ding ter grootte van een vlag) en veegde zijn ogen droog.

'Wat is er zo grappig?' vroeg ik.

'Een magere vrouw? Wit haar? Met een gezicht als een Halloweenmasker?'

Nu was het mijn beurt om te lachen. 'Ja, dat is ze.'

'Dat is niet zijn vrouw. Ze is zijn, hoe noem je dat ook weer, persoonlijk assistente. Rogette Whitmore heet ze.' Hij sprak het uit als ROGET, met een harde *G*. 'Devores vrouwen zijn allemaal dood. De laatste al twintig jaar.'

'Waar komt die naam Rogette vandaan? Is dat Frans?'

'Californië,' zei hij, en hij haalde zijn schouders op alsof dat ene woord alles verklaarde. 'Sommige mensen in het dorp zijn doodsbang voor haar.'

'O ja?'

'Ja.' Bill aarzelde en zei toen met zo'n glimlachje dat we gebruiken om anderen te laten weten dat we weten dat we iets belachelijks zeggen: 'Brenda Meserve zegt dat ze een heks is.'

'En die twee zitten al bijna een jaar in Warrington's?'

'Ja, zij van Whitmore komt en gaat, maar het grootste deel van de tijd is ze hier. De mensen in het dorp denken dat ze hier blijven tot de voogdijzaak is afgerond en dat ze dan met zijn allen met Devores privéjet naar Californië teruggaan. Dat ze het aan Osgood overlaten om Warrington's te verkopen en...'

'Te verkopen? Hoe bedoel je, verkopen?'

'Ik dacht dat je dat wel wist,' zei Bill, en hij zette de versnellingspook in zijn vooruit. 'Toen de oude Hugh Emerson tegen Devore zei dat ze het hotel na Thanksgiving zouden sluiten, zei Devore tegen hem dat hij niet van plan was te verhuizen. Hij zei dat hij zich daar op zijn gemak voelde en er wilde blijven.'

'En dus kocht hij het.' Ik was de afgelopen twintig minuten beurtelings verrast, geamuseerd en woedend geweest, maar nooit echt met stomheid geslagen. Nu wel. 'Hij kocht Warrington's Lodge om niet naar het Lookout Rock Hotel in Castle View te hoeven verhuizen, of een huis te hoeven huren.'

'Ja, zo is het. Negen gebouwen, inclusief het eigenlijke hotel en de Sunset Bar; vijf hectare bos, een golfbaan met zes holes en honderdvijftig meter oever langs de Straat. Plus een dubbele kegelbaan en een softbalveld. Vier en een kwart miljoen dollar. Zijn vriend Osgood heeft alles geregeld en Devore betaalde met een privécheque. Ik vraag me af of hij al die nullen erop kreeg. Tot kijk, Mike.'

Daarna reed hij achteruit de oprijlaan op. Ik bleef op de veranda achter en keek hem met open mond na.

Plastic uilen.

Bill had me zeker vijfentwintig interessante dingen verteld, maar wat boven op de stapel bleef liggen, was het feit (en ik accepteerde het, want hij was er volkomen zeker van geweest) dat Jo speciaal hier naartoe was gekomen om een paar plastic uilen in ontvangst te nemen.

Had ze het me verteld?

Misschien wel. Ik kon het me niet herinneren, en ik dacht dat ik het niet vergeten zou zijn, maar Jo beweerde altijd dat het, als ik aan het schrijven was, geen zin had me iets te vertellen. Het ging mijn ene oor in en mijn andere oor uit. Soms speldde ze kleine briefjes – boodschappen die ik moest doen, telefoontjes die ik moest plegen – op mijn overhemd, alsof ik een eersteklassertje was. Maar zou ik het me echt niet herinneren als ze had gezegd: 'Ik ga even naar Sara, schat, de UPS levert daar iets af dat ik persoonlijk in ontvangst wil nemen; heb je zin om een dame gezelschap te houden?' Zou ik dan niet zijn gegaan? Ik was altijd blij met een excuus om naar de TR te gaan. Alleen werkte ik toen aan dat scenario en misschien werd ik daar helemaal door in beslag genomen... briefjes op de mouw van mijn overhemd... *Als je nog ergens heen gaat als je klaar bent: we hebben melk en sinaasappelsap nodig...*

Met de julizon in mijn nek bekeek ik het weinige wat er van Jo's moestuin was overgebleven. Intussen dacht ik aan uilen, die verrekte plastic uilen. Als Jo nu inderdaad eens had verteld dat ze naar Sara Laughs ging? Als ik nu eens had gezegd dat ik niet meeging, bijna zonder te horen wat ze me vroeg omdat ik door het schrijven in beslag werd genomen? Ook als je daarvan uitging, was er een andere vraag: waarom had ze het nodig gevonden hier persoonlijk naartoe te gaan, terwijl ze ook iemand had kunnen bellen om te vragen het pakje in ontvangst te nemen? Kenny Auster zou het graag hebben gedaan. En mevrouw M. ook. En Bill Dean, onze huisbeheerder, was nota bene in het huis. Dat bracht me op een andere vraag – vraag één was waarom ze UPS die verrekte dingen niet gewoon in Derry had laten afleveren – en ten slotte kwam ik tot de conclusie dat ik niet verder kon leven zonder dat ik hoogstpersoonlijk zo'n plastic uil onder ogen had gekregen. Misschien, dacht ik toen ik naar het huis terugging, zou ik er een op het dak van mijn Chevrolet zetten als die op de oprijlaan geparkeerd stond. Om toekomstige bomaanvallen te voorkomen.

In de hal bleef ik staan, want ik was plotseling op een idee gekomen. Ik belde Ward Hankins, de man in Waterville die mijn belastingen regelt en ook mijn weinige zaken die niet met schrijven te maken hebben.

'Mike!' zei hij opgewekt. 'Hoe is het bij het meer?'

'Het meer is koel en het weer is heet, precies zoals we het graag willen hebben,' zei ik. 'Ward, jij bewaart alle gegevens die we je sturen toch vijf jaar lang, hè? Voor het geval de belastingdienst nog moeilijk gaat doen?'

'Vijf jaar is normaal,' zei hij, 'maar ik bewaar jullie spullen zeven jaar. In de ogen van de belastingjongens ben jij een erg vette patrijs.'

Beter een vette patrijs dan een plastic uil, dacht ik, maar ik zei het niet. Ik zei: 'Daar zitten de bureauagenda's toch ook bij? Die van mij en Jo, tot aan haar dood?'

'Natuurlijk. Omdat jullie geen van tweeën ooit een gewone agenda gebruikten, was dat de beste manier om bonnetjes en declaraties te verifiëren...'

'Zou je Jo's bureauagenda van 1993 kunnen vinden en kijken wat ze in de tweede week van november deed?'

'Met alle plezier. Waar zoek je in het bijzonder naar?'

Een ogenblik zag ik me op mijn eerste avond als weduwnaar aan mijn keukentafel in Derry zitten, met in mijn handen een doos met het opschrift Norco Zwangerschapstest op de zijkant. Waar zocht ik nu na al die jaren nog naar? Ik had van die vrouw gehouden en ze lag bijna vier jaar in haar graf: waar zocht ik naar? Afgezien van moeilijkheden, bedoel ik.

'Ik ben op zoek naar twee plastic uilen,' zei ik. Ward dacht waarschijnlijk dat ik tegen hem sprak, maar ik weet niet of dat wel zo was. 'Ik weet dat het raar klinkt, maar die zoek ik. Kun je me terugbellen?'

'Binnen een uur.'

'Goed zo,' zei ik en ik hing op.

En nu de uilen zelf. Waar zou ze die twee interessante dingen hebben bewaard?

Mijn blik gleed meteen naar de kelderdeur. Heel eenvoudig, mijn beste Watson.

De keldertrap was donker en enigszins vochtig. Toen ik op de overloop stond en naar het lichtknopje tastte, sloeg de deur met zoveel geweld achter me dicht dat ik van schrik een luide kreet slaakte. Er stond geen wind, er was geen tocht, het was een volkomen roerloze dag, maar evengoed sloeg de deur achter me dicht. Of misschien werd hij dichtgezogen.

Ik stond boven aan de trap in het donker, tastend naar de lichtschakelaar, en rook de muffe lucht, die zelfs uit goede betonnen funderingen komt als er een tijdje niet gelucht is. Het was koud, veel kouder dan aan de andere kant van de deur. Ik wist dat ik niet alleen was. Ik was bang, ik zou liegen als ik zei dat het niet zo was. Maar ik was ook gefascineerd. Er was iets bij me. *Er was iets bij me.*

Ik haalde mijn hand van de muur en bleef met mijn armen omlaag staan. Er verstreek enige tijd. Ik weet niet hoeveel tijd. Mijn hart bonkte; ik voelde het in mijn slapen. Het was koud. 'Hallo?' vroeg ik.

Er kwam geen antwoord. Ik hoorde het vage, onregelmatige druppen van water, condens die beneden van een van de buizen viel, en ik hoorde ook mijn eigen ademhaling en heel zwak – ver weg, in een andere wereld, waar de zon scheen – het triomfantelijke krassen van een kraai. Misschien had hij net een hoopje op de motorkap van mijn auto laten vallen. *Ik heb absoluut een uil nodig*, dacht ik. *Ik weet niet hoe ik ooit zonder uil heb kunnen leven.*

'Hallo?' vroeg ik opnieuw. 'Kun je praten?'

Niets.

Ik streek met mijn tong over mijn lippen. Misschien had ik me idioot moeten voelen, zoals ik daar in het donker stond en naar de geesten riep. Maar dat was niet het geval. Helemaal niet. De vochtigheid had plaatsgemaakt voor een kilte die ik kon voelen, en ik had gezelschap. Zeker weten. 'Kun je dan kloppen? Als je de deur kunt sluiten, moet je ook kunnen kloppen.'

Ik stond daar en luisterde naar het zachte onregelmatige druppen van de buizen. Verder was er niets te horen. Ik tastte weer naar de lichtschakelaar, maar toen hoorde ik een zacht gebonk niet ver beneden mij. De kelder van Sara Laughs is hoog en de bovenste meter van het beton – het deel dat tegen het terrasraam aan ligt – was geïsoleerd met grote zilverfoliepanelen van Insu-Gard. Het geluid dat ik had gehoord, was – en daar ben ik vrij zeker van – een vuist die tegen een van die panelen sloeg.

Gewoon een vuist die tegen een isolatiepaneel sloeg, maar alle ingewanden en spieren van mijn lichaam leken zich samen te trekken. Mijn haar ging overeind staan. Het was of mijn oogkassen groter werden en mijn oogballen zich samentrokken, alsof mijn hoofd zijn best deed in een schedel te veranderen. Op elke vierkante centimeter van mijn huid had ik kippenvel. Er was iets bij me in die kelder. Iets doods. Ik zou het licht niet meer kunnen aandoen, gesteld al dat ik het wilde. Ik had niet meer de kracht om mijn arm omhoog te brengen.

Ik probeerde te praten, en eindelijk zei ik, op een hese fluistertoon, die mij vreemd in de oren klonk: 'Ben je daar?'

Klop.

'Wie ben je?' Ik kon nog steeds alleen maar hees fluisteren, de stem van een man die op zijn sterfbed de laatste instructies aan zijn familie geeft. Ditmaal kwam er niets van beneden.

Ik dacht koortsachtig na en opeens stond mij Tony Curtis als Harry Houdini in een oude film voor ogen. In die film was Houdini de Diogenes van het Ouija-bord geweest, iemand die in zijn vrije tijd op zoek was naar een eerlijk medium. Hij had een seance meegemaakt waarin de doden communiceerden door -

'Een keer kloppen is ja, twee keer is nee,' zei ik. 'Kun je dat?'

Klop.

Het was op de trap beneden me... maar niet heel ver beneden. Vijf treden omlaag, zes of zeven op zijn hoogst. Niet zo dichtbij dat ik het kon aanraken als ik mijn arm zou uitsteken en mijn hand door de zwarte kelderlucht zou bewegen – iets wat ik me kon voorstellen maar waarvan ik wist dat ik het nooit zou doen.

'Ben je...' Mijn stem stierf weg. Er zat gewoon geen kracht meer in mijn middenrif. De kille lucht lag als een strijkbout op mijn borst. Ik verzamelde al mijn wilskracht en probeerde het opnieuw. 'Ben je Jo?'

Klop. Die zachte vuist op het isolatiemateriaal. Een stilte en toen: *Klop-klop*.

Ja en nee.

En toen, zonder te weten waarom ik zo'n absurde vraag stelde: 'Zijn de uilen hier beneden?'

Klop-klop.

'Weet je waar ze zijn?'

Klop.

'Moet ik naar ze op zoek gaan?'

Klop! Erg hard.

Waarom wilde ze die uilen hebben? Dat zou ik kunnen vragen, maar dat ding op de trap was niet in staat om...

Warme vingers raakten mijn ogen aan en ik schreeuwde het bijna uit voordat ik besefte dat het zweet was. In het donker streek ik het met de binnenkant van mijn handen van mijn gezicht omhoog, tot aan de haarlijn. Het was alsof ze over olie gleden. Of het nu koud was of niet, ik baadde in mijn eigen zweet.

'Ben je Lance Devore?'

Klop-klop, meteen.

'Is het veilig voor mij in Sara? Ben ik hier veilig?'

Klop. Een stilte. En ik wíst dat het een stilte was, dat het ding op de trap nog niet klaar was. Toen: *Klop-klop.* Ja, het was veilig. Nee, het was niet veilig.

Ik had mijn arm weer enigszins onder controle. Ik tastte over de muur en vond nu eindelijk de lichtschakelaar. Ik liet mijn vingers erop rusten. Nu leek het zweet op mijn gezicht in ijs te veranderen.

'Ben jij degene die 's nachts huilt?' vroeg ik.

Klop-klop van beneden me, en tussen de twee kloppen door drukte ik op de schakelaar. De kelderlamp ging aan, en ook een felle gloeilamp – minstens honderdvijfentwintig watt – boven de trap. Niemand zou genoeg tijd hebben gehad om zich te verstoppen, laat staan om weg te komen, en er was ook niemand die dat probeerde. Bovendien had mevrouw Meserve – hoe bewonderenswaardig ze in veel opzichten ook was – de keldertrap niet geveegd. Toen ik afdaalde naar de plaats waar de klopgeluiden ongeveer vandaan waren gekomen, liet ik sporen in het laagje stof achter. Maar mijn sporen waren de enige.

Ik blies adem uit en zag een wolkje. Dus het was koud geweest en het was nog steeds koud.... maar het werd snel warmer. Ik blies opnieuw adem uit en zag nog maar een klein beetje nevel. Een derde keer en er was niets te zien.

Ik streek met mijn handpalm over de geïsoleerde panelen. Glad. Ik duwde mijn vinger erin, en hoewel ik niet met al mijn kracht duwde, liet mijn vinger een kuiltje in het zilverkleurig oppervlak achter. Doodsimpel. Als iemand er met een vuist tegenaan had geslagen, zouden er allemaal butsen in de panelen moeten zitten, zou het dunne zilveren laagje misschien zelfs kapot zijn gegaan en zou je de roze vulling eronder kunnen zien. Maar alle panelen waren mooi glad.

'Ben je er nog?' vroeg ik.

Geen antwoord, en toch had ik het gevoel dat mijn bezoeker er nog steeds wás. Ergens.

'Ik hoop dat ik je niet heb beledigd door het licht aan te doen,' zei ik, en nu voelde ik me een beetje belachelijk, zoals ik daar op mijn keldertrap stond en hardop praatte, alsof ik een preek hield voor de spinnen. 'Ik wilde je zien, als het kon.' Ik had geen idee of dat waar was of niet.

Plotseling – zo plotseling dat ik wankelde en bijna van de trap viel, draaide ik me om, want ik was ervan overtuigd dat het sluierwezen zich achter me bevond. Dat het sluierwezen het ding was dat had geklopt, *het*, geen beleefde M.R. James-geest, maar een gruwelijk ding uit de periferie van het universum.

Er was niets.

Ik draaide me weer om, haalde twee of drie keer diep adem om tot rust te komen en daalde de rest van de keldertrap af. Beneden lag een nog goed bruikbare kano, compleet met peddel. In de hoek stond het gasstel dat we hadden vervangen toen we het huis hadden gekocht. Daar stond ook de badkuip met klauwpoten die Jo ondanks mijn protesten als een plantenbak had willen gebruiken. Ik vond een koffer met tafellakens die ik me vaag kon herinneren, een doos beschimmelde cassettebandjes (bands als de Delfonics, Funkadelic en .38 Special) en een paar dozen met oud serviesgoed. Er was hier beneden een leven, maar niet noodzakelijkerwijs een erg interessant leven. In tegenstelling tot het leven dat ik in Jo's atelier had gevoeld, was dit leven niet onderbroken, maar was het achtergelaten, afgeworpen als een oude huid, en dat was goed. Dat was in feite de natuurlijke gang van zaken.

Op een plank met allerlei spulletjes lag een fotoalbum, en ik pakte het op, tegelijk nieuwsgierig en behoedzaam. Maar ditmaal ontploften er geen bommen. Er zaten bijna alleen foto's in van Sara Laughs, zoals het was toen wij het kochten. Wel vond ik een foto van Jo in een strakke broek met wijde pijpen (haar haar met een scheiding in het midden en witte lipstick op haar mond), en een van Michael Noonan in een gebloemd shirt en met grote bakkebaarden, waarvan de huidige ik moest huiveren (de vrijgezel Mike op de foto was een Barry White-type dat ik niet wilde herkennen en toch herkende).

Ik vond Jo's oude kapotte tredmolen, een hark die ik nodig zou hebben als ik hier het komend najaar nog was, een sneeuwblazer die ik nog dringender nodig zou hebben als ik hier de komende winter nog was, en een aantal blikken verf. Wat ik niet vond, was een paar plastic uilen. Mijn vriend de isolatieklopper had gelijk gehad.

Boven ging de telefoon.

Ik liep er vlug heen om op te nemen. Ik ging door de deuropening van de kelder en stak toen pas mijn hand terug om het licht uit te doen.

Dat vond ik grappig, en tegelijk leek het me volkomen normaal gedrag – zoals ik het als kind volkomen normaal gedrag had gevonden om je best te doen niet op de kieren tussen trottoirtegels te stappen. En al was het niet normaal, wat maakte het uit? Ik was pas drie dagen in Sara, maar ik had Noonans eerste wet van de excentriciteit al ontdekt: als je in je eentje bent, lijkt vreemd gedrag helemaal niet vreemd.

Ik bracht de draadloze telefoon met een ruk naar mijn oor. 'Hallo?'

'Hallo, Mike. Met Ward.'

'Dat was vlug.'

'De archiefruimte is hiernaast,' zei hij. 'Heel handig. Er staat in de tweede week van november 1993 maar één ding in Jo's agenda. Er staat "G-K's van Maine, Freep, 11 uur". Dat staat bij dinsdag de zestiende. Heb je daar iets aan?'

'Ja,' zei ik. 'Dank je, Ward. Daar heb ik heel veel aan.'

Ik verbrak de verbinding en legde de telefoon weer op de haak. Ja, het hielp. 'G-K's van Maine' betekende gaarkeukens van Maine. Jo had van 1992 tot haar dood in het bestuur daarvan gezeten. Freep was een afkorting van Freeport. Het zou wel een bestuursvergadering zijn geweest. Ze hadden waarschijnlijk gesproken over plannen om de daklozen op Thanksgiving te eten te geven en daarna was Jo meer dan honderd kilometer naar de TR doorgereden om twee plastic uilen in ontvangst te nemen. Dat beantwoordde niet alle vragen, maar blijven er na de dood van een geliefde niet altijd vragen over? En er is ook geen verjaringstermijn: ze kunnen altijd weer aan de oppervlakte komen.

Toen liet de UFO-stem zich horen: *Als je toch bij de telefoon staat*, zei die stem, *waarom bel je Bonnie Amudson dan niet? Om te vragen hoe het met haar gaat.*

Jo had in de jaren negentig in vier verschillende besturen gezeten, allemaal van charitatieve instellingen. Haar vriendin Bonnie had haar overgehaald om in het bestuur van de gaarkeukens te gaan zitten toen daar een plaats vrijkwam. Ze waren vaak samen naar een vergadering gegaan. Vermoedelijk niet naar die in november 1993, en ik kon moeilijk van Bonnie verwachten dat ze zich die ene specifieke vergadering na bijna vijf jaar nog steeds kon herinneren.... Maar als ze haar oude notulen had bewaard...

Wat haalde ik me in mijn hoofd? Dat ik Bonnie zou bellen, een vriendelijk gesprekje met haar zou voeren en haar dan zou vragen haar notulen uit december 1993 op te zoeken? Kon ik haar vragen of mijn vrouw op die vergadering in november aanwezig was geweest? Wilde ik vragen of Jo zich in dat laatste jaar van haar leven misschien anders had gedragen? En als Bonnie vroeg waarom ik dat wilde weten, wat zou ik dan zeggen?

Geef hier, had Jo gesnauwd in mijn droom over haar. In die droom had ze helemaal niet op Jo geleken, maar op een willekeurige andere vrouw, misschien op de vrouw uit Spreuken, die vreemde vrouw wier lippen als honing waren en wier hart vervuld was van gal en alsem. Een vreemde vrouw met vingers zo koud als twijgjes na een vorstnacht. *Geef hier, dat is mijn stofnest.*

Ik ging naar de kelderdeur en raakte de knop aan. Ik draaide hem om en liet hem toen los. Ik wilde niet omlaag kijken in het donker, wilde niet riskeren dat er weer iets ging kloppen. Het was beter de deur dicht te laten. Wat ik nu wilde, was iets kouds drinken. Ik ging naar de keuken, stak mijn hand uit naar de koelkastdeur en verstijfde. De magneetjes vormden weer een kring, maar ditmaal waren er vier letters en een cijfer naar het midden getrokken en naast elkaar gezet. Ze vormden één enkel woord:

hal1o

Er was hier iets. Zelfs bij klaarlichte dag twijfelde ik daar niet meer aan. Ik had gevraagd of het veilig voor me was om in het huis te zijn en had een onduidelijk antwoord gekregen. Maar dat deed er niet toe. Als ik Sara nu verliet, kon ik nergens heen. Ik had een sleutel van het huis in Derry, maar eerst moest ik hier orde op zaken stellen. Dat wist ik ook.

'Hallo,' zei ik en ik maakte de koelkast open om een flesje sodawater te pakken. 'Wie of wat je ook bent, hallo.'

11

De volgende morgen werd ik in de vroege uurtjes wakker. Ik was ervan overtuigd dat er iemand bij me in de noordelijke slaapkamer was. Ik ging rechtop tegen de kussens zitten, wreef over mijn ogen en zag een donkere, brede gedaante tussen mij en het raam staan.

'Wie ben je?' vroeg ik. Ik verwachtte dat de gedaante niet met woorden zou antwoorden, maar in plaats daarvan op de muur zou kloppen. Eén keer voor ja, twee keer voor nee – waar denk je aan, Houdini? Maar de gestalte bij het raam, gaf geen enkel antwoord. Ik tastte omhoog, vond het koord van de lamp boven het bed en trok eraan. Mijn mond was verwrongen tot een grimas en mijn borst voelde zo strak aan dat het was of er kogels van terug zouden ketsen.

'O, verdomme,' zei ik. 'Krijg nou het heen en weer.'

Aan een hanger die ik aan de gordijnrail had gehaakt hing mijn oude suède jasje. Ik had het daar gehangen toen ik aan het uitpakken was en was daarna vergeten het in de kast te doen. Ik probeerde te lachen, maar dat lukte niet. Om drie uur in de ochtend is zoiets niet grappig. Ik deed het licht uit en lag met open ogen in bed, wachtend tot Bunters bel ging rinkelen of het kind begon te snikken. Ik lag daar nog steeds op te wachten toen ik in slaap viel.

Een uur of zeven later, toen ik op het punt stond naar Jo's atelier te gaan om te kijken of de plastic uilen in de opslagruimte stonden, waar ik de vorige dag niet had gekeken, reed er een nieuw model Ford over mijn oprijlaan. Hij stopte vlak voor mijn Chevrolet; ze stonden neus aan neus. Ik was al op het korte paadje tussen het huis en het atelier, maar nu kwam ik terug. Het was een warme, benauwde dag en ik droeg alleen een spijkerbroek met afgeknipte pijpen en plastic teenslippers.

Jo beweerde altijd dat de Cleveland-stijl van kleding zich vanzelf in twee subgenres onderverdeelde: Full Cleveland en Cleveland Casual. Mijn bezoeker op die dinsdagochend droeg Cleveland Casual: dan draag je een hawaïhemd met ananassen en apen, een geelbruine broek van Banana Republic, en witte loafers. Sokken zijn facultatief, maar iets wits aan je voeten is absoluut vereist voor de Cleveland-look, net als minstens één opzichtig gouden sieraad. Wat dat laatste betrof, zat deze man helemaal goed: hij had een Rolex om zijn pols en een gouden ketting om zijn hals. De achterkant van zijn overhemd hing over zijn broek en hij had daar een verdachte bult. Het was ofwel een pistool ofwel een pieper en het leek me te groot om een pieper te zijn. Ik keek weer naar de auto. Blackwall-banden. En op het dashboard, o, moet je toch eens zien, een afgedekte blauwe halve bol. Dat is om je stiekem te kunnen besluipen, grootmoeder.

'Michael Noonan?' Hij was knap op een manier die voor sommige vrouwen aantrekkelijk is – het type vrouwen dat ineenkrimpt als iemand in hun onmiddelijke omgeving zijn stem verheft, het type dat bijna nooit de politie belt als er thuis iets misgaat, omdat ze diep in hun ongelukkige hart geloven dat ze niet anders verdienen dan dat er thuis verkeerde dingen gebeuren. Verkeerde dingen die blauwe ogen, ontwrichte ellebogen en brandwonden van sigaretten op de tieten tot gevolg hebben. Het zijn de vrouwen die hun echtgenoot of minnaar vaak papa noemen: 'Zal ik een biertje voor je halen, papa?' of 'Was het zwaar op je werk, papa?'

'Ja, ik ben Michael Noonan. Wat kan ik voor u doen?'

Deze versie van papa draaide zich om, bukte zich en pakte iets uit de wirwar van papieren op de passagierskant van de voorbank. Onder het dashboard bracht een radio heel even wat snerpende geluiden voort en was toen weer stil. Met een langgerekte map in zijn hand draaide hij zich naar me om. Hij hield me de map voor. 'Die is voor u.'

Toen ik de map niet aanpakte, kwam hij een stap naar voren en porde ermee tegen een van mijn handpalmen, blijkbaar in de veronderstelling dat ik in een reflex mijn hand zou sluiten. In plaats daarvan bracht ik beide handen omhoog tot ze ter hoogte van mijn schouders waren, alsof hij me net had verteld dat ik ze omhoog moest steken.

Hij keek me geduldig aan, zijn gezicht net zo Iers als dat van de gebroeders Arlen, maar zonder de vriendelijkheid, openheid en nieuwsgierigheid. In plaats daarvan had hij een soort zure geamuseerdheid, alsof hij al het irritante gedrag van de wereld al had meegemaakt, het meeste zelfs twee keer. Een van zijn wenkbrauwen was lang geleden opengespleten, en hij had van die rode, verweerde wangen die of op een goede gezondheid of op een grote belangstelling voor alcoholische producten wijzen. Hij zag eruit alsof hij je moeiteloos de goot in kon slaan en daarna boven op je zou gaan zitten om te voorkomen dat je weg zou lopen. Ik ben braaf geweest, papa, ga van me af, doe niet zo gemeen.

'Maakt u dit niet moeilijk. U zult dit accepteren, dat weet u net zo goed als ik. Dus maakt u het niet zo moeilijk.'

'Ik wil eerst uw legitimatiebewijs zien.'

Hij zuchtte, rolde met zijn ogen en greep toen in een van zijn overhemdzakjes. Hij haalde er een leren mapje uit en sloeg het open. Er zaten een insigne en een legitimatiebewijs met foto in. Mijn nieuwe vriend was George Footman, hulpsheriff, Castle County. De foto was scherp en schaduwloos, zoiets als wat een slachtoffer van mishandeling in een boek met verdachten zou zien.

'Tevreden?' vroeg hij.

Toen hij me de bruine map nogmaals voorhield, pakte ik hem aan. Hij bleef met diezelfde zure geamuseerdheid staan kijken terwijl ik de inhoud bekeek. Ik kreeg een dagvaarding om op 10 juli 1998 – met andere woorden, vrijdag – op het kantoor van Elmer Durgin, advocaat en procureur, te verschijnen. Voornoemde Elmer Durgin was benoemd tot voogd *ad litem* van de minderjarige Kyra Elizabeth Devore. Ik moest een verklaring bij hem afleggen inzake eventuele kennis die ik van het welbevinden van Kyra Elizabeth Devore bezat. Die verklaring zou ik afleggen ten behoeve van de rechtbank van Castle County en rechter Noble Rancourt. Er zou een stenograaf bij aanwezig zijn. Er werd me verzekerd dat dit een verklaring voor de rechtbank was en dat het niets te maken had met **eiser** of **gedaagde.**

Footman zei: 'Het is mijn plicht u te herinneren aan de straffen in het geval u niet...'

'Dank u, zullen we maar aannemen dat u me dat allemaal al verteld hebt? Ik zal er zijn.' Ik gebaarde hem terug te gaan naar zijn auto. Ik walgde hiervan. Ik voelde me *gemanipuleerd*. Ik had nooit eerder een dagvaarding gekregen en ik moest er niets van hebben.

Hij ging naar zijn auto terug, wilde instappen, maar bleef toen staan, zijn behaarde arm nonchalant over de bovenrand van het open portier. Zijn Rolex glansde in het wazige zonlicht.

'Laat me u een goede raad geven,' zei hij, en nu wist ik echt alles wat ik nog over die kerel moest weten. 'Als ik u was, zou ik meneer Devore niet dwarszitten.'

'Of anders verplettert hij me als een mug,' zei ik.

'Huh?'

'Uw tekst is: "Laat me u een goede raad geven. Als ik u was, zou ik meneer Devore niet dwarszitten, of anders verplettert hij u als een mug." '

Ik kon aan zijn gezicht – nog half perplex en al half woedend – zien dat hij inderdaad iets in die trant had willen zeggen. Blijkbaar hadden we dezelfde films gezien, inclusief alle films waarin Robert De Niro een psychopaat speelt. Toen klaarde zijn gezicht weer op.

'O ja, u bent die schrijver,' zei hij.

'Dat zeggen ze.'

'U kunt dat soort dingen zeggen, want u bent schrijver.'

'Nou, we leven in een vrij land, nietwaar?'

'U bent bent behoorlijk bijdehand, hè?'

'Hoe lang werkt u al voor Max Devore, deputy? En weten ze bij de politie dat u er in uw vrije tijd wat bijbeunt?'

'Ze weten het. Het is geen probleem. Ú bent de enige die misschien een probleem heeft, meneer de bijdehante Schrijver.'

Ik besloot een eind aan de woordenwisseling te maken voordat we in het kakkepoepiestadium belandden.

'Van mijn erf af, Sheriff.'

Hij keek me nog even aan. Blijkbaar zocht hij naar een treffende uitsmijter maar kon hij hem niet vinden. Hij had een bijdehante Schrijver nodig om hem te helpen, dat was alles. 'Ik kijk vrijdag naar u uit,' zei hij.

'Bedoelt u dat u me op een lunch gaat trakteren? Maak u geen zorgen, ik ben geen dure eter.'

Zijn rode wangen werden nog een beetje roder, en ik zag nu hoe ze eruit zouden zien als hij zestig was, tenzij hij het vuurwater liet staan. Hij stapte weer in zijn Ford en reed met gierende banden achteruit mijn oprijlaan af. Ik bleef staan waar ik stond en keek hem na. Zodra hij over Lane 42 naar de grote weg reed, ging ik naar binnen. Het schoot me te binnen dat Sheriff Footmans bijbaantje lucratief moest zijn, als hij zich een Rolex kon permitteren. Aan de andere kant kon het ook een imitatie zijn.

Rustig nou, Michael, raadde Jo's stem me aan. *De rode lap is weg, niemand zwaait iets voor je heen en weer, dus kom nou maar tot rust...*

Ik zette haar stem uit mijn hoofd. Ik wilde niet tot rust komen. Ik wilde me juist *opwinden*. Ze probeerden me te *manipuleren*.

Ik liep naar het bureau in de hal waar Jo en ik altijd onze actuele paperassen bewaarden (en onze bureauagenda's, nu ik erover nadacht) en prikte de dagvaarding met een hoek van het geelbruine omslag op het kurkbord vast. Toen dat gebeurd was, bracht ik mijn vuist voor mijn ogen, keek even naar de trouwring en sloeg toen tegen de muur naast de boekenkast. Ik deed dat zo hard dat er een hele rij pockets opsprong. Ik dacht aan Mattie Devores slobberbroek en Kmart-shirt, en toen aan het feit dat haar schoonvader vier en een kwart miljoen dollar voor Warrington's had betaald. Door een privécheque uit te schrijven, verdomme. Ik dacht aan Bill Dean die zei dat het kleine meisje hoe dan ook in Californië zou opgroeien.

Ik ijsbeerde door het huis, nog steeds ziedend, en belandde ten slotte bij de koelkast. De magneten zaten nog in een kring, maar de letters in die kring waren veranderd. In plaats van

hal1o

stond er nu

help r

'Helper?' zei ik, en zodra ik het woord hoorde, begreep ik het. De letters op de koelkast bestonden uit maar één alfabet (nee, zelfs dat niet, zag ik; er ontbraken een paar letters), en ik zou er meer moeten halen. Als de voorkant van mijn Kenmore als Ouija-bord zou fungeren, moest ik zien dat ik een flinke voorraad letters kreeg. Vooral klinkers. Intussen zette ik de *h* voor de *r* en een *a* tussen de *h* en de *r*. De boodschap luidde nu

elp ha r

Ik verbrak de cirkel van groente- en fruitmagneetjes met mijn hand, verspreidde de letters en ijsberen. Ik had besloten niet tussen Devore en zijn schoondochter te komen, maar nu was ik evengoed tussen hen verzeild geraakt. Een Sheriff in Cleveland-kleren was naar mijn huis gekomen en had een complicatie toegevoegd aan een leven dat toch al niet probleemloos was – en had me nog een beetje bang gemaakt op de koop toe. Maar dit was tenminste een angst voor iets wat ik kon zien en begrijpen. Opeens nam ik een besluit: ik wilde meer met deze zomer doen dan me zorgen maken over geesten, huilende kinderen en dingen die mijn vrouw vier of vijf jaar geleden had gedaan – gesteld al dat ze iets bijzonders had gedaan. Ik kon geen boeken schrijven, maar dat betekende niet dat ik uit mijn neus ging zitten eten.

Help haar.

Ik besloot dat ik het op zijn minst kon proberen.

'Literair agentschap Harold Oblowski.'

'Ga met me mee naar Belize, Nola,' zei ik. 'Ik heb je nodig. We zullen schitterend de liefde bedrijven om middernacht, als de volle maan het strand zo wit als beenderen maakt.'

'Dag, meneer Noonan,' zei ze. Gevoel voor humor had Nola niet. En ook geen gevoel voor romantiek. In sommige opzichten maakte dat haar perfect voor het agentschap Oblowski. 'Wilt u Harold spreken?'

'Als hij er is.'

'Hij is er. Een ogenblik.'

Dat voordeel heb je als je een schrijver van bestsellers bent – zelfs wanneer je boeken in de regel alleen in lijsten voorkomen die tot vijftien gaan. Als je belt, is je agent bijna altijd op kantoor. Een tweede voordeel: is hij op vakantie in Nantucket, dan is hij daar ook thuis als je belt. Voordeel nummer drie: als je wordt doorverbonden, hoef je bijna nooit lang te wachten.

'Mike!' riep hij. 'Hoe is het bij het meer? Ik heb het hele weekend aan je gedacht!'

Ja, dacht ik, *en mijn varkens fluiten het volkslied.*

'In het algemeen gaat het hier goed, maar in één opzicht gaat het beroerd, Harold. Ik moet een advocaat spreken. Ik wilde eerst aan Ward Hankins vragen of hij iemand wist, maar toen bedacht ik dat ik iemand wil hebben die een beetje meer macht heeft dan iemand die Ward zou kennen. Iemand met punttanden en een voorliefde voor mensenvlees.'

Ditmaal laste Harold geen lange stilte in. 'Wat is er, Mike? Zit je in moeilijkheden?'

Ja is één keer kloppen, nee is twee keer, dacht ik, en gedurende een onbezonnen ogenblik dacht ik erover om dat te doen. Ik herinnerde me dat ik me, na Christy Browns memoires, *De dagen door*, te hebben gelezen, had afgevraagd hoe het zou zijn om een heel boek met de pen tussen de tenen van je linkervoet te schrijven. Nu vroeg ik me af hoe het zou zijn om levenslang te hebben en alleen met anderen te kunnen communiceren door op de muur van je cel te kloppen. En dan nog alleen met bepaalde mensen die je konden horen en begrijpen... en dat ook nog alleen op bepaalde tijden.

Jo, was jij het? En zo ja, waarom antwoordde je dan op beide manieren?

'Mike? Ben je daar nog?'

'Ja. Het zijn eigenlijk niet mijn moeilijkheden, Harold, dus maak je niet druk. Maar ik heb wel een probleem. Jij werkt altijd met Goldacre, hè?'

'Ja. Ik zal hem meteen bell...'

'Maar hij doet vooral verbintenissenrecht.' Ik dacht nu hardop, en toen ik even zweeg, vulde Harold de stilte niet op. Soms valt er best met hem te leven. Meestal wel, eigenlijk. 'Wil je hem toch voor me bellen? Zeg tegen hem dat ik een advocaat wil spreken die veel van voogdijrecht weet. Hij moet me in contact brengen met de beste die vrij is om meteen een zaak op zich te nemen. Iemand die zo nodig aanstaande vrijdag met me naar de rechtbank kan gaan.'

'Is het een vaderschapskwestie?' vroeg hij, met angst en respect tegelijk.

'Nee, *voogdij*.' Ik overwoog even hem te zeggen dat hij het hele verhaal te horen zou krijgen van de Nog Te Benoemen Advocaat, maar Harold verdiende beter dan dat. Trouwens, hij zou vroeg of laat toch mijn eigen versie willen horen, ongeacht het verslag dat de advocaat hem uitbracht. Ik vertelde hem wat ik op vier juli had meegemaakt en wat er daarna was gebeurd. Ik beperkte me tot de Devores en zei niets over stemmen, huilende kinderen of geklop in het donker. Harold onderbrak me maar één keer, en dat was toen hij besefte wie de schurk in het stuk was.

'Je vraagt om moeilijkheden,' zei hij. 'Dat weet je toch?'

'Ik zit er voor een deel al in,' zei ik. 'Ik heb besloten anderen ook wat moeilijkheden te bezorgen. Dat is alles.'

'Dan heb je niet de gemoedsrust die een schrijver nodig heeft om zijn beste boek te produceren,' zei Harold met een grappig zuinige stem. Ik vroeg me af hoe hij zou reageren als ik zei dat er wat dat betrof geen probleem was, want dat ik sinds Jo's dood niets boeienders dan een boodschappenlijstje had geschreven en dat dit me misschien een beetje tot leven zou wekken. Maar dat zei ik niet. Laat ze nooit zien dat je zweet, was het motto van de Noonan-clan. Iemand zou MAAK JE GEEN ZORGEN, MET MIJ IS ALLES GOED in de deur van de familiecrypte moeten uithakken.

Toen dacht ik: *elp ha r.*

'Die jonge vrouw heeft een vriend nodig,' zei ik, 'en Jo zou hebben gewild dat ik haar vriend was. Jo hield er niet van als kleine mensen werden onderdrukt.'

'Denk je dat?'

'Ja.'

'Goed, ik zal zien wie ik kan vinden. En Mike... wil je dat ik vrijdag ook meega als je die verklaring moet afleggen?'

'Nee.' Het kwam er onnodig abrupt uit en werd gevolgd door een stilte die geen opzet was maar wel pijn deed. 'Hoor eens, Harold, mijn huisbeheerder zei dat het eigenlijke proces over de voogdij binnenkort begint. Als het zover is en je wilt dan nog steeds komen, zal ik je bellen. Ik kan je morele steun altijd gebruiken – dat weet je.'

'In mijn geval is het *im*morele steun,' antwoordde hij, maar hij klonk weer opgewekt.

We namen afscheid. Ik liep naar de koelkast terug en keek naar de magneetjes. Ze zaten nog kriskras door elkaar, maar dat vond ik wel een opluchting. Zelfs geesten moeten soms rust nemen.

Ik nam de draadloze telefoon, ging het terras op en liet me neerploffen in de stoel waarin ik op de avond van vier juli had gezeten, toen Devore belde. Zelfs na het bezoek van 'papa' kon ik nog steeds bijna niet geloven dat dat gesprek echt had plaatsgevonden. Devore had me voor leugenaar uitgemaakt; ik had hem verteld dat hij mijn telefoonnummer in zijn reet kon steken. Een fraai begin als buren.

Ik trok de stoel een beetje dichter bij de rand van het terras, naar de afgrond van zo'n dertig duizelingwekkende meters diep tot aan de helling tussen Sara's achterkant en het meer. Ik zocht naar de groene vrouw die ik had gezien toen ik aan het zwemmen was en zei tegen mezelf dat ik niet zo idioot moest doen – dat soort dingen zie je alleen vanuit een bepaalde gezichtshoek, en als je drie meter opzij gaat, valt er niets meer te zien. Maar dit was blijkbaar zo'n geval waarin de uitzondering de regel bevestigde. Ik vond het grappig en ook een beetje verontrustend dat die berk daar bij De Straat er zowel vanaf de landkant als vanaf de meerkant uitzag als een vrouw. Voor een deel kwam dat door de den die erachter stond – die kale tak stak als een benige wijzende arm naar het noorden – maar dat was niet alles. Ook van achteren gezien vormden de witte takken en kleine bladeren van de boom nog steeds een vrouw, en als de wind het onderste deel van de boom liet schudden, wervelden het groen en zilver als een lange rok.

Ik had nee gezegd tegen Harolds goedbedoelde aanbod om te komen. Ik had al nee gezegd voordat hij was uitgesproken, en toen ik naar die boomvrouw keek, die nogal spookachtig was, wist ik waarom: Harold was luidruchtig, Harold had geen gevoel voor nuances, Harold zou iedereen afschrikken. Dat wilde ik niet. Zeker, ik was bang – toen ik op die donkere keldertrap stond en naar dat geklop van beneden luisterde, had ik het bijna in mijn broek gedaan van angst – maar ik had me ook voor het eerst in jaren echt levend gevoeld. Ik maakte in Sara iets mee wat volkomen buiten mijn belevingswereld lag, en dat fascineerde me.

De draadloze telefoon piepte op mijn schoot, en ik schrok op. Ik greep hem, verwachtte dat het Max Devore was, of misschien Footman, zijn dikbetaalde knechtje. Het bleek een advocaat te zijn, een zekere John Storrow. Hij klonk alsof hij nog maar kort geleden – vorige week of zo – was afgestudeerd. Aan de andere kant werkte hij voor de firma Avery, McLain en Bernstein aan Park Avenue, en Park Avenue is geen slecht adres voor een advocaat, zelfs niet voor een advocaat die nog een deel van zijn melkgebit heeft. Als Henry Goldacre zei dat Storrow goed was, was hij dat waarschijnlijk ook. En hij had zich gespecialiseerd in voogdijrecht.

'Vertelt u me eens wat er daar aan de hand is,' zei hij, toen we elkaar iets over onszelf en onze achtergronden hadden verteld.

Ik deed mijn best en merkte dat ik een beetje enthousiaster werd naarmate mijn verhaal vorderde. Op de een of andere manier is het geruststellend om, als de klok van de declarabele uren eenmaal tikt, met een jurist te praten. Je bent voorbij het magische punt waarop *een* advocaat *jouw* advocaat wordt. Je advocaat is warm, je advocaat is meelevend, je advocaat maakt aantekeningen op een gele blocnote en knikt op de juiste momenten. De meeste vragen die je advocaat je stelt zijn vragen waarop je een antwoord hebt. En als je dat niet hebt, zal je advocaat je helpen het te vinden, reken maar. Je advocaat staat altijd aan jouw kant. Jouw vijand is zijn vijand. Voor hem ben je nooit een stuk stront maar altijd een patente kerel.

Toen ik klaar was, zei John Storrow: 'Tjonge, het verbaast me dat de kranten hier nog geen lucht van hebben gekregen.'

'Daar heb ik nooit aan gedacht.' Maar ik begreep wat hij bedoelde. Het familieverhaal van de Devores was niet iets voor de *New York Times* of de *Boston Globe*, waarschijnlijk niet eens voor de *Derry News*, maar voor de roddelpers als de *National Enquirer* of *Inside View* zou het koren op de molen zijn: King Kong besluit in plaats van het meisje het onschuldige kind van het meisje te roven en mee te nemen naar de top van het Empire State Building. Oei, geef dat kind terug, lelijke bruut. Het was geen voorpaginanieuws, er zaten geen bloederige foto's bij, of foto's uit een lijkenhuis, maar het zou het prima doen als blikvanger op pagina negen. In gedachten zag ik de vette koppen al, een foto van Warrington's Lodge en een foto van Matties roestige caravan naast elkaar, met daarboven: COMPUTERKONING LEEFT IN WEELDE EN PROBEERT ENIG KIND VAN JONGE SCHOONHEID AF TE PAKKEN. Dat was waarschijnlijk te lang, dacht ik. Ik schreef niet meer en had nog steeds een redacteur nodig. Dat was nogal triest, als je erover nadacht.

'Misschien kunnen we er op een gegeven moment voor zorgen dat ze het verhaal krijgen,' zei Storrow peinzend. Ik realiseerde me dat dit een man was aan wie ik me zou kunnen hechten, in elk geval zolang ik in deze woedende stemming verkeerde. Hij werd energieker. 'Wie vertegenwoordig ik in deze zaak, meneer Noonan? U of de jongedame? Ik zou de voorkeur aan de jongedame geven.'

'De jongedame weet niet eens dat ik u heb gebeld. Ze zal denken dat ik een beetje te veel hooi op mijn vork heb genomen. Misschien scheldt ze me zelfs de huid vol.'

'Waarom zou ze dat doen?'

'Omdat ze een Yankee is – een Yankee uit *Maine*, het ergste soort. Vergeleken met hen zijn Ieren logisch denkende mensen.'

'Misschien, maar zij is degene met de schietschijf op haar shirt. Ik stel voor dat u haar belt en haar dat vertelt.'

Ik beloofde dat ik het zou doen. En dat kostte me ook geen moeite. Vanaf het moment dat ik de dagvaarding van Sheriff Footman in ontvangst had genomen, had ik geweten dat ik contact met haar zou moeten opnemen. 'En wie staat Michael Noonan vrijdagmorgen bij?'

Storrow liet een droog lachje horen. 'Ik vind wel iemand daar in de buurt. Hij gaat met u naar Durgins kantoor en zal rustig met zijn aktetas op zijn schoot zitten luisteren. Misschien ben ik dan in de stad – dat weet ik pas als ik met mevrouw Devore heb gesproken – maar ik ga niet mee naar Durgins kantoor. Als de voogdijzitting plaatsheeft, ben ik er wel bij.'

'Goed. Belt u me de naam van mijn nieuwe advocaat door. Mijn andere nieuwe advocaat.'

'Ja. En praat u intussen met de jongedame. Bezorgt u me een zaak.'

'Ik zal het proberen.'

'En probeert u haar openlijk te ontmoeten,' zei hij. 'Als we de boeven de kans geven om gemeen te doen, zullen ze dat niet laten. Er is toch niets van dien aard tussen u en haar? Niets bijzonders? Sorry dat ik het moet vragen, maar ik móét het vragen.'

'Nee,' zei ik. 'Het is al een hele tijd geleden dat ik iets bijzonders met iemand heb gehad.'

'Ik kom in de verleiding om met u mee te voelen, meneer Noonan, maar onder de omstandigheden...'

'Mike. Ik heet Mike.'

'Goed. Dat bevalt me wel. En ik heet John. De mensen zullen hoe dan ook over je betrokkenheid gaan praten. Dat weet je toch wel?'

'Ja. De mensen weten dat ik me jou kan permitteren. Ze zullen zich afvragen hoe zíj zich míj kan permitteren. Knappe jonge weduwe, weduwnaar van middelbare leeftijd. Sex zou dan voor de hand liggen.'

'Je bent een realist.'

'Eigenlijk denk ik van niet, maar ik weet het verschil tussen een havik en een handzaag.'

'Dat hoop ik, want het kan nog knap lastig voor je worden. We nemen het op tegen een extreem rijke man.' Toch klonk hij niet bang. Hij klonk bijna... *gretig*. Hij klonk ongeveer zoals ik me had gevoeld toen ik zag dat die magneetjes op de koelkast weer een kring vormden.

'Dat weet ik.'

'In de rechtbank maakt dat niet zo heel veel uit, omdat er aan de andere kant ook een zekere hoeveelheid geld is. Daar komt nog bij dat de rechter heel goed zal beseffen dat dit een kruitvat is. Dat kan nuttig zijn.'

'Wat is ons grootste pluspunt?' vroeg ik. Ik dacht aan Kyra's rozige, smetteloze gezicht en het feit dat ze in het bijzijn van haar moeder helemaal niet bang was. Ik dacht dat John zou antwoorden dat de eisen duidelijk ongegrond waren. Dat dacht ik verkeerd.

'Het grootste pluspunt? Devores leeftijd. Hij moet wel ouder zijn dan God.'

'Als ik af moet gaan op wat ik dit weekend heb gehoord, denk ik dat hij vijfentachtig is. Dan is God ouder.'

'Ja, maar naast hem als potentiële papa lijkt Tony Randall een tiener,' zei John, en hij klonk nu echt alsof hij hiervan genoot. 'Stel je voor, Michael – dat kind doet eindexamen in het jaar dat opa honderd wordt. Verder bestaat de kans dat de oude man te ver is gegaan. Weet je wat een voogd *ad litem* is?'

'Nee.'

'Kort gezegd is dat een advocaat die door de rechtbank wordt aangewezen om de belangen van het kind te beschermen. Hij krijgt een honorarium uit de kosten van het geding, maar dat stelt niets voor. De meeste advocaten die bereid zijn als voogd *ad litem* op te treden, doen dat uit zuiver altruïstische motieven... maar niet allemaal. Hoe dan ook, de *ad litem* drukt zijn eigen stempel op de zaak. Rechters hoeven zijn advies niet over te nemen, maar ze doen het bijna altijd. Een rechter slaat een modderfiguur als hij het advies negeert van iemand die hij zelf heeft benoemd, en als er iets is wat rechters niet willen, is het een modderfiguur slaan.'

'Zal Devore zijn eigen advocaat hebben?'

John lachte. 'Op de echte voogdijzitting heeft hij er misschien wel zes.'

'Meen je dat?'

'Die kerel is vijfentachtig. Dat is te oud voor Ferrari's, te oud voor bungyjumpen in Tibet, en te oud voor de hoeren, of hij moet wel een erg pittige baas zijn. Wat blijft er dan over om zijn geld aan uit te geven?'

'Advocaten,' zei ik somber.

'Ja.'

'En Mattie Devore? Wat krijgt zij?'

'Dankzij jou krijgt ze mij,' zei John Storrow. 'Het is net een roman van John Grisham, hè? Puur goud. Intussen ben ik geïnteresseerd in Durgin, de *ad litem*. Als Devore geen echte moeilijkheden verwachtte, is hij misschien zo onverstandig geweest Durgin in de verleiding te brengen. En Durgin was misschien zo dom om daarvoor te bezwijken. Hé, wie weet wat we nog ontdekken?'

Maar ik was nog niet zo ver. 'Ze krijgt jou,' zei ik. 'Dankzij mij. En als ik mijn spaak niet in het wiel zou steken? Wat zou ze dan krijgen?'

'*Bubkes*. Dat is Jiddisch. Het betekent...'

'Ik weet wat het betekent,' zei ik. 'Dat is ongelooflijk.'

'Nee, het is Amerikaanse gerechtigheid. Ken je die dame met die weegschaaltjes? Die voor de meeste gerechtsgebouwen staat?'

'Ja.'

'Doe die meid handboeien om haar polsen en plak tape over haar mond, laat de blinddoek zitten, verkracht haar en rol haar door de modder. Staat dat beeld je aan? Mij niet, maar het is een vrij goede weergave van de manier waarop het recht functioneert in voogdijzaken waarbij de eiser rijk en de gedaagde arm is. En door de gelijke behandeling is het eigenlijk nog erger geworden, want terwijl moeders vaak nog steeds arm zijn, krijgen ze niet meer automatisch de voogdij.'

'Mattie Devore moet jou hebben, nietwaar?'

'Ja,' zei John simpelweg. 'Bel me morgen om dat te bevestigen.'

'Ik hoop dat het me lukt.'

'Ik ook. En luister – nog één ding.'

'Ja?'

'Je hebt door de telefoon tegen Devore gelogen.'

'Onzin!'

'Nee, nee. Ik spreek de favoriete auteur van mijn zuster niet graag tegen, maar je hebt gelogen en dat weet je zelf ook. Je zei tegen Devore dat moeder en kind samen buiten waren, dat het kind bloemetjes plukte en dat alles koek en ei was. Je hebt alles in het verhaal opgenomen, behalve Bambi en Stampertje.'

Ik zat nu rechtop op mijn ligstoel. Het was of ik een boksbal tegen me aan had gekregen. Ik had ook het gevoel dat mijn slimheid werd onderschat. 'Hé, nee, wacht eens even. Ik heb nooit iets gezégd. Ik heb tegen hem gezegd dat ik het veronderstelde. Ik heb dat woord meer dan eens gebruikt. Dat kan ik me nog erg goed herinneren.'

'Ja, en als hij een bandopname van jullie gesprek heeft gemaakt, krijg je zeker nog de kans om te tellen hoe vaak je het hebt gebruikt.'

Eerst gaf ik geen antwoord. Ik dacht terug aan het gesprek dat ik met Devore had gehad, herinnerde me de zoemtoon op de telefoonlijn, de typische zoemtoon die ik me van al mijn vorige zomers in Sara Laughs herinnerde. Was dat gestage lage *mmmm* zaterdagavond nog duidelijker te horen geweest?

'Misschien draaide er een bandje mee,' zei ik met tegenzin.

'Ja. En als Devores advocaat het aan de *ad litem* laat horen, hoe denk je dan dat je overkomt?'

'Behoedzaam,' zei ik. 'Als iemand die niets te verbergen heeft.'

'Of iemand die dingen uit zijn duim zuigt. En daar ben je goed in, hè? Op de voogdijzitting zal Devores advocaat dat vast wel ter sprake brengen. Als hij dan een van de mensen laat opdraven die voorbijkwamen toen Mattie nog maar net op het toneel was verschenen – iemand die verklaart dat de jongedame een paniekerige, opgewonden indruk maakte – hoe denk je dat jij dan nog overkomt?'

'Als een leugenaar,' zei ik, en toen: 'Verdomme.'

'Vrees niet, Mike. Wees onbevreesd.'

'Wat moet ik doen?'

'Hun wapens onklaar maken voordat ze ermee kunnen schieten. Vertel Durgin precies wat er gebeurd is. Neem dat in je beëdigde verklaring op. Leg de nadruk op het feit dat het kleine meisje dacht dat ze daar veilig kon lopen. Zorg dat je het "zeeplapad" er ook in krijgt. Dat vind ik prachtig.'

'Maar als ze een bandje hebben, spelen ze het af en dan denkt iedereen dat ik er maar wat op los verzin.'

'Dat denk ik niet. Je was toch geen beëdigde getuige toen je met Devore sprak? Je zat op je terras en bemoeide je met je eigen zaken, keek naar het vuurwerk. En opeens word je gebeld door die chagrijnige oude klootzak. Hij begint te raaskallen. Je had hem niet eens je nummer gegeven, hè?'

'Nee.'

'Je *geheime* nummer.'

'Nee.'

'En hoewel hij *zei* dat hij Maxwell Devore was, kan hij iedereen zijn geweest, nietwaar?'

'Ja.'

'Hij kan de sjah van Iran zijn geweest.'

'Nee, de sjah is dood.'

'Nou, dan niet de sjah. Maar hij kan een nieuwsgierige buurman zijn geweest... of een grappenmaker.'

'Ja.'

'En je zei die dingen met al die mogelijkheden in je achterhoofd. Maar nu je bij een officiële gerechtelijke procedure betrokken bent, spreek je de waarheid en niets dan de waarheid.'

'Reken maar.' Dat goede *mijn-advocaat*-gevoel was even weggeweest, maar het was weer helemaal terug.

'Je kunt nooit iets beters doen dan de waarheid spreken, Mike,' zei hij plechtig. 'Behalve misschien in sommige gevallen, maar daar hoort deze zaak niet bij. Is dat duidelijk?'

'Ja.'

'Goed, dan zijn we klaar. Ik wil morgenvroeg rond elf uur van jou of van Mattie Devore horen. Liever van haar.'

'Ik zal het proberen.'

'Als ze echt niet wil, weet je wat je te doen staat, hè?'

'Ik denk van wel. Dank je, John.'

'We spreken elkaar hoe dan ook heel binnenkort,' zei hij, en hij hing op.

Ik bleef een tijdje zitten. Ik drukte een keer op de knop die de draadloze telefoon met de lijn verbond, en drukte toen nog een keer om hem uit te schakelen. Ik moest met Mattie praten, maar ik was er nog niet klaar voor. Ik besloot eerst een eind te gaan wandelen.

Als ze echt niet wil, weet je wat je te doen staat, hè?

Natuurlijk. Dan moest ik tegen haar zeggen dat ze het zich niet kon permitteren trots te zijn. Dat ze het zich niet kon permitteren zich als een echte Yankee te gedragen en nee te zeggen tegen liefdadigheid van Michael Noonan, auteur van *Tweezaam*, *De man in het rode overhemd* en het binnenkort te verschijnen *Helens belofte*. Dan moest ik tegen haar zeggen dat ze haar trots kon hebben of haar dochter, maar waarschijnlijk niet allebei.

Hé, Mattie, kies maar.

Ik liep bijna tot het eind van het weggetje en bleef bij Tidwell's Meadow staan, waar je een mooi uitzicht hebt over het meer en op de White Mountains daarachter. Het water lag te dromen onder een wazige hemel. Het leek grijs als je je hoofd de ene kant ophield en blauw als je het de andere kant ophield. Ik had het sterke gevoel dat er iets mysterieus aan de gang was. Dat Manderley-gevoel.

Rond de eeuwwisseling hadden zich hier volgens Marie Hingerman (en ook volgens *Een geschiedenis van Castle County en Castle Rock*, een lijvig boekwerk dat in 1977, toen de county tweehonderd jaar bestond, werd gepubliceerd) meer dan veertig zwarte mensen gevestigd – of in elk geval hadden ze hier een tijdje hun bivak opgeslagen. En het waren ook tamelijk bijzondere zwarte mensen geweest. De meesten waren familie van elkaar, de meesten waren getalenteerd, de meesten maakten deel uit van een muziekgroep die eerst de Red-Top Boys had geheten en later Sara Tidwell en de Red-Top Boys. Ze hadden het veld en een flink stuk land bij het meer gekocht van een zekere Douglas Day. Het geld daarvoor hadden ze tien jaar lang opzijgelegd. Tenminste, dat zei Sonny Tidwell, die het pingelen voor zijn rekening nam (als Red-Top had Son Tidwell een instrument bespeeld dat toen een 'chickenscratch-gitaar' heette).

Er was nogal wat tumult in het dorp geweest en er was zelfs een bijeenkomst gehouden om te protesteren tegen 'de komst van die zwartjes, die met een hele horde komen.' Achteraf was het allemaal goed gekomen, zoals meestal gebeurt. De krottenwijk die de meeste dorpelingen op Day's Hill hadden verwacht (want zo werd Tidwell's Meadow in 1900 genoemd, toen Son Tidwell namens zijn uitgebreide familie het land kocht) was er nooit gekomen. In plaats daarvan was een aantal keurige witte blokhutten verrezen, rondom een groter gebouw dat misschien als vergaderruimte of repetitieruimte bedoeld was, of misschien, ergens in de toekomst, als concertzaal.

Sara en de Red-Top Boys (soms zat er ook een Red-Top Girl bij; de samenstelling van de band varieerde zo ongeveer per optreden) speelden meer dan een jaar, misschien wel bijna twee jaar, in het westen van Maine. In plaatsjes langs de Western Line – Farmington, Skowhegan, Bridgton, Gates Falls, Castle Rock, Motton, Fryeburg – kom je op schuurbazaars en vlooienmarkten nog steeds weleens oude posters van hen tegen. Sara en de Red-Tops waren erg populair, en ze hoorden er ook helemaal bij in de TR, iets wat mij nooit verbaasd had. Uiteindelijk had Robert Frost – die nuchtere en vaak onaangename dichter – gelijk: in de noordoostelijke hoek van het land geloven we echt dat je met goede schuttingen goede buren krijgt. We maken luidkeels ruzie en bewaren dan zuinigjes de vrede, het soort vrede met venijnige ogen en omlaaggetrokken mondhoeken. 'Ze betalen hun rekeningen,' zeggen we. 'Ik heb nooit een van hun honden hoeven doodschieten,' zeggen we. 'Ze bemoeien zich alleen met hun eigen zaken,' zeggen we, alsof isolement een deugd is. En natuurlijk is er de allesoverheersende deugd: 'Ze nemen geen liefdadigheid aan.'

En op een gegeven moment veranderde Sara Tidwell haar naam in Sara Laughs.

Op het eind voelden ze zich in de TR-90 blijkbaar toch niet helemaal thuis, want toen ze in de nazomer van 1901 op een paar kermissen in de buurt hadden gespeeld, gingen ze hier weg. Hun keurige, kleine blokhutten werden door de familie Day aan toeristen verhuurd tot in 1933, toen de oost- en noordkant van het meer door bosbranden geteisterd werden en ze in vlammen opgingen. Einde verhaal.

Maar niet voor haar muziek. Haar muziek was blijven voortleven.

Ik stond op van de rots waarop ik had gezeten, strekte mijn armen en mijn rug en liep over het weggetje terug. Onder het lopen zong ik een van haar nummers.

12

Toen ik over het weggetje naar het huis terugliep, probeerde ik eerst aan helemaal niets te denken. Mijn eerste uitgever zei altijd dat vijfentachtig procent van wat er in het hoofd van een schrijver omgaat van geen enkel belang is, iets wat volgens mij niet alleen voor schrijvers geldt. Die zogenaamde diepere gedachten worden over het geheel genomen sterk overschat. Als er in het geval van moeilijkheden daden moeten worden gesteld, bevalt het mij in het algemeen beter om gewoon een stap opzij te gaan en de jongens in de kelder het werk te laten doen. Daar beneden wordt blauweboordenwerk verricht, door jongens met veel spieren en tatoeages. Instinct is hun specialisme, en ze moeten al erg omhoogzitten, willen ze problemen naar de afdeling Denken doorverwijzen.

Toen ik Mattie Devore probeerde te bellen, gebeurde er iets heel bijzonders – iets wat, voor zover ik kon nagaan, helemaal niets met geesten te maken had. Toen ik op de AAN-knop van de draadloze telefoon drukte, kreeg ik niet het gezoem van een open lijn, maar stilte. En net toen ik dacht dat ik de telefoon in de noordelijke slaapkamer misschien naast het toestel had laten liggen, besefte ik dat het geen *totale* stilte was. Een man met een fikse portie Brooklyn in zijn stem zong een lied. Hij deed dat zo opgewekt en monter als een eend uit een tekenfilm en het klonk zo ver weg als een radiouitzending vanuit het heelal: *'He followed her to school one day, school one day, school one day. He followed her to school one day, wich was against the rules...'*

Ik deed mijn mond open om te vragen wie daar was, maar voordat ik dat kon doen, zei een vrouwenstem: 'Hallo?' Ze klonk verbaasd en onzeker.

'Mattie?' In mijn verwarring kwam het niet in mij op haar een beetje formeler aan te spreken, bijvoorbeeld met juffrouw of mevrouw Devore. Evenmin vond ik het vreemd dat ik al na één woord wist dat zij het was, hoewel het enige gesprek dat we met elkaar hadden gehad, relatief kort was geweest. Misschien herkenden de jongens in de kelder de achtergrondmuziek en legden ze verband met Kyra.

'Meneer Noonan?' Ze klonk stomverbaasd. 'De telefoon is helemaal niet overgegaan!'

'Ik had zeker net de hoorn opgenomen toen je telefoontje doorkwam,' zei ik. 'Dat gebeurt soms.' Maar hoe vaak, vroeg ik me af, gebeurde het dat degene die jou belt ook degene is die je zelf van plan was te bellen? Misschien ook wel heel vaak. Telepathie of toeval? Live of Memorex? Hoe dan ook, het leek bijna magie. Ik keek door de langgerekte, lage huiskamer in de glazen ogen van Bunter de eland en dacht: *Ja, misschien is dit nu een magisch huis.*

'Misschien,' zei ze aarzelend. 'Ik wil me er eerst voor verontschuldigen dat ik bel. Ik weet dat u een geheim nummer hebt.'

O, maak je daar maar geen zorgen over, dacht ik. *Zo langzamerhand kent iedereen dit nummer. Ik denk erover het in de Gouden Gids te zetten.*

'Ik heb het van uw kaart in de bibliotheek,' ging ze verder. Ze klonk nogal verlegen. 'Daar werk ik.' Op de achtergrond had de 'Hokie Pokie' plaats gemaakt voor 'De Boer in het Dal'.

'Dat geeft niet,' zei ik. 'Temeer omdat ik jou net wilde bellen.'

'Mij? Waarom?'

'Dames gaan voor.'

Ze liet een kort, nerveus lachje horen. 'Ik wilde u te eten vragen. Dat wil zeggen, Ki en ik willen u te eten vragen. Dat had ik al eerder moeten doen. U heeft ons laatst fantastisch geholpen. Wilt u komen?'

'Ja,' zei ik zonder enige aarzeling. 'Graag. We hebben bovendien het nodige te bespreken.'

Het werd even stil. Op de achtergrond pakte de muis de kaas. Als kind dacht ik altijd dat al die dingen in een grote, grijze fabriek, de Hi-Ho Dairy-O, gebeurden.

'Mattie? Ben je daar nog?'

'Hij heeft u erbij gesleurd, hè? Die afschuwelijke oude man.' Nu klonk haar stem niet nerveus, maar nogal dof.

'Nou, ja en nee. Je zou kunnen zeggen dat het lot me erbij heeft gesleurd, of het toeval of God. Ik was daar die ochtend niet vanwege Max Devore; ik zat achter een Villageburger aan.'

Ze lachte niet, maar haar stem klonk iets opgewekter, en daar was ik blij om. Mensen die op die doffe, gevoelloze toon praten, zijn in het algemeen angstige mensen. Soms zelfs mensen die doodsbang zijn. 'Het spijt me dat ik u hierbij heb betrokken.' Ik dacht dat ze zich zou gaan afvragen wie wie ergens bij betrok als ik over John Storrow begon en ik was blij dat ik dat niet door de telefoon hoefde te doen.

'Hoe dan ook, ik wil graag komen eten. Wanneer?'

'Is vanavond te vroeg?'

'Absoluut niet.'

'Dat is geweldig. Maar we moeten wel vroeg eten, anders valt mijn kleintje in slaap in haar toetje. Is zes uur goed?'

'Ja.'

'Ki zal het prachtig vinden. We hebben niet vaak bezoek.'

'Is ze niet meer weggelopen?'

Ik dacht dat ze beledigd zou zijn. In plaats daarvan kon ze nu wel lachen. 'God, nee. Ze is erg geschrokken van al die toestanden op zaterdag. Nu komt ze me zelfs binnen vertellen dat ze van de schommel in de zijtuin naar de zandbak in de achtertuin gaat. Maar ze heeft het vaak over u. Ze noemt u "die grote man die mij draagde". Ik denk dat ze bang is dat u kwaad op haar bent.'

'Zeg maar dat ik dat niet ben,' zei ik. 'Nee, wacht. Ik zal het haar zelf vertellen. Kan ik iets meebrengen?'

'Een fles wijn?' zei ze een beetje onzeker. 'Of misschien is dat overdreven – ik wilde alleen maar hamburgers bakken op de grill en aardappelsalade maken.'

'Ik zal een niet-pretentieuze fles meebrengen.'

'Dank u,' zei ze. 'Dit is nogal spannend. We krijgen nooit bezoek.'

Tot mijn schrik stond ik zelf op het punt om te zeggen dat ik het ook nogal spannend vond, mijn eerste afspraakje in vier jaar tijd. 'Ik stel het erg op prijs dat je aan me dacht.'

Toen ik ophing, herinnerde ik me John Storrows advies. Hij had me aangeraden altijd openlijk contact met haar te hebben, omdat het niet de bedoeling was dat we de roddelmolen van het dorp nog eens aanzwengelden. Als we gingen barbecuen, zouden we waarschijnlijk buiten zitten, waar de mensen konden zien dat we onze kleren aanhadden – nou ja, het grootste deel van de avond. Maar waarschijnlijk zou ze me uit beleefdheid op een gegeven moment uitnodigen binnen te komen. En dan was het niet meer dan beleefd dat ik aan die uitnodiging gehoor gaf. Ik zou haar fluwelen Elvis-schilderij aan de muur bewonderen, of haar gedenkplaten van Franklin Mint, of wat ze verder maar aan versiering in die caravan had. Kyra zou me haar kamer laten zien en ik zou haar schitterende verzameling pluche dieren en haar favoriete pop bewonderen, als dat nodig was. Je hebt in het leven allerlei prioriteiten. Sommige kan je advocaat begrijpen, maar volgens mij zijn er ook bij waar hij niets van snapt.

'Pak ik dit goed aan, Bunter?' vroeg ik de opgezette eland. 'Ja is één keer brullen, nee is twee keer.'

Ik was nog in de gang naar de noordelijke aanbouw en ik dacht aan niets anders dan een koele douche, toen ik achter me heel zachtjes een zacht gerinkel van de bel om Bunters nek hoorde. Ik bleef met gespitste oren staan, mijn overhemd in mijn hand, en wachtte tot de bel weer zou rinkelen. Dat gebeurde niet. Na een minuut liep ik door naar de badkamer en ik zette de douche aan.

Het Lakeview General had een redelijk goed assortiment wijnen in een hoek staan – misschien was er in het dorp niet veel vraag naar, maar de toeristen zullen weleens een flesje gekocht hebben. Ik koos een fles rode Mondavi. Die was waarschijnlijk iets duurder dan Mattie in gedachten had gehad, maar ik kon het prijsstickertje eraf peuteren en hopen dat ze het niet in de gaten had. Er stond een rij voor de kassa, grotendeels mensen met vochtige T-shirts over hun zwemkleding en zand van het openbare strand op hun benen. Terwijl ik op mijn beurt wachtte, viel mijn blik op de impulsartikelen die altijd bij de kassa worden aangeboden. Daar zaten plastic zakken bij met op het etiket MAGNABET. Op elke zak zag je een getekende koelkast met de boodschap BEN ZO TERUG erop. Volgens de omschrijving zaten er twee setjes medeklinkers in elk zakje Magnabet, PLUS EXTRA KLINKERS. Ik pakte twee zakjes... en toen nog een derde want ik bedacht dat Mattie Devore's kind waarschijnlijk precies de juiste leeftijd voor zoiets had.

Kyra zag me het erf oprijden, waar nogal wat onkruid groeide, sprong van de primitieve kleine schommel naast de caravan, rende naar haar moeder toe en verstopte zich achter haar. Toen ik de barbecue naderde die naast het voortrapje van gasbetonblokken was opgesteld, kroop het kind dat me op zaterdag zo onbevreesd had aangesproken angstvallig achter haar moeder weg en greep ze met haar dikke handje een plooi van haar moeders jurk vast.

Maar in twee uur tijd veranderde er veel. Tegen de tijd dat het donker werd, zat Kyra op mijn schoot in de huiskamer van de caravan en luisterde ze aandachtig – zij het steeds slaperiger – naar het altijd weer fascinerende verhaal van Assepoester dat ik haar voorlas. De bank waarop we zaten had die onbestemde kleur bruin waarvan bij de wet geregeld is dat hij alleen in discountwinkels verkocht mag worden en vertoonde ook nogal wat bulten en kuilen, maar toch schaamde ik me voor mijn vooroordelen over wat ik in de caravan zou aantreffen. Boven ons hing een reproductie van Edward Hopper aan de muur – die van een eenzame cafetaria laat op de avond. En aan de andere kant van de kamer, boven de kleine formicatafel in het keukenhoekje, hing een zonnebloemenreproductie van Vincent van Gogh. Die Van Gogh leek nog meer op zijn plaats dan de Hopper in Mattie Devore's dubbelbrede. Ik heb geen idee waarom, maar het was zo.

'Glazen muiltje snijdt haar voetie,' zei Ki slaperig en meelevend.

'Welnee,' zei ik. 'Die glazen muiltjes werden speciaal gemaakt in het koninkrijk van Grimm. Glad en onbreekbaar, zolang je maar geen hoge C zong als je ze aanhad.'

'Krijg ik een paar?'

'Sorry, Ki,' zei ik, 'niemand weet nog hoe je muiltjesglas moet maken. Het is een kunst die verloren is gegaan, net als Toledo-staal.' Het was erg warm in de caravan en ze lag warm met haar bovenlichaam tegen mijn overhemd, maar ik had dat niet willen veranderen. Het was geweldig om een kind op mijn schoot te hebben. Buiten pakte haar moeder zingend de borden van de klaptafel waaraan we hadden gepicknickt. Het was ook geweldig om haar te horen zingen.

'Verder, verder,' zei Kyra en ze wees naar het plaatje van Assepoester die de vloer boende. Het kleine meisje dat angstig langs het been van haar moeder had gegluurd was weg. Het woedende ik-ga-naar-het-strand-meisje van zaterdagochtend was ook weg. Er was alleen nog een slaperig meisje dat mooi en pienter en vol vertrouwen was. 'Voordat ik het niet meer uithou.'

'Moet je een plasje doen?'

'Nee,' zei ze en ze keek me met enige minachting aan. 'Trouwens, dat is urineren. Plasjes liggen buiten op straat, zegt Mattie. En ik ben al geweest. Maar als je niet opschiet met het verhaal, val ik in slaap.'

'Je moet verhaaltjes waar magie inzit, nooit te snel vertellen, Ki.'

'Nou, doe het dan zo snel als je kunt.'

'Goed.' Ik sloeg de bladzijde om. We zagen hoe Assepoester, die sportief probeerde te zijn, afscheid nam van haar krengen van zussen die, gekleed als filmsterretjes-in-spe in de disco, naar het bal gingen. 'Assepoester had nog maar nauwelijks afscheid genomen van Tammi Faye en Vanna...'

'Heten die zussen zo?'

'Die namen heb ik voor ze bedacht, ja. Is dat goed?'

'Ja.' Ze ging wat comfortabeler op mijn schoot zitten en liet haar hoofd weer tegen mijn borst zakken.

'Assepoester had nog maar nauwelijks afscheid genomen van Tammi Faye en Vanna of er verscheen opeens een helder licht in de hoek van de keuken. Uit dat licht stapte een beeldschone vrouw in een zilveren gewaad. De edelstenen in haar haar schitterden als sterren.'

'De goede fee,' merkte Kyra nuchter op.

'Ja.'

Mattie kwam binnen met de halve fles Mondavi die nog over was en het zwart uitgeslagen barbecuegerei. Haar jurk was knalrood. Aan haar voeten droeg ze lage gymschoenen, zo wit dat ze leken te flikkeren in de schemering. Ze had haar haar naar achteren gebonden en hoewel ze nog steeds niet de adembenemende countryclub-meid was die ik mij even had voorgesteld, was ze erg knap. Nu keek ze naar Kyra, en naar mij, en trok haar wenkbrauwen op. Ze maakte een tillend gebaar met haar armen. Ik schudde mijn hoofd om te kennen te geven dat we daar geen van beiden al klaar voor waren.

Ik ging verder met lezen, terwijl Mattie haar weinige kookgerei begon schoon te poetsen. Ze neuriede nog steeds. Toen ze klaar was met de spatel, voelde Ki extra ontspannen aan, en ik begreep meteen wat er aan de hand was – ze was in slaap gevallen, en diep ook. Ik sloot *Het kleine gouden sprookjesboek* en legde het op de salontafel naast een stapeltje andere boeken – de boeken die Mattie zelf aan het lezen was, nam ik aan. Ik keek op, zag haar vanuit de keuken ook naar mij kijken en maakte het V-teken. 'Noonan, winnaar door technische knock-out in de achtste ronde,' zei ik.

Mattie droogde haar handen af aan een theedoek en kwam naar me toe. 'Geef haar maar aan mij.'

In plaats daarvan stond ik op met Kyra in mijn armen. 'Ik draag haar wel. Waarheen?'

Ze wees. 'Naar links.'

Ik droeg het kind door het gangetje, dat zo smal was dat ik moest uitkijken dat ze haar voeten niet tegen de ene en haar hoofd niet tegen de andere wand stootte. Aan het eind van het gangetje bevond zich de smetteloze badkamer. Rechts daarvan was een dichte deur die, nam ik aan, naar de slaapkamer leidde die Mattie eens met Lance Devore had gedeeld en waar ze nu alleen sliep. Als ze een vriendje had dat af en toe bleef slapen, was het Mattie goed gelukt alle sporen van zijn aanwezigheid in de caravan uit te wissen.

Ik stapte voorzichtig door de deuropening aan de linkerkant en keek naar het kleine bed, de sprei met ruches en rozenmotief, de tafel met het poppenhuis erop, en zag aan de ene muur een plaat van Emerald City en aan de andere muur een bord (met glanzende plakletters) met CASA KYRA. Devore wilde haar hier weghalen, uit een caravan waar niets verkeerds was – waar, in tegendeel, alles helemaal in orde was. Casa Kyra was de kamer van een klein meisje dat zich heel goed ontwikkelde.

'Leg haar maar op het bed en schenk jezelf dan nog een glas wijn in,' zei Mattie. 'Ik hijs haar in een pyjama en dan kom ik. Ik weet dat we veel te bespreken hebben.'

'Goed.' Ik legde Kyra neer, en bukte me een beetje verder, om een kus op haar neus te drukken. Ik zag er bijna van af, maar deed het toch. Toen ik wegging, glimlachte Mattie, dus ik neem aan dat ze het goed vond.

Ik schonk mezelf nog wat wijn in, liep daarmee de kleine zithoek in en keek naar de twee boeken naast Ki's sprookjesboek. Ik ben altijd nieuwsgierig naar wat mensen lezen. De enige manier om nog meer over hen aan de weet te komen is in hun medicijnkastje kijken, en het wordt in de betere kringen niet op prijs gesteld als je ergens op bezoek bent en dan in de medicijnen en andere middeltjes gaat rommelen.

De boeken verschilden zo sterk van elkaar dat je het schizoïde zou kunnen noemen. Het ene, met een speelkaart als boekenlegger op ongeveer driekwart, was een pocketuitgave van *Silent Witness* van Richard

North Patterson. Ik waardeerde haar smaak. Patterson en DeMille zijn waarschijnlijk de beste populaire romanschrijvers van dit moment. Het andere boek, een gebonden exemplaar van enig gewicht, was *De verzamelde verhalen van Herman Melville*. Een groter contrast met Richard North Patterson kon je je niet voorstellen. Volgens het verbleekte, paarse stempel op de zijkant, behoorde dit boek aan de bibliotheek van Four Lakes. Dat was een mooi stenen gebouwtje, een kleine tien kilometer ten zuiden van het Dark Score Lake, waar Route 68 de TR verlaat en in Motton komt. Vermoedelijk werkte Mattie daar. Ik sloeg het open bij haar boekenlegger, ook een speelkaart, en zag dat ze 'Bartleby' aan het lezen was.

'Ik begrijp dat niet,' zei ze achter me en ik schrok zo erg dat ik de boeken bijna liet vallen. 'Ik vind het mooi. Het is een goed verhaal, maar ik heb geen flauw idee wat het betekent. Bij dat andere boek weet ik nu al wie het heeft gedaan.'

'Het is een vreemde combinatie van boeken,' zei ik, terwijl ik ze weer neerlegde.

'Die Patterson lees ik voor mijn plezier,' zei Mattie. Ze ging naar de keuken, keek even (en met enig verlangen, dacht ik) naar de fles wijn, maakte toen de koelkast open en haalde een kan met Kool-Aid te voorschijn. Op de koelkastdeur zaten woorden die haar dochter al met de Magnabetletters had gevormd: KI en MATTIE en HOHO (de kerstman, nam ik aan). 'Nou, eigenlijk lees ik ze allebei voor mijn plezier, maar we gaan "Bartleby" bespreken in het groepje waar ik in zit. We komen op donderdagavond in de bibliotheek bij elkaar. Ik moet nog zo'n tien bladzijden.'

'Een leesclubje.'

'Ja. Mevrouw Briggs heeft de leiding. Ze heeft het al opgericht toen ik nog niet eens geboren was. Ze is het hoofd van de bibliotheek in Four Lakes, weet je.'

'Ik weet het. Lindy Briggs is de schoonzuster van mijn huisbeheerder.'

Mattie glimlachte. 'Wat is de wereld toch klein, nietwaar?'

'Nee, de wereld is groot, maar het dorp is klein.'

Ze wilde met haar glas Kool-Aid tegen het aanrecht leunen, maar bedacht zich. 'Zullen we buiten gaan zitten? Dan kan iedereen die voorbijkomt zien dat we onze kleren nog aanhebben en dat we niets binnenstebuiten hebben aangetrokken.'

Ik keek haar verrast aan. Ze keek terug met een soort cynische welwillendheid. Het was een uitdrukking die niet erg goed bij haar gezicht paste.

'Ik mag dan pas eenentwintig zijn, maar ik ben niet dom,' zei ze. 'Hij houdt me in de gaten. Ik weet dat, en jij weet dat waarschijnlijk ook. Op een andere avond zou ik misschien in de verleiding komen om te zeggen: als hij niet tegen een geintje kan, moet hij het zelf maar weten. Maar het is buiten koeler en de rook van de barbecue houdt de ergste insecten weg. Heb ik je geshockeerd? Dan spijt me dat.'

'Welnee.' Toch wel, een beetje. 'Je hoeft je niet te verontschuldigen.'

We stapten met onze drankjes de enigszins wankele gasbetonblokken af en gingen naast elkaar in tuinstoelen zitten. Links van ons gloeiden de kooltjes van de barbecue zachtroze in de vallende schemering. Mattie leunde achterover, hield de ronding van haar koude glas eventjes tegen haar voorhoofd en dronk de rest toen grotendeels op. De ijsblokjes stootten tegen haar tanden. In het bos achter de caravan en aan de overkant van de weg sjirpten krekels. Verderop aan Highway 68 zag ik de felle witte neonlichten boven de benzinepompen van het Lakeview General. De zitting van mijn stoel was een beetje versleten, de riempjes waren een beetje gerafeld en het ding helde nogal naar links over, maar toch was er op dat moment geen plaats waar ik liever zou zitten dan daar. De avond had zich ontwikkeld tot een klein wondertje – tenminste tot dan toe. Ik had John Storrow nog niet ter sprake gebracht.

'Ik ben blij dat je op een dinsdag bent gekomen,' zei ze. 'De dinsdagavonden zijn nogal moeilijk voor me. Ik denk dan altijd aan de softbalwedstrijd in Warrington's. De jongens zullen daar nu wel hun spullen pakken – de slaghouten en honken en het masker van de vanger – om weer op te bergen in de kast achter de slagplaat. Ze drinken nog een laatste biertje en roken nog een laatste sigaret. Zo heb ik mijn man ontmoet, weet je. Dat zal je inmiddels al wel verteld zijn.'

Ik kon haar gezicht niet goed zien, maar ik hoorde de verbitterde ondertoon die in haar stem was geslopen en ik vermoedde dat ze diezelfde cynische uitdrukking nog op haar gezicht had. Die uitdrukking was te ouwelijk voor haar, maar toch vond ik dat ze er op een eerlijke manier aan gekomen was. Aan de andere kant: als ze niet uitkeek, zou die uitdrukking wortel schieten en groeien.

'Ja, ik heb de versie van Bill gehoord, Lindy's zwager.'

'O, ja, ons verhaal is overal verkrijgbaar. Je kunt het in de winkel krijgen, of in het Village Cafe, of in die oude roddelgarage... die mijn schoonvader trouwens uit de handen van Western Savings heeft gered. Hij stapte er net in voordat de bank beslag kon leggen. En nu denken Dickie Brooks en zijn maatjes dat Max Devore zo ongeveer de Here Jezus zelve is. Ik hoop dat je van meneer Dean een eerlijker versie hebt gekregen dan je in de garage zou krijgen. Dat moet wel, anders zou je het niet hebben aangedurfd om hamburgers te eten met Jezebel.'

Ik wilde het gesprek op een ander onderwerp brengen – haar woede was begrijpelijk, maar we kwamen er niet verder mee. Natuurlijk had ik makkelijk praten. Het was niet mijn kind dat als rode zakdoek in het midden van een touwtrekwedstrijd fungeerde. 'Spelen ze nog softbal bij Warrington's? Ook nu Devore de zaak gekocht heeft?'

'Jazeker. Hij gaat elke dinsdagavond in zijn gemotoriseerde rolstoel naar het veld om te kijken. Sinds hij hier is, heeft hij nog wel meer dingen gedaan om een goede naam te krijgen in het dorp, maar ik denk dat hij echt van die softbalwedstrijden geniet. Dat mens van Whitmore gaat ook. Ze neemt een extra zuurstoftank mee in een klein rood kruiwagentje met een witte band. Ze heeft daar ook een veldspelershandschoen in zitten, voor het geval er een uitbal over de achtervanger in zijn richting komt. Hij heeft er aan het begin van het seizoen eentje gevangen, hoorde ik, en toen kreeg hij een staande ovatie van de spelers en de toeschouwers.'

'Denk je dat hij naar die wedstrijden gaat om in contact te komen met zijn zoon?'

Mattie glimlachte grimmig. 'Ik denk niet dat hij aan Lance denkt, niet als hij op het speelveld is. Ze spelen fanatiek bij Warrington's – ze glijden op hun hielen naar een honk, springen de struiken in om een verre bal te vangen, vloeken elkaar stijf als ze iets verkeerd doen – en daar geniet de oude Max Devore van. Daarom slaat hij nooit een dinsdagavond over. Hij mag graag zien dat ze een sliding maken en bloedend overeind komen.'

'Speelde Lance ook zo?'

Ze dacht daar goed over na. 'Hij speelde fanatiek, maar hij was niet bezeten van het spel. Hij deed alleen maar mee voor zijn plezier. Wij allemaal. Wij vrouwen – ach, eigenlijk waren we nog maar meisjes, Barney Therriaults vrouw Cindy was pas zestien – we stonden achter de achtervanger aan de kant van het eerste honk en rookten sigaretten of woven met waaiers om de muggen weg te houden. We juichten onze jongens toe als ze iets goeds deden en lachten als ze iets stoms deden. We wisselden flesjes frisdrank uit of deelden een blikje bier. Ik bewonderde Helen Geary's tweeling en zij gaf Ki kusjes onder haar kin tot Ki begon te giechelen. Soms gingen we na afloop naar het Village Cafe en maakte Buddy pizza's voor ons, op kosten van de verliezers. Want na de wedstrijd waren we allemaal weer vrienden, weet je. We zaten daar te lachen en te schreeuwen en bliezen rietjeswikkels in het rond, en sommige jongens waren aangeschoten maar niemand werd agressief. In die tijd konden ze al hun agressie op het speelveld kwijt. En weet je wat? Niemand van hen komt me nog opzoeken. Helen Geary niet, die mijn beste vriendin was. Richie Lattimore niet, die Lance' beste vriend was – die twee praatten altijd uren achtereen over rotsen en vogels en de soorten bomen aan de overkant van het meer. Ze kwamen op de begrafenis, en nog een tijdje daarna, en toen... Weet je waar het op leek? Toen ik een kind was, droogde onze bron op. Een tijdlang kreeg je nog een dun straaltje als je de kraan openzette, maar op een dag kwam er alleen nog maar lucht. Alleen lucht.' Het cynisme was weg. Haar stem klonk alleen nog gekwetst. 'Ik zag Helen met Kerstmis, en we beloofden dat we op de verjaardag van de tweeling bij elkaar zouden komen, maar dat is nooit gebeurd. Ik denk dat ze niet bij me in de buurt durft te komen.'

'Vanwege de oude man?'

'Wie anders? Maar dat geeft niet. Het leven gaat door.' Ze ging rechtop zitten, dronk de rest van haar Kool-Aid en zette het glas weg. 'En jij, Mike? Ben je teruggekomen om een boek te schrijven? Ga je de TR een naam bezorgen?' Dat was een plaatselijk bon-mot dat ik me met een steek van nostalgie herinnerde. Van dorpelingen met grote plannen werd gezegd dat ze van plan waren de TR een naam te bezorgen.

'Nee,' zei ik, en tot mijn stomme verbazing zei ik toen: 'Dat doe ik niet meer.'

Ik zal wel hebben verwacht dat ze overeind zou springen, haar stoel zou omgooien en een scherpe kreet van ontzetting zou slaken. Dat zegt veel over mij, denk ik, en niet veel vleiends.

'Ben je met pensioen gegaan?' vroeg ze. Ze klonk kalm, absoluut niet geschrokken. 'Of is het writer's block?'

'Nou, het is in ieder geval geen *vrijwillige* pensionering.' Ik besefte dat het gesprek een nogal grappige wending had genomen. Ik was hier vooral gekomen om haar over John Storrow te vertellen – om haar John Storrow door de strot te duwen, als dat nodig was – en in plaats daarvan vertelde ik voor het eerst aan iemand dat ik niet meer kon werken. Voor de allereerste keer.

'Dus het is writer's block.'

'Dat dacht ik eerst ook, maar nu ben ik daar niet zo zeker meer van. Ik denk dat schrijvers een bepaalde hoeveelheid verhalen te vertellen hebben – die verhalen zijn in de software ingebouwd. En als ze op zijn, zijn ze op.'

'Dat betwijfel ik,' zei ze. 'Misschien ga je weer schrijven nu je hier bent. Misschien is dat een van de redenen waarom je terug bent gekomen.'

'Misschien heb je gelijk.'

'Ben je bang?'

'Soms. Ik vraag me vooral af wat ik met de rest van mijn leven ga doen. Ik ben niet goed in scheepjes in flessen, en mijn vrouw was degene met de groene vingers.'

'Ik ben ook bang,' zei ze. 'Hartstikke bang. De hele tijd, lijkt het wel.'

'Dat hij zijn voogdijzaak wint? Mattie, daarover wilde ik...'

'Die voogdijzaak is maar een deel ervan,' zei ze. 'Het feit dat ik hier ben, in de TR, maakt me al bang. Het begon deze zomer, toen ik al heel lang wist dat Devore van plan was Ki bij me weg te halen, als hij kon. En het wordt steeds erger. In zekere zin is het net alsof ik zie hoe zich donderwolken samenpakken boven New Hampshire en hoe ze komen aanzeilen over het meer. Ik kan het niet beter onder woorden brengen, behalve...' Ze ging anders zitten, sloeg haar benen over elkaar en boog zich toen naar voren om de zoom van haar jurk tegen haar scheenbeen te trekken, alsof ze het koud had. 'Behalve dat ik de laatste tijd een paar keer wakker werd en zeker wist dat ik niet alleen in de slaapkamer was. Ik was er zelfs een keer zeker van dat ik niet alleen in mijn *bed* lag. Soms is het maar een gevoel – zoiets als hoofdpijn, maar dan in je zenuwen – en soms denk ik dat ik gefluister of gehuil hoor. Ik was op een avond een cake aan het bakken – zo'n twee weken geleden – en toen vergat ik het meel weg te zetten. De volgende morgen lag de doos op zijn kop en lag het meel op het aanrecht. Iemand had "hallo" geschreven in dat meel. Ik dacht eerst dat het Ki was, maar ze zei dat ze het niet had gedaan. Trouwens, het was niet haar handschrift, dat van haar is erg onregelmatig. Ik weet niet eens of ze "hallo" zou kunnen schrijven. "Ha" misschien wel, maar... Mike, zou hij iemand sturen om te proberen me bang te maken? Ik bedoel, dat zou toch stom zijn?'

'Ik weet het niet,' zei ik. Ik dacht aan iets wat in het donker tegen isolatiepanelen klopte terwijl ik op de trap stond. Ik dacht aan het 'hallo' dat met magneetjes op mijn koelkastdeur geschreven was, en aan een kind dat in het donker snikte. Mijn huid voelde in- en inkoud, bijna verdoofd. Een hoofdpijn in de zenuwen, dat was goed, dat was precies hoe je je voelde als iets zijn tentakels om de muur van de echte wereld liet kronkelen en je in je nek aanraakte.

'Misschien zijn het geesten,' zei ze, en ze glimlachte onzeker, eerder angstig dan geamuseerd.

Ik deed mijn mond open om haar te vertellen wat er in Sara Laughs was gebeurd, maar deed hem weer dicht. Er moest een duidelijke keuze worden gemaakt: we konden afdwalen naar een gesprek over het paranormale, of we konden terugkeren tot de zichtbare wereld. De wereld waarin Max Devore een kind probeerde te stelen.

'Ja,' zei ik. 'De geesten gaan spreken.'

'Ik wou dat ik je gezicht beter kon zien. Ik zag daarnet iets. Wat was dat?'

'Ik weet het niet,' zei ik. 'Maar ik denk dat we nu beter over Kyra kunnen praten. Goed?'

'Goed.' In de zwakke gloed van de barbecue kon ik zien dat ze anders ging zitten, alsof ze zich op een slag voorbereidde.

'Ik heb een dagvaarding gekregen. Ik moet vrijdag in Castle Rock een beëdigde verklaring afleggen. Bij Elmer Durgin, dat is Kyra's voogd *ad litem...*'

'Die opgeblazen kleine pad is helemaal niks van Kyra!' barstte ze uit. 'Mijn schoonvader heeft hem in zijn zak zitten, net als Dickie Osgood, dat lekkere makelaartje van ouwe Max! Dickie en Elmer Durgin drinken samen in The Mellow Tiger, of tenminste, dat deden ze tot deze zaak echt op gang kwam. Toen zal iemand wel tegen ze gezegd hebben dat het een slechte indruk maakte en zijn ze ermee opgehouden.'

'De dagvaarding werd bezorgd door een zekere hulpsheriff George Footman.'

'Die hoort er ook bij,' zei Mattie. 'Dickie Osgood is een slang, maar George Footman is een valse straathond. Hij zit bij de politie, maar hij is al twee keer geschorst. Nog één keer en hij kan fulltime voor Max Devore gaan werken.'

'Nou, ik was bang voor hem. Ik probeerde het niet te laten blijken, maar ik was bang. Ik heb mijn agent in New York gebeld en toen een advocaat in de arm genomen. Een advocaat die gespecialiseerd is in voogdijzaken.'

Ik probeerde te zien hoe ze hierop reageerde, maar ik zag niets, al zaten we tamelijk dicht bij elkaar. Ze had nog steeds die strakke uitdrukking op haar gezicht, als een vrouw die verwacht dat er klappen gaan vallen. Of misschien vielen die klappen al voor Mattie.

Langzaam, zo rustig mogelijk, vertelde ik over mijn gesprek met John Storrow. Ik legde de nadruk op wat Storrow over gelijke behandeling had gezegd – dat was een negatieve factor voor haar, want voor rechter Rancourt was het daardoor gemakkelijker om Kyra weg te halen. Ik benadrukte ook het feit dat Devore alle advocaten kon krijgen die hij wilde hebben – om nog maar te zwijgen van getuigen die hem welgezind waren, want Richard Osgood kon door de hele TR rijden en met Devores geld strooien – maar dat de rechtbank niet verplicht was haar zelfs maar op een ijsje te trakteren. Tot slot vertelde ik haar dat John de volgende morgen om elf uur met een van ons wilde praten, en dat zij dat zou moeten zijn. Toen wachtte ik. De stilte duurde voort, werd alleen onderbroken door krekels en het vage ronken van een auto zonder knaldemper. Op Route 68 gingen de eerste neonlampen uit: de Lakeview Market sloot weer een zomerse openingsdag af. Ik vond het maar niets dat Mattie zo stil was; het leek me net de inleiding tot een uitbarsting. Een *Yankee*-uitbarsting. Ik wachtte rustig af tot ze me vroeg waar ik het recht vandaan haalde me met haar zaken te bemoeien.

Toen ze eindelijk sprak, deed ze dat met een diepe, verslagen stem. Het deed me pijn om haar op die manier te horen praten, maar ik verbaasde me daar net zo min over als over die cynische uitdrukking die ze op haar gezicht had gehad. En ik zette me zo goed mogelijk schrap. Hé, Mattie, de wereld is hard. Kom maar op.

'Waarom zou je dat doen?' vroeg ze. 'Waarom zou je een dure New Yorkse advocaat in de arm nemen om mij te helpen? Want dat bied je toch aan? Dat moet wel, want ik kan hem niet betalen. Toen Lance stierf, kreeg ik dertigduizend dollar van de verzekering, en daar mocht ik nog blij mee zijn. Het was een polis die hij bij een van zijn vrienden in Warrington's had genomen, bijna voor de grap, maar als hij dat niet had gedaan, zou ik vorige winter de caravan zijn kwijtgeraakt. Ze zijn bij de Western Savings Bank dan wel gek op Dickie Brooks, ze geven geen zier om Mattie Stanchfield Devore. In de bibliotheek verdien ik ongeveer honderd dollar netto per week. Dus je biedt aan om te betalen. Ja?'

'Ja.'

'Waarom? Je kent ons niet eens.'

'Omdat...' Mijn stem stierf weg. Ik meen me te herinneren dat ik op dat moment Jo om raad vroeg, dat ik mijn geest vroeg met haar stem te spreken, waarna ik haar antwoord met mijn eigen stem aan Mattie kon doorgeven. Maar Jo kwam niet. Ik vloog solo.

'Omdat ik op het moment niets nuttigs doe,' zei ik ten slotte, en opnieuw stond ik versteld van die woorden. 'En ik ken je wél. Ik heb bij je gegeten, ik heb Ki een verhaal voorgelezen en haar in slaap laten vallen op mijn schoot... en misschien heb ik laatst haar leven gered, toen ik haar van de weg plukte. We zullen het nooit weten, maar misschien heb ik haar gered. Weet je wat de Chinezen over zulke dingen zeggen?'

Ik verwachtte geen antwoord, mijn vraag was retorisch bedoeld, maar ze verraste me. En niet voor het laatst. 'Dat je, als je iemands leven redt, verantwoordelijk voor hem bent.'

'Ja. Het is ook een kwestie van eerlijkheid en rechtvaardigheid, maar ik denk dat ik vooral iets nuttigs wil doen. Als ik terugkijk op de vier jaar na de dood van mijn vrouw, is er helemaal niets. Zelfs geen boek waarin Marjorie, de verlegen typiste, een knappe vreemdeling ontmoet.'

Ze zat daarover na te denken en keek naar een truck vol houtpulp die over de grote weg denderde, de koplampen fel en de lading heen en weer schuivend als de heupen van een dikke vrouw. 'Je moet niet onze *supporter* worden,' zei ze ten slotte. Ze sprak met een diepe, onverwacht heftige stem. 'Je moet niet onze supporter worden zoals supporters van zijn team-van-de-week op het softbalveld. Ik weet dat ik hulp nodig heb, maar dit wil ik niet. Dit kán ik niet aannemen. Wij zijn geen spelletje, Ki en ik. Begrijp je?'

'Volkomen.'

'Je weet wat de mensen in het dorp zullen zeggen, hè?'

'Ja.'

'Ik mag me erg gelukkig prijzen, vind je niet? Eerst trouw ik met de zoon van een schatrijk man, en als híj sterft, kom ik onder de beschermende vleugels van een andere rijke man. Morgen neem ik waarschijnlijk mijn intrek bij Donald Trump.'

'Hou op.'

'Ik zou het zelf waarschijnlijk ook geloven, als ik aan de andere kant stond. Maar zou het dan niemand opvallen dat die geluksvogel van een Mattie nog steeds in een Modair-caravan woont en geen geld voor een ziektekostenverzekering heeft? Of dat haar kind haar inentingen meestal van de county-zuster krijgt? Mijn ouders zijn gestorven toen ik vijftien was. Ik heb een broer en een zus, maar die zijn allebei veel ouder en wonen niet hier in de staat. Mijn ouders waren alcoholisten – niet dat ze me mishandelden, maar ik heb genoeg rottigheid meegemaakt. Het was of ik opgroeide in een... kakkerlakkenmotel. Mijn vader was pulprijder, en mijn moeder was schoonheidsspecialiste, altijd dronken en met maar één ambitie: ooit nog eens een Mary Kay roze Cadillac bezitten. Hij verdronk in Kewadin Pond. Zij stikte zo'n zes maanden later in haar eigen braaksel. Hoe bevalt het je tot nu toe?'

'Niet erg. Ik vind het verschrikkelijk voor je.'

'Na mijn moeders begrafenis bood mijn broer Hugh aan me mee te nemen naar Rhode Island, maar ik kon merken dat zijn vrouw het niet zo geweldig vond om een meisje van vijftien in haar gezin te krijgen, en eigenlijk kan ik haar dat ook niet kwalijk nemen. Daar kwam nog bij dat ik net in het junior-cheerleadersteam was gekomen. Dat lijkt nu misschien onbenullig, toen vond ik het erg belangrijk.'

Natuurlijk was het erg belangrijk, zeker voor een kind van alcoholisten. Het enige kind dat nog thuis was. Dat laatste kind, dat moet aanzien hoe de drank in volle hevigheid toeslaat, heeft het vaak erg moeilijk. Wil de laatste die het drankhol verlaat het licht uitdoen?

'Uiteindelijk kwam ik bij mijn tante Florence terecht, zo'n drie kilometer hier vandaan. We deden er ongeveer drie weken over om te ontdekken dat we niet veel van elkaar moesten hebben, maar we hielden het twee jaar vol. En toen, ik zat nog op school, kreeg ik een vakantiebaan bij Warrington's en ontmoette ik Lance. Toen hij me vroeg met hem te trouwen, weigerde tante Flo toestemming te geven. Toen ik haar vertelde dat ik zwanger was, liet ze me meerderjarig verklaren, opdat ik die toestemming niet nodig had.'

'Je ging van school af.'

Ze trok een grimas en knikte. 'Ik had geen zin om daar nog zes maanden rond te lopen en op te zwellen als een ballon. Lance hielp me. Hij zei dat ik toch wel examen kon doen. Dat deed ik vorig jaar. Het was gemakkelijk. En nu zijn Ki en ik op onszelf aangewezen. Zelfs als mijn tante bereid was me te helpen, wat zou ze dan kunnen doen? Ze werkt in de Gore-Tex-fabriek in Castle Rock en verdient ongeveer zestienduizend dollar per jaar.'

Ik knikte weer en dacht dat mijn laatste cheque voor royalty's uit Frankrijk ongeveer zo hoog was geweest. Mijn laatste *kwartaal*cheque. Toen herinnerde ik me iets wat Ki me had verteld op de dag dat ik haar ontmoette.

'Toen ik Kyra van de weg af haalde, zei ze dat als jij kwaad was, ze naar haar witte oma ging. Als je ouders dood zijn, wie...' Maar ik hoefde het niet te vragen; ik hoefde alleen maar een of twee simpele verbanden te leggen. 'Is Rogette Whitmore de witte oma? Devores assistente? Maar dat betekent...'

'Dat Ki bij hen is geweest. Ja, natuurlijk. Tot eind vorige maand vond ik goed dat ze regelmatig bij haar opa – en dus ook bij Rogette – op bezoek ging. Een of twee keer per week, en soms bleef ze slapen. Ze houdt van haar "witte opa" – tenminste, in het begin wel – en ze is gek op die enge vrouw.' Ik meende dat Mattie huiverde in de schemering, al was de avond nog warm.

'Devore belde om te zeggen dat hij voor Lance' begrafenis hierheen kwam. Hij vroeg ook of hij zijn kleindochter mocht zien als hij hier was. Hij was heel vriendelijk, alsof hij nooit had geprobeerd me af te kopen toen Lance hem vertelde dat we gingen trouwen.'

'Heeft hij dat geprobeerd?'

'Ja. Het eerste aanbod was honderdduizend dollar. Dat was in augustus 1994, nadat Lance hem had gebeld om te zeggen dat we in september gingen trouwen. Ik heb niemand daar iets over verteld. Een week later ging het aanbod omhoog naar tweehonderdduizend.'

'Wat moest je daar precies voor doen?'

'Er als de gesmeerde bliksem vandoor gaan zonder een adres achter te laten. Die tweede keer vertelde ik het wel aan Lance, en die sprong uit zijn vel. Hij belde zijn vader en zei dat we gingen trouwen, of hem dat nu aanstond of niet. Hij zei tegen hem dat als hij ooit zijn kleinkind wilde zien, hij moest ophouden met dat gedoe en zich netjes moest gedragen.'

Bij een andere ouder, dacht ik, was dat waarschijnlijk de redelijkste gedragslijn die Lance Devore had kunnen volgen. Ik had respect voor hem. Het enige probleem was dat hij niet met een redelijke man te maken had. Hij had te maken met een man die als kind de nieuwe slee van Scooter Larribee had gestolen.

'Die voorstellen werden telkens gedaan door Devore zelf, door de telefoon. In beide gevallen was Lance er niet. En toen, zo'n tien dagen voor de bruiloft, kreeg ik bezoek van Dickie Osgood. Ik moest een nummer in Delaware bellen, en toen ik dat deed...' Mattie schudde haar hoofd. 'Je zou het niet geloven. Het is net iets uit een van je boeken.'

'Mag ik raden?'

'Als je wilt.'

'Hij probeerde het kind te kopen. Hij probeerde Kyra te kopen.'

Haar ogen gingen wijd open. Er was een schijfje maan opgekomen en ik kon die verraste blik heel goed zien.

'Hoeveel?' vroeg ik. 'Ik ben nieuwsgierig. Hoeveel zou je krijgen als je Devores kleinkind na de bevalling bij Lance achterliet en ervandoor ging?'

'Twee miljoen dollar,' fluisterde ze. 'Gedeponeerd op een bank van mijn keuze, zolang het maar ten westen van de Mississippi was en ik een verklaring tekende dat ik zeker tot 20 april 2016 van haar – en van Lance – vandaan zou blijven.'

'Het jaar waarin Ki eenentwintig wordt.'

'Ja.'

'En omdat Osgood de details niet kent, houdt Devore hier in het dorp zijn handen schoon.'

'Ja. En die twee miljoen was nog maar het begin. Ik zou opnieuw een miljoen op Ki's vijfde, tiende, vijftiende en twintigste verjaardag krijgen.' Ze schudde ongelovighaar hoofd. 'Het linoleum bobbelt steeds weer op in de keuken, de douchekop valt steeds weer in het bad, en de hele caravan helt tegenwoordig naar rechts, maar ik had de vrouw van zes miljoen kunnen zijn.'

Heb je ooit overwogen dat aanbod aan te nemen, Mattie? vroeg ik me af – maar dat was een vraag die ik nooit zou stellen. Nieuwsgierigheid die zo ongepast was, verdiende het niet om bevredigd te worden.

'Heb je het Lance verteld?'

'Ik wilde het hem eigenlijk niet vertellen. Hij was al zo kwaad op zijn vader en ik wilde dat niet erger maken. Ik wilde niet dat er aan het begin van ons huwelijk al zoveel haat was, hoe gegrond die haat ook zou zijn. En ik wilde niet dat Lance... later, je weet wel...' Ze bracht haar handen omhoog en liet ze weer op haar dijen zakken. Het was een vermoeid en op de een of andere manier ook innemend gebaar.

'Je wilde niet dat Lance jou tien jaar later zou verwijten: "Je kwam tussen mij en mijn vader, kreng." '

'Zoiets. Maar uiteindelijk kon ik het niet meer voor me houden. Ik kwam uit een gezin van armoedzaaiers, ik kreeg op mijn elfde pas mijn eerste panty, droeg mijn haar in vlechten of in een pony tot ik dertien was, dacht dat de staat New York alleen uit New York City bestond... en die man... die *spookvader...* had me *zes miljoen dollar* geboden. Dat maakte me doodsbang. Ik droomde dat hij 's nachts als een trol naar me toe kwam en mijn baby uit haar wiegje stal. Hij zou als een slang door het raam komen kronkelen...'

'Natuurlijk met zijn zuurstoftank achter zich aan.'

Ze glimlachte. 'Ik wist toen niets van die zuurstof. Of van Rogette Whitmore. Wat ik bedoel, is dat ik nog pas zeventien was en niet goed geheimen kon bewaren.' Ik verbeet een glimlach toen ze dat zei – alsof er tientallen jaren van ervaring lagen tussen dat naïeve, angstige kind en deze rijpe vrouw met een postorderdiploma.

'Lance was kwaad.'

'Zo kwaad dat hij zijn vader per e-mail antwoordde in plaats van hem te bellen. Hij stotterde, weet je, en als hij zich kwaad maakte, werd dat nog erger. Een telefoongesprek zou onmogelijk zijn geweest.'

Nu meende ik eindelijk een helder beeld te hebben. Lance Devore had zijn vader een ondenkbare brief geschreven – dat wil zeggen, ondenkbaar als je toevallig Max Devore heette. In de brief stond dat Lance niets meer met zijn vader te maken wilde hebben, en Mattie ook niet.

Hij zou niet welkom zijn in hun huis (de Modair-stacaravan was iets anders dan het nederige houthakkershuisje in een sprookje van de gebroeders Grimm, maar het kwam er dicht bij in de buurt). Hij zou na de geboorte van de baby niet op bezoek mogen komen, en als hij het lef had om het kind na de geboorte of later een cadeau te sturen, zou het worden teruggestuurd. Blijf uit mijn leven, pa. Deze keer ben je te ver gegaan. Dit was onvergeeflijk.

Er zijn ongetwijfeld diplomatieke manieren om een beledigd kind te benaderen, wijze manieren, slimme manieren... Maar vraag je dit eens af: zou een diplomatieke vader in zo'n situatie terecht zijn gekomen? Zou een man met zelfs maar een greintje inzicht in de menselijke aard de verloofde van zijn zoon een beloning (zo enorm groot dat het bedrag waarschijnlijk geen echte betekenis voor haar had) bieden om haar ertoe te brengen haar eerstgeboren kind op te geven? En hij had dat duivelse aanbod gedaan aan een meisje van zeventien, een leeftijd waarop de romantische visie op het leven hoogtij viert. Devore had op zijn minst nog een tijdje kunnen wachten voordat hij zijn laatste aanbod deed. Nu kon je daartegen inbrengen dat hij niet wist of hij nog wel een tijdje hád, maar dat zou geen sterk argument zijn. Ik vond dat Mattie gelijk had – diep in die gerimpelde oude pruim die hem tot hart diende dacht Max Devore dat hij het eeuwige leven had.

Uiteindelijk had hij zich niet meer kunnen inhouden. Er stond een slee aan de andere kant van het raam, en die slee móést hij hebben. Hij hoefde alleen maar de ruit te breken om hem te pakken te krijgen. Hij had dat zijn hele leven al gedaan, en dus reageerde hij niet slim op de e-mail van zijn zoon, wat een man van zijn leeftijd en met zijn capaciteiten wel had moeten doen, maar woedend, zoals het kind zou hebben gereageerd als de ruit van de schuur bestand tegen zijn hamerende vuisten zou zijn gebleken. Lance wilde niet dat hij zich ermee bemoeide? Goed! Lance mocht wat hem betrof met zijn boerentrien in een tent of caravan of desnoods koeienstal gaan wonen. Dan moest hij ook zijn luie baantje opgeven en echt werk gaan zoeken. Dan kon hij eens zien hoe gewone mensen leefden!

Met andere woorden, je kunt geen ontslag bij me nemen, zoon. Je bent ontslagen.

'We vielen elkaar niet in de armen op de begrafenis,' zei Mattie. 'Zo moet je dat niet zien. Maar hij was aardig voor me – dat had ik niet verwacht – en ik probeerde aardig voor hem te zijn. Hij bood me een inkomen aan, en dat weigerde ik. Ik was bang dat het juridische gevolgen zou hebben.'

'Dat betwijfel ik, maar je voorzichtigheid bevalt me wel. Wat gebeurde er toen hij Kyra voor het eerst zag, Mattie? Weet je dat nog?'

'Ik zal het nooit vergeten.' Ze greep in de zak van haar jurk, vond een verfrommeld pakje sigaretten en schudde er een uit. Toen keek ze me met een mengeling van gretigheid en walging aan. 'Ik ben hiermee gestopt omdat Lance zei dat we er het geld niet voor hadden, en ik wist dat hij gelijk had. Maar de behoefte blijft. Ik rook maar een pakje per week, en zelfs dat is te veel, dat weet ik best, maar soms heb ik het gewoon nodig. Wil je er een?'

Ik schudde mijn hoofd. Ze stak de sigaret aan, en toen de lucifer opvlamde, was haar gezicht ongelooflijk mooi. Wat had de oude man van háár gevonden? vroeg ik me af.

'Hij ontmoette zijn kleindochter voor het eerst bij een lijkwagen,' zei Mattie. 'We waren bij uitvaartbedrijf Dakin in Motton. Het was de "bezichtiging". Ken je dat?'

'Ja,' zei ik. Ik dacht aan Jo.

'De kist bleef dicht, maar evengoed noemen ze het een bezichtiging. Vreemd. Ik ging naar buiten om een sigaret te roken. Ik zei tegen Ki dat ze op de trap van het gebouw moest gaan zitten, dan kreeg ze geen rook binnen, en ik liep een eindje door. Toen kwam er een grote grijze limousine aanrijden. Ik had nog nooit zoiets gezien, behalve op de televisie. Ik wist meteen wie het was. Ik deed mijn sigaretten weer in mijn tasje en riep Ki bij me. Ze dribbelde over het trottoir en pakte mijn hand vast. De deur van de limousine ging open en Rogette Whitmore stapte uit. Ze had een zuurstofmasker in haar ene hand, maar hij had het niet nodig, tenminste niet op dat moment. Toen stapte hij uit. Een lange man – niet zo lang als jij, Mike, maar lang. Hij droeg een grijs pak en zwarte schoenen die glommen als spiegels.'

Ze dacht even na. Haar sigaret ging naar haar mond en toen weer naar de armleuning van haar stoel terug, een rode glimworm in het zwakke maanlicht.

'Eerst zei hij niets. De vrouw wilde zijn arm pakken om hem te helpen de drie of vier stappen te zetten, maar hij schudde zich van haar los. Hij kwam op eigen kracht naar ons toe, al kon ik de adem tot diep in zijn borst horen gieren. Het klonk als een machine die nodig gesmeerd moet worden. Ik weet niet hoe ver hij nu nog kan lopen, maar veel zal het niet meer zijn. Die paar stappen vergden al het uiterste van zijn krachten, en dat was bijna een jaar geleden. Hij keek me even aan en boog zich toen met zijn grote, benige, oude handen op zijn knieën naar voren. Hij keek naar Kyra en zij keek naar hem op.'

Ja. Ik kon het al helemaal voor me zien – alleen niet in kleur, niet als een foto. Ik zag het als een houtsnede, een scherp contrasterende illustratie uit de sprookjes van Grimm. Het kleine meisje kijkt met grote ogen op naar de rijke oude man – ooit een jongen die triomfantelijk op een gestolen slee gleed, nu aan het eind van zijn leven en weinig meer dan een zak met beenderen. In mijn fantasie droeg Ki een jasje met capuchon en hing het opa-masker van Devore een beetje scheef, zodat ik de wolfsvacht kon zien. Wat hebt u een grote ogen, opa, wat hebt u een grote neus, opa, wat hebt u een grote tanden.

'Hij tilde haar op. Ik weet niet hoeveel inspanning dat hem kostte, maar hij deed het. En – dat is nog het gekste – Ki líét zich oppakken. Hij was een volslagen vreemde voor haar, en meestal zijn kinderen toch bang voor oude mensen, maar ze liet zich door hem optillen. "Weet je wie ik ben?" vroeg hij haar. Ze schudde haar hoofd, maar zoals ze naar hem keek... Het was of ze het bíjna wist. Zou dat kunnen?'

'Ja.'

'Hij zei: "Ik ben je opa." En ik trok haar bijna terug, Mike, want ik had het gekke idee... Ik weet het niet...'

'Dat hij haar zou opvreten?'

Haar sigaret bleef stil voor haar mond hangen. Ze keek me met grote ogen aan. 'Hoe weet je dat? Hoe kún je dat weten?'

'Omdat ik het me als een sprookje voorstel. Roodkapje en de Grote Boze Wolf. Wat deed hij toen?'

'Hij vrat haar op met zijn ogen. Daarna heeft hij haar leren dammen en nog een heleboel andere dingen. Ze is pas drie, maar hij heeft haar leren optellen en aftrekken. Ze heeft haar eigen kamer in Warrington's, en daar staat haar eigen kleine computer, en god mag weten wat hij haar daarmee heeft leren doen... Maar die eerste keer keek hij haar alleen maar aan. Het was de hongerigste blik die ik ooit van mijn leven heb gezien.

En ze keek terug. Het kan niet langer dan tien of twintig seconden hebben geduurd, maar het leek een eeuwigheid. Toen probeerde hij haar aan me terug te geven. Maar hij had al zijn kracht verbruikt, en als ik niet had klaargestaan om haar over te nemen, had hij haar waarschijnlijk op het trottoir laten vallen.

Hij wankelde een beetje, en Rogette Whitmore sloeg haar arm om hem heen. Toen nam hij het zuurstofmasker van haar over – er zat een klein zuurstofflesje met elastiek aan vast – en hield het over zijn mond en neus. Na een paar keer diep ademhalen leek hij weer min of meer in orde. Hij gaf het masker aan Rogette terug en zag me toen blijkbaar pas voor het eerst staan. Hij zei: "Ik heb me idioot gedragen, hè?" Ik zei: "Ja, dat vind ik ook." Hij wierp me een duistere blik toe. Ik denk dat als hij een jaar of vijf jonger was geweest, hij me een klap in mijn gezicht zou hebben gegeven.'

'Maar dat was hij niet en dat deed hij niet.'

'Nee. Hij zei: "Ik wil naar binnen. Wil je me daarbij helpen?" Ik zei dat ik dat zou doen. We gingen de trappen van het uitvaartbedrijf op, met Rogette aan zijn ene en ik aan zijn andere kant en Kyra achter hem. Ik voelde me net een haremmeisje. Het was geen prettig gevoel. Toen we in de hal kwamen, ging hij even zitten om op adem te komen en nog wat zuurstof te happen. Rogette keek Kyra aan. Ik vind dat die vrouw een angstaanjagend gezicht heeft. Het doet me denken aan een of ander schilderij...'

'*De schreeuw*? Van Munch?'

'Ja, volgens mij wel.' Ze liet haar sigaret vallen – ze had hem helemaal tot het filter opgerookt – en trapte hem uit, vermorzelde hem met haar witte gymschoen in de benige, kiezelige grond. 'Maar Ki was helemaal niet bang voor haar. Toen niet en later ook niet. Die vrouw boog zich naar Kyra toe en zei: "Wat rijmt er op huis?" en Kyra zei meteen: "pluis". Ze was toen pas twee maar ze hield al van rijmen. Rogette zocht in haar tasje en haalde een Hershey's Kiss te voorschijn. Ki keek me aan om te zien of het mocht, en ik zei: "Goed, eentje dan, en niet op je jurk knoeien." Ki stak hem in haar mond en glimlachte naar Rogette alsof ze eeuwig vriendinnen zouden blijven.

Inmiddels was Devore weer op adem gekomen, maar hij zag er moe uit – de meest vermoeide man die ik ooit heb gezien. Hij deed me denken aan iets uit de bijbel: dat we op onze oude dag zeggen dat we er geen genoegen aan beleven. Ik had opeens erg met hem te doen. Misschien merkte hij het, want hij pakte mijn hand vast. Hij zei: "Sluit me niet buiten." En op dat moment zag ik Lance in zijn gezicht. Ik begon te huilen en zei: "Dat doe ik niet, tenzij u me dwingt." '

Ik zag al voor me hoe hij daar in de hal van het uitvaartbedrijf zat en zij bij hem stond, en hoe het kleine meisje, sabbelend op de zoete Hershey's Kiss, met grote ogen naar hen keek. Ingeblikte orgelmuziek op de achtergrond. Die arme oude Max Devore had op de dag dat zijn zoon lag opgebaard een slimme zet gedaan, vond ik. Sluit me niet buiten!

Ik heb geprobeerd je af te kopen en toen dat niet lukte, verhoogde ik de inzet en probeerde ik de baby te kopen. Toen dat ook mislukte, zei ik tegen mijn zoon dat jij en hij en mijn kleinkind in het stof van jullie eigen beslissing konden stikken. In zekere zin ben ik de reden dat hij van dat dak gevallen is en zijn nek brak, maar sluit me niet buiten, Mattie. Ik ben maar een arme ouwe lul, dus sluit me niet buiten.

'Dom van me, hè?'

'Je had een te hoge dunk van hem. Als dat je dom maakt, Mattie, zou de wereld wel wat meer van zulke domheid kunnen gebruiken.'

'Ik had wel mijn twijfels,' zei ze. 'Daarom wilde ik geen geld van hem aannemen, en vanaf oktober bood hij het me niet meer aan. Maar ik vond het wel goed dat ze naar hem toe ging. Onbewust had ik misschien het idee dat Ki er later iets aan zou hebben, maar ik heb er echt niet veel over nagedacht. Hij was natuurlijk ook de enige bloedverwant van haar vader die ze kende. Ik wilde dat ze iets aan haar grootvader had, zoals ieder ander kind. Wat ik niet wilde, was dat ze betrokken zou raken bij alle rottigheid die er was geweest voordat Lance stierf.

Eerst leek het goed te gaan. Toen begonnen er geleidelijk dingen te veranderen. Ik merkte bijvoorbeeld dat Ki haar "witte opa" niet zo aardig vond. Haar gevoelens voor Rogette zijn hetzelfde gebleven, maar

Max Devore maakte haar onrustig. Ik begrijp niet hoe, en zij kan het ook niet uitleggen. Ik vroeg haar een keer of hij haar ooit op een rare plek aanraakte. Ik liet haar de plaatsen zien die ik bedoelde, en ze zei nee. Ik geloof haar, maar... Hij moet iets gezegd of gedaan hebben, daar ben ik zeker van.'

'Misschien is het geluid van zijn ademhaling gewoon erger geworden,' zei ik. 'Dat alleen zou al genoeg kunnen zijn om een kind bang te maken. Of misschien oefende hij een bepaalde invloed op haar uit als ze daar was. En jij, Mattie?'

'Nou... Op een dag in februari vertelde Lindy Briggs me dat George Footman de brandblussers en rookdetectors in de bibliotheek was komen controleren. Hij had ook gevraagd of Lindy de laatste tijd bierblikjes of drankflessen in de prullenbakken had aangetroffen. Of sigarettenpeuken die duidelijk zelf gedraaid waren.'

'Met andere woorden: stickies.'

'Ja. En Dickie Osgood is bij mijn oude vrienden langs geweest, heb ik gehoord. Om te praten. Om te vissen.'

'Valt er iets te vissen?'

'Niet veel, goddank.'

Ik hoopte dat ze gelijk had, en ik hoopte dat als ze dingen voor me verborgen hield, John Storrow ze uit haar zou krijgen.

'Maar ondanks alles liet je Ki toch naar hem toe gaan.'

'Wat zou ik hebben bereikt als ik dat opeens verbood? En ik dacht dat als hij iets van plan was, hij geen extra vaart achter die plannen zou zetten wanneer ze bij hem bleef komen.'

Dat was een eenzame vorm van logica, vond ik.

'En toen, in het voorjaar, begon ik heel griezelige gevoelens te krijgen.'

'Hoe bedoel je, griezelig?'

'Ik weet het niet.' Ze haalde haar sigaretten te voorschijn, keek ernaar en stopte ze toen weer in haar zak. 'Het was niet alleen zo dat mijn schoonvader me in de gaten liet houden. Het was Ki. Ik begon me zorgen te maken over Ki als ze bij hem was... bij hén. Rogette kwam in de BMW die ze hadden gekocht of geleasd, en Ki zat altijd op het trapje op haar te wachten. Met haar tas met speelgoed als ze voor één dag ging, of met haar roze Minnie Mouse-koffertje als ze zou blijven slapen. En ze kwam altijd terug met één ding meer dan waarmee ze vertrokken was. Mijn schoonvader gelooft heilig in geschenken. Voordat ze haar in de auto zette, keek Rogette me altijd met die kille glimlach van haar aan en zei ze: "Tot zeven uur dan; ze eet bij ons" of "Acht uur dan, en een lekker warm ontbijt voordat ze weggaat". Ik zei dat het goed was, en dan greep Rogette in haar tas en hield ze Ki een Hershey's Kiss voor zoals je een hond een koekje voorhoudt om hem een pootje te laten geven. Ze zei een woord en Kyra rijmde daarop. Rogette gooide haar de traktatie toe – woef woef, brave hond, dacht ik altijd – en daar gingen ze. En om zeven uur 's avonds of acht uur 's morgens stopte de BMW op de plaats waar jouw auto nu geparkeerd staat. Je kon de klok gelijkzetten op die vrouw. Maar ik maakte me zorgen.'

'Je was bang dat ze genoeg kregen van de juridische procedure en haar gewoon zouden afpakken?' Dat leek me een redelijke zorg – zo redelijk dat ik nauwelijks kon geloven dat Mattie haar kleine meisje bij de oude man op bezoek liet gaan. Hebben is hebben en krijgen is de kunst; dat geldt net zo goed voor voogdijzaken als voor de rest van het leven, en als Mattie de waarheid over haar verleden en heden sprak, kon een voogdijprocedure zelfs voor de rijke meneer Devore een langdurige, slopende aangelegenheid worden. Het kind gewoon afpakken zou hem misschien een handiger oplossing lijken.

'Dat niet precies,' zei ze. 'Dat zou misschien wel logisch zijn, maar dat was het niet. Ik werd gewoon bang, al wist ik niet precies waarvoor ik bang was. Dan was het bijvoorbeeld kwart over zes 's avonds en dan dacht ik: deze keer brengt dat witharige kreng haar niet terug. Deze keer gaat ze...'

Ik wachtte. Toen er niets kwam, zei ik: 'Gaat ze wát?'

'Dat zei ik al: ik weet het niet,' zei ze. 'Maar ik maakte me sinds het voorjaar grote zorgen over Ki. In juni hield ik het niet meer uit en maakte ik een eind aan de bezoeken. Daarna is Kyra vaak kwaad op me geweest. Ik denk dat haar escapade op vier juli daar ook iets mee te maken heeft. Ze praat niet veel over haar grootvader, maar ze zegt steeds weer dingen als "Wat denk je dat de witte oma nu doet, Mattie?" of "Denk je dat de witte oma mijn nieuwe jurk mooi zou vinden?" Of ze komt naar me toe rennen en zegt "zing, ring, ding, ging" en vraagt dan om een snoepje.'

'Hoe reageerde Devore?'

'Hij was razend. Hij belde om de haverklap, vroeg eerst wat er aan de hand was en kwam toen met bedreigingen.'

'Fysieke bedreigingen?'

'Voogdijbedreigingen. Hij zou haar weghalen, en als hij klaar met me was, zou de hele wereld me als een slechte moeder beschouwen. Ik maakte geen schijn van kans, zei hij. Ik had alleen nog maar iets te verwachten als ik toegaf en *laat me mijn kleindochter zien, verdomme.*'

Ik knikte. '"Alsjeblieft, sluit me niet buiten", dat klinkt niet als de man die mij belde toen ik naar het vuurwerk zat te kijken, maar die woorden wel.'

'Ik heb ook telefoontjes van Dickie Osgood gehad, en van andere mensen uit het dorp,' zei ze. 'En van Lance' oude vriend Richie Lattimore. Richie zei dat ik Lance' nagedachtenis schond.'

'En George Footman?'

'Die komt van tijd tot tijd voorbijrijden. Op die manier laat hij me weten dat hij me in de gaten houdt. Hij heeft niet opgebeld en is niet bij me aan de deur geweest. Je vroeg me naar fysieke bedreigingen – als ik Footman in zijn politiewagen voorbij zie rijden, ervaar ik dat als een fysieke bedreiging. Ik ben bang voor hem. Maar tegenwoordig ben ik bang voor bijna alles.'

'Ook nu Kyra niet meer bij haar grootvader op bezoek gaat.'

'Ook nu. Ik voel me... alsof er onweer op komst is. Alsof er iets te gebeuren staat. En dat gevoel wordt met de dag sterker.'

'John Storrows nummer,' zei ik. 'Wil je dat hebben?'

Ze bleef rustig zitten, haar ogen neergeslagen. Toen tilde ze haar hoofd op en knikte. 'Geef maar. En dank je. Uit de grond van mijn hart.'

Ik had het nummer op een roze memobriefje in mijn zak zitten. Ze stak haar hand ernaar uit maar pakte het niet meteen aan. Onze vingers raakten elkaar en ze keek me met een verontrustende kalmte aan. Het was of ze meer over mijn motieven wist dan ikzelf.

'Wat kan ik doen om je terug te betalen?' vroeg ze. Daar was het.

'Vertel Storrow alles wat je mij hebt verteld.' Ik liet het roze briefje los en stond op. 'Dat is genoeg. En nu moet ik weg. Bel je me om te laten weten hoe je gesprek met hem is verlopen?'

'Natuurlijk.'

We liepen naar mijn auto. Toen we daar aankwamen, keek ik haar aan. Een ogenblik dacht ik dat ze haar armen om me heen zou slaan, een gebaar van dankbaarheid dat in de stemming waarin we verkeerden tot van alles had kunnen leiden. Het was een melodramatische situatie, een sprookje waarin dingen goed en slecht zijn, met een krachtige onderstroom van onderdrukte sex.

Toen doken er koplampen op van achter de heuvel waar de supermarkt stond. Hun schijnsel gleed over Brooksie's All-Purpose Garage. Ze kwamen fel schitterend op ons af. Mattie ging een stap achteruit en deed zowaar haar handen op haar rug, als een kind dat een standje heeft gekregen. De auto reed voorbij en liet ons weer in het donker achter... maar het moment was ook voorbij. Als er een moment was geweest.

'Bedankt voor het eten,' zei ik. 'Het was geweldig.'

'Bedankt voor de advocaat. Hij is vast ook geweldig,' zei ze, en we lachten allebei. De elektrische lading was uit de lucht verdwenen. 'Hij heeft het een keer over jou gehad, weet je. Devore, bedoel ik.'

Ik keek haar verrast aan. 'Het verbaast me dat hij zelfs wist wie ik was. Hiervoor, bedoel ik.'

'Hij weet het heel goed. Hij sprak met een zekere genegenheid over je, geloof ik.'

'Dat meen je niet. Dat kan niet.'

'Toch wel. Hij zei dat jouw overgrootvader en zijn overgrootvader in dezelfde kampen werkten en buren waren als ze niet in het bos waren – ik geloof dat hij zei dat het ongeveer op de plaats was waar nu Boyds jachthaven is. "Ze scheten in dezelfde kuil", om met hem te spreken. Charmant, hè? Hij zei dat als een stel houthakkers uit de TR miljonairs konden voortbrengen, het systeem niet slecht kon zijn. "Al duurde het drie generaties voor het zo ver was," zei hij. Indertijd beschouwde ik dat als bedekte kritiek op Lance.'

'Het is belachelijk, hoe hij het ook bedoelde,' zei ik. 'Mijn familie komt van de kust. Prout's Neck. De andere kant van de staat. Mijn vader was visser en zijn vader was dat ook. En mijn overgrootvader ook. Ze vingen kreeften en gooiden netten uit. Ze hakten geen bomen.' Dat alles was waar, maar toch probeerde mijn geest zich op iets te concentreren. Ik herinnerde me vaag iets wat in verband stond met wat ze zei. Als ik er een nachtje over sliep, kwam het misschien wel weer boven.

'Kan hij iemand uit de familie van je vrouw hebben bedoeld?'

'Nee. Er zijn Arlens in Maine – het is een grote familie – maar de meesten zitten nog in Massachusetts. Ze doen tegenwoordig uiteenlopende dingen, maar als je naar het jaar 1880 teruggaat, was de meerderheid steenhouwer in de buurt van Malden en Lynn. Devore heeft je wat wijsgemaakt, Mattie.' Toch wist ik eigenlijk wel beter. Hij mocht er dan gedeeltelijk naast zitten – zelfs de intelligentste mensen beginnen aan geheugenverlies te lijden als ze achter in de tachtig zijn – maar Max Devore was niet iemand die zomaar dingen verzon. Er stond me een beeld voor ogen van onzichtbare kabels die zich hier in de TR onder het aardoppervlak uitstrekten – in alle richtingen, onzichtbaar maar erg sterk.

Mijn hand rustte op de bovenrand van mijn autodeur, en nu raakte ze hem even aan. 'Mag ik je nog iets anders vragen voordat je gaat? Ik waarschuw je: het is iets doms.'

'Ga je gang. Domme vragen zijn mijn specialiteit.'

'Heb je enig idee waar dat "Bartleby"-verhaal over gaat?'

Ik wilde lachen, maar er was nog net zoveel maanlicht dat ik kon zien dat ze het serieus meende en dat ik haar zou kwetsen als ik lachte. Ze zat in Lindy Briggs' leesclubje (waarvoor ik eind jaren tachtig eens een voordracht had gehouden). Waarschijnlijk was ze verreweg het jongste lid en was ze bang om dom over te komen.

'Ik moet de volgende keer als eerste spreken,' zei ze, 'en ik kan wel een samenvatting van het verhaal geven om te demonstreren dat ik het heb gelezen, maar ik wil graag wat meer vertellen. Ik heb erover nagedacht tot mijn hoofd er pijn van deed, en ik zie het gewoon niet. Ik geloof ook niet dat het een van die verhalen is waarop alles in de laatste paar bladzijden op een wonderbaarlijke manier helemaal duidelijk wordt. En ik heb het gevoel dat ik het zou móéten zien – dat het eigenlijk heel eenvoudig is.'

Dat deed me weer aan de kabels denken – kabels die in alle richtingen liepen, een onderhuids web dat mensen en plaatsen met elkaar verbond. Je kon ze niet zien, maar je kon ze wel voelen. Vooral wanneer je weg probeerde te komen. Intussen keek Mattie me afwachtend, hoopvol aan.

'Goed, luister, dan begint de les,' zei ik.

'Ik ben een en al oor. Geloof me.'

'De meeste critici denken dat *Huckleberry Finn* de eerste moderne Amerikaanse roman was, en daar zit wat in, maar als "Bartleby" honderd bladzijden langer was, zou ik daar mijn geld op zetten. Weet je wat een klerk was?'

'Een secretaris?'

'Dat is te overdreven. Een kopiist. Zo iemand als Bob Cratchit in *Een Kerstverhaal* van Dickens. Maar Dickens geeft Bob een verleden en een gezinsleven. Melville geeft Bartleby geen van beide. Hij is het eerste existentiële personage in de Amerikaanse romankunst, iemand zonder banden... zonder banden met, je weet wel...'

Een paar houthakkers die miljonairs konden voortbrengen. Ze scheten in dezelfde kuil.

'Mike?'

'Wat?'

'Voel je je wel goed?'

'Ja.' Ik concentreerde me zo diep mogelijk. 'Bartleby is alleen door zijn werk aan het leven gebonden. In dat opzicht is hij een twintigsteeeuws Amerikaans type, niet veel anders dan de Man in het Grijze Flanellen Pak van Sloan Wilson, of – de duistere versie – Michael Corleone in *De peetvader*. Maar dan begint Bartleby zelfs werk, de god van de mannen uit de Amerikaanse middenklasse, in twijfel te trekken.'

Ze keek nu opgewonden, en ik vond het jammer dat ze haar middelbare school niet had afgemaakt. Jammer voor haar, en ook voor haar leraren. 'Begint hij daarom met de woorden: "Ik doe dat liever niet"?'

'Ja. Je moet Bartleby zien als een... een heteluchtballon. Hij is nog maar via één touw met de aarde verbonden, en dat touw is zijn kopieerwerk. Er zijn steeds meer dingen die Bartleby liever niet doet, en daaraan kunnen we de voortgang van het rottingsproces in dat touw afmeten. Ten slotte breekt het touw en zweeft Bartleby weg. Het is een diep verontrustend verhaal, vind je niet?'

'Op een nacht heb ik van hem gedroomd,' zei ze. 'Ik maakte de deur van de caravan open en daar was hij. Hij zat in zijn oude zwarte pak op de trap. Mager. Niet veel haar. Ik zei: "Wilt u even opzij gaan? Ik moet naar buiten om de was op te hangen." En hij zei: "Dat doe ik liever niet." Ja, ik denk dat je het wel verontrustend kunt noemen.'

'Dan werkt het nog steeds,' zei ik, en ik stapte in mijn auto. 'Bel me. Om te vertellen hoe het met John Storrow is gegaan.'

'Doe ik. En als ik iets voor je terug kan doen, hoef je het maar te vragen.'

Hoef je het maar te vragen. Hoe jong moest je zijn, hoe heerlijk onwetend, om zo'n blanco cheque uit te schrijven?

Mijn raampje stond open. Ik stak mijn hand erdoorheen en gaf een kneepje in haar hand. Ze kneep hard terug.

'Je mist je vrouw erg, hè?' zei ze.

'Is dat te zien?'

'Soms.' Ze kneep niet meer, maar hield nog steeds mijn hand vast. 'Toen je Ki voorlas, zag je er tegelijk gelukkig en verdrietig uit. Ik heb haar maar één keer gezien, je vrouw, maar ik vond haar erg mooi.'

Ik was met mijn gedachten bij de aanraking van onze handen, had me daarop geconcentreerd. Nu dacht ik daar helemaal niet meer aan. 'Wanneer heb je haar gezien? En waar? Weet je dat nog?'

Ze glimlachte alsof het erg domme vragen waren. 'Ik weet het nog. Het was op het sportveld, op de avond dat ik mijn man ontmoette.'

Langzaam trok ik mijn hand uit de hare terug. Voor zover ik wist was noch Jo noch ik tijdens die hele zomer van 1994 in de TR geweest... maar blijkbaar had ik het mis. Jo was hier op een dinsdag in het begin van juli geweest. Ze was zelfs naar een softbalwedstrijd gegaan.

'Weet je zeker dat het Jo was?' vroeg ik.

Mattie keek naar de weg. Ze dacht niet aan mijn vrouw; daar zou ik mijn huis onder willen verwedden – mijn beide huizen. Ze dacht aan Lance. Misschien was dat goed. Als ze aan hem dacht, zou ze waarschijnlijk niet zo goed op mij letten, en ik geloofde niet dat ik mezelf op dat moment goed onder controle had. Misschien had ze dan meer op mijn gezicht gezien dan ik wilde laten blijken.

'Ja,' zei ze. 'Ik stond daar met Jenna McCoy en Helen Geary – nadat Lance me had geholpen met een vaatje bier waarmee ik in de modder was blijven steken, en hij me had gevraagd of ik na de wedstrijd meeging pizza eten met het hele stel – en Jenna zei: "Kijk, daar heb je mevrouw Noonan," en Helen zei: "Dat is de vrouw van die schrijver, Mattie, heeft ze geen prachtige blouse aan?" Die blouse was helemaal bedekt met blauwe rozen.'

Ik kon me die blouse erg goed herinneren. Jo vond hem mooi omdat het een grap was – er bestaan geen blauwe rozen, niet in de natuur en niet gekweekt. Een keer had ze, met die blouse aan, haar armen met een wulps gebaar om mijn hals geslagen. Ze had haar heupen tegen de mijne gedrukt en uitgeroepen dat ze mijn blauwe roos was en dat ik haar moest strelen tot ze roze werd. Die herinnering deed pijn, erg veel pijn.

'Ze stond bij het derde honk, achter het scherm van kippengaas,' zei Mattie, 'met een man die een oud bruin jasje met elleboogstukken droeg. Ze lachten samen om iets, en toen draaide ze haar hoofd een beetje opzij en keek me recht aan.' Ze zweeg even, daar in haar rode jurk naast mijn auto. Ze bracht het haar vanaf haar nek omhoog, hield het vast en liet het weer vallen. 'Ze keek me recht aan. Zag me echt. En ze had iets... Ze had net gelachen, maar toch had ze een verdrietig gezicht. Het was of ze me kende. Toen sloeg die man zijn arm om haar middel en liepen ze weg.'

Stilte, afgezien van de krekels en het dreunen van een truck in de verte. Mattie stond daar maar wat, alsof ze met haar ogen open droomde, en toen merkte ze iets en keek ze me weer aan.

'Is er iets mis?'

'Nee. Alleen, wie was die man met zijn arm om mijn vrouw?'

Ze lachte een beetje onzeker. 'Nou, ik denk niet dat het haar vriendje was, weet je. Hij was een stuk ouder. Minstens vijftig.' *Nou en?* dacht ik. Ik was zelf veertig, maar daarom was het me niet ontgaan hoe Mattie in haar jurk bewoog, of hoe ze haar haar uit haar nek tilde. 'Ik bedoel... je maakt toch een grapje?'

'Dat weet ik eigenlijk niet. Er zijn tegenwoordig een hoop dingen die ik niet weet. Maar de dame leeft niet meer, dus het doet er niet zoveel meer toe.'

Mattie keek me geschokt aan. 'Als ik iets verkeerds heb gezegd, Mike, dan spijt dat me.'

'Wie wás die man? Weet je dat?'

Ze schudde haar hoofd. 'Ik dacht dat hij een vakantieganger was – die indruk maakte hij, misschien alleen omdat hij op een warme zomeravond een colbertje droeg – maar als hij dat was, logeerde hij niet in Warrington's. Die kende ik bijna allemaal.'

'En ze liepen samen weg?'

'Ja.' Ze zei het met tegenzin.

'Naar het parkeerterrein?'

'Ja.' Nog meer tegenzin. En ditmaal loog ze. Op de een of andere manier wist ik dat, niet intuïtief maar alsof ik haar gedachten kon lezen.

Ik stak mijn hand door de opening van het raam en pakte haar hand weer vast. 'Je zei dat als je iets voor me terug kon doen, ik het maar hoefde te vragen. Dat doe ik nu. Vertel me de waarheid, Mattie.'

Ze beet op haar lip en keek naar mijn hand, die nog op de hare lag. Toen keek ze me aan. 'Hij was stevig gebouwd. Door dat oude colbertje leek hij een beetje op een professor, maar hij kan ook best in de bouw hebben gewerkt. Hij had zwart haar en een gebruinde huid. Ze lachten hard met elkaar, en toen keek ze me aan en verdween de lach van haar gezicht. Daarna sloeg hij zijn arm om haar heen en liepen ze samen weg.' Ze zweeg even. 'Maar niet naar het parkeerterrein. Naar De Straat.'

De Straat. Van daaruit konden ze in noordelijke richting langs de oever van het meer lopen tot ze bij Sara Laughs waren. En dan? Wie zou het zeggen?

'Ze heeft me nooit verteld dat ze hier die zomer geweest is,' zei ik.

Mattie zocht blijkbaar naar iets wat ze daarop kon zeggen, en vond niets wat haar aanstond. Ik gaf haar hand aan haar terug. Het werd tijd dat ik ging. Eigenlijk begon ik te wensen dat ik vijf minuten eerder was weggegaan.

'Mike, ik weet zeker...'

'Nee,' zei ik. 'Dat weet je niet. Ik ook niet. Maar ik hield veel van haar en ik wil proberen dit los te laten. Het betekent waarschijnlijk niets, en trouwens... Wat kan ik anders doen? Bedankt voor het eten.'

'Geen dank.' Mattie stond zo te zien op het punt in huilen uit te barsten, en daarom pakte ik haar hand weer vast en drukte er een kus op. 'Ik voel me een uilskuiken.'

'Je bent geen uilskuiken,' zei ik.

Ik drukte nog een kus op haar hand en reed toen weg. En dat was dan mijn afspraakje, het eerste in vier jaar.

Op weg naar huis dacht ik aan wat mensen altijd zeiden: je kunt iemand nooit echt leren kennen. Het is gemakkelijk om lippendienst aan dat idee te bewijzen, maar het is een schok – zo vreselijk en onverwacht als hevige luchtturbulentie op een vliegreis die tot dan toe kalm is verlopen – om het in je eigen leven te ontdekken. Ik moest steeds weer denken aan een bezoek dat we aan een specialist hadden gebracht toen we al bijna twee jaar zonder succes hadden geprobeerd een baby te krijgen. De arts had ons verteld dat ik weinig zaadcellen had. Het waren er niet rampzalig weinig, maar het verklaarde wel waarom Jo niet zwanger werd.

'Als u een kind wilt, zult u er waarschijnlijk zonder bijzondere ingrepen een kunnen krijgen,' had de dokter gezegd. 'Zowel de kansen als de tijd werken in uw voordeel. Het kan morgen gebeuren, het kan ook over vier jaar gebeuren. Of u ooit een huis vol kinderen zult hebben? Waarschijnlijk niet. Maar u zult er misschien twee krijgen, en u zult er bijna zeker één krijgen, als u datgene doet wat nodig is om ze te maken.' Ze had gegrinnikt. 'Vergeet niet: het plezier zit hem in de reis.'

We hadden inderdaad veel plezier gehad, veel gerinkel van Bunters bel, maar er was geen baby gekomen. Toen was Johanna op een warme dag op het parkeerterrein van een winkelcentrum gestorven en bleek ze een Norco-zwangerschapstest in haar tasje te hebben terwijl ze me helemaal niet had verteld dat ze zo'n test zou kopen. Zoals ze me ook niet had verteld dat ze twee plastic uilen had gekocht om te voorkomen dat de kraaien op ons terras aan het meer scheten.

Wat had ze me nog meer niet verteld?

'Stop,' mompelde ik. 'Alsjeblieft, denk daar niet meer aan.'

Maar ik moest er wel aan denken.

Toen ik in Sara terugkwam, zaten de fruit- en groentemagneetjes op de koelkast weer in een kring. Er zaten drie letters in het midden.

g d
o

Ik schoof de *o* naar boven, naar de plaats waar hij volgens mij thuishoorde. Er stond nu 'god', of misschien moest er ook nog een *e* bij om het woord 'goed' te vormen. Wat betekende dit precies? 'Ik kan daarover speculeren, maar dat doe ik liever niet,' zei ik tegen het lege huis. Ik keek naar Bunter de eland om hem te dwingen de bel om zijn mottige nek te laten rinkelen. Toen dat niet gebeurde, maakte ik mijn twee nieuwe Magnabet-pakjes open en zette ik de letters op de koelkastdeur. Toen ging ik naar de noordelijke aanbouw, kleedde me uit en poetste mijn tanden.

Toen ik mijn tanden voor de spiegel ontblootte, op een overdreven manier zoals je in tekenfilms ziet, overwoog ik om Ward Hankins de volgende morgen weer te bellen. Ik kon hem vertellen dat ik nog steeds op zoek was naar die plastic uilen en dat ik nu in juli 1994 geïnteresseerd was. Welke afspraken had Jo die maand in haar agenda staan? Welke redenen had ze om uit Derry weg te gaan? En als ik klaar was met Ward, kon ik Jo's vriendin Bonnie Amudson bellen en haar vragen of Jo in de laatste zomer van haar leven iets had uitgespookt.

Waarom laat je haar niet in vrede rusten? Dat was de UFO-stem. *Wat heb je aan al dat gedoe? Ga er nou maar van uit dat ze na een van haar bestuursvergaderingen naar de TR ging, misschien omdat ze daar opeens zin in had gekregen, en dat ze hier een oude vriend ontmoette, en dat ze met hem naar het huis is gegaan om een hapje te eten.* Alleen *om te eten.*

Zonder het mij te vertellen? vroeg ik de UFO-stem. Ik spuwde een mondvol tandpasta uit en begon te spoelen. *Zonder er ooit met een woord over te spreken?*

Hoe weet je dat ze dat niet heeft gedaan? antwoordde de stem. Ik wilde net mijn tandenborstel in het medicijnkastje terugleggen, maar nu verstijfde ik. De UFO-stem zou gelijk kunnen hebben. In juli 1994 werd ik volledig in beslag genomen door *Helemaal van de top.* Jo had binnen kunnen komen om me te vertellen dat ze Lon Chaney junior met de koningin had zien dansen, als de Weerwolven van Londen, en dan zou ik waarschijnlijk hebben gezegd: 'Ja, schat, wat leuk,' terwijl ik stug doorging met het lezen van de proeven.

'Onzin,' zei ik tegen mijn spiegelbeeld. 'Dat is onzin.'

Maar dat was het niet. Als ik echt op volle kracht aan een boek bezig was, stond ik min of meer buiten de wereld. Afgezien van een snelle blik op de sportpagina's las ik de krant niet eens. Dus ja – het wás mogelijk dat Jo me had verteld dat ze na een bestuursvergadering in Lewiston of Freeport naar de TR was gereden, en het wás mogelijk dat ze me had verteld dat ze daar een oude vriend had ontmoet – misschien iemand van de fotografiecursus die ze in 1991 in Bates had gevolgd – en het wás mogelijk dat ze me had verteld dat ze samen op ons terras hadden gegeten, dat ze zwarte trompetpaddestoelen hadden gegeten die ze zelf in het licht van de ondergaande zon had geplukt. Het was mogelijk dat ze me die dingen had verteld zonder dat er iets tot me doorgedrongen was.

En dacht ik nu echt dat ik uit Bonnie Amudson iets los zou krijgen waar ik wat aan had? Ze was Jo's vriendin geweest, niet de mijne, en Bonnie vond misschien dat de geheimen die mijn vrouw haar had verteld nog lang niet verjaard waren.

In feite kwam het neer op een simpele waarheid: Jo was vier jaar dood. Ik kon beter gewoon van haar blijven houden en me niet druk maken om al die verontrustende vragen. Ik nam een laatste slok water zo uit de kraan, liet het door mijn mond gaan en spuwde het uit.

Toen ik in de keuken terugkwam om het koffiezetapparaat op zeven uur 's morgens in te stellen, zag ik een nieuwe boodschap in een nieuwe kring van magneetjes. Er stond

blauwe roos leugenaar ha ha

Ik keek er even naar en vroeg me af wie die woorden had gevormd, en waarom.

Ik vroeg me af of het waar was.

Ik stak mijn hand uit en husselde de letters door elkaar. Toen ging ik naar bed.

13

Ik kreeg de mazelen toen ik acht was, en ik was erg ziek. 'Ik dacht dat je doodging,' zei mijn vader een keer tegen me, en hij was niet iemand die gauw overdreef. Hij vertelde me dat hij en mijn moeder me op een avond in een bad met koud water hadden gezet. Ze waren er allebei half van overtuigd geweest dat de schok van het koude water mijn hart tot stilstand zou brengen, maar ze waren er helemaal van overtuigd geweest dat ik voor hun ogen zou opbranden als ze niet *iets* deden. Ik sprak inmiddels op een harde, monotone, onsamenhangende manier over de heldere figuren die ik in de kamer zag – engelen die me kwamen halen, daar was mijn doodsbange moeder zeker van – en de laatste keer dat mijn vader mijn temperatuur opnam voordat ze me in het koude water dompelden, zei hij dat het kwik op de oude rectale thermometer van het merk Johnson & Johnson tot eenenveertig graden was opgelopen. Daarna, zei hij, had hij het niet meer aangedurfd om de temperatuur op te nemen.

Ik kan me geen heldere figuren herinneren, maar ik herinner me wel een vreemde periode waarin het was of ik in een lachpaleis op de kermis was en in een gang stond waar verschillende films tegelijk werden vertoond. De wereld was van elastiek, zwol op op ongebruikelijke plaatsen, trilde op plaatsen waar nooit enige beweging was geweest. Mensen – de meesten leken onmogelijk groot – renden met scharende tekenfilmbenen mijn kamer in en uit. Hun woorden kwamen er allemaal bulderend uit, met instantecho's. Iemand schudde een paar babyschoentjes voor mijn gezicht heen en weer. Ik meen me ook te herinneren dat mijn broer, Siddy, zijn hand in zijn overhemd stak en okselscheetgeluiden maakte. De continuïteit was weg. Alles kwam segment voor segment, als gekke knakworstjes aan een koord.

In de jaren tussen die tijd en de zomer waarin ik naar Sara Laughs terugkeerde, kreeg ik de gebruikelijke ziekten, ontstekingen en kwetsuren, maar nooit iets wat te vergelijken was met die koorts op mijn achtste. Ik verwachtte dat ook niet. Waarschijnlijk geloofde ik dat zulke dingen alleen kinderen overkwamen, of mensen met malaria, of misschien mensen met een desastreuze zenuwinzinking. Maar in de nacht van 7 op 8 juli maakte ik iets mee wat opmerkelijk veel op dat delirium in mijn kindertijd leek. Dromen, waken, bewegen – het ging allemaal samen. Ik zal het je zo goed mogelijk vertellen, maar ik kan niet met woorden duidelijk maken hoe vreemd die ervaring was. Het was of ik een geheime gang had gevonden die achter de muur van de wereld schuilging. Ik kroop door die gang.

Eerst was er muziek. Geen dixieland, want er waren geen blaasinstrumenten, maar wel zoiets als dixieland. Een primitief, wervelend soort bebop. Drie of vier akoestische gitaren, een mondharmonica, een bas (misschien twee bassen). Achter dat alles zat een hard en enthousiast tromgeroffel dat net klonk alsof het van een echte trommel kwam; het klonk alsof iemand met veel drumtalent op een stel dozen aan het meppen was. Toen kwam er een vrouwenstem – een hoge tenor, net niet mannelijk, die nogal ruw over de hoge tonen heen ging. Die stem lachte en was intens en onheilspellend tegelijk, en ik wist meteen dat ik Sara Tidwell hoorde, die in haar hele leven nooit een plaat had gemaakt. Ik hoorde Sara Laughs, en allemachtig, wat kon ze *rocken.*

'You know we're goin back to MAN*derley,*
We're gonna dance on the SAN*derley,*
I'm gonna sing with the BAN*derley,*
We gonna ball all we CAN*derley...*
Ball me, baby, yeah!'

De bassen – ja, het waren er twee – barstten uit in een soort klompendans als de break in Elvis' versie van 'Baby Let's Play House', en toen was er een gitaarsolo: Son Tidwell die op dat 'chickenscratch'-ding speelde.

Er schenen lichtjes in de duisternis, en ik dacht aan een nummer uit de jaren vijftig – Claudine Clarck, die 'Party Lights' zong. En daar waren ze, lampionnen die aan de bomen boven het bielzenpad hingen, het pad dat van het huis naar het water leidde. Feestverlichting die geheimzinnige kringen van licht in de duisternis wierp: rood, blauw en groen.

Achter me zong Sara nog steeds haar Manderley-lied – *mama likes it nasty, mama likes it strong, mama likes to party all night long* – maar het werd vager. Zo te horen hadden Sara en de Red-Top Boys zich op de oprijlaan geïnstalleerd, ongeveer op de plaats waar George Footman zijn auto had geparkeerd toen hij me Max Devores dagvaarding kwam brengen. Ik daalde door kringen van licht naar het meer af, langs lampionnen omringd door zachtgevleugelde nachtvlinders. Een van die nachtvlinders was in een lampion terechtgekomen en wierp nu een monsterlijke, vleermuisachtige schaduw over het geribbelde papier. De bloembakken die Jo naast het trapje had gezet, zaten vol nachtbloeiende rozen. In het licht van de lampionnen leken ze blauw.

Nu was de band alleen nog een vaag gemurmel; ik hoorde Sara de tekst uitschreeuwen, hoorde hoe ze zich door het nummer heen lachte alsof ze nog nooit zoiets grappigs had gehoord, al dat Manderley-sanderley-canderley-gedoe, maar ik kon de afzonderlijke woorden niet meer verstaan. Veel duidelijker was het kabbelen van het meer tegen de rotsen aan de voet van de trap, het holle kloenk-kloenk van de vaten onder het vlot, de kreet van een fuut in de duisternis. Iemand stond rechts van me op De Straat, aan de rand van het meer. Ik kon zijn gezicht niet zien, maar ik kon wel zijn bruine colbertje en het T-shirt daaronder zien. De revers sneden letters van de boodschap op het T-shirt af, en dus las ik:

ENO

AA

ELLE

Ik wist evengoed wat er stond – in dromen weet je het bijna altijd, hè? GENOEG ZAADCELLEN. Je zou het zo aan de muur van het Village Cafe hangen.

Ik was in de noordelijke slaapkamer toen ik dat allemaal droomde, en nu was ik wakker genoeg om te wéten dat ik droomde... alleen was het of ik wakker werd in een andere droom, want Bunters bel ging als een gek te keer en er stond iemand in de gang. Meneer Genoeg Zaadcellen? Nee, die niet. De schaduw die op de deur viel, had geen menselijke vorm. Het was een ineengedoken schaduw, zonder duidelijk zichtbare armen. Ik ging rechtop zitten toen ik het zilveren tinkelen van de bel hoorde, en propte een punt van het laken tegen mijn naakte middel. Ik was ervan overtuigd dat het ding in de lijkwade er was – het ding dat uit zijn graf was gekomen om me te grijpen.

'Alsjeblieft, niet doen,' zei ik met een droge, bevende stem. 'Alsjeblieft, niet doen.'

De schaduw op de deur bracht zijn armen omhoog. *'It ain't nuthin but a barndance sugar!'* zong Sara Tidwells lachende, woedende stem. *'It ain't nuthin but a round-and-round!'*

Ik ging weer liggen en trok het laken over mijn gezicht, zoals een kind zou doen... en toen stond ik op ons kleine stukje strand, met alleen mijn onderbroek aan. Ik stond tot aan mijn enkels in het water. Het was warm, zoals het meer in het midden van de zomer vaak warm is. Mijn vage schaduw viel in twee richtingen, in de ene richting door het dunne schijfje maan dat laag boven het water stond, in de andere richting door de lampion met de nachtvlinder erin. De man die op het pad had gestaan was weg, maar hij had een plastic uil achtergelaten om aan te geven waar hij had gestaan. De uil keek me met starre, goudomrande ogen aan.

'Hé Ier!'

Ik keek naar het vlot op het meer. Daar stond Jo. Ze was blijkbaar net uit het water geklommen, want ze was nog drijfnat en haar haar zat tegen haar wangen geplakt. Ze droeg het tweedelig badpak van de foto die ik had gevonden, grijs met rode biezen.

'Het is lang geleden, Ier – wat zeg je ervan?'

'Waarvan?' riep ik terug, al wist ik het wel.

'Hiervan!' Ze legde haar handen op haar borsten en kneep erin. Het water liep tussen haar vingers door in stroompjes over haar knokkels.

'Kom op, Ier,' zei ze, naast en boven me. 'Kom op, jongen, laten we gaan.' Ik voelde dat ze het laken wegtrok. Ze trok het moeiteloos uit mijn door slaap verdoofde vingers. Ik deed mijn ogen dicht, maar ze pakte mijn hand vast en hield hem tussen haar benen. Toen ik die fluweelzachte zoom vond en hem open begon te strelen, begon ze met haar vingers over mijn nek te wrijven.

'Jij bent Jo niet,' zei ik. 'Wie ben je?'

Maar er was niemand om antwoord te geven. Ik was in het bos. Het was donker en op het meer riepen de futen. Ik liep over het pad naar Jo's atelier. Het was geen droom; ik voelde de koele lucht tegen mijn huid, en soms prikte er een steentje in mijn blote voetzool of hiel. Een mug zoemde bij mijn oor en ik sloeg hem weg. Ik droeg een Jockeyshort, en die trok bij elke stap aan mijn grote, kloppende erectie.

'Wat is dit in godsnaam?' vroeg ik toen Jo's kleine houten atelier in het donker opdoemde. Ik keek achter me en zag Sara op haar heuvel, niet de vrouw maar het huis, een langgerekt bouwwerk dat zich naar het nachtelijke meer uitstrekte. 'Wat gebeurt er met me?'

'Alles is goed, Mike,' zei Jo. Ze stond op het vlot en keek naar me terwijl ik naar haar toe zwom. Ze legde haar handen achter haar nek als een pin-up, en drukte haar borsten nog voller tegen het vochtige badpak. Net als op de foto kon ik haar tepels door de stof heen zien. Ik zwom in mijn onderbroek, en dat nog steeds met die enorme erectie.

'Alles is goed, Mike,' zei Mattie in de noordelijke slaapkamer, en ik deed mijn ogen open. Ze zat naast me op het bed, glad en naakt in het zwakke licht van de maan. Haar haar hing tot op haar schouders. Haar borsten waren klein, zo groot als theekopjes, maar de tepels waren groot en opgezet. Tussen haar benen, waar mijn hand nog was, had ze een toefje blond haar, zo glad als dons. Haar lichaam was gehuld in schaduwen, in de vorm van vleugels van nachtvlinders, van bloemblaadjes van rozen. Er ging iets enorm aantrekkelijks van haar uit zoals ze daar zat – ze was net de prijs waarvan je weet dat je hem nooit in de schiettent of bij het ringsteken zult winnen. De prijs die ze op de bovenste plank hebben staan. Ze greep onder het laken en sloot haar vingers om de opgerekte stof van mijn onderbroek.

'*Everything's all right, this ain't nuthin but a round-and-round*,' zei de UFO-stem toen ik de trap naar het atelier van mijn vrouw beklom. Ik bukte me, tastte onder de mat en vond de sleutel.

Ik beklom het trapje naar het vlot, druipnat, voorafgegaan door mijn gezwollen lid – is er iets, vroeg ik me af, zo onbedoeld komisch als een seksueel opgewonden man? Jo stond in haar natte badpak op de planken. Ik trok Mattie bij me op het bed. Ik maakte de deur van Jo's atelier open. Al die dingen gebeurden tegelijk, ze zweefden door elkaar heen als strengen van een exotische kabel. Dat met Jo voelde het meest als een droom aan, en dat in het atelier, waar ik over de vloer liep en naar mijn oude groene IBM keek, het minst. Mattie in de noordelijke slaapkamer zat daar ergens tussenin.

Op het vlot zei Jo: 'Doe wat je wilt.' In de noordelijke slaapkamer zei Mattie: 'Doe wat je wilt.' In het atelier hoefde niemand me iets te vertellen. Daar wist ik *precies* wat ik wilde.

Op het vlot boog ik mijn hoofd en bracht ik mijn mond naar een van Jo's borsten en zoog ik de met textiel bedekte tepel in mijn mond. Ik proefde vochtig katoen en muf meerwater. Ze greep naar me waar ik naar voren stak en ik duwde haar hand weg. Als ze me aanraakte, zou ik meteen klaarkomen. Ik zoog, dronk katoenwater, tastte met mijn eigen handen, streelde eerst haar achterste en trok toen de onderste helft van haar bikini omlaag. Ik kreeg het uit en ze liet zich op haar knieën zakken. Ik deed dat ook, bevrijdde me eindelijk van mijn natte, plakkende onderbroek en gooide hem op haar bikinibroekje. Ik was nu helemaal naakt, en zij bijna.

'Wie was die man bij de wedstrijd?' hijgde ik. 'Wie was hij, Jo?'

'Niemand in het bijzonder, Ier. Gewoon een zak met beenderen.'

Ze lachte, leunde toen op haar hurken achterover en keek me aan. Haar navel was een klein zwart knopje. Haar hele houding had de bizarre aantrekkelijkheid van een slang. 'Alles daar beneden is de dood,' zei ze, en ze drukte haar koude handpalmen en witte verschrompelde vingers tegen mijn wangen. Ze draaide mijn hoofd opzij en boog het, zodat ik in het meer keek. Onder water zag ik rottende lichamen voorbijtrekken, voortgedreven door een diepe stroming. Hun natte ogen staarden omhoog. Hun neuzen, waaraan vissen geknabbeld hadden, waren wijd open. Sommige doden trokken lijkwitte ballonnen van kwallendarmen achter zich aan; sommige waren weinig meer dan gebeente. Toch kon zelfs de aanblik van die drijvende knekelparade me niet afleiden van wat ik wilde. Ik schudde mijn hoofd uit haar handen los, duwde haar op de planken en vond ten slotte verkoeling voor datgene wat zo hard en tegendraads was, liet het diep wegzakken. Haar ogen, waarin het zilveren maanlicht glansde, keken naar me op, door me heen, en ik zag dat de ene pupil groter was dan de andere. Zo hadden haar ogen eruitgezien op het televisiescherm toen ik haar in het lijkenhuis van Derry had geïdentificeerd. Ze was dood. Mijn vrouw was dood en ik neukte haar lijk. Ook dat besef kon me niet tegenhouden. 'Wie was hij?' riep ik haar toe, terwijl ik op haar koude lichaam daar op die natte planken lag. 'Wie was hij, Jo? Vertel me in godsnaam wie hij was.'

In de noordelijke slaapkamer trok ik Mattie op me. Ik genoot van de aanraking van die kleine borsten op mijn borst en van haar lange, verstrengelde benen. Toen rolde ik haar naar de andere kant van het bed. Ik voelde dat haar hand zich naar me uitstrekte en sloeg hem weg – als ze me aanraakte waar ze me wilde aanraken, zou ik onmiddellijk klaarkomen. 'Spreid je benen, vlug,' zei ik, en ze gehoorzaamde. Ik deed mijn ogen dicht, sloot alle andere zintuiglijke gewaarwordingen buiten. Ik stuwde naar voren, maar hield toen even op. Ik bracht één kleine wijziging aan, duwde even met de zijkant van mijn hand tegen mijn gezwollen penis, en rolde toen met mijn heupen en schoof in haar als een vinger in een zijden handschoen. Ze keek met grote ogen naar me op, legde toen haar hand op mijn wang en draaide mijn hoofd opzij. 'Alles daar buiten is de dood,' zei ze, alsof ze iets vertelde wat voor de hand lag. In het raam zag ik Fifth Avenue tussen 50th en 60th Street – al die trendy winkels, Bijan en Bally, Tiffany en Bergdorf's en Steuben Glass. En daar kwam Harold Oblowski, op weg naar het noorden en zwaaiend met zijn varkenslederen aktetas (die Jo en ik hem met Kerstmis hadden gegeven in het jaar voordat ze stierf). Naast hem liep, met een tas van Barnes and Nobles aan haar hand, de weelderige, prachtige Nola, zijn secretaresse. Alleen was haar weelderigheid verdwenen. Dit was een grijnzend, vergeeld skelet in een Donna Karan-pakje en met alligatorlederen pumps, dunne, beringde botten in plaats van vingers die het handvat van de tas omklemden. Harolds tanden staken naar voren in zijn gebruikelijke agentengrijns, die nu zo breed was dat het absurd leek. Zijn favoriete pak, de antracietgrijze tweerijer van Paul Stuart, flapte als een zeil in een stevige bries heen en weer. Overal om hen heen, aan weerskanten van de straat, liepen de levende doden – mammiemummies die babylijkjes aan de hand meetrokken of hen in dure kinderwagens voortduwden, zombieportiers, uit de dood herrezen skateboarders. Een lange zwarte man bij wie de laatste reepjes vlees als strookjes hertenleer aan zijn gezicht hingen, liet het geraamte van zijn Duitser herder uit. De taxichauffeurs zaten op ragamuziek te rotten. De gezichten die vanuit de voorbijrijdende bussen naar beneden keken, waren schedels, elk met hun eigen versie van Harolds grijns – *Hé, hoe gaat het, hoe is het met je vrouw, hoe gaat het met je kinderen, de laatste tijd nog goeie boeken geschreven?* De pindaventer was aan het rotten. Toch kon niets van dat alles me blussen. Ik stond in brand. Ik schoof mijn handen onder haar billen, tilde haar op, bijtend in het laken (het patroon, zag ik zonder enige verbazing, bestond uit blauwe rozen), tot ik het onder het matras vandaan trok om te voorkomen dat ik in haar nek, schouder, borsten beet, overal waar mijn tanden bij konden. 'Vertel me wie het was!' schreeuwde ik haar toe. 'Je weet het, ik weet dat je het weet!' Mijn stem werd zo door mijn laken gesmoord dat ik betwijfelde of iemand anders dan ikzelf het kon verstaan. 'Vertel op, kreng!'

Op het pad tussen Jo's atelier en het huis stond ik in het donker. Ik had de schrijfmachine in mijn armen en de erectie uit de verschillende dromen trilde onder de metalen massa – alles was gereed en niets was bereid. Behalve misschien de nachtelijke bries. Opeens was ik me ervan bewust dat ik niet meer alleen was. Het ding in de lijkwade was achter me. Het was net als de nachtvlinders op de feestverlichting afgekomen. Het lachte – een brutale, rokerige lach die van maar één vrouw afkomstig kon zijn. Ik zag de hand niet die langs mijn heup reikte om me vast te pakken – de schrijfmachine zat in de weg – maar ik hoefde hem niet te zien om te weten dat hij bruin was. De hand kneep, steeds iets harder, met wriemelende vingers.

'Wat wil je weten, schat?' vroeg ze achter me. Nog steeds lachend. Nog steeds plagend. 'Wil je het echt weten? Wil je het weten of wil je het voelen?'

'O, je vermoordt me!' riep ik. De schrijfmachine – minstens vijftien kilo IBM Selectric – schudde in mijn armen. Ik voelde dat mijn spieren trilden als gitaarsnaren.

'Wil je weten wie het was, schat? Die nare man?'

'*Doe het met me, kreng!*' schreeuwde ik. Ze lachte weer – een scherpe lach, het was bijna hoesten – en kneep me waar het goed knijpen was.

'En nu niet meer bewegen,' zei ze. 'Niet meer bewegen, mooie jongen, anders schrik ik en ruk ik dat ding van je helemaal uit de...' De rest ontging me, want de hele wereld explodeerde in een orgasme zo diep en sterk dat ik dacht dat het me gewoon uit elkaar zou scheuren. Mijn hoofd klapte achterover als dat van een man die gehangen werd, en mijn zaad spoot eruit terwijl ik naar de sterren keek. Ik schreeuwde – ik moest wel – en op het meer schreeuwden twee futen terug.

Tegelijk was ik op het vlot. Jo was weg, maar ik kon vaag het geluid van de muziekband horen – Sara en Sonny en de Red-Top Boys schetterden zich door 'Black Mountain Rag' heen. Ik ging rechtop zitten, verdoofd en uitgeput, suf geneukt. Ik kon het pad dat naar het huis leidde niet zien, maar via de lampions kon ik het zigzagverloop volgen. Mijn onderbroek lag als een nat hoopje naast me. Ik pakte hem op en begon hem aan te trekken, alleen omdat ik geen zin had om hem in mijn hand te hebben als ik naar de oever terugzwom. Halverwege mijn knieën stopte ik en keek naar mijn vingers. Ze hadden een slijmerig laagje rottend vlees. Onder een aantal nagels kwamen bosjes uitgerukt haar vandaan. Lijkenhaar.

'O jezus,' kreunde ik. De kracht vloeide uit me weg. Ik liet me in de natheid zakken. Ik was in de slaapkamer aan de noordkant. Ik was in iets warms terechtgekomen, en ik dacht eerst dat het sperma was, maar toen zag ik in het vage schijnsel van het nachtlampje dat het iets donkerders was. Mattie was weg en het bed lag vol bloed. Midden in die plas bloed lag iets wat op het eerste gezicht een brok vlees of een stuk van een orgaan leek. Ik keek wat beter en zag dat het een pluchen dier was, iets met een zwarte vacht die dofrood was geworden van het bloed. Ik lag er op mijn zij naar te kijken, wilde het bed uitspringen en de kamer uitvluchten, maar kon het niet. Mijn spieren lagen op apegapen. Met wie had ik eigenlijk sex gehad in dit bed? En wat had ik met haar gedaan? Wat in godsnaam?

'Ik geloof deze leugens niet,' hoorde ik mezelf zeggen, alsof het een toverspreuk was. Ik werd tot één geheel geklapt. Zo ging het niet precies, maar het is de enige manier om enigszins duidelijk te maken wat er gebeurde. Ik was in drievoud – op het vlot, in de noordelijke slaapkamer, op het pad – en elke 'ik' voelde die harde klap, alsof de wind een vuist had gekregen. Alles werd zwart om me heen, en in die zwartheid was er het gestage zilveren getinkel van Bunters bel. Toen zakte dat weg en zakte ik ook weg. Een tijdje was ik helemaal nergens.

Ik hoorde weer het zorgeloze gekwetter van vogels in de zomervakantie en zag die typische rode duisternis: de zon die door je dichte oogleden schijnt. Mijn nek was stijf, mijn hoofd zat scheef, mijn benen lagen op een rare manier onder me gevouwen, en ik had het heet.

Met een lichte huivering bracht ik mijn hoofd omhoog, en terwijl ik mijn ogen opendeed, wist ik meteen dat ik niet meer in het bed was, niet meer op het vlot, niet meer op het pad tussen het huis en het atelier. Ik had vloerdelen onder me, hard en onverbiddelijk.

Het licht was oogverblindend. Ik kneep mijn ogen weer dicht en kreunde als iemand met een kater. Ik deed ze voorzichtig weer open, achter mijn handen, en gunde ze de tijd om zich aan te passen. Toen haalde ik voorzichtig mijn handen weg, ging helemaal rechtop zitten en keek om me heen. Ik was op de overloop van de bovenverdieping en lag onder de defecte airco. Mevrouw Meserves briefje hing er nog aan. Voor de deur van mijn werkkamer stond de groene IBM met een stuk papier erin. Ik keek naar mijn voeten en zag dat ze vuil waren. Aan mijn zolen zaten dennennaalden geplakt, en ik had een schram op een van mijn tenen. Ik stond op, enigszins wankel (mijn rechterbeen sliep), en zette mijn hand tegen de muur om evenwicht te zoeken. Ik keek naar mezelf. Ik droeg de Jockeys waarmee ik in bed was gestapt, en zo te zien had ik daar geen ongelukje in gehad. Ik trok het elastiek weg en keek naar binnen. Mijn pik zag eruit zoals hij er altijd uitzag: klein en zacht, opgerold en slapend in dat bosje haar. Als hij die nacht op avontuur was geweest, was daar nu niets meer van te zien.

'Nou, het voelde wel aan als een avontuur,' kreunde ik. Ik veegde zweet van mijn voorhoofd. Het was daar op die bovenverdieping smoorheet. 'Maar niet het soort avontuur waarover je in *De Hardy's* las.'

Toen herinnerde ik me het met bloed doorweekte laken in de noordelijke slaapkamer, en het pluchen dier dat op zijn zij in dat bloed lag. Die herinnering ging absoluut niet gepaard met opluchting, dat gevoel van goddank-het-was-maar-een-droom dat je na een verschrikkelijke nachtmerrie hebt. Het voelde net zo echt aan als de dingen die ik in mijn delirium had ondergaan toen ik de mazelen had – en die dingen *waren* echt geweest, alleen verwrongen door mijn oververhitte brein.

Ik wankelde naar de trap en strompelde de treden af, waarbij ik me stevig aan de leuning moest vasthouden omdat ik niet op mijn tintelende been kon vertrouwen. Eenmaal beneden keek ik versuft in de huiskamer om me heen, alsof ik hem voor het eerst zag. Vervolgens strompelde ik over de gang van de noordelijke aanbouw.

De slaapkamerdeur stond op een kier en ik durfde hem eerst niet helemaal open te duwen. Ik was erg bang, en in mijn hoofd werd de hele tijd een oude aflevering van *Alfred Hitchcock presenteert* afgespeeld, die over de man die in een alcoholische black-out zijn vrouw wurgt. Hij is het volle halfuur van de aflevering op zoek naar haar en vindt haar ten slotte in de bijkeuken, opgezwollen en met haar ogen wijd open. Kyra Devore was het enige kind in de pluchenbeestenleeftijd dat ik de laatste tijd had ontmoet, maar toen ik haar moeder verliet en naar huis ging, had ze vredig onder haar donkerroze dekbed liggen slapen. Het was een onzinnige gedachte dat ik helemaal naar Wasp Hill Road terug was gereden, waarschijnlijk slechts in mijn onderbroek, en dat ik...

Wat? De vrouw heb verkracht? Het kind hierheen heb gebracht? In mijn slaap?

Ik heb de schrijfmachine toch ook in mijn slaap opgehaald? Hij staat boven op de gang.

Het is nogal een verschil om dertig meter door het bos te lopen, of tien kilometer over de weg naar...

Ik had geen zin om naar die ruziënde stemmen in mijn hoofd te blijven luisteren. Als ik nog niet gek was – en volgens mij was ik dat niet – zou ik het waarschijnlijk wel worden als ik naar die kibbelende klootzakken luisterde, en heel gauw ook. Ik stak mijn hand uit en duwde de slaapkamerdeur open.

Een ogenblik zag ik inderdaad een inktvispatroon van bloed op het laken, zo intens was mijn angst. Toen kneep ik mijn ogen stijf dicht, deed ze weer open en keek opnieuw. De lakens waren verkreukeld, het onderste was bijna helemaal losgetrokken. Ik kon de gewatteerde satijnen hoes van het matras zien. Een van de kussens lag helemaal aan de andere kant van het bed. Het andere lag samengepropt op de vloer. Het kleedje – een werkstuk van Jo – lag scheef, en mijn waterglas lag omgevallen op het nachtkastje. De slaapkamer zag eruit alsof er een knokpartij of een orgie was geweest, maar geen moord. Er was geen bloed en er was ook geen pluchen beest met een zwarte vacht.

Ik liet me op mijn knieën zakken en keek onder het bed. Er was daar niets – zelfs geen stof, dankzij Brenda Meserve. Ik keek weer naar het onderlaken, streek eerst met mijn hand over de kreukels en trok het toen recht en zette het vast met het elastiek in de hoeken. Een geweldige uitvinding, die lakens. Als vrouwen de Medal of Freedom zouden toekennen, in plaats van een stel blanke politici die in hun hele leven nooit een bed opmaakten of kleren wasten, zou de man die de hoeslakens had bedacht vast en zeker al met dat stuk metaal rondlopen. Het zou hem in de tuin van het Witte Huis zijn uitgereikt.

Toen het laken weer strak zat, keek ik nog eens goed. Geen bloed, geen drupje. Er was ook geen hard geworden zaadvlek. Het eerste had ik niet echt verwacht (tenminste, dat zei ik tegen mezelf), maar hoe zat het met het tweede? Zacht uitgedrukt had ik de creatiefste natte droom aller tijden gehad – een triptiek waarin ik twee vrouwen had genaaid en door een derde was afgerukt, en dat alles tegelijk. Ik vond dat ik ook dat morning-aftergevoel had, het gevoel dat je hebt als de sex van de afgelopen nacht tot de categorie duizelingwekkend had behoord. Maar als er vuurwerk was geweest, waar was dan het verbrande kruit?

'Waarschijnlijk in Jo's atelier,' zei ik tegen de lege, zonnige kamer. 'Of op het pad tussen hier en daar. Wees nou maar blij dat je het niet in Mattie Devore hebt achtergelaten, kerel. Een verhouding met een post-adolescente weduwe kun je echt niet gebruiken.'

Een deel van me was het daar niet mee eens. Een deel van me dacht dat Mattie Devore precies was wat ik wél kon gebruiken. Maar ik had de afgelopen nacht geen sex met haar gehad, net zo min als ik op het vlot sex met mijn dode vrouw had gehad of me door Sara Tidwell had laten afrukken. Nu ik begreep dat ik ook geen leuk klein kind had gedood, moest ik weer aan de schrijfmachine denken. Waarom had ik hem gepakt? Waarom?

O, man. Wat een stomme vraag. Mijn vrouw had misschien geheimen voor me gehad, had misschien zelfs een verhouding gehad; er waren misschien spoken in het huis; er was een kleine kilometer van me vandaan misschien een oude man die een scherpe stok in me wilde steken om daarna het uiteinde af te breken; er lag misschien ook wel wat speelgoed op mijn eigen nederige zolder. Maar toen ik daar in die heldere bundel zonlicht stond en naar mijn schaduw op de muur keek, was eigenlijk nog maar één gedachte van belang: ik was naar het atelier van mijn vrouw gegaan en had mijn oude schrijfmachine opgehaald, en er was maar één reden waarom ik zoiets zou doen.

Ik ging naar de badkamer, want voordat ik iets anders deed, wilde ik me ontdoen van het zweet op mijn lichaam en het vuil op mijn voeten. Ik greep naar de douchekraan, maar verstijfde. Het bad zat vol water. Ofwel ik had het al slaapwandelend om de een of andere reden laten vollopen... of iets anders had dat gedaan. Ik reikte naar de handgreep van de stop, maar verstijfde opnieuw, want ik herinnerde me dat moment in de berm van Route 68, toen ik opeens de smaak van koud water in mijn mond had gehad. Ik besefte dat ik wachtte tot het opnieuw zou gebeuren. Toen het niet gebeurde, trok ik de stop uit het bad om het water te laten weggelopen, en daarna zette ik de douche aan.

Ik had de Selectric naar beneden kunnen brengen, en ik had hem zelfs naar het terras kunnen sjouwen, waar een lichte bries van het meer woei, maar dat deed ik niet. Ik had hem helemaal naar de deur van mijn werkkamer gebracht, en in mijn werkkamer zou ik werken... als ik kón werken. Ik zou daar werken al liep de temperatuur onder het dak op tot vijftig graden – wat om drie uur 's middags best zou kunnen gebeuren.

Het papier dat in de machine was gedraaid, was een oude roze doorslagbon van Click!, de fotozaak in Castle Rock waar Jo haar materialen had gekocht als we hier bij het meer waren. Ik had hem er zo ingedraaid dat de lege kant zich tegenover het Courier-bolletje bevond. Op het papier had ik de namen van mijn kleine harem getypt, alsof ik op een moeizame manier had geprobeerd verslag uit te brengen van mijn driekoppige droom terwijl die nog aan de gang was:

Jo Sara Mattie Jo Sara Mattie Mattie Mattie Sara Sara Jo Johanna Sara Jo MattieSaraJo.

Daaronder, zonder hoofdletters:

normaal sperma genoeg sperma alles is rozig

Ik maakte de deur van de werkkamer open, droeg de schrijfmachine naar binnen en zette haar op haar oude plaats onder de poster van Richard Nixon. Ik trok het roze papier uit de machine, maakte er een prop van en gooide die in de prullenbak. Toen pakte ik de stekker van de Selectric en stak hem in het stopcontact op de plint. Mijn hart sloeg hard en snel, zoals die keer toen ik dertien was en de ladder van de hoge duikplank beklom. Op mijn twaalfde was ik die ladder drie keer opgeklommen en afgeklommen, maar toen ik dertien werd, kon ik er niet meer onderuit – toen moest het gebeuren.

Ik meende een ventilator achter in de kast te hebben gezien, achter de doos met APPARAATJES. Ik begon in die richting te lopen, maar draaide me toen weer met een schor lachje om. Ik had al vaker gedacht dat ik het kon, nietwaar? Jazeker. En toen hadden zich iedere keer ijzeren banden om mijn borst samengetrokken. Het zou idioot zijn om de ventilator te pakken en dan te ontdekken dat ik helemaal niets in die kamer te zoeken had.

'Rustig aan,' zei ik, 'rustig aan.' Maar ik kon niet tot rust komen, net zo min als die jongen met zijn smalle borst en met zijn belachelijke paarse zwembroek tot rust had kunnen komen toen hij naar het eind van de duikplank liep, met dat groene zwembad ver beneden hem, en met die opkijkende gezichten van de jongens en meisjes in het water, gezichten die zo klein leken, zo *klein*.

Ik bukte me naar een van de laden aan de rechterkant van het bureau en trok er zo hard aan dat hij helemaal losschoot. Ik trok mijn blote voet nog net op tijd uit de gevarenzone en schoot in een harde, humorloze lach. Er zat een half pak papier in de la. De randen waren niet meer helemaal glad, zoals je altijd krijgt als je papier een hele tijd laat liggen. Ik zag dat net zo min als dat ik me herinnerde dat ik mijn eigen voorraad had meegebracht – papier dat veel verser was dan dit. Ik liet het liggen en schoof de la weer op zijn plaats. Dat lukte pas na een aantal pogingen, want mijn handen beefden.

Ten slotte ging ik in mijn bureaustoel zitten en hoorde ik het bekende gekraak toen hij mijn gewicht te dragen kreeg, en het bekende gerommel van de wieltjes toen ik hem naar voren rolde, met mijn benen in het tussenvak van het bureau. Toen zat ik naar het toetsenbord te kijken. Ik zweette als een otter en dacht nog steeds aan die hoge duikplank, hoe die onder mijn blote voeten op en neer had geveerd toen ik naar het uiteinde liep. Ik herinnerde me de echostemmen beneden me, de geur van chloor en het gestage gonzen van de luchtverversers: *fwung-fwung-fwung-fwung*, alsof het water zijn eigen geheime hartslag had. Ik had me aan het eind van de plank staan afvragen (en niet voor het eerst!) of je verlamd kon raken als je verkeerd in het water terechtkwam. Waarschijnlijk niet, maar je kon wel doodgaan van angst. Daar waren gevallen van beschreven in *Ripley's Believe It or Not*, dat voor mij van mijn achtste tot mijn veertiende zuivere wetenschap was geweest.

Toe dan! riep Jo's stem. Mijn versie van haar stem was meestal kalm en beheerst; deze keer klonk ze schel. *Zit niet te treuzelen en ga aan de slag!*

Ik stak mijn hand uit naar de tuimelschakelaar van de IBM en herinnerde me toen de dag waarop ik mijn Word Six-programma in de prullenbak van het PowerBook had gedeponeerd. *Vaarwel, ouwe makker*, had ik gedacht.

'Alsjeblieft, laat dit lukken,' zei ik. 'Alsjeblieft.'

Ik liet mijn hand zakken en haalde de schakelaar over. De machine ging aan. De Courier-bol maakte alvast een sprongetje, als een balletdanseres die in de coulissen staat te wachten tot ze mag opkomen. Ik nam een vel papier, zag dat mijn bezwete vingers er vlekken op maakten en trok me daar niets van aan. Ik draaide het in de machine, schoof het recht in het midden en schreef toen:

Hoofdstuk Een

en wachtte tot de storm losbrak.

14

Het rinkelen van de telefoon – of beter gezegd, de manier waarop ik het rinkelen van de telefoon hóórde – kwam me net zo vertrouwd voor als het kraken van mijn stoel of het zoemen van mijn oude IBM Selectric. Het leek eerst van ver weg te komen en kwam toen snel dichterbij, als een fluitende trein die een overweg nadert.

Er was geen toestel in mijn werkkamer of die van Jo; de boventelefoon, een ouderwets ding met een draaischijf, stond op een tafel in de gang tussen die kamers in – in wat Jo altijd 'niemandsland' noemde. De temperatuur moet daar minstens dertig graden zijn geweest, maar de lucht voelde koel aan, want in de werkkamer was het nog warmer. Ik had zo'n dikke olielaag van zweet op mijn huid dat ik eruitzag als een buikige versie van de spierballenjongens die ik soms zag als ik aan het trainen was.

'Hallo?'

'Mike? Heb ik je wakker gemaakt? Sliep je?' Het was Mattie, maar een andere Mattie dan de vorige avond. Deze was niet bang of zelfs maar onzeker; deze klonk alsof ze haar geluk niet op kon. Het was bijna zeker de Mattie tot wie Lance Devore zich aangetrokken had gevoeld.

'Ik sliep niet,' zei ik. 'Ik schreef een beetje.'

'Echt waar? Ik dacht dat je gestopt was met schrijven.'

'Dat dacht ik ook,' zei ik, 'maar misschien was dat een beetje voorbarig. Wat is er? Je klinkt zo uitbundig.'

'Ik heb net met John Storrow gebeld...'

O ja? Hoe lang was ik eigenlijk al op de bovenverdieping? Ik keek naar mijn pols en zag alleen een bleke rand. Het was kwart over sproeten, zoals we als kinderen altijd zeiden. Mijn horloge lag beneden in de noordelijke slaapkamer, waarschijnlijk in een plas water uit mijn omgevallen glas.

'... zijn leeftijd, en dat hij de andere zoon kan dagvaarden!'

'Wacht even,' zei ik. 'Ik kon het niet goed volgen. Begin nog eens rustig bij het begin.'

En dat deed ze. Het vertellen van de harde feiten kostte niet veel tijd (dat kost het zelden): Storrow zou de volgende dag komen. Hij zou op County Airport landen en in het Lookout Rock Hotel in Castle View logeren. Vrijdag zouden ze het grootste deel van de dag samen de zaak doornemen. 'O, en hij heeft een advocaat voor jou gevonden,' zei ze. 'Die met je mee kan gaan als je je verklaring moet afleggen. Ik geloof dat het er een uit Lewiston is.'

Het klonk allemaal goed, maar nog veel belangrijker dan de naakte feiten was de opleving van Matties vechtlust. Tot aan die ochtend (als het nog ochtend was; aan het licht te zien dat uit het raam boven de kapotte airco kwam was het dat misschien nog wel maar zou de middag niet lang op zich laten wachten) had ik niet beseft hoe somber die jonge vrouw in haar rode zomerjurk en schone witte gymschoenen was geweest – in hoeverre ze al beheerst werd door de gedachte dat ze haar kind zou verliezen.

'Dit is geweldig. Ik ben zo blij, Mattie.'

'En jij hebt het gedaan. Als je hier was, zou ik je de grootste kus geven die je ooit hebt gehad.'

'Heeft hij tegen je gezegd dat je kon winnen?'

'Ja.'

'En je gelooft hem.'

'Ja!' Toen daalde haar stem een beetje. 'Maar hij begon niet bepaald te juichen toen ik hem vertelde dat ik jou gisteravond te eten had gehad.'

'Nee,' zei ik. 'Dat dacht ik al.'

'Ik heb hem verteld dat we buiten hebben gegeten en hij zei dat we maar een minuut samen binnen hoefden te zijn geweest om de roddelverhalen in gang te zetten.'

'Dan heeft hij een beledigend lage dunk van het liefdesspel hier in Maine,' zei ik, 'maar hij komt natuurlijk uit New York.'

Ze lachte harder dan mijn kleine grapje verdiende, vond ik. Uit een bijna overdreven opluchting omdat ze nu een paar beschermers had? Omdat alles wat met sex te maken had momenteel een beetje gevoelig bij haar lag? Ik kon daar maar beter niet over nadenken.

'Hij was ook niet echt kwaad op me, maar hij maakte wel duidelijk dat hij dat zou worden als we het nog een keer deden. Maar als dit achter de rug is, nodig ik je uit voor een *echte* maaltijd. Met alles wat je wilt, precies zoals jij het wilt.'

Met alles wat je wilt, precies zoals jij het wilt. En bij God en zijn Zoon Jezus, ze was zich er helemaal niet van bewust dat wat ze zei heel goed een andere betekenis kon hebben – daar zou ik alles onder willen verwedden. Ik deed mijn ogen even dicht en glimlachte. Waarom zou ik niet glimlachen? Alles wat ze zei, klonk absoluut geweldig, vooral wanneer je eenmaal buiten de beperkte ruimte van Michael Noonans obscene gedachten was getreden. Het klonk alsof we misschien toch nog het 'en ze leefden nog lang en gelukkig' zouden meemaken, als we de moed maar niet verloren en op onze koers bleven. En als ik me maar voldoende kon inhouden om niet te proberen een meisje te versieren dat jong genoeg was om mijn dochter te zijn – dat wil zeggen, buiten mijn dromen. Als ik dat niet kon, kreeg ik waarschijnlijk mijn verdiende loon. Maar Kyra niet. Die was in dit alles het ornament op de motorkap, gedoemd om overal heen te gaan waar de auto heen ging. Dat moest ik me inprenten, als ik op verkeerde gedachten kwam.

'Als de rechter Devore met lege handen naar huis stuurt, ga ik met je naar Renoir Nights in Portland en trakteer ik je op negen gangen Frans voedsel,' zei ik. 'En Storrow ook. Ik trek zelfs de beurs voor de advocaat die ik vrijdag te zien krijg. Dus wie is er beter dan ik?'

'Niemand die ik ken,' zei ze, en ze klonk serieus. 'Ik betaal je dit terug, Mike. Ik ben nu arm, maar ik zal niet altijd arm zijn. Al doe ik er de rest van mijn leven over, ik zal het je terugbetalen.'

'Mattie, je hoeft niet...'

'Ik doé het,' zei ze met kalme nadrukkelijkheid. 'Ik dóe het. En ik moet vandaag nog iets anders doen.'

'Wat dan?' Ik mocht haar graag zo horen praten als vanochtend – zo gelukkig en vrij, als een gevangene die net gratie heeft gekregen en uit de gevangenis is vrijgelaten – maar ik keek al verlangend naar de deur van mijn kantoor. Ik kon die dag niet veel meer doen, anders werd ik levend geroosterd, maar ik wilde nog minstens een bladzijde of twee schrijven. Doe wat je wilt, hadden beide vrouwen in mijn dromen gezegd. Doe wat je wilt.

'Ik moet voor Kyra de grote teddybeer kopen die ze in de Wal-Mart van Castle Rock hebben,' zei ze. 'Ik zeg tegen haar dat ze hem krijgt omdat ze zo braaf is geweest, want ik kan natuurlijk niet zeggen dat ze hem krijgt omdat ze midden op de weg liep toen jij kwam aanrijden.'

'Als het maar geen zwarte is,' zei ik. De woorden waren eruit voordat ik wist dat ik ze in mijn hoofd had.

'Huh?' Ze klonk geschrokken en onzeker.

'Ik zei, neem een zwarte voor mij mee,' zei ik, en opnieuw waren de woorden eruit voordat ik wist dat ze er waren.

'Wie weet,' zei ze, en ze klonk geamuseerd. Toen werd ze weer ernstig. 'En als ik gisteravond iets heb gezegd wat je ongelukkig maakte, al was het maar even, dan spijt me dat. Ik zou nooit...'

'Maak je geen zorgen,' zei ik. 'Ik ben niet ongelukkig. Een beetje in de war, dat is alles. Eigenlijk was ik Jo's geheimzinnige afspraakje al bijna vergeten.' Dat was een leugen, maar om bestwil, vond ik.

'Dat is waarschijnlijk het beste. Ik zal je niet langer ophouden – ga maar weer aan het werk. Dat wil je toch graag?'

Ik schrok. 'Waarom zeg je dat?'

'Ik weet het niet, ik dacht alleen...' Ze zweeg. En plotseling wist ik twee dingen: Wat ze had willen zeggen, en dat ze het niet zou zeggen. *Ik heb vannacht van je gedroomd. Ik droomde van ons samen. We gingen de liefde bedrijven en een van ons zei 'Doe wat je wilt'. Of misschien, ik weet het niet, misschien zeiden we het allebei.*

Misschien bestonden er soms geesten – gedachten en verlangens die zich losmaakten van ons lichaam, die impulsen vrijmaakten die onzichtbaar door de lucht bleven zweven. Geesten uit het *id*, spoken uit de onderwereld.

'Mattie? Ben je daar nog?'

'Reken maar. Wil je dat ik contact met je hou? Of krijg je alles wat je wilt weten wel van John Storrow te horen?'

'Als je geen contact houdt, word ik kwaad op je. Pissig.'

Ze lachte. 'Dan doe ik dat. Maar niet als je werkt. Tot ziens, Mike. En nogmaals bedankt. Heel erg bedankt.'

Ik zei haar gedag en toen ze had opgehangen, bleef ik nog even naar de ouderwetse bakelieten hoorn staan kijken. Ze zou bellen en me op de hoogte houden, maar niet als ik werkte. Hoe zou ze weten wanneer ik werkte? Ze zou het gewoon weten. Zoals ik de vorige avond had geweten dat ze loog toen ze zei dat Jo en de man met de elleboogstukken op zijn colbertje naar het parkeerterrein waren gelopen. Mattie had een witte short en een haltertopje gedragen toen ze me belde, geen jurk of rok, want het was woensdag en de bibliotheek was op woensdag gesloten.

Daar weet je niets van. Dat verzin je maar.

Maar ik verzon het niet. Als ik het had verzonnen, had ik er waarschijnlijk wel iets suggestiefs aan toegevoegd – bijvoorbeeld iets over het vrolijke weeuwtje.

Dat deed me aan iets anders denken. *Doe wat je wilt*, hadden ze gezegd. Allebei. *Doe wat je wilt.* En dat was een tekst die ik kende. In Key Largo had ik een essay in *Atlantic Monthly* over pornografie gelezen. Het was geschreven door een feministe, ik wist niet meer welke, alleen dat het niet Naomi Wolf of Camille Paglia was. Deze vrouw had een conservatieve inslag gehad, en ze had die frase gebruikt. Sally Tisdale misschien? Of hoorde mijn geest alleen maar echovervormingen van Sara Tidwell? Wie het ook was geweest, ze had beweerd dat 'doe wat *ik* wil' de erotische grondslag was die vrouwen aansprak en dat 'doe wat *jij* wilt' de pornografische grondslag was die mannen aansprak. Vrouwen stellen zich voor dat ze die eerste tekst in seksuele situaties uitspreken; mannen stellen zich voor dat die tweede tekst tegen hen wordt gezegd. En, zo ging de schrijfster verder, als de sex in het echte leven niet goed is – bijvoorbeeld gewelddadig is, of vernederend, of gewoon onbevredigend voor de vrouw – is porno vaak de medeschuldige, al werd dat niet uitgesproken. De man zegt dan bijvoorbeeld woedend tegen de vrouw: 'Je wilde het zelf! Lieg niet en geef het toe! Je *wilde* het!'

De schrijfster beweerde dat iedere man dat in de slaapkamer hoopte te horen: doe wat je wilt. Bijt me, doe het op alle mogelijke manieren met me, lik tussen mijn tenen, drink wijn uit mijn navel, geef me een haarborstel en steek je kont omhoog zodat ik kan peddelen, het maakt niet uit. Doe wat je wilt. De deur is dicht en wij zijn hier, maar eigenlijk ben jij de enige die hier is. Ik ben alleen maar een willig verlengstuk van je fantasieën en alleen jíj bent hier. Ik heb geen eigen wensen, geen eigen behoeften, geen taboes. Doe wat je wilt met deze schim, deze fantasie, deze geest.

Ik had gedacht dat de essayiste voor minstens vijftig procent onzin uitkraamde. De veronderstelling dat een man alleen seksueel genot kan vinden door een vrouw tot een soort afrukaccessoire te maken, zegt meer over de waarneemster dan over de deelnemers. Deze dame kende het jargon erg goed en was ook niet dom, maar in feite zei ze alleen maar wat Somerset Maugham, Jo's oude favoriet, Sadie Thompson liet zeggen in 'Regen', een verhaal dat tachtig jaar geleden geschreven was: mannen zijn beesten, egoïstische beesten, allemaal. Maar wij zijn over het algemeen géén beesten, tenzij we tot het uiterste gedwongen worden. En als we daartoe gedwongen worden, gaat het bijna nooit om sex, maar meestal om territorium. Ik heb feministes horen beweren dat voor mannen sex en territorium onderling uitwisselbaar zijn, en dat is erg ver bezijden de waarheid.

Ik liep naar de werkkamer terug, maakte de deur open, en toen ging de telefoon achter me opnieuw. En dat was ook een vertrouwd gevoel, teruggekomen na vier jaar weg te zijn geweest: die woede omdat de telefoon ging, de aandrang om het ding uit de muur te rukken en door de kamer te gooien. Waarom moest de hele wereld bellen als ik zat te schrijven? Waarom konden ze niet gewoon... nou... me laten doen wat ik wilde?

Ik liet een aarzelend lachje horen en ging naar de telefoon terug. De natte handafdruk van mijn vorige telefoongesprek was nog te zien.

'Hallo?'

'Ik zei dat je zichtbaar moest blijven als je bij haar was.'

'Ook goedemorgen, meester Storrow.'

'Je zit daar blijkbaar in een andere tijdzone, makker. Hier in New York is het kwart over een.'

'Ik heb bij haar gegeten,' zei ik. 'Buiten. Zeker, ik heb haar dochter een verhaaltje voorgelezen en ik heb geholpen haar naar bed te brengen, maar...'

'Ik stel me zo voor dat het halve dorp nu denkt dat jullie elkaar inmiddels dwars door het bed hebben geneukt, en de andere helft zal het ook denken als ik namens haar moet optreden bij de rechtbank.' Maar hij klonk niet echt kwaad; ik vond dat hij klonk alsof hij met een blij gezicht door het leven ging.

'Kunnen ze je dwingen te vertellen wie je betaalt?' vroeg ik. 'Op de voogdijzitting, bedoel ik?'

'Nee.'

'En wanneer ik vrijdag mijn verklaring afleg?'

'Welnee. Durgin zou alle geloofwaardigheid als voogd *ad litem* verliezen als hij iets in die richting deed. Ze hebben trouwens hun eigen redenen om niet over sex te beginnen. Ze willen vooral aantonen dat Mattie haar kind verwaarloost en misschien mishandelt. Nu kunnen ze misschien wel bewijzen dat mama geen non is, maar dat werkte al niet meer in de tijd dat *Kramer vs. Kramer* in de bioscoop kwam. En dat is nog niet het enige probleem dat ze in dat opzicht hebben.' Zo te horen was hij echt in zijn nopjes.

'Vertel op.'

'Max Devore is vijfentachtig en gescheiden. Twee keer gescheiden, om precies te zijn. Voordat ze de voogdij aan een ongehuwde man van zijn leeftijd toekennen, kijken ze ook naar de secundaire voogdij, dus wie naast of na hem de voogdij zal uitoefenen. Dat is trouwens het belangrijkste punt in deze zaak, naast de beschuldigingen van mishandeling en verwaarlozing aan het adres van de moeder.'

'Wat zijn dat voor beschuldigingen? Weet je dat?'

'Nee. Mattie weet het ook niet, want het zijn verzinsels. Ze is trouwens een schat...'

'Ja, dat is zeker.'

'... en ik denk dat ze een geweldig goede getuige zal zijn. Ik kan bijna niet wachten tot ik haar persoonlijk ontmoet. Maar je moet me niet op een zijspoor brengen. We hebben het over secundaire voogdij, nietwaar?'

'Ja.'

'Devore heeft een dochter die geestelijk onbekwaam is verklaard en ergens in Californië in een inrichting zit – in Modesto, geloof ik. Die zal niet in aanmerking komen.'

'Het lijkt me van niet.'

'Zijn zoon, Roger, is...' Ik hoorde zacht geritsel van een notitieboekje. '... vierenvijftig. Dus ook geen piepkuiken meer. Evengoed zijn er tegenwoordig een hoop kerels die op die leeftijd nog vader worden. Je maakt tegenwoordig van alles mee. Maar Roger is homoseksueel.'

Ik dacht aan Bill Dean, die had gezegd: *Bruinwerker. Dat schijnt veel te gebeuren daar in Californië.*

'Ik dacht dat je zei dat sex er niet toe deed.'

'Misschien had ik moeten zeggen dat *hetero*sex er niet toe doet. In sommige staten – Californië is daar een van – doet *homo*sex er ook niet toe... tenminste niet zoveel. Maar deze zaak komt niet in Californië voor de rechter. Hij komt hier in Maine voor de rechter, en hier zijn de mensen wat minder verlicht. Hier zullen ze niet zo gauw zeggen dat twee getrouwde mannen – getrouwd met elkaar, bedoel ik – heel goed een klein meisje kunnen opvoeden.'

'Is Roger Devore *getrouwd*?' Goed. Ik geef het toe. Ik had nu zelf ook een zeker leedvermaak. Ik schaamde me ervoor – Roger Devore was gewoon iemand die zijn leven leidde, en hij had misschien helemaal niets met deze activiteiten van zijn hoogbejaarde vader te maken – maar evengoed voelde ik de leedvermaak.

'Hij en een software-ontwerper, een zekere Morris Ridding, zijn in 1996 in het bootje gestapt,' zei John. 'Daar kwam ik al gauw achter toen ik de computer naar informatie liet zoeken. En als dit voor de rechter komt, wil ik daar zoveel mogelijk gebruik van maken. Ik weet niet hoeveel dat zal zijn – dat is in dit stadium onmogelijk te voorspellen – maar als ik de kans krijg om een beeld te schetsen van een pienter, opgewekt klein meisje dat bij twee bejaarde homo's moet opgroeien, die waarschijnlijk het grootste deel van hun tijd in computer-chat-rooms doorbrengen om te speculeren over wat Captain Kirk en Mr. Spock deden als het licht uitging... nou, als ik die kans krijg, grijp ik hem.'

'Het lijkt me een beetje gemeen,' zei ik. Ik hoorde mezelf spreken op de toon van iemand die overgehaald wil worden, misschien zelfs uitgelachen, maar dat gebeurde niet.

'Natuurlijk is het gemeen. Het is net of we ineens het trottoir op scheuren om een paar onschuldige voorbijgangers van de sokken te rijden. Roger Devore en Morris Ridding handelen niet in drugs, en ook niet in kleine jongens, en ze beroven geen oude dametjes. Maar dit gaat over voogdij, en voogdij is meer nog dan echtscheiding in staat mensen tot insecten te maken. Dit geval is nog niet eens zo heel erg, maar toch al erg genoeg omdat het zo *naakt* is. Max Devore had maar één enkele reden om naar zijn geboorteplaats terug te komen: om een kind te kopen. Daar kan ik me zo kwaad over maken.'

Ik grijnsde en stelde me een advocaat voor die eruitzag als Elmer Fudd en die voor een konijnenhol stond met een geweer met het opschrift DEVORE.

'Mijn boodschap voor Devore zal erg eenvoudig zijn: de prijs van het kind is zojuist omhooggegaan. Waarschijnlijk tot een hoger bedrag dan zelfs hij zich kan permitteren.'

'Je hebt al een paar keer gezegd: áls de zaak voor de rechter komt. Denk je dat er een kans is dat Devore het gewoon opgeeft?'

'Een vrij grote kans, ja. Ik zou het zelfs een heel grote kans noemen, als hij niet zo oud was en niet gewend om zijn zin te krijgen. Verder is het de vraag of hij nog helder genoeg is om te weten wat in zijn belang is. Ik zal proberen een ontmoeting met hem en zijn advocaat te arrangeren als ik daar bij jullie ben, maar tot nu toe ben ik niet verder gekomen dan zijn secretaresse.'

'Rogette Whitmore?'

'Nee. Ik denk dat die een sport hoger op de ladder staat. Ik heb met haar ook nog niet gesproken. Maar dat gaat nog gebeuren.'

'Probeer Richard Osgood of George Footman,' zei ik. 'Een van die twee kan je misschien met Devore of Devores naaste medewerkster in contact brengen.'

'Ik wil in ieder geval met die Rogette Whitmore praten. Mannen als Devore worden, als ze ouder worden, vaak steeds afhankelijker van hun naaste adviseurs. Misschien kunnen we haar gebruiken om hem duidelijk te maken dat hij het moet opgeven. Ze zou ons ook grote last kunnen bezorgen. Ze kan er bij hem op aandringen dat hij moet vechten, misschien omdat ze echt denkt dat hij kan winnen, of misschien omdat ze wel van een beetje sensatie houdt. En het is ook mogelijk dat ze met hem trouwt.'

'Met hem *trouwt*?'

'Waarom niet? Hij kan haar huwelijkse voorwaarden laten tekenen – ik zou dat net zo min in de rechtbank kunnen bekendmaken als dat zijn advocaten kunnen vertellen wie Matties advocaat heeft ingehuurd – en het zou zijn kansen vergroten.'

'John, ik heb die vrouw gezien. Ze is minstens zeventig.'

'Maar ze zou een rol kunnen spelen in de zaak van de voogdij over een klein meisje, en ze vormt een laag tussen de oude Devore en dat getrouwde homopaar. Dat moeten we niet vergeten.'

'Goed.' Ik keek weer naar de deur van de werkkamer, maar niet meer met zoveel verlangen. Er komt een moment waarop je werkdag erop zit, of je dat nu wilt of niet, en ik geloofde dat ik dat punt had bereikt. Misschien zou ik die avond...

'De advocaat die ik voor je heb gevonden heet Romeo Bissonette.' Hij zweeg even. 'Kan dat zijn echte naam zijn?'

'Komt hij uit Lewiston?'

'Ja, hoe weet je dat?'

'Omdat het in Maine, vooral in Lewiston en omgeving, een echte naam kan zijn. Moet ik naar hem toe?' Ik wilde niet naar hem toe. Het was tachtig kilometer rijden naar Lewiston, over tweebaanswegen vol caravans en campers. Ik wilde zwemmen en dan wat slapen. Lang en *droomloos* slapen.

'Dat hoeft niet. Bel hem en praat even met hem. Hij fungeert in feite alleen maar als vangnet – hij zal bezwaar maken als de ondervraging verder gaat dan het incident op de ochtend van vier juli. Over dat incident vertel je de waarheid, de hele waarheid en niets dan de waarheid. Begrepen?'

'Ja.'

'Praat eerst met hem, en dan ontmoet je hem vrijdag om... wacht even... hier heb ik het.' De blaadjes van het notitieboekje ritselden weer. 'Je ontmoet hem in de Route 120 Diner om kwart over negen. Koffie. Jullie praten een beetje, leren elkaar kennen, tossen misschien om de rekening. Ik ben dan bij Mattie en probeer zoveel mogelijk aan de weet te komen. Misschien besluiten we een privedetective in de arm te nemen. Overigens zal ik zorgen dat de rekeningen naar die Goldacre van jou gaan. Hij stuurt ze naar je agent, en je agent kan...'

'Nee,' zei ik. 'Zeg tegen Goldacre dat hij ze rechtstreeks hierheen stuurt. Harold heeft een joodse moeder. Hoeveel gaat dit me kosten?'

'Vijfenzeventigduizend dollar, op zijn minst,' zei hij zonder enige aarzeling. En ook zonder iets verontschuldigends in zijn stem.

'Vertel dat niet aan Mattie.'

'Goed. Bevalt het je al, Mike?'

'Nou, eigenlijk wel,' zei ik peinzend.

'Dat mag ook wel, voor vijfenzeventigduizend.' We namen afscheid en John hing op.

Toen ik mijn eigen hoorn weer op de haak legde, schoot me te binnen dat ik in de afgelopen vijf dagen meer had geleefd dan in de afgelopen vier jaar.

Ditmaal ging de telefoon niet en haalde ik ongehinderd de werkkamer, maar ik wist dat ik die dag niet meer zou schrijven. Ik ging achter de IBM zitten, drukte een paar keer op de RETURN-toets, en noteerde een paar dingen voor het vervolg onder aan de pagina waaraan ik werkte toen ik door de telefoon werd onderbroken. Wat een kwelgeest is de telefoon, en wat brengt hij ons weinig goed nieuws! Maar deze dag vormde een uitzondering, en ik vond dat ik mijn werkdag met een grijns kon besluiten. Per slot van rekening werkte ik – ik *werkte*. Een deel van me verbaasde zich er nog over dat ik hier zat en rustig ademhaalde, dat mijn hart heel regelmatig sloeg en dat zich in de verste verte geen angstaanval aandiende. Ik schreef:

(VERVOLG: Drake naar Raiford. Stopt onderweg bij groentekraam om met de koopman te praten, oude bron, moet een goede & kleurrijke naam hebben. Strohoed, T-shirt van DisneyWorld. Ze praten over Shackleford.)

Ik draaide aan de rol tot de IBM het papier uitspuwde, legde het boven op het manuscript en schreef met de hand een laatste notitie voor mezelf: 'Bel Ted Rosencrief over Raiford.' Rosencrief was een gepensioneerde marineman die in Derry woonde. Ik had hem bij een aantal boeken ingeschakeld om dingen uit te pluizen. Zo had hij een keer uitgezocht hoe papier werd gemaakt, en voor een ander boek welke trekgewoonten bepaalde veelvoorkomende vogels hadden, en voor een derde boek iets over de architectuur van de grafkamers in piramiden. En ik wil altijd 'een klein beetje', nooit 'de hele mikmak'. Als schrijver heb ik altijd het motto gehad: overlaad me niet met feiten. Het Arthur Hailey-genre 'fictie' is niets voor mij – ik kan het niet lezen, laat staan schrijven. Ik wil net genoeg weten om kleurrijk te kunnen liegen. Rosie wist dat, en we hadden altijd goed met elkaar samengewerkt.

Ditmaal moest ik iets over de Raiford-gevangenis in Florida weten, vooral over de dodencellen daar. Ik wilde ook iets over de psychologie van seriemoordenaars weten. Ik dacht dat Rosie waarschijnlijk blij zou zijn iets van me te horen... bijna even blij als ik was dat ik eindelijk een reden had om hem te bellen.

Ik pakte de acht vellen met dubbele regelafstand die ik had geschreven en bladerde ze door, verbaasd over het feit dat ze bestonden. Waren een oude IBM-schrijfmachine en een Courier-bolletje al die tijd het geheim geweest? Daar leek het in ieder geval wel op.

Wat eruit was gekomen, was ook verbazingwekkend. In de vier jaar dat ik niet had geschreven, had ik wel ideeën gehad; in dat opzicht was er geen writer's block geweest. Een van die ideeën was geweldig geweest, iets wat vast en zeker een roman zou zijn geworden als ik nog romans had kunnen schrijven. Vijf tot tien waren van het niveau dat ik 'tamelijk goed' zou noemen, wat betekende dat ze in geval van nood te gebruiken waren... of als ze van de ene op de andere dag onverwacht groot en mysterieus werden, zoals Jaaps bonenstaak. Soms gebeurt dat. De meeste waren glinsteringen, kleine invallen van 'wat-als?', die kwamen en gingen als vallende sterren, bijvoorbeeld wanneer ik autoreed of liep of gewoon 's avonds in bed lag en wachtte tot ik in slaap viel.

De man in het rode overhemd was zo'n geval. Op een dag zag ik een man in een knalrood overhemd de etalageruiten van de JCPenney in Derry wassen – dat was kort voordat Penney naar het grote winkelcentrum buiten de stad verhuisde. Een jonge man en vrouw liepen onder de ladder door. Volgens het oude bijgeloof brengt dat erg veel ongeluk. Maar die twee wisten niet waar ze liepen – ze hielden elkaars hand vast, dronken elkaars ogen in, zo stapelverliefd als alle jonge stelletjes uit de geschiedenis van de wereld. De man was lang en het scheelde niet veel of het topje van zijn hoofd kwam tegen de voeten van de glazenwasser. Als dat gebeurde, zou de hele zaak misschien tegen de vlakte gaan.

Het hele incident was in vijf seconden geschiedenis geworden. Het schrijven van *De man in het rode overhemd* had vijf maanden geduurd. Toch is het hele boek in feite in die ene seconde tot stand gekomen. Ik stelde me een botsing in plaats van een bijna-botsing voor. De rest was daarvan afgeleid. Het schrijven was alleen maar klerkenwerk.

Het idee waaraan ik momenteel werkte, was niet een van Mikes Heel Grote Ideeën (Jo verstond de kunst om met hoofdletters te spreken), maar het was ook geen 'wat-als?' Overigens leek het ook niet veel op mijn oude spannende verhalen. V.C. Andrews met een pik was deze keer nergens te bekennen. Maar het voelde goed aan, een echt goed verhaal, en die ochtend was het schrijven me net zo gemakkelijk afgegaan als ademhalen.

Andy Drake was privedetective in Key Largo. Hij was veertig jaar oud, gescheiden, vader van een driejarige dochter. In het begin van het boek was hij in het huis van een zekere Regina Whiting in Key West. Mevrouw Whiting had ook een dochtertje, vijf jaar oud. Mevrouw Whiting was getrouwd met een schatrijke projectontwikkelaar die niet wist wat Andy Drake wist: dat Regina Taylor Whiting tot 1992 Tiffany Taylor was, een dure callgirl in Miami.

Zoveel had ik geschreven voordat de telefoon ging. Dan komt nu wat ik van het vervolg wist, dus het klerkenwerk dat ik de komende paar weken zou doen, vooropgesteld dat mijn wonderbaarlijk teruggekeerde vermogen tot werken zou standhouden:

Op een dag, toen Karen Whiting drie was, ging de telefoon terwijl zij en haar moeder in de hot-tub op de patio zaten. Regina wilde eerst de tuinman vragen om op te nemen, maar besloot het toch zelf te doen – haar vaste tuinman had griep en ze wilde een vreemde niet om een gunst vragen. Regina waarschuwde haar dochter dat ze moest blijven zitten en ging vlug de hot-tub uit om de telefoon op te nemen. Toen Karen haar hand omhoogbracht om niet natgespat te worden toen haar moeder de hot-tub verliet, liet ze de pop vallen die ze in bad deed. Toen ze zich bukte om hem op te pakken, kwam haar haar vast te zitten in een van de krachtige zuigopeningen van de hot-tub. (Een jaar of twee geleden had ik over zo'n dodelijk ongeluk gelezen; daardoor was ik op het idee gekomen.)

De tuinman, een anonieme uitzendkracht in een kaki shirt, zag wat er gebeurde. Hij rende over het gazon, dook de kuip in en rukte het kind van de bodem weg. Er bleef haar achter, en ook een groot stuk van de hoofdhuid. Hij zou haar mond-op-mondbeademing geven tot ze weer adem begon te halen. (Dat zou een geweldige, spannende scène zijn; ik kon bijna niet wachten tot ik hem schreef.) De hysterische, opgeluchte moeder zou aanbieden hem te belonen, maar dat zou hij van de hand wijzen, al zou hij haar uiteindelijk wel een adres geven, opdat haar man met hem kon praten. Alleen zouden het adres en zijn naam, John Sanborn, vals blijken te zijn.

Twee jaar later ziet de ex-hoer met het respectabele tweede leven de man die haar kind heeft gered op de voorpagina van de krant van Miami staan. Hij blijkt John Shackleford te heten en is gearresteerd op de verdenking een negenjarig meisje te hebben verkracht en vermoord. Bovendien, gaat het artikel verder, wordt hij verdacht van meer dan veertig andere moorden, in veel gevallen op kinderen. 'Hebben jullie Honkbalpet te pakken?' zou een van de verslaggevers op de persconferentie roepen. 'Is John Shackleford Honkbalpet?'

'Nou,' zei ik, op weg naar beneden, 'in ieder geval dénken ze dat hij het is.'

Ik hoorde die middag zoveel boten op het meer dat naakt zwemmen er niet in zat. Ik trok mijn zwembroek aan, hing een handdoek over mijn schouders en begon het pad af te lopen – het pad waarlangs in mijn droom lampions hadden gehangen. Ik wilde het zweet van mijn nachtmerries en mijn onverwachte inspanning van me afspoelen.

Er zijn drieëntwintig bielzen tussen Sara en het meer. Ik had er pas vier of vijf gehad toen met volle kracht tot me doordrong wat me zojuist was overkomen. Mijn mond begon te trillen. De kleuren van de bomen en de hemel vloeiden in elkaar over doordat mijn ogen vol tranen liepen. Er begon een geluid uit me te komen – een gedempt gekreun. Alle kracht trok uit mijn benen weg en ik liet me op een biels zakken. Een ogenblik dacht ik dat het voorbij was, dat het voornamelijk vals alarm was, en toen begon ik te huilen. Op het hevigst van mijn huilbui stopte ik een punt van de handdoek in mijn mond, bang dat de watersporters op het meer me zouden horen en zouden denken dat er hierboven iemand vermoord werd.

Ik huilde van verdriet om de lege jaren die ik zonder Jo, zonder vrienden en zonder mijn werk had doorgebracht. Ik huilde van dankbaarheid omdat die werkloze jaren nu voorbij leken te zijn. Het was te vroeg om het met zekerheid te zeggen – één zwaluw maakt nog geen zomer, en acht manuscriptpagina's maken nog geen boek – maar ik dacht dat het best weleens goed zou kunnen komen. En ik huilde ook van angst, zoals we doen als een afschuwelijke ervaring eindelijk voorbij is of als we nog net een vreselijk ongeluk hebben kunnen vermijden. Ik huilde omdat ik plotseling besefte dat ik na Jo's dood over een witte streep had gelopen, precies over het midden van de weg. Door een wonder was me niets overkomen. Ik had geen idee wie daarvoor had gezorgd, maar dat gaf niet – dat was een vraag die tot later kon wachten.

Ik huilde het allemaal uit me. Toen ging ik naar het meer en liep het water in. Het koele water voelde weldadig aan op mijn oververhitte lichaam; het voelde aan als een wederopstanding.

15

'Wilt u voor de goede orde uw naam noemen?'
'Michael Noonan.'
'Uw adres?'
'Mijn adres is 14 Benton Street, Derry, maar ik heb ook een huis in de TR-90, aan Dark Score Lake. Het postadres is postbus 832. Het huis staat aan Lane 42, een zijweg van Route 68.'

Elmer Durgin, Kyra Devores voogd *ad litem*, woof met zijn dikke hand voor zijn gezicht, hetzij om een lastig insect weg te jagen hetzij om me te vertellen dat het zo wel genoeg was. Dat vond ik ook. Ik voelde me net het kleine meisje in *Our Town* dat haar adres opgeeft: Grover's Corner, New Hampshire, Amerika, Noordelijk Halfrond, Wereld, Zonnestelsel, Melkweg, Brein van God. Ik was vooral nerveus. Ik was op mijn veertigste nog steeds een maagd op het gebied van gerechtelijke procedures, en hoewel we ons in de vergaderkamer van het advocatenkantoor Durgin, Peters en Jarrette aan Bridge Street in Castle Rock bevonden, was dit nog steeds een gerechtelijke procedure.

Deze festiviteiten bevatten één vermeldenswaardig vreemd detail. De stenograaf gebruikte niet zo'n toetsenbord-op-een-stok dat op een rekenmachine lijkt, maar een stenomasker, een apparaatje dat over de onderste helft van zijn gezicht zat. Ik had ze al eerder gezien, maar dan alleen in oude zwart-witfilms, die misdaadfilms waarin Dan Duryea of John Payne altijd in een Buick met patrijspoorten aan de zijkanten rondrijdt, grimmig kijkend en met een Camel in de mondhoek. Het is al vreemd genoeg om in de hoek te kijken en iemand te zien die eruitziet als de oudste gevechtsvlieger ter wereld, maar alles wat je zegt op een gedempte, doffe toon terug horen, is het nog veel vreemder.

'Dank u, meneer Noonan. Mijn vrouw heeft al uw boeken gelezen en zegt dat u haar favoriete auteur bent. Ik vroeg u dat alleen voor de goede orde.' Durgin grinnikte vet. Waarom ook niet? Hij was een dikke, vette man. De meeste dikke mensen vind ik sympathiek – ze hebben niet alleen een ruime taille maar ook een ruim hart. Maar er is een subcategorie die ik de Gemene Kleine Dikkerds noem. Daar moet je altijd met een wijde boog omheen lopen. Ze steken je huis in brand en verkrachten je hond als ze maar even de kans krijgen. De meesten komen niet boven de een meter vijfenvijftig (Durgins lengte, schatte ik), en velen blijven onder de een meter vijftig. Ze glimlachen veel, maar hun ogen glimlachen niet mee. De Gemene Kleine Dikkerds haten de hele wereld. Ze haten vooral mensen die als ze naar beneden kijken hun eigen voeten kunnen zien. Daar hoor ik ook bij, zij het nog net.

'Bedankt u uw vrouw namens mij, meneer Durgin. Ze kan u vast wel een boek aanbevelen om mee te beginnen.'

Durgin grinnikte. Zijn assistente rechts van hem grinnikte met hem mee, een aantrekkelijke jonge vrouw die zo te zien een minuut of zeventien daarvoor was afgestudeerd. Links van me zat Romeo Bissonette te grinniken. In de hoek bleef 's werelds oudste F-111-piloot in zijn stenomasker grinniken.

'Ik wacht op de verfilming,' zei hij. Hij had een gemene kleine schittering in zijn ogen, alsof hij wist dat er nooit een speelfilm van een van mijn boeken was gemaakt – alleen een televisiefilm van *Tweezaam* die ongeveer dezelfde kijkcijfers scoorde als de Nationale Kampioenschappen Meubelpolitoeren. Ik hoopte dat we de portie humor van dat dikke kleine rotzakje nu wel hadden gehad.

'Ik ben de voogd *ad litem* van Kyra Devore,' zei hij. 'Weet u wat dat betekent, meneer Noonan?'

'Ik geloof van wel.'

'Het betekent,' ging Durgin verder, 'dat ik door rechter Rancourt ben benoemd om te bepalen – als ik dat kan – waar Kyra Devores belangen liggen in het geval dat er een voogdijregeling moet worden getroffen. Rechter Rancourt zou in zo'n geval niet verplicht zijn zijn uitspraak op mijn conclusies te baseren, maar in veel gevallen gebeurt dat wel.'

Terwijl hij me aankeek, hield hij zijn handen gevouwen op zijn lege schrijfblok. De mooie assistente daarentegen was druk aan het schrijven. Misschien vertrouwde ze de piloot niet. Durgin keek alsof hij applaus verwachtte.

'Was dat een vraag, meneer Durgin?' vroeg ik, en Romeo Bissonette gaf een licht, geoefend tikje tegen mijn enkel. Ik hoefde hem niet aan te kijken om te weten dat het niet per ongeluk was.

Durgin drukte zijn lippen op elkaar. Die lippen waren zo glad en vochtig dat het leek of hij transparante lippenglans gebruikte. Zo'n twintig slierten haar waren zorgvuldig over zijn glimmende schedel gekamd. Hij keek me geduldig en onderzoekend aan. Daarachter was er niets dan de onverzettelijke lelijkheid van een Gemene Kleine Dikkerd. De grapjes waren voorbij. Daar was ik zeker van.

'Nee, meneer Noonan, dat was geen vraag. Ik dacht alleen dat u misschien wel wilde weten waarom we u op zo'n mooie ochtend van uw fraaie huis aan het meer hierheen hebben gehaald. Misschien vergiste ik me. Nu, als...'

Er werd nadrukkelijk op de deur geklopt. Ons aller vriend George Footman kwam binnen. Die dag droeg hij geen Cleveland Casual maar een kaki hulpsheriff-uniform, compleet met Sam Browne-riem en vuurwapen. Hij wierp een doordringende blik op de vormen onder de blauwe zijden blouse van de assistente en gaf haar toen een map en een cassetterecorder. Voordat hij wegging, wierp hij mij nog een blik toe. *Ik ken jou nog wel, makker*, zei die blik. *De bijdehante schrijver, het lulletje rozenwater.*

Romeo Bissonette boog zijn hoofd naar me toe. Hij gebruikte de zijkant van zijn hand om de afstand tussen zijn mond en mijn oor te overbruggen. 'Devores bandje,' zei hij.

Ik knikte ten teken dat ik het begreep en keek toen Durgin weer aan.

'Meneer Noonan, u hebt Kyra Devore en haar moeder, Mary Devore, ontmoet, nietwaar?'

Hoe kwam je toch van Mary tot Mattie, vroeg ik me af... en toen wist ik het, zoals ik dat van dat witte short en het haltertopje ook had geweten. De naam *Mattie* was ontstaan toen Ki voor het eerst had geprobeerd *Mary* te zeggen.

'Meneer Noonan, houden wij u op?'

'We hoeven toch niet sarcastisch te worden?' vroeg Bissonette. Zijn toon was mild, maar Elmer Durgin keek hem aan met een blik die duidelijk maakte dat als de Gemene Kleine Dikkerds hun doel om de wereld te overheersen ooit verwezenlijkten, Bissonette een plaatsje in de eerste goederentrein naar de goelag zou krijgen.

'Neemt u me niet kwalijk,' zei ik voordat Durgin kon antwoorden. 'Ik was er even niet bij.'

'Een idee voor een nieuw verhaal?' vroeg Durgin, weer met die glanzende glimlach van hem. Hij zag eruit als een moeraskikker in een colbertje. Hij wendde zich tot de oude straaljagerpiloot, zei tegen hem dat hij die laatste opmerking moest schrappen en herhaalde toen zijn vraag over Kyra en Mattie.

Ja, zei ik, ik had ze ontmoet.

'Eens of meer dan eens?'

'Meer dan eens.'

'Hoe vaak hebt u hen ontmoet?'

'Twee keer.'

'Hebt u ook door de telefoon met Mary Devore gesproken?'

Die vragen gingen al in een richting die me helemaal niet beviel.

'Ja.'

'Hoe vaak?'

'Drie keer.' Het derde telefoongesprek hadden we de vorige dag gevoerd, toen ze had gevraagd of ik na het afleggen van mijn verklaring met haar en John Storrow wilde picknicken in het stadspark. Picknicken midden in een stadje waar god en iedereen bij was... Hoewel, met een New Yorkse advocaat als chaperon kon het toch geen kwaad?

'Hebt u door de telefoon met Kyra Devore gesproken?'

Wat een vreemde vraag! Daar had niemand me op voorbereid. Dat zou ook wel voor een deel de reden zijn waarom hij hem had gesteld.

'Meneer Noonan?'

'Ja, ik heb haar een keer gesproken.'

'Kunt u ons iets over dat gesprek vertellen?'

'Nou...' Ik keek Bissonette vragend aan, maar hij kon me niet helpen. Blijkbaar wist hij het ook niet. 'Mattie...'

'Pardon?' Durgin boog zich zo ver mogelijk naar voren. Zijn ogen waren felle speldenprikjes tussen de roze vleeskwabben. 'Mattie?'

'Mattie Devore. *Mary* Devore.'

'U noemt haar Mattie?'

'Ja,' zei ik, en ik voelde een sterke aandrang om eraan toe te voegen: *In bed! In bed noem ik haar zo! 'O Mattie, niet ophouden, niet ophouden,' roep ik dan!* 'Zo heeft ze zich aan me voorgesteld. Ik ontmoette haar...'

'Daar komen we nog op, maar momenteel ben ik geïnteresseerd in uw telefoongesprek met Kyra Devore. Wanneer was dat?'

'Dat was gisteren.'

'9 juli 1998.'

'Ja.'

'Wie belde er?'

'Ma... Mary Devore.' *Nu gaat hij vragen waarom ze belde*, dacht ik, *en dan zeg ik dat ze nog een sexmarathon wilde, waarbij we als voorspel elkaar in chocola gedoopte aardbeien zouden voeren terwijl we naar plaatjes van naakte mismaakte dwergen zouden kijken.*

'Hoe kwam het dat Kyra Devore met u sprak?'

'Ze vroeg of het mocht. Ik hoorde haar tegen haar moeder zeggen dat ze me iets wilde vertellen.'

'Wat wilde ze u vertellen?'

'Dat ze voor het eerst in een schuimbad had gezeten.'

'Zei ze ook dat ze hoestte?'

Ik keek hem zwijgend aan. Op dat moment begreep ik waarom mensen de pest hebben aan advocaten, vooral wanneer ze te maken hebben gehad met een advocaat die zijn vak verstaat.

'Meneer Noonan, wilt u dat ik de vraag herhaal?'

'Nee,' zei ik. Ik vroeg me af hoe hij aan zijn informatie was gekomen. Hadden die schoften Matties telefoon afgetapt? Mijn telefoon? Allebei de telefoons? Misschien voelde ik op dat moment voor het eerst aan hoe het moest zijn om een half miljard dollar te hebben. Met zoveel geld kon je een heleboel telefoons aftappen. 'Ze zei dat haar moeder zeepbellen in haar gezicht duwde en dat ze moest hoesten. Maar ze...'

'Dank u, meneer Noonan, dan gaan we nu verder met...'

'Laat u hem uitspreken,' zei Bissonette. Ik had de indruk dat hij zich al meer met de gang van zaken had bemoeid dan zijn bedoeling was geweest, maar blijkbaar vond hij dat niet zo erg. Hij had het treurige, betrouwbare gezicht van een bloedhond en zag er wat slaperig uit. 'Dit is geen rechtszaal en dit is geen kruisverhoor.'

'Ik moet aan het welzijn van het kleine meisje denken,' zei Durgin. Hij klonk tegelijk gezwollen en nederig, een combinatie die deed denken aan chocoladesaus op maïspuree. 'Dat is een verantwoordelijkheid die ik erg serieus neem. Als u de indruk hebt dat ik u lastig val, meneer Noonan, bied ik u mijn verontschuldigen aan.'

Ik nam niet de moeite zijn verontschuldigingen te aanvaarden – dan hadden we allebei een figuur geslagen. 'Het enige dat ik wilde zeggen, is dat Ki lachte toen ze dat zei. Ze zei dat zij en haar moeder een zeepbellengevecht hadden gehouden. Toen haar moeder weer aan de lijn kwam, lachte ze ook.'

Durgin had de map geopend die Footman hem had gebracht en bladerde hem snel door terwijl ik sprak, alsof geen woord van mij tot hem doordrong. 'Haar moeder... Mattie, zoals u haar noemt.'

'Ja. Mattie, zoals ik haar noem. Hoe weet u eigenlijk iets van ons privételefoongesprek?'

'Dat gaat u niets aan, meneer Noonan.' Hij haalde er één vel uit en sloot de map. Hij hield het papier even omhoog, als een arts die een röntgenfoto bestudeert, en ik kon zien dat het een getypte tekst bevatte. 'Laten we het nu over uw eerste ontmoeting met Mary en Kyra Devore hebben. Dat was op vier juli, nietwaar?'

'Ja.'

Durgin knikte. 'De ochtend van vier juli. En u ontmoette Kyra Devore eerst.'

'Ja.'

'Gezien het feit dat haar moeder op dat moment niet bij haar was, ontmoette u haar eerst?'

'Dat is een ongelukkig geformuleerde vraag, meneer Durgin, maar het antwoord is ja.'

'Het vleit me dat mijn taalgebruik gecorrigeerd wordt door iemand die op de bestsellerlijsten staat,' zei Durgin glimlachend. Met die glimlach liet hij weten dat hij me volgaarne naast Romeo Bissonette in die eerste trein naar de goelag zou zetten. 'Vertelt u ons eens over die ontmoeting, eerst met Kyra Devore en toen met Mary Devore. Of Mattie, zo u wilt.'

Ik vertelde het verhaal. Toen ik klaar was, zette Durgin de cassetterecorder recht voor zich. De nagels van zijn worstvingers glansden net zo als zijn lippen.

'Meneer Noonan, u had Kyra kunnen overrijden, klopt dat?'

'Absoluut niet. Ik reed zestig – dat is de maximumsnelheid daar bij de winkel. Ik zag haar ruimschoots op tijd om te kunnen stoppen.'

'Maar als u nu eens van de andere kant was gekomen... Zou u haar dan ook ruimschoots op tijd hebben gezien?'

Die vraag was redelijker dan de meeste andere vragen van hem. Iemand die van de andere kant kwam, zou veel minder tijd hebben gehad om te reageren. Evengoed...

'Ja,' zei ik.

Durgin trok zijn wenkbrauwen op. 'Weet u dat zeker?'

'Ja, meneer Durgin. Dan had ik misschien wat harder op de rem moeten trappen, maar...'

'Met een snelheid van zestig kilometer per uur.'

'Ja, met zestig. Zoals ik al zei, is dat de maximumsnelheid...'

'... op dat gedeelte van Route 68. Ja, dat heeft u me al verteld. Jazeker. Is het uw ervaring dat de meeste mensen zich op dat gedeelte van de weg aan de maximumsnelheid houden?'

'Ik ben sinds 1993 niet veel in de TR geweest, dus ik kan niet...'

'Kom nou, meneer Noonan, dit is geen scène uit een van uw boeken. Geeft u antwoord op mijn vragen, anders zitten we hier de hele ochtend.'

'Ik doe mijn best, meneer Durgin.'

Hij zuchtte demonstratief. 'U bezit uw huis aan het Dark Score Lake sinds de jaren tachtig, nietwaar? En de maximumsnelheid bij de Lakeview General Store, het postkantoor en Dick Brooks's All-Purpose Garage – ze noemen het daar The North Village – is sindsdien toch niet veranderd?'

'Nee,' gaf ik toe.

'Om op mijn oorspronkelijke vraag terug te komen: is het uw ervaring dat de meeste mensen zich op dat stuk weg aan de maximumsnelheid van zestig kilometer per uur houden?'

'Ik weet niet of de meesten in overtreding zijn, want ik heb nooit een verkeersonderzoek gedaan, maar ik denk dat veel automobilisten te hard rijden.'

'Wilt u hulpsheriff Footman horen verklaren op welke plaatsen in de TR-90 de meeste bonnen voor te hard rijden worden uitgedeeld, meneer Noonan?'

'Nee,' zei ik in alle eerlijkheid.

'Zijn er andere auto's voorbijgekomen terwijl u eerst met Kyra Devore en later met Mary Devore stond te praten?'

'Ja.'

'Hoeveel?'

'Dat weet ik niet precies. Een paar.'

'Kunnen het er drie geweest zijn?'

'Dat kan.'

'Vijf?'
'Nee, zoveel waarschijnlijk niet.'
'Maar u weet het niet precies, hè?'
'Nee.'
'Want Kyra Devore was van streek.'
'Nou, eigenlijk hield ze zich heel flink voor een...'
'Huilde ze in uw bijzijn?'
'Eh... ja.'
'Bracht haar moeder haar aan het huilen?'
'Dat is onredelijk.'
'Even onredelijk als wanneer je een kind van drie op de ochtend van een nationale feestdag over de middenlijn van een drukke weg laat lopen, of misschien toch wat minder onredelijk?'
'Allemachtig,' zei Bissonette op milde toon. Zijn bloedhondengezicht stond afkeurend.
'Ik neem die vraag terug,' zei Durgin.
'Welke?' vroeg ik.
Hij keek me vermoeid aan, alsof hij wilde zeggen dat hij de hele tijd met klootzakken als ik te maken had en zo langzamerhand aan ons gedrag gewend was geraakt. 'Hoeveel auto's kwamen er voorbij tussen het moment waarop u het kind oppakte en in veiligheid bracht en het moment waarop u en de Devores elkaar verlieten?'
Ik had een hekel aan dat 'in veiligheid bracht', maar terwijl ik het antwoord nog formuleerde, mompelde die oude kerel de vraag al in zijn stenomasker. En ik had haar in veiligheid gebracht. Dat was niet te ontkennen.
'Ik heb u al gezegd dat ik dat niet zeker weet.'
'Nou, geeft u me dan een inschatting.'
Inschatting. Een van mijn minst favoriete woorden. Een Paul Harvey-woord. 'Het kunnen er drie zijn geweest.'
'Inclusief Mary Devore zelf? Rijdend in een...' Hij raadpleegde het papier dat hij uit de map had gehaald. '... een Jeep Scout, bouwjaar 1982?'
Ik dacht aan Ki, die *Mattie hard rijden* had gezegd en begreep waar Durgin nu heen wilde. En ik kon daar niets aan veranderen.
'Ja, zij was het en het was een Scout. Ik weet niet uit welk jaar.'
'Reed ze, toen ze de plaats passeerde waar u met Kyra in uw armen stond, met een snelheid die op, onder of boven het maximum lag?'
Ze had minstens tachtig gereden, maar ik vertelde Durgin dat ik dat niet met zekerheid kon zeggen. Hij drong erop aan dat ik het probeerde – *ik weet dat u de beulsknoop niet kent, meneer Noonan, maar ik weet zeker dat u hem kunt maken als u echt uw best doet* – en ik weigerde dat zo beleefd mogelijk.
Hij pakte het papier weer op. 'Meneer Noonan, zou het u verbazen

als ik u vertelde dat twee getuigen – Richard Brooks junior, eigenaar van Dick's All-Purpose Garage, en Royce Merrill, timmerman in ruste – beweren dat mevrouw Devore veel harder dan zestig reed toen ze u passeerde?'

'Ik weet het niet,' zei ik. 'Ik werd in beslag genomen door het meisje.'

'Zou het u verbazen dat Royce Merrill haar snelheid op *honderd* kilometer per uur schatte?'

'Dat is belachelijk. Dan had ze, toen ze op de rem trapte, opzij moeten slippen en ondersteboven in de greppel terecht moeten komen.'

'De remsporen die door hulpsheriff Footman zijn opgemeten, wijzen op een snelheid van minstens tachtig kilometer per uur,' zei Durgin. Het was geen vraag, maar hij keek me bijna schelms aan, alsof hij me uitnodigde nog een beetje te spartelen en steeds dieper weg te zakken in de beerput. Ik zei niets. Durgin vouwde zijn dikke worsthanden en boog zich naar me toe. De schelmse blik in zijn ogen was weg.

'Meneer Noonan, als u Kyra Devore niet naar de kant van de weg had gedragen – als u haar niet had gered – zou het dan niet mogelijk zijn geweest dat *haar eigen moeder* haar had overreden?'

Dit was de gevaarlijkste vraag, en hoe moest ik erop antwoorden? Aan Bissonette had ik ook niet veel; zo te zien probeerde hij vooral veelbetekenend oogcontact met de mooie assistente te leggen. Ik dacht aan het boek dat Mattie naast 'Bartleby' aan het lezen was, *Silent Witness* van Richard North Patterson. In tegenstelling tot het Grisham-genre schenen Pattersons advocaten bijna altijd te weten wat ze deden. *Ik maak bezwaar, edelachtbare, er wordt de getuige gevraagd te speculeren.*

Ik haalde mijn schouders op. 'Sorry, dat kan ik niet zeggen – ik heb mijn kristallen bol thuis laten liggen.'

Opnieuw zag ik die lelijke schittering in Durgins ogen. 'Meneer Noonan, ik kan u verzekeren dat als u hier geen antwoord op die vraag geeft, u hoogstwaarschijnlijk wordt teruggeroepen van Malibu of Fire Island, of waar u uw volgende meesterwerk ook gaat schrijven, om alsnog antwoord te geven.'

Ik haalde mijn schouders op. 'Ik heb u al verteld dat ik door het kind in beslag werd genomen. Ik kan u niet vertellen hoe hard de moeder reed, of hoe goed Royce Merrills gezichtsvermogen is, en of hulpsheriff Footman de juiste sporen heeft gemeten. Er ligt heel wat rubber op dat deel van de weg, neemt u dat maar van mij aan. En als ze nu inderdaad eens tachtig reed? Zelfs negentig, laten we daar eens van uitgaan. Ze is eenentwintig jaar oud, meneer Durgin. Op je eenentwintigste zit je op de top van je rijvaardigheid. Ze zou waarschijnlijk moeiteloos om het kind heen zijn gereden.'

'Dat lijkt me wel genoeg.'

'Waarom? Omdat u niet te horen krijgt wat u wilt horen?' Bissonettes schoen kwam weer tegen mijn enkel, maar ik trok me er niets van aan. 'Als u aan Kyra's kant staat, waarom klinkt u dan alsof u aan haar grootvaders kant staat?'

Er speelde een onheilspellend glimlachje om Durgins mondhoeken. Zo'n glimlachje van *Oké, goocheme jongen, wil je spelen?* Hij trok de cassetterecorder een beetje dichter naar zich toe. 'Zullen we, nu u Kyra's grootvader, Maxwell Devore uit Palm Springs, toch ter sprake brengt, het even over hem hebben?'

'U hebt het hier voor het zeggen.'

'Hebt u ooit met Max Devore gesproken?'

'Ja.'

'Persoonlijk of over de telefoon?'

'Telefoon.' Ik dacht erover om te zeggen dat hij op de een of andere manier mijn geheime nummer te pakken had gekregen, maar herinnerde me toen dat Mattie dat ook had gedaan en besloot daarover mijn mond te houden.

'Wanneer was dat?'

'Zaterdagavond. De avond van vier juli. Hij belde terwijl ik naar het vuurwerk zat te kijken.'

'En ging dat gesprek over belevenissen van die ochtend?' Terwijl hij dat vroeg, greep Durgin in zijn zak en haalde er een cassettebandje uit. Hij deed dat erg demonstratief en op dat moment leek hij net een goochelaar die je beide kanten van een zijden doek laat zien. En hij blufte. Daar kon ik niet zeker van zijn... en toch was ik dat. Devore had ons gesprek wel degelijk op de band opgenomen – die zoemtoon was veel te hard geweest, en tot op zekere hoogte was ik me daar tijdens het gesprek al van bewust geweest – en ik dacht dat het echt op de cassette stond die Durgin nu in de recorder schoof... Maar het was bluf.

'Dat kan ik me niet herinneren,' zei ik.

Durgins hand verstijfde net voordat hij de klep van de cassetterecorder dichtdeed. Hij keek me met oprecht ongeloof aan... en met iets anders. Dat andere, dacht ik, was een mengeling van verbazing en woede.

'U kunt het zich niet herinneren? Kom nou, meneer Noonan. Schrijvers *oefenen* toch om zich gesprekken te herinneren, en dit was een gesprek van maar een week geleden. Vertelt u me waar het gesprek over ging.'

'Dat kan ik echt niet zeggen,' antwoordde ik met een onverstoorbare, kleurloze stem.

Een ogenblik leek het of Durgin in paniek raakte. Toen was zijn gezicht weer helemaal glad. Een vinger met glimmende nagel ging heen en weer over toetsen met REW, FF, PLAY en REC. 'Hoe begon meneer Devore het gesprek?' vroeg hij.

'Hij zei me gedag,' zei ik vriendelijk, en er klonk een kort gedempt geluid achter het stenomasker. Misschien schraapte de oude man zijn keel; misschien onderdrukte hij een lach.

Er verschenen vlekjes op Durgins wangen. 'En daarna? Wat toen?'

'Dat kan ik me niet herinneren.'

'Vroeg hij naar die ochtend?'

'Dat kan ik me niet herinneren.'

'Hebt u hem niet verteld dat Mary Devore en haar dochter samen waren, meneer Noonan? Dat ze samen bloemen aan het plukken waren? Heeft u dat niet tegen deze bezorgde grootvader gezegd toen hij naar het incident vroeg dat op vier juli het gesprek van de dag in het dorp was?'

'Allemachtig,' zei Bissonette weer. Hij bracht zijn hand boven de tafel en streek toen als een scheidsrechter met de vingers van de andere hand over de palm, in het patroon van de letter T. '*Time out.*'

Durgin keek hem aan. Zijn wangen waren nu nog roder, en hij had zijn lippen zo ver teruggetrokken dat je de punten van zijn kleine, regelmatige kronen kon zien. 'Wat wílt u?' zei hij bijna snauwend, alsof Bissonette even langs was gekomen om hem over de Mormonen of bijvoorbeeld de Rozenkruisers te vertellen.

'Ik wil dat u ophoudt met suggestieve vragen stellen, en ik wil dat het hele gedoe van dat bloemen plukken uit de notulen wordt geschrapt,' zei Bissonette.

'Waarom?' snauwde Durgin.

'Omdat u probeert dingen in de notulen te krijgen die deze getuige niet wil zeggen. Als u de zitting even wilt schorsen, kunnen we rechter Rancourt bellen en hem om zijn mening vragen...'

'Ik trek de vraag terug,' zei Durgin. Hij keek me met een soort hulpeloze, norse woede aan. 'Meneer Noonan, wilt u me helpen mijn werk te doen?'

'Ik wil Kyra Devore zo goed mogelijk helpen,' zei ik.

'Goed.' Hij knikte, alsof het geen verschil maakte. 'Vertelt u me dan waar u en Maxwell Devore over spraken.'

'Dat kan ik me niet herinneren.' Ik keek hem recht aan. 'Misschien,' zei ik, 'kunt u mijn geheugen opfrissen.'

Er volgde een korte stilte, zoals die soms in een pokerspel met hoge inzet valt als de laatste inzet is gedaan, kort voordat de spelers hun kaarten laten zien. Zelfs de oude piloot was stil; hij keek zonder met zijn ogen te knipperen over het masker heen. Toen schoof Durgin de cassetterecorder met de muis van zijn hand opzij. Aan de stand van zijn mond was te zien dat hij op dat moment ongeveer zo over dat ding dacht als ik vaak over de telefoon dacht. Hij keerde terug naar de ochtend van vier juli. Hij vroeg me niet naar mijn etentje bij Mattie en Ki op dinsdagavond, en hij kwam ook niet terug op mijn telefoongesprek met Devore – het gesprek waarin ik al die onhandige en gemakkelijk te weerleggen dingen had gezegd.

Ik bleef vragen beantwoorden tot halftwaalf, maar op het moment dat Durgin met de muis van zijn hand de cassetterecorder opzij schoof, was de ondervraging in feite afgelopen. Ik wist dat, en ik ben er vrijwel zeker van dat hij het ook wist.

'Mike! Mike, hier!'

Mattie woof naar me vanaf een van de tafels op het picknickterrein achter het muziekpaviljoen van het stadje. Ze zag er gelukkig en uitbundig uit. Ik woof terug en begon in die richting te lopen, zigzaggend tussen kleine kinderen die tikkertje speelden, om tieners heen die in het gras lagen te vrijen, en wegduikend voor een frisbee die behendig door een Duitse herder uit de lucht werd geplukt.

Ze had een lange, magere man met rood haar bij zich, maar ik kreeg amper de kans hem op te merken. Mattie kwam me tegemoet toen ik nog op het grindpad was. Ze sloeg haar armen om me heen, omhelsde me – en het was geen preutse omhelzing op afstand – en kuste me toen zo hard op mijn mond dat mijn lippen tegen mijn tanden werden gedrukt. Toen ze zich van me losmaakte, was er een harde smak te horen. Ze keek me met onverholen blijdschap aan. 'Was dat de grootste kus die je ooit hebt gehad?'

'De grootste in minstens vier jaar,' zei ik. 'Neem je daar genoegen mee?' En als ze niet binnen een paar seconden een stap achteruit deed, zou ze kunnen voelen hoeveel ik ervan genoten had.

'Dat moet dan maar.' Ze draaide zich met een vreemde uitdagende houding om naar de man met het rode haar. 'Mocht dat wel?'

'Eigenlijk niet,' zei hij, 'maar jullie doen het tenminste niet waar de ouwe kerels van de All-Purpose Garage bij zijn. Mike, ik ben John Storrow. Prettig je persoonlijk te ontmoeten.'

Ik mocht hem meteen, misschien gewoon omdat ik hem daar in zijn driedelige New Yorkse pak papieren bordjes op een picknicktafel zag leggen terwijl zijn krullende rode haar als wier om zijn hoofd wapperde. Zijn huid was licht en sproetig, het soort huid dat nooit bruin wordt maar alleen verbrandt en dan vervelt zodat er grote eczeemachtige plekken ontstaan. Toen we elkaar de hand schudden, leek de zijne louter uit knokkels te bestaan. Hij moest minstens dertig zijn, maar hij leek zo oud als Mattie, en ik dacht dat het nog wel vijf jaar zou duren voordat hij iets te drinken kon bestellen zonder zijn rijbewijs te laten zien.

'Ga zitten,' zei hij. 'We hebben een lunch van vijf gangen, met de complimenten van Castle Rock Variety – onderzeeërs die ze hier om duistere redenen "Italiaanse sandwiches" noemen... mozzarellasticks... knoflookpatat... Twinkies.'

'Dat zijn er maar vier,' zei ik.

'Ik vergat de frisdrankgang,' zei hij, en hij haalde drie hoge flesjes s'OK-berkenbier uit een bruine zak. 'Laten we beginnen. Mattie staat op vrijdag en zaterdag van twee tot acht in de bibliotheek, en het zou niet gunstig zijn als ze nu van haar werk wegbleef.'

'Hoe ging het gisteravond op de leesclub?' vroeg ik. 'Lindy Briggs heeft je niet levend verslonden, zie ik.'

Ze lachte, vouwde haar handen samen en schudde ermee boven haar hoofd. 'Ik was een groot succes! Een absoluut hoogtepunt! Ik heb ze maar niet verteld dat ik al mijn wijsheid van jou had...'

'Waar een mens al niet blij mee kan zijn,' zei Storrow. Hij bevrijdde zijn sandwich uit de verpakking van koord en vetvrij papier. Hij deed dat zorgvuldig en een beetje aarzelend, en gebruikte alleen de toppen van zijn vingers.

'... dus ik zei dat ik in een paar boeken had gekeken en daar wat aanwijzingen had gevonden. Het was geweldig. Ik voelde me net een echte studente.'

'Goed.'

'Bissonette?' vroeg John Storrow. 'Waar is hij? Ik heb nog nooit iemand ontmoet die Romeo heet.'

'Hij zei dat hij meteen naar Lewiston terug moest. Sorry.'

'Eigenlijk is het ook beter als we klein blijven, zeker in het begin.' Hij beet in zijn sandwich – die zijn daar erg langgerekt – en keek me verrast aan. 'Niet slecht.'

'Eet hier nog meer van, en je bent er voor de rest van je leven aan verslingerd,' zei Mattie, en ze nam zelf ook een flinke hap.

'Hoe ging het met je verklaring?' zei John, en terwijl ze aten, deed ik mijn verhaal. Toen ik klaar was, pakte ik mijn eigen sandwich en begon de schade in te halen. Ik was vergeten hoe goed een Italiaan kan zijn – zoet, zuur en olieachtig tegelijk. Natuurlijk kan iets wat zo goed smaakt nooit gezond zijn; dat is een feit. Ik denk dat we ook zoiets kunnen zeggen over innige omhelzingen van jonge meisjes die in juridische moeilijkheden verkeren.

'Erg interessant,' zei John. 'Beslist, erg interessant.' Hij nam een mozzarellastick uit zijn vettige zak, brak hem open en keek met gefascineerde afschuw naar de gestolde witte derrie binnenin. 'Eten ze dit hier?'

'In New York eten ze vissenblazen,' zei ik. 'Rauw.'

'*Touché*.' Hij doopte een stuk in het plastic bakje met spaghettisaus (in dit geval noemen ze dat in het westen van Maine 'cheese-dip') en at het toen op.

'Nou?' vroeg ik hem.

'Niet slecht. Maar ze zouden veel warmer moeten zijn.'

Ja, daar had hij weer gelijk in. Koude mozzarellasticks eten is ongeveer zoiets als koud snot eten, een opmerking die ik op deze mooie zomerse vrijdag maar beter voor me kon houden, leek me.

'Als Durgin het bandje had, waarom speelde hij het dan niet af?' vroeg Mattie. 'Dat begrijp ik niet.'

John strekte zijn armen uit, liet zijn knokkels kraken en keek haar vriendelijk aan. 'Dat zullen we waarschijnlijk nooit zeker weten,' zei hij.

Hij dacht dat Devore zijn eis zou intrekken – dat bleek uit heel zijn lichaamstaal, alle ondertonen in zijn stem. Dat was hoopgevend, maar het zou goed zijn als Mattie niet té veel hoop ging koesteren. John Storrow was niet zo jong als hij eruitzag, en waarschijnlijk ook niet zo onschuldig (tenminste, dat hoopte ik vurig), maar hij wás jong. En noch hij noch Mattie kende het verhaal van Scooter Larribees slee. En ze hadden geen van beiden Bill Deans gezicht gezien toen die het vertelde.

'Willen jullie wat mogelijkheden horen?'

'Ja,' zei ik.

John legde zijn sandwich neer, veegde zijn vingers af en begon punten af te tellen. 'Ten eerste was híj degene die belde. Onder die omstandigheden hebben gesprekken die op de band zijn opgenomen een erg twijfelachtige waarde. Ten tweede kwam hij niet bepaald over als Captain Kangaroo, hè?'

'Nee.'

'Ten derde werken je verzinsels in jouw nadeel, Mike, maar niet in erg hoge mate, en ze werken helemaal niet in Matties nadeel. En tussen haakjes, dat van die zeepbellen die Mattie in Kyra's gezicht blies, vind ik prachtig. Als ze niks beters hebben dan dat, kunnen ze het net zo goed meteen opgeven. Ten slotte – en daar ligt de waarheid waarschijnlijk – geloof ik dat Devore de ziekte van Nixon heeft.'

'De ziekte van Nixon?' vroeg Mattie.

'Dat bandje van Durgin is niet het enige bandje. Dat kan niet. En je schoonvader is bang dat als hij één bandje presenteert dat gemaakt is met apparatuur die hij in Warrington's heeft, we ze allemaal kunnen opvragen. En reken maar dat ik dat zou proberen.'

Ze keek verbaasd. 'Wat zou erop kunnen staan? En als die bandjes ongunstig voor hem zijn, waarom vernietigt hij ze dan niet gewoon?'

'Misschien kan hij dat niet,' zei ik. 'Misschien heeft hij ze voor iets anders nodig.'

'Het doet er eigenlijk ook niet toe,' zei John. 'Durgin blufte, en dat doet er wel iets toe.' Hij sloeg zacht met zijn vlakke hand op de picknicktafel. 'Ik denk dat hij de eis laat vallen. Dat denk ik echt.'

'Het is te vroeg om zoiets te denken,' zei ik meteen, maar ik kon aan Matties gezicht zien – het straalde meer dan ooit – dat de schade al was aangericht.

'Vertel hem wat je nog meer hebt gedaan,' zei Mattie tegen John. 'En dan moet ik naar de bibliotheek.'

'Waar laat je Kyra als je werkt?' vroeg ik.

'Bij mevrouw Cullum. Die woont drie kilometer verderop aan Wasp Hill Road. En in juli is er V.B.S. van tien tot drie. Vakantie Bijbel School. Ki vindt dat prachtig, vooral het zingen en die mooie verhalen over Noach en Mozes. Ze stapt bij Arlene uit de bus en ik pik haar om ongeveer kwart voor negen op.' Ze glimlachte een beetje weemoedig. 'Meestal ligt ze dan al te slapen op de bank.'

John ging daarna nog zo'n tien minuten door. Hij was nog niet lang met de zaak bezig, maar hij had al heel wat ballen aan het rollen gekregen. Iemand in Californië verzamelde informatie over Roger Devore en Morris Ridding ('informatie verzamelen' klonk veel beter dan 'snuffelen'). John wilde vooral graag weten hoe het contact tussen Roger Devore en zijn vader was, en of Roger iets met zijn kleine nichtje uit Maine te maken had. John had ook een plan uitgestippeld om zoveel mogelijk aan de weet te komen over Max Devores activiteiten sinds hij naar de TR-90 was teruggekomen. Daarvoor had hij de naam van een privédetective die hem was aanbevolen door Romeo Bissonette, mijn tijdelijk ingehuurde advocaat.

Terwijl hij sprak, en onderwijl snel in een notitieboekje bladerde dat hij uit zijn binnenzak had gehaald, herinnerde ik me wat hij tijdens ons telefoongesprek over Vrouwe Justitia had gezegd: *Doe die meid handboeien om haar polsen en plak wat tape over haar mond, laat de blinddoek zitten, verkracht haar en rol haar door de modder.* Dat was misschien een beetje te sterk uitgedrukt voor wat wij aan het doen waren, maar ik vond dat we haar op zijn minst een beetje aan het rondduwen waren. Ik stelde me voor hoe die arme Roger Devore in de getuigenbank zou staan: drieduizend kilometer vliegen om over je seksuele geaardheid te worden ondervraagd. Ik moest telkens tegen mezelf zeggen dat het zijn vader was die hem in die positie had gebracht, niet Mattie of ik of John Storrow.

'Ben je dichter bij een ontmoeting met Devore en zijn belangrijkste juridisch adviseur gekomen?' vroeg ik.

'Dat weet ik niet zeker. Ik heb een lijntje uitgegooid, het aanbod ligt op tafel, de puck ligt op het ijs – kies je favoriete vergelijking maar uit.'

'Je hebt je ijzers in het vuur,' zei Mattie ernstig.

'Je stenen op het dambord,' voegde ik eraan toe.

We keken elkaar aan en lachten. John keek ons somber aan, slaakte een zucht, pakte toen zijn sandwich op en begon weer te eten.

'Moet zijn advocaat er echt bij zijn als je hem ontmoet?' vroeg ik.

'Wil je dit winnen en dan ontdekken dat Devore gewoon opnieuw kan beginnen omdat Mary Devores advocaat zich aan onethisch gedrag schuldig heeft gemaakt?' vroeg John op zijn beurt.

'Maak daar geen grapjes over!' riep Mattie uit.

'Ik maakte geen grap,' zei John. 'Ja, zijn advocaat moet erbij zijn. Ik denk niet dat het gaat gebeuren, niet deze keer. Ik heb de oude baas nog niet eens te zien gekregen, en ik moet je zeggen dat ik sterf van nieuwsgierigheid.'

'Als dat je gelukkig maakt, moet je dinsdagavond naar het softbalveld komen en voor achtervanger spelen,' zei Mattie. 'Dan kun je hem in zijn mooie rolstoel zien zitten. Hij lacht en klapt en neemt elk kwartier een hijs uit zijn zuurstoffles.'

'Geen slecht idee,' zei John. 'Ik moet het weekend naar New York terug – ik vertrek na Osgood – maar misschien kom ik dinsdag wel. Wie weet, neem ik zelfs mijn handschoen mee.' Hij begon ons afval op te ruimen, en ik vond weer dat hij er tegelijk nuffig en innemend uitzag, als Stan Laurel met een schort aan. Mattie duwde hem opzij en nam het van hem over.

'We hebben onze Twinkies niet opgegeten,' zei ze een beetje sip.

'Neem ze mee voor je dochter,' zei John.

'Geen denken aan. Ze mag die troep niet eten. Wat voor moeder denk je dat ik ben?'

Ze zag ons kijken, herhaalde bij zichzelf wat ze had gezegd en barstte toen in lachen uit. We lachten met haar mee.

Matties oude Scout stond geparkeerd op een van de schuine plaatsen achter het oorlogsmonument. In Castle Rock is dat een beeld van een soldaat uit de Eerste Wereldoorlog met een fikse portie vogelpoep op zijn soepbordhelm. Daarnaast stond een gloednieuwe Taurus met een Hertz-plaatje boven de keuringssticker. John gooide zijn aktetas – geruststellend dun en niet erg opzichtig – op de achterbank.

'Als ik dinsdag niet kan, bel ik je,' zei hij tegen Mattie. 'Als ik via die Osgood een ontmoeting met je schoonvader kan regelen, bel ik je ook.'

'Ik trakteer op sandwiches,' zei Mattie.

Hij glimlachte en pakte toen met zijn ene hand haar arm vast en met zijn andere hand de mijne. Hij zag eruit als een pas benoemde dominee die op het punt staat zijn eerste paar te trouwen.

'Jullie kunnen gerust met elkaar telefoneren,' zei hij. 'Als jullie maar niet vergeten dat de lijnen afgetapt kunnen zijn. Verder kunnen jullie elkaar bijvoorbeeld op de markt ontmoeten. Mike, misschien moet jij opeens dringend iets nazoeken in de bibliotheek.'

'Dan moet je wel eerst je kaart verlengen,' zei Mattie met een zedige blik in mijn richting.

'Maar je gaat niet meer naar Matties caravan. Is dat duidelijk?'

Ik zei ja; zij zei ja; John Storrow leek niet overtuigd. Daardoor vroeg ik me af of hij iets aan onze gezichten of lichamen zag dat er niet zou moeten zijn.

'Ze hebben gekozen voor een tactiek die waarschijnlijk niet werkt,' zei hij. 'We mogen ze niet de kans geven om van koers te veranderen. Ik bedoel nu insinuaties over jullie twee, en ook over Mike en Kyra.'

Mattie keek zo geschokt dat ze weer twaalf leek. 'Mike en Kyra! Waar heb je het over?'

'Mensen die zo wanhopig zijn dat ze alles wel willen proberen, uiten soms beschuldigingen van kindermisbruik.'

'Dat is belachelijk,' zei ze. 'En als mijn schoonvader met dat soort modder wilde gooien...'

John knikte. 'Ja, dan moeten we met modder teruggooien. We zouden de landelijke pers halen, misschien zelfs Court TV, wat god verhoede. Dat kunnen we echt niet gebruiken. Het is niet goed voor de volwassenen, en het is niet goed voor het kind. Nu niet en later ook niet.'

Hij bukte zich en kuste Mattie op haar wang.

'Ik vind het erg dat je dit moet doormaken,' zei hij, en zo te horen meende hij het. 'Dat heb je nou eenmaal met voogdijzaken.'

'Je hebt me gewaarschuwd. Alleen... Het idee dat iemand zoiets zou verzinnen omdat hij anders niet kan winnen...'

'Laat me je nog een keer waarschuwen,' zei hij. Zijn gezicht werd zo grimmig als bij zo'n jonge, goedgehumeurde man mogelijk was. 'De man is erg rijk en hij staat in deze zaak erg zwak. Die combinatie is net zo onberekenbaar als oude dynamiet.'

Ik wendde me tot Mattie. 'Maak je je nog zorgen om Ki? Heb je nog steeds het gevoel dat ze gevaar loopt?'

Ik zag dat ze zocht naar woorden om eromheen te draaien – de gebruikelijke Yankee-terughoudendheid, dacht ik – maar toch besloot dat niet te doen. Misschien kwam ze tot de conclusie dat omzichtigheid een luxe was die ze zich niet kon permitteren.

'Ja. Maar dat is maar een gevoel, weet je.'

John fronste zijn wenkbrauwen. Volgens mij was hij ook wel op het idee gekomen dat Devore zou kunnen proberen om op onrechtmatige wijze zijn doel te bereiken. 'Hou haar zoveel mogelijk in de gaten,' zei hij. 'Ik geloof in intuïtie. Is die van jou gebaseerd op iets concreets?'

'Nee,' antwoordde Mattie, en met een snelle blik in mijn richting vroeg ze me mijn mond te houden. 'Niet echt.' Ze maakte de deur van de Scout open en gooide het bruine zakje met de Twinkies erin – ze had besloten ze toch mee te nemen. Toen keek ze John en mij bijna woedend aan. 'Ik weet trouwens niet hoe ik dat advies kan opvolgen. Ik werk vijf dagen per week en in augustus, als we de microfiches bijwerken, zijn dat er zes. Momenteel eet Ki tussen de middag in de V.B.S. en 's avonds bij Arlene Cullum. Ik zie haar 's morgens. De rest van de tijd...' Ik wist wat ze ging zeggen voordat ze het zei; het was een oude uitdrukking. '... is ze in de TR.'

'Ik kan je helpen een *au pair* te vinden,' zei ik. Dat zou duur zijn, maar lang niet zo duur als John Storrow.

'Nee,' zeiden ze in koor, en ze keken elkaar aan en schoten in de lach. Maar zelfs terwijl ze lachte, zag Mattie er gespannen en ongelukkig uit.

'We willen geen papieren spoor achterlaten waar Durgin of Devores voogdijteam gebruik van kunnen maken,' zei John. 'Wie mij betaalt is één ding. Wie Matties kinderopvang betaalt is een tweede.'

'Trouwens, ik heb al zoveel van je gekregen,' zei Mattie. 'Ik slaap er nu al slecht van. Ik wil niet dat het nog verder gaat, alleen omdat ik voorgevoelens heb.' Ze stapte in de Scout en sloot de deur.

Ze had haar raam openstaan en ik liet mijn handen op de sponning rusten. We waren nu op gelijke hoogte, en ons oogcontact was zo intens dat ik me er helemaal niet prettig bij voelde. 'Mattie, ik heb niets anders om het aan uit te geven. Echt niet.'

'Wat Johns honorarium betreft, accepteer ik het. Want Johns honorarium heeft met Ki te maken.' Ze legde haar hand over de mijne en gaf een kneepje. 'Dat andere heeft met mij te maken. Goed?'

'Ja. Maar je moet tegen je oppas en tegen de mensen van die bijbelschool zeggen dat je midden in een voogdijzaak zit die lelijke trekjes kan aannemen, en dat ze Kyra nooit met iemand mee mogen laten gaan, ook niet met iemand die ze kennen, zonder dat jij het zegt.'

Ze glimlachte. 'Dat heb ik al gedaan. Op advies van John. Hou contact, Mike.' Ze pakte mijn hand vast, gaf er een klapzoen op en reed weg.

'Wat denk je?' vroeg ik John toen we de Scout naar de nieuwe Prouty Bridge zagen ronken, die Castle Street overspant en het uitgaand verkeer naar Highway 68 uitbraakt.

'Ik denk dat ze blij mag zijn dat ze een rijke weldoener en een slimme advocaat heeft,' zei John. Hij zweeg even en zei toen: 'Maar ik zal je wat vertellen. Op de een of andere manier heb ik niet het gevoel dat ze er vertrouwen in heeft. Dat is een gevoel dat ik heb... Ik weet het niet...'

'Alsof er een wolk om haar heen hangt die je niet kunt zien.'

'Misschien. Misschien is dat het.' Hij woelde met zijn handen door zijn weerbarstige rode haar. 'Ik weet alleen dat ze iets triestigs heeft.'

Ik wist precies wat hij bedoelde – alleen was dat voor mij nog niet alles. Ik wilde met haar naar bed, triestig of niet, verstandig of niet. Ik wilde haar handen op me voelen, trekkend en drukkend, strelend en strijkend. Ik wilde haar huid kunnen ruiken, haar haar kunnen proeven. Ik wilde haar lippen tegen mijn oor hebben, wilde dat haar adem door de fijne haartjes in dat oor streek terwijl ze me vertelde dat ik moest doen wat ik wilde, wat ik maar wilde.

Even voor twee uur was ik bij Sara Laughs terug. Ik ging naar binnen en dacht aan niets anders dan mijn werkkamer en de IBM met het Courier-bolletje. Ik schreef weer – ik schrééf. Nog steeds kon ik het bijna niet geloven. Ik zou werken (niet dat het na vier jaar ledigheid als werk aanvoelde) tot een uur of zes, en daarna zou ik gaan zwemmen en naar het Village Cafe gaan voor een van Buddy's cholesterolrijke specialiteiten.

Zodra ik naar binnen ging, begon Bunters bel hard te rinkelen. Ik bleef net voorbij de drempel staan, mijn hand verstijfd op de deurknop. Het huis was warm en licht, nergens een schaduw te bekennen, maar ik had kippenvel op mijn armen alsof het middernacht was.

'Wie is daar?' riep ik.

De bel hield op met rinkelen. Er volgde een moment van stilte, en toen gilde een vrouw. Het kwam ergens vandaan, ergens uit de zonovergoten, met stofdeeltjes gevulde lucht, als zweet uit warme huid. Het was een schreeuw van woede, verontwaardiging, verdriet... maar vooral van afschuw, denk ik. En ik schreeuwde terug. Ik kon het niet helpen. Ik was bang geweest toen ik op die donkere keldertrap stond en die onzichtbare vuist tegen de isolatie hoorde bonken, maar dit was veel erger.

Het was niet zo dat die schreeuw op een gegeven moment ophield. Hij zakte weg, zoals het snikken van het kind was weggezakt, alsof degene die gilde snel werd weggedragen door een lange gang, snel van me vandaan.

Eindelijk hoorde ik het niet meer.

Ik leunde tegen de boekenkast, mijn handpalm tegen mijn T-shirt gedrukt, mijn hart in galop. Ik snakte naar adem en mijn spieren hadden dat vreemde *geëxplodeerde* gevoel dat je hebt als je je rot bent geschrokken.

Er ging een minuut voorbij. Mijn hart kwam geleidelijk tot bedaren en mijn ademhaling werd ook regelmatiger. Ik rechtte mijn rug, zette aarzelend een stap. Toen ik merkte dat mijn benen me konden dragen, zette ik er nog twee. Ik stond in de deuropening van de keuken en keek door de keuken naar de huiskamer. Boven de haard keek Bunter de eland glazig naar me terug. De bel om zijn nek hing er roerloos en geluidloos bij. De zijkant ving het licht van de zon in één punt. Het enige geluid kwam van die stomme Felix de Kat-klok in de keuken.

Zelfs op dat moment al knaagde de gedachte aan me dat die gillende vrouw Jo was geweest, dat de geest van mijn vrouw in Sara Laughs rondwaarde en dat ze pijn leed. Dood of niet, ze leed pijn.

'Jo?' vroeg ik zachtjes. 'Jo, ben je...'

Het snikken begon weer – het geluid van een doodsbang kind. Tegelijk kreeg ik die ijzersmaak van het meer weer in mijn mond en neus. Ik bracht mijn hand naar mijn keel, kokhalsde in paniek, boog me over de gootsteen en spuwde. Het was net als de vorige keer – in plaats van een stroom water kwam er alleen een beetje spuug uit. Het gevoel dat ik vol zat met water was weg, alsof het er nooit geweest was.

Ik bleef met mijn handen om de rand van het aanrecht over de gootsteen gebogen staan. Waarschijnlijk leek ik net een dronken kerel die tot besluit van het feest de meeste gebottelde uitbundigheid van de avond er weer uitgooit. Zo voelde ik me ook – geschokt en versuft, zozeer overrompeld dat ik niet goed meer wist wat er gebeurde.

Eindelijk richtte ik me weer op. Ik nam de handdoek die over de handgreep van de vaatwasmachine hing en veegde mijn gezicht ermee af. Er stond thee in de koelkast, en ik hunkerde naar een groot glas thee met veel ijs. Ik reikte naar de handgreep van de koelkast en verstijfde meteen. De groente- en fruitmagneetjes waren weer in een kring gerangschikt. In het midden stond

elp vdrink

Nu is het genoeg, dacht ik. *Ik ga weg. Meteen. Vandaag nog.*

Toch zat ik een uur later in mijn smoorhete werkkamer. Ik had een glas thee (de ijsblokjes waren allang gesmolten) naast me op het bureau staan, en ik droeg alleen een zwembroek en ging helemaal op in de wereld die ik creëerde – de wereld waarin een privédetective met de naam Andy Drake probeerde te bewijzen dat John Shackleford niet de seriemoordenaar met de bijnaam Honkbalpet was.

We gaan als volgt door het leven: één dag tegelijk, één maaltijd tegelijk, één verdriet tegelijk, één inademing tegelijk. Tandartsen pakken één wortelkanaal tegelijk aan; scheepsbouwers bouwen één romp tegelijk. Als je boeken schrijft, schrijf je één bladzijde tegelijk. We wenden ons af van alles wat we weten en alles waar we bang voor zijn. We bestuderen catalogussen, kijken naar footballwedstrijden, kiezen Sprint in plaats van AT&T. We tellen de vogels in de lucht en wenden ons niet van het raam af als we voetstappen achter ons horen omdat er iemand door de gang loopt. We zeggen ja, ik vind ook dat wolken vaak op iets anders lijken – op vissen en eenhoorns en ruiters te paard – maar toch zijn het maar wolken, en zelfs als de bliksem in die wolken flitst, zeggen we dat het maar wolken zijn en richten we onze aandacht op de volgende maaltijd, het volgende verdriet, de volgende inademing, de volgende bladzijde. Zo gaan we door het leven.

16

Het boek was belangrijk, nietwaar? Het boek betekende heel veel.

Ik durfde niet van *kamer* te veranderen, laat staan de schrijfmachine op te pakken en met mijn nog dunne manuscript naar Derry terug te gaan. Dat zou net zo gevaarlijk zijn als met een baby in je armen een orkaan inrennen. En dus bleef ik zitten, al behield ik me het recht voor om weg te gaan als het me te gek werd (zoals rokers zich het recht voorbehouden om te stoppen als het hoesten te erg wordt). Zo ging er een week voorbij. Er gebeurden dingen in die week, maar totdat ik Max Devore die vrijdag – het zal 17 juli zijn geweest – op De Straat ontmoette, werd ik vooral in beslag genomen door een boek dat, als het klaar was, *De vriend uit mijn kinderjaren* zou heten. Misschien denken we altijd dat wat verloren is gegaan het beste was... of het beste zou zijn geweest. Ik ben daar nog niet zo zeker van. Wat ik wél weet, is dat mijn echte leven die week vooral bepaald werd door Andy Drake, John Shackleford en een schimmige figuur op de achtergrond. Raymond Garraty, de vriend uit John Shacklefords kindertijd. Een man die soms een honkbalpet droeg.

In die week gingen de verschijnselen in het huis gewoon door, maar wel op een lager pitje – niets in de orde van grootte van die huiveringwekkende gil. Soms rinkelde Bunters bel en soms vormden de groente- en fruitmagneetjes weer een kring – maar nooit met woorden in het midden, niet in die week. Op een ochtend zag ik na het opstaan dat de suikerpot was omgegooid. Dat deed me aan Matties verhaal over het meel denken. Er was niets in de gemorste suiker geschreven, maar er liep wel een kronkellijn doorheen...

... alsof iets een vergeefse poging had gedaan om te schrijven. In dat geval kon ik me in het probleem verplaatsen. Ik wist precies hoe dát was.

Op vrijdag 10 juli legde ik mijn verklaring voor de geduchte Elmer Durgin af. De dinsdag daarop liep ik over De Straat naar het softbalveld van Warrington's, in de hoop dat ik Max Devore te zien zou krijgen. Het liep tegen zes uur toen ik binnen gehoorsafstand van de kreten, het gejuich en de weggemepte ballen kwam. Een pad met rustieke borden (sierlijke W's die in eikenhouten pijlen waren gebrand) leidde langs een verlaten botenhuis, een paar schuren en een prieel dat half met bramenstruiken was overwoekerd. Ten slotte kwam ik een eindje voorbij het middenveld uit. Aan chipszakken, snoepwikkels en bierblikjes was te zien dat wel vaker mensen vanaf deze plek naar de wedstrijden keken. Ik dacht onwillekeurig aan Jo en haar mysterieuze vriend, de man in het oude bruine colbertje, de stevig gebouwde man die zijn arm om haar middel had gelegd en haar lachend van het speelveld had weggeleid, terug naar De Straat. In de loop van het weekend had ik twee keer op het punt gestaan om Bonnie Amudson te bellen en te vragen of ik die kerel misschien kon opsporen, en beide keren had ik het toch maar niet gedaan. Slapende honden, zei ik iedere keer tegen mezelf. Slapende honden, Michael.

Ik had dat deel van het terrein die avond voor me alleen. Het leek me de juiste afstand ten opzichte van het thuishonk, gezien het feit dat de man die zijn rolstoel meestal achter de achtervanger installeerde me voor leugenaar had uitgemaakt en ik hem had uitgenodigd om mijn telefoonnummer op te bergen op een plek waar de zon nooit schijnt.

Ik had me geen zorgen hoeven maken. Devore was er niet, en de charmante Rogette was er ook niet.

Wel zag ik Mattie achter het zorgvuldig onderhouden kippengaashek op de eerste honklijn. John Storrow stond naast haar. Hij droeg een spijkerbroek en een poloshirt en zijn rode haar werd voor het grootste deel in bedwang gehouden door een Mets-pet. Ze stonden twee innings naar de wedstrijd te kijken en te praten tot ze me zagen – lang genoeg om me een beetje jaloers op John te laten worden.

Toen sloeg iemand een verre bal naar het midden, waar de rand van het bos als omheining fungeerde. De middenvelder ging achteruit, maar de bal ging ver over zijn hoofd heen. Hij zou ergens rechts van mij terechtkomen. Onwillekeurig ging ik die kant op. Ik rende door de struiken die een afscheiding tussen het gemaaide speelveld en de bomen vormden en hoopte dat ik niet door gifsumac, een giftig soort struik, rende. Ik ving de softbal met mijn uitgestoken linkerhand en lachte toen er toeschouwers begonnen te juichen. De middenvelder applaudisseerde voor me door met zijn blote rechterhand in de kuil van zijn handschoen te slaan. Intussen liep de slagman rustig de honken langs. Hij wist dat hij een reglementaire homerun had geslagen.

Ik gooide de bal naar de veldspeler, en toen ik naar mijn plaats tussen de snoepwikkels en bierblikjes terugkeerde, keek ik het veld weer op en zag ik Mattie en John naar me kijken.

Als er iets is wat bevestigt dat we gewoon een diersoort zijn, een soort met iets grotere hersenen en een véél groter beeld van de rol die we in de wereld spelen, is het de manier waarop we iets met een gebaar kunnen duidelijk maken. Mattie vouwde haar handen, hield ze tegen haar borst, hield haar hoofd schuin naar links en trok haar wenkbrauwen op – *Mijn held.* Ik hield mijn handen bij mijn schouders, met de palmen omhoog – *Ach, mevrouw, het was niets.* John liet zijn hoofd zakken en hield zijn vingers tegen zijn voorhoofd, alsof hij daar pijn had – *Geluksvogel die je bent.*

Toen die informatie was uitgewisseld, wees ik naar de achtervanger en haalde vragend mijn schouders op. Mattie en John haalden ook hun schouders op. Een inning later rende een kleine jongen die net één gigantische exploderende sproet leek naar me toe, met een veel te grote Michael Jordan-trui als een jurk tot op zijn schenen.

'Hij daar gaf me vijftig cent om te zeggen dat u hem later in zijn hotel in de Rock moet bellen,' zei hij, wijzend naar John. 'Hij zegt dat u me vijftig cent geeft als u een antwoord hebt.'

'Zeg tegen hem dat ik hem om ongeveer halftien bel,' zei ik. 'Maar ik heb geen kleingeld. Is een dollar ook goed?'

'Hé, ja, bedankt.' Hij griste het dollarbiljet uit mijn hand, draaide zich om en begon terug te rennen. Aan zijn grijns kon ik zien dat zijn gebit zich ergens tussen het Eerste en het Tweede Bedrijf bevond. Met de softbalspelers op de achtergrond leek hij zo uit een schilderij van Norman Rockwell te zijn weggelopen. 'Ik moest ook van hem zeggen dat die vangbal stinkende mazzel was.'

'Zeg maar dat ze dat ook altijd over Willie Mays zeiden.'

'Willie wie?'

O, jeugd. O, zeden. 'Zeg het nou maar gewoon, jongen. Hij snapt het wel.'

Ik bleef nog een inning staan, maar inmiddels begon de wedstrijd minder interessant te worden. Devore kwam niet opdagen en ik ging op weg naar huis. Ik ontmoette een visser die op een rots stond en twee jonge mensen die hand in hand over De Straat naar Warrington's wandelden. Ze zeiden hallo en ik zei hallo terug. Ik voelde me tegelijk eenzaam en tevreden. Dat is volgens mij een zeldzaam soort geluk.

Sommige mensen gaan meteen naar hun antwoordapparaat als ze thuiskomen. Die zomer ging ik altijd meteen naar de koelkastdeur. Iemienemutte, de geesten spreken. Die avond hadden ze dat niet gedaan, al vormden de groente- en fruitmagneten nu een golvende lijn, als een slang of misschien de letter *S* die een dutje doet:

Even later belde ik John en vroeg hem waar Devore was geweest, en hij herhaalde met woorden wat hij me veel beknopter met een gebaar al had verteld. 'Het was de eerste wedstrijd die hij oversloeg sinds hij terug is,' zei hij. 'Mattie probeerde een paar mensen te vragen of alles wel goed met hem was, en blijkbaar was dat het geval... Tenminste, voor zover de mensen wisten.'

'Wat bedoel je, ze probéérde het een paar mensen te vragen?'

'Ik bedoel dat sommige mensen geen woord tegen haar wilden zeggen. "Ze zwegen haar dood," zou de generatie van mijn ouders gezegd hebben.' *Let op je woorden, vriend*, dacht ik maar zonder het te zeggen, *dat is maar een halve stap van mijn generatie vandaan.* 'Ten slotte sprak een van haar vroegere vriendinnen met haar, maar verder nemen de mensen, tegenover Mattie Devore, allemaal ongeveer dezelfde houding aan. Die Osgood mag dan een waardeloze zakenman zijn, als Devores gelduitdeler doet hij geweldig werk. Het is hem gelukt Mattie van de andere dorpelingen te isoleren. Is het trouwens wel een dorp, Mike? Dat heb ik niet helemaal begrepen.'

'Iedereen heeft het hier gewoon over de TR,' zei ik gedachteloos. 'Eigenlijk is het niet uit te leggen. Denk je echt dat Devore *iedereen* omkoopt? In dat geval zou je gaan twijfelen aan die mooie oude ideeën over de onschuld en gemoedelijkheid van het platteland, hè?'

'Hij strooit met geld en hij gebruikt Osgood – en misschien Footman ook – om verhalen rond te strooien. En de mensen hier lijken me minstens zo eerlijk als eerlijke politici.'

'Degenen die trouw blijven aan degene die ze heeft gekocht?'

'Ja. O, en ik heb een van Devores potentiële kroongetuigen in de Zaak van het Weggelopen Kind gezien. Royce Merrill. Hij stond met een paar van zijn maten bij het materiaalhok. Heb jij hem ook gezien?'

Ik zei van niet.

'Die kerel moet wel honderddertig zijn,' zei John. 'Hij heeft een stok met een gouden knop ter grootte van een olifantenreet.'

'Dat is een stok van de *Boston Post*. De oudste van de county mag ermee lopen.'

'En ik weet zeker dat hij er op een eerlijke manier aan gekomen is. Als Devores advocaten hem in de getuigenbank zetten, vil ik hem levend.' John sprak met zoveel opgewektheid en zelfvertrouwen dat het iets kils had.

'Ongetwijfeld,' zei ik. 'Hoe vond Mattie het dat haar oude vrienden niets van haar wilden weten?' Ze had tegen mij gezegd dat ze een hekel aan de dinsdagavonden had, dat ze een hekel had aan het idee dat op het veld waar ze wijlen haar man had ontmoet nog steeds softbalwedstrijden werden gespeeld.

'Ze hield zich goed,' zei John. 'Ik denk dat ze de meesten toch al als een verloren zaak beschouwde.' Wat dat betrof, had ik mijn twijfels –

ik meen me te herinneren dat je op je eenentwintigste gespecialiseerd bent in verloren zaken – maar ik zei niets. 'Ze houdt vol. Ze is eenzaam en bang geweest, en ik denk dat ze al begon te wennen aan het idee dat ze Kyra kwijt zou raken, maar ze heeft haar zelfvertrouwen nu weer terug. Grotendeels dankzij het feit dat ze jou tegenkwam. Was dat even geluk hebben!'

Nou, misschien. Ik dacht even aan Jo's broer Frank, die een keer tegen me had gezegd dat er volgens hem niet zoiets als geluk hebben bestond, alleen het lot en de keuzen die je maakte. En toen herinnerde ik me dat beeld van de TR met al die kabels die kriskras door elkaar liepen, onzichtbaar maar zo sterk als staal.

'John, ik vergat laatst de allerbelangrijkste vraag te stellen, toen ik mijn verklaring had afgelegd. Dat voogdijproces waar we ons allemaal zo druk om maken – is daar ooit een datum voor vastgesteld?'

'Goeie vraag. Ik heb het op alle mogelijke manieren nagevraagd, en Bissonette ook. Tenzij Devore en de zijnen een heel sluw trucje hebben uitgehaald, bijvoorbeeld hun eis indienen in een ander arrondissement, geloof ik niet dat de zaak al op de rol staat.'

'Zouden ze dat kunnen doen? Naar een ander arrondissement stappen?'

'Misschien. Maar waarschijnlijk niet zonder dat wij erachter komen.'

'Wat betekent dit nou?'

'Dat Devore op het punt staat het op te geven,' zei John prompt. 'Op dit moment zou ik het niet op een andere manier kunnen verklaren. Ik ga morgenvroeg naar New York terug, maar ik hou contact. Als hier iets gebeurt, moet je me bellen.'

Ik zei dat ik dat zou doen en ging naar bed. In mijn dromen van die nacht kreeg ik geen vrouwelijk bezoek. Dat was in zekere zin een opluchting.

Toen ik die woensdagochtend laat beneden kwam om mijn glas nog eens met ijsthee te vullen, had Brenda Meserve de droogmolen op de achterveranda gezet en mijn kleren opgehangen. Dat deed ze zoals haar moeder haar ongetwijfeld geleerd had, de broeken en overhemden aan de buitenkant en het ondergoed binnenin, zodat eventuele nieuwsgierige voorbijgangers niet konden zien wat je het dichtst op je huid droeg.

'U kunt ze om vier uur binnenhalen,' zei mevrouw M. terwijl ze aanstalten maakte om weg te gaan. Ze keek me aan met de heldere, cynische blik van een vrouw die haar hele leven 'de boel had gedaan' voor welgestelde mannen. 'Vergeet u dat niet. Als u ze de hele nacht laat hangen, komt het weer erin en dan krijg je ze alleen weer fris door ze opnieuw te wassen.'

Ik beloofde haar gedwee dat ik eraan zou denken mijn kleren naar binnen te halen. Vervolgens vroeg ik haar – ik voelde me net een spion die naar een ambassadefeest is gegaan om informatie te verzamelen – of ze vond dat het huis goed aanvoelde.

'Hoe bedoelt u, goed aanvoelen?' terwijl ze een wenkbrauw hoog optrok.

'Nou, ik heb een paar keer rare geluiden gehoord. 's Nachts.'

Ze snoof. 'Het is toch een huis van houtblokken? In etappes gebouwd, zou je kunnen zeggen. Het is te begrijpen, de ene aanbouw tegen de andere. Dat zult u wel horen.'

'Geen geesten, hè?' zei ik, alsof ik teleurgesteld was.

'Niet dat ik ooit heb gezien,' zei ze zo nuchter als een boekhouder, 'maar mijn moeder zei dat er hier volop geesten zijn. Ze zei dat het spookt bij het meer, dat er hier geesten zijn: van de Micmac-indianen die hier woonden tot ze door generaal Wing werden verdreven, van alle mannen die naar de Burgeroorlog zijn gegaan en daarin zijn omgekomen – er gingen meer dan zeshonderd mannen uit dit deel van de wereld, meneer Noonan, en daar kwamen nog geen honderdvijftig van terug... tenminste niet levend. Mijn moeder zei dat aan deze kant van het Dark Score Lake ook de geest rondwaart van die negerjongen die hier is omgekomen, de arme stumper. Hij hoorde bij een van de Red-Tops, weet u.'

'Nee – ik weet van Sara en de Red-Tops, maar dat niet.' Ik zweeg even. 'Is hij verdronken?'

'Nee, hij trapte in een wildklem. Hij heeft bijna een hele dag gesparteld en geschreeuwd om hulp. Ten slotte vonden ze hem. Ze spaarden zijn voet, maar dat hadden ze niet moeten doen. De jongen kreeg bloedvergiftiging, en hij ging dood. Dat was in de zomer van 1901. Daarom zijn ze weggegaan, denk ik – het deed ze te veel verdriet om te blijven. Maar mijn moeder zei altijd dat jochie... dat híj gebleven is. Ze zei altijd dat hij nog in de TR is.'

Ik vroeg me af wat mevrouw M. zou zeggen als ik haar vertelde dat dat jochie me hoogstwaarschijnlijk had begroet toen ik uit Derry was aangekomen en dat hij daarna nog een paar keer terug was geweest.

'En dan was er Kenny Austers vader. Normal heette hij,' zei ze. 'U kent dat verhaal toch wel? O, het is zo'n verschrikkelijk verhaal.' Ze keek eerder blij – omdat ze zo'n verschrikkelijk verhaal kende of misschien ook gewoon omdat ze de kans kreeg het me te vertellen.

'Nee,' zei ik. 'Maar Kenny ken ik wel. Dat is de man met die wolfshond. Blueberry.'

'Ja. Hij timmert weleens wat en past weleens op huizen, net als zijn vader ook al deed. Zijn vader beheerde veel van de huizen hier aan het meer, weet u, en kort na de Tweede Wereldoorlog heeft Normal Auster het kleine broertje van Kenny in zijn achtertuin verdronken. Dat was toen ze op Wasp Hill woonden, op het punt waar de weg zich splitst: de ene kant gaat naar de oude aanlegsteiger en de andere kant gaat naar de jachthaven. Maar hij heeft het jongetje niet in het meer verdronken. Hij legde hem onder de pomp op de grond en hield hem daar tot de baby vol water en dood was.'

Ik stond daar naar haar te kijken. Achter ons wapperden de kleren aan de droogmolen. Ik dacht aan het gevoel dat ik had gehad: mijn mond en neus en keel vol koud, naar ijzer smakend water. Dat water kon bronwater of meerwater zijn geweest, want hier komt het allemaal uit dezelfde diepe waterhoudende grondlagen. Ik dacht aan de boodschap op de koelkast: elp vdrink.

'Hij liet de baby onder de pomp liggen. Hij had een nieuwe Chevrolet en daar reed hij mee naar Lane 42. Hij nam zijn geweer mee.'

'U gaat me toch niet vertellen dat Kenny Austers vader zelfmoord heeft gepleegd in mijn huis, mevrouw Meserve?'

Ze schudde haar hoofd. 'Nee. Hij deed het op de veranda van de Brickers, aan de kant van het meer. Hij ging op de schommelbank op hun veranda zitten. En toen schoot die babymoordenaar zijn eigen kop van zijn romp.'

'De Brickers? Ik geloof niet...'

'Die kent u niet. Er zijn hier sinds de jaren zestig geen Brickers meer. Ze kwamen uit Delaware. Mensen van stand. U zou dat het huis van de Washburns noemen, denk ik, al zijn die nu ook weg. Het staat leeg. Van tijd tot tijd gaat die koppige idioot van een Osgood er met iemand naar toe om het de hemel in te prijzen, maar hij verkoopt het nooit voor de prijs die hij vraagt. Let op mijn woorden.'

De Washburns had ik inderdaad gekend. Ik had een paar keer met ze gebridged. Aardige mensen, zij het waarschijnlijk niet wat mevrouw M., met het eigenaardige snobisme dat veel mensen uit afgelegen plaatsen hebben, 'mensen van stand' zou hebben genoemd. Hun huis stond een paar honderd meter ten noorden van het mijne aan De Straat. Daarachter is niet veel meer – de oever van het meer wordt steil en de bossen zijn ondoordringbaar vanwege de massa's van dichte onderbegroeiing en braamstruiken. De Straat gaat verder naar de punt van Halo Bay helemaal aan het noordelijk eind van het Dark Score Lake, maar nadat Lane 42 eenmaal in de richting van de grote weg is afgebogen, wordt het pad bijna alleen nog gebruikt door bessenplukkers in de zomer en jagers in de herfst.

Normal, dacht ik. Vreemde naam voor iemand die zijn kleine zoontje onder de pomp heeft verdronken.

'Heeft hij een briefje achtergelaten? Een verklaring?'

'Nee. Maar de mensen zeggen dat zijn geest ook bij het meer rondwaart. In de meeste dorpen zeggen ze zoiets, maar ik zou zelf niet ja, nee of misschien kunnen zeggen. Ik heb daar geen gevoel voor. Het enige dat ik van uw huis weet, meneer Noonan, is dat het vochtig blijft ruiken, hoe ik ook mijn best doe om het te luchten. Dat zal wel door de houtblokken komen. Die huizen van houtblokken horen niet bij een meer. Het vocht trekt in het hout.'

Ze had haar handtas tussen haar Reeboks gezet en bukte zich nu om hem op te pakken. Het was de tas van een plattelandsvrouw, zwart, zonder opsmuk (afgezien van de gouden oogjes op de handgrepen) en praktisch. Ze had een royale collectie keukengerei in die tas kunnen stoppen, als ze dat had gewild.

'Maar ik kan hier niet de hele dag blijven kwebbelen, hoe graag ik dat misschien ook zou willen. Ik moet nog naar één huis voordat ik kan afnokken. In dit deel van de wereld is de zomer de oogsttijd, weet u. Denkt u eraan die kleren naar binnen te halen voordat het donker wordt, meneer Noonan. Laat het weer er niet in komen.'

'Ik zal eraan denken.' En ik dacht eraan. Maar toen ik naar buiten ging om ze naar binnen te halen, gekleed in mijn zwembroek en bedekt met het zweet van de oven waarin ik had gewerkt (ik moest die airco laten repareren, dat móést gewoon), zag ik dat iets de kleren had verhangen. Mijn spijkerbroek en overhemden hingen nu om de paal in het midden. Het ondergoed en de sokken, die op een discrete manier uit het zicht hadden gehangen toen mevrouw M. in haar oude Ford over de oprijlaan wegreed, hingen nu aan de buitenkant. Het was of mijn onzichtbare gast – één van mijn onzichtbare gasten – ha ha ha zei.

De volgende dag ging ik naar de bibliotheek, waar ik eerst mijn kaart verlengde. Lindy Briggs nam persoonlijk mijn vier dollar in ontvangst en voerde me in de computer in, nadat ze me eerst had verteld hoe verdrietig ze was geweest toen ze van Jo's dood hoorde. En net als bij Bill meende ik een licht verwijt in haar stem te horen, alsof het mijn schuld was dat ze pas zo laat haar leedwezen kon betuigen. Eigenlijk was het ook wel mijn schuld.

'Lindy, heb je een geschiedenis van de TR?' vroeg ik toen we eindelijk onze beleefdheden over mijn overleden vrouw hadden uitgewisseld.

'We hebben er twee,' zei ze, en toen boog ze zich over de balie naar me toe, een kleine vrouw in een mouwloze jurk met een patroon dat een belediging voor het oog was, haar haar een grijze pluizenbol om haar hoofd, haar heldere ogen glanzend achter haar dubbelfocusglazen. Op vertrouwelijke toon voegde ze eraan toe: 'Geen van tweeën erg goed.'

'Welke is de beste?' vroeg ik op dezelfde toon.

'Waarschijnlijk die van Edward Osteen. Hij kwam hier tot in de jaren vijftig alleen 's zomers en ging hier na zijn pensionering voorgoed wonen. Hij schreef *De tijden van Dark Score* in 1965 of 1966. Hij gaf het boek zelf uit, want hij kon geen uitgeverij vinden die het wilde hebben. Zelfs de regionale uitgevers wilden het niet.' Ze zuchtte. 'De mensen hier kochten het wel, maar dat zijn geen grote getallen, hè?'

'Nee,' zei ik.

'Hij kon gewoon niet goed schrijven. En trouwens ook niet goed fotograferen – ik krijg pijn aan mijn ogen van die priegelige zwart-witfoto's. Evengoed heeft hij een paar mooie verhalen. De verdrijving van de Micmacs, het bijzondere paard van generaal Wing, de wervelwind eind vorige eeuw, de branden in de jaren dertig...'

'Ook iets over Sara en de Red-Tops?'

Ze knikte en glimlachte. 'Je bent er eindelijk aan toegekomen om de geschiedenis van je eigen huis uit te zoeken, hè? Ik ben blij dat te horen. Hij vond een oude foto van ze, en die staat erin. Hij dacht dat die foto op de jaarmarkt van Fryeburg in 1900 was gemaakt. Ed zei altijd dat hij er veel voor over zou hebben om een plaat te horen die door dat stel was gemaakt.'

'Ik ook, maar er zijn nooit platen gemaakt.' Soms schiet me opeens een haiku van de Griekse dichter George Seferis te binnen: *Zijn dit de stemmen van onze dode vrienden / of alleen de grammofoon?* 'Wat is er met Osteen gebeurd? Ik kan me die naam niet herinneren.'

'Hij stierf een jaar of twee voordat jij en Jo jullie huis aan het meer kochten,' zei ze. 'Kanker.'

'Je zei dat er twee kronieken waren?'

'Het andere boek ken je waarschijnlijk wel – *Een geschiedenis van Castle County en Castle Rock*. Geschreven toen de county tweehonderd jaar bestond, en zo droog als gort. Eddie Osteens boek is niet erg goed geschreven, maar hij was geen droogstoppel. Dat moet je hem nageven. Ze staan daar.' Ze wees naar planken met het opschrift MAINE. 'Ze worden niet veel uitgeleend.' Toen begon ze te stralen. 'Al zullen we graag je kwartjes accepteren, als je je geroepen voelt ze in ons fotokopieerapparaat te stoppen.'

Mattie zat in de achterste hoek naast een jongen met een omgedraaide honkbalpet. Ze liet hem zien hoe de microfilmlezer werkte. Ze keek naar me op, glimlachte en vormde met haar mond de woorden *Goeie vangst*. Ze had het vermoedelijk over mijn toevalstreffer op het speelveld van Warrington's. Ik haalde even mijn schouders op en draaide me toen om naar de planken met MAINE. Maar ze had gelijk – toeval of niet, het wás een mooie vangst geweest.

'Wat zoek je?'

Ik was zo verdiept in de twee geschiedenisboeken die ik had gevonden dat ik opschrok van Matties stem. Ik draaide me om en glimlachte. Ik merkte eerst dat ze een licht en aangenaam parfum droeg, en toen dat Lindy Briggs vanaf de balie naar ons keek, nu zonder haar hartelijke glimlach.

'Informatie over de omgeving waar ik woon,' zei ik. 'Oude verhalen. Ik ben daar door mijn huishoudster in geïnteresseerd geraakt.' En op gedempte toon: 'De juf kijkt. Niet omkijken.'

Mattie keek geschrokken – en ook een beetje zorgelijk, vond ik. Zoals zou blijken maakte ze zich terecht zorgen. Met een stem die laag was maar toch minstens tot de balie moest reiken, vroeg ze of ze een van de boeken voor me op de plank kon terugzetten. Ik gaf ze allebei. Toen ze ze van me overnam, zei ze op bijna samenzweerderige fluistertoon: 'Die advocaat die je vrijdag bij je had, heeft John aan een privédetective geholpen. Hij zei dat ze misschien iets interessants over de voogd *ad litem* hebben gevonden.'

Ik liep met haar naar de MAINE-planken en hoopte dat ik haar niet in moeilijkheden bracht. Toen vroeg ik of ze wist wat dat interessante zou kunnen zijn. Ze schudde haar hoofd, keek me met het professionele glimlachje van een bibliothecaresse aan, en ik ging weg.

Op de terugweg naar huis liet ik de dingen die ik had gelezen nog eens de revue passeren. Het was niet veel. Osteen was een slechte schrijver die slechte foto's had gemaakt, en hoewel zijn verhalen kleurrijk waren, waren ze toch tamelijk mager. Hij noemde Sara en de Red-Tops wel, maar dan als een 'dixielandoctet', en zelfs ik wist dat hij ernaast zat. De Red-Tops hadden misschien wel wat dixieland gespeeld, maar ze waren vooral een bluesgroep (vrijdag- en zaterdagavond) en een gospelgroep (zondagmorgen). Uit de twee bladzijden die Osteen aan het verblijf van de Red-Tops in de TR had gewijd, bleek duidelijk dat hij nooit een cover van Sara's nummers had gehoord.

Hij bevestigde dat er een kind in een wildklem terecht was gekomen en daarna aan bloedvergiftiging was gestorven, een verhaal dat op dat van Brenda Meserve leek... maar waarom zou het daar niet op lijken? Osteen had het waarschijnlijk van mevrouw M.'s vader of grootvader gehoord. Hij schreef ook dat de jongen het enige kind van Son Tidwell was en dat de echte naam van de gitarist Reginald was. De Tidwells zouden naar het noorden zijn getrokken vanuit de hoerenwijk van New Orleans – die legendarische wijk van kroegen en clubs die rond de eeuwwisseling Storyville werd genoemd.

In de meer formele geschiedenis van Castle County kwamen Sara en de Red-Tops niet aan de orde, en in geen van beide boeken kwam Kenny Austers verdronken broertje ter sprake. Net voordat Mattie me aansprak, had ik een wild idee gekregen: dat Son Tidwell en Sara Tidwell man en vrouw waren en dat het kleine jongetje (dat door Osteen niet bij name werd genoemd) hun zoon was geweest. Ik vond de foto waarover Lindy het had gehad en bekeek hem aandachtig. Er waren meer dan tien zwarte mensen op te zien. Ze stonden dicht opeen op wat zo te zien een kermis was. Op de achtergrond zag je een ouderwets reuzenrad. De foto kon heel goed op de jaarmarkt van Fryeburg gemaakt zijn, en hoe oud en verbleekt hij ook was, er ging een simpele, elementaire kracht van uit waaraan alle foto's van Osteen zelf bij elkaar nog niet konden tippen. Je hebt vast weleens foto's gezien van bandieten uit de cowboytijd of de crisistijd. Daar zie je dezelfde grimmige realiteit: strenge gezichten boven strakke dassen en boorden, ogen die bijna geheel schuilgaan in de schaduw van hoedranden.

Sara stond vooraan in het midden, in een zwarte jurk en met haar gitaar. Ze glimlachte niet echt op deze foto, maar het was wel of ze een lach in haar ogen had, en die ogen deden me denken aan ogen op sommige schilderijen: het was of ze je overal door de kamer volgden. Ik keek naar de foto en dacht aan haar bijna hatelijke stem in mijn droom: *Wat wil je weten, schat?* Ik neem aan dat ik dingen over haar en de anderen wilde weten – wie ze geweest waren, hoe ze met elkaar omgingen als ze niet zongen en speelden, waarom ze weg waren gegaan, waar ze heen waren gegaan.

Allebei haar handen waren duidelijk zichtbaar, de een op de snaren van haar gitaar, de ander op de frets. Op een marktdag in oktober in het jaar 1900 had ze de G-snaar aangeslagen. Haar vingers waren lang en artistiek, zonder ringen. Dat hoefde natuurlijk niet te betekenen dat zij en Son Tidwell niet getrouwd waren, en ook als ze dat niet geweest waren, kon de kleine jongen die in de klem had getrapt, heel goed een onecht kind geweest zijn. Alleen had Son Tidwell diezelfde vage glimlach in zijn ogen. De gelijkenis was opvallend. Ik had het gevoel dat ze broer en zus waren geweest, niet man en vrouw.

Ik dacht op weg naar huis aan die dingen, en ik dacht aan kabels die je wel kon voelen maar niet zien – maar ik dacht vooral aan Lindy Briggs – zoals ze me had toegelachen, zoals ze even later níét naar haar intelligente jonge bibliothecaresse met het high school-diploma had gelachen. Dat baarde me zorgen.

Toen ging ik naar het huis terug en maakte ik me alleen nog zorgen over mijn verhaal en de mensen daarin – zakken met beenderen die met de dag meer vlees kregen.

Die vrijdagavond speelden Michael Noonan, Max Devore en Rogette Whitmore hun gruwelijke komische scène. Maar eerst gebeurden nog twee andere dingen die verteld moeten worden.

Het eerste was een telefoontje van John Storrow op donderdagavond. Ik zat voor de televisie, waarop zich geluidloos een honkbalwedstrijd afspeelde (de MUTE-knop waarmee de meeste afstandsbedieningen zijn uitgerust zou weleens de mooiste uitvinding van de twintigste eeuw kunnen zijn). Ik dacht aan Sara Tidwell en Son Tidwell en Son Tidwells zoontje. Ik dacht aan Storyville, een naam waarvan iedere schrijver wel moest houden. En in mijn achterhoofd dacht ik aan mijn vrouw, die zwanger was geweest toen ze stierf.

'Hallo?' zei ik.

'Mike, ik heb geweldig nieuws,' zei John. Hij klonk alsof hij op springen stond. 'Romeo Bissonette mag dan een rare naam zijn, maar er is niets raars aan de privédetective die hij voor me gevonden heeft. Hij heet George Kennedy, net als de acteur. Hij is goed en hij is *snel*. Die kerel zou in New York kunnen werken.'

'Als dat het beste compliment is dat je kunt bedenken, moet je wat vaker de stad uitgaan.'

Hij deed net of hij het niet had gehoord. 'Kennedy werkt eigenlijk bij een beveiligingsfirma – dat detectivewerk doet hij er in zijn vrije tijd bij. En dat is doodzonde, neem dat maar van me aan. Hij is het meeste hiervan door de telefoon aan de weet gekomen. Ik kan het bijna niet geloven.'

'Wat kun je bijna niet geloven?'

'Bingo, jongen.' In zijn stem klonk weer die mengeling van gretigheid en voldoening die ik tegelijk verontrustend en geruststellend vond. 'Elmer Durgin heeft sinds eind mei de volgende dingen gedaan: zijn auto afbetaald, zijn vakantiehuisje in Rangely Lakes afbetaald, zo'n negentig jaar achterstallige alimentatie betaald...'

'Niemand betaalt negentig jaar alimentatie,' zei ik, maar ik zei dat alleen om mezelf te horen praten... om iets van mijn opwinding kwijt te raken. 'Dat kén niet, McGee.'

'Wel als je zeven kinderen hebt,' zei John, en hij barstte in lachen uit.

Ik dacht aan dat pafferige zelfvoldane gezicht, die gewelfde bovenlip, die nuffige, glimmende nagels. 'Die héb hij niet,' zei ik.

'Die heb hij wél,' zei John, nog steeds lachend. Hij klonk als een volslagen krankzinnige – manisch, niet depressief. 'Die heb hij wel! In leeftijd variërend van v-veertien tot d-d-*drie*! Wat een d-druk p-p-potent kereltje moet hij zijn geweest!' Nog meer bulderend gelach. En intussen bulderde ik met hem mee – het leek wel besmettelijk. 'Kennedy f-f-faxt me f-foto's van de hele fam... vermilie!' Nu hadden we het helemaal niet meer. We zaten interlokaal te gieren. Ik kon me voorstellen hoe John Storrow in zijn kantoor aan Park Avenue zat, schuddebuikend als een gek, de schrik van de schoonmaaksters.

'Maar daar gaat het niet om,' zei hij toen hij weer samenhangend kon spreken. 'Je begrijpt toch wel waar het om gaat?'

'Ja,' zei ik. 'Hoe kon hij zo stom zijn?' Ik bedoelde Durgin, maar ook Devore. John begreep, geloof ik, dat we het over beide mannen tegelijk hadden.

'Elmer Durgin is een klein advocaatje uit een klein plaatsje ergens in de uitgestrekte wouden van het westen van Maine. Meer niet. Hoe kon hij weten dat er op een dag een beschermengel zou komen met het geld om hem uit de nood te helpen? Hij heeft trouwens ook een boot gekocht. Twee weken geleden. Een dubbele buitenboord. Een grote. Het is uit, Mike. Het thuisteam scoort negen homeruns achter elkaar en de overwinning is voor ons!'

'Als jij het zegt.' Maar mijn hand ging uit zichzelf op avontuur, vormde een losse vuist en klopte op het dikke massieve hout van de salontafel.

'En hé, die softbalwedstrijd was niet helemaal een fiasco.' John had nog steeds giechelende uitbarstingen tussen het praten door. Het was of de lachbuien als heliumballonnen uit zijn mond opstegen.

'O nee?'

'Ik ben gek op haar.'

'Haar?'

'Mattie,' zei hij geduldig. 'Mattie Devore.' Een korte stilte, en toen: 'Mike? Ben je daar nog?'

'Ja,' zei ik. 'De telefoon gleed uit mijn hand. Sorry.' De telefoon was nog geen centimeter gegleden, maar het kwam er heel geloofwaardig uit, vond ik. En ook als dat niet zo was, wat dan nog? Als het op Mattie aankwam, was ik – in elk geval in Johns ogen – boven elke verdenking verheven. Net als het personeel van een landhuis in een boek van Agatha Christie. Hij was achtentwintig, misschien dertig. De gedachte dat een man die twaalf jaar ouder dan hij was zich misschien seksueel tot Mattie aangetrokken kon voelen, was waarschijnlijk nooit in hem opgekomen... of misschien heel even daar bij het speelveld, voordat hij het uit zijn hoofd zette omdat het absurd was. Zoals Mattie de gedachte aan Jo en de man in het bruine colbertje uit haar hoofd had gezet.

'Ik kan haar niet het hof maken zolang ik haar vertegenwoordig,' zei hij. 'Dat zou niet ethisch zijn. Het zou ook niet veilig zijn. Maar later... Je weet nooit.'

'Nee,' zei ik. Ik hoorde mijn stem zoals je soms je eigen stem hoort op momenten dat iets je volkomen onverwachts treft. Je hoort je stem dan alsof hij van iemand anders is, bijvoorbeeld iemand op de radio of op een plaat. Zijn het de stemmen van onze dode vrienden, of alleen de grammofoon? Ik dacht aan zijn handen, die vingers zo lang en slank en zonder ring. Net als Sara's handen op die oude foto. 'Nee, je weet nooit.'

We namen afscheid en ik zat naar de geluidloze honkbalwedstrijd te kijken. Ik overwoog om een biertje te gaan pakken, maar de koelkast leek me te ver weg – alsof ik op safari zou gaan. Ik voelde een dof verdriet, gevolgd door een betere emotie: norse opluchting zou je het misschien kunnen noemen. Was hij te oud voor haar? Nee, ik dacht van niet. Hij had precies de goede leeftijd. Prins op het Witte Paard nummer 2, ditmaal in een driedelig pak. Misschien kreeg Mattie eindelijk een beetje geluk met mannen, en in dat geval zou ik blij moeten zijn. Ik zóú blij zijn. En opgelucht. Want ik moest een boek schrijven. Ik had wel wat anders aan mijn hoofd dan witte gymschoenen die in de vallende schemering onder een rode zomerjurk oplichtten, of het gloeiende puntje van haar sigaret dat door het duister danste.

Toch voelde ik me eenzaam, voor het eerst sinds ik Kyra in haar badpak en op haar slippers over de witte middenlijn van Route 68 had zien lopen.

'Jij raar klein mannetje, zei Strickland,' zei ik tegen de lege kamer. Het was eruit voordat ik wist dat ik iets ging zeggen, en toen het eruit was, sprong de televisie op een andere zender. Het ging van honkbal naar een herhaling van *All in the Family* en toen naar *Ren & Stimpy*. Ik keek naar de afstandsbediening. Die lag nog op de salontafel, waar ik hem had neergelegd. De televisie sprong weer op een andere zender, en ditmaal keek ik naar Humphrey Bogart en Ingrid Bergman. Er stond een vliegtuig op de achtergrond, en ik hoefde de afstandsbediening niet te pakken en het geluid niet aan te zetten om te weten dat Humphrey aan Ingrid vertelde dat ze in dat vliegtuig moest stappen. De favoriete film van mijn vrouw. Op het eind moest ze altijd huilen.

'Jo?' vroeg ik. 'Ben je hier?'

Bunters bel rinkelde één keer. Heel zwakjes. Er waren verschillende geesten aanwezig geweest in het huis, daar was ik zeker van... Maar vanavond wist ik voor het eerst zeker dat Jo bij me was.

'Wie was hij, schat?' vroeg ik. 'Die man op het softbalveld – wie was hij?'

Bunters bel bleef stil hangen. Maar ze was in de kamer. Ik voelde haar, zoiets als een ingehouden adem.

Ik herinnerde me de lelijke, spottende boodschap op de koelkastdeur na mijn etentje bij Mattie en Ki: *blauwe roos leugenaar ha ha.*

'Wie was hij?' Mijn stem klonk onzeker, balancerend op de rand van tranen. 'Wat deed je hier met een man? Was je...?' Maar ik kon het niet opbrengen om te vragen of ze tegen me had gelogen, of ze me had bedrogen. Ik kon dat niet vragen, al zat die aanwezigheid, laten we wel wezen, misschien alleen maar in mijn hoofd.

Casablanca verdween van het scherm en nu zag ik ieders favoriete advocaat, Perry Mason, op Nick at Nite. Perry's tegenspeler, Hamilton Burger, ondervroeg een vrouw die zo te zien erg van streek was, en opeens ging het geluid keihard. Ik maakte een sprongetje op mijn stoel.

'Ik ben géén leugenaar!' riep een tv-actrice van lang geleden uit. Een ogenblik keek ze me recht aan, en ik was stomverbaasd toen ik Jo's ogen in dat zwart-witgezicht uit de jaren vijftig zag. 'Ik heb nóóit gelogen, meneer Burger, nooit!'

'Ik beweer van wel!' antwoordde Burger. Hij kwam met de grijns van een vampier op haar af. 'Ik beweer dat u...'

Opeens ging de televisie uit. Bunters bel liet één enkele korte rinkeling horen, en toen was het weg, wat er ook geweest was. Maar ik voelde me beter. *Ik ben* geen *leugenaar... Ik heb* nooit *gelogen, nooit.*

Ik kon dat geloven, als ik het wilde geloven.

Als ik het wilde.

Ik ging naar bed, en er kwamen geen dromen.

Ik had de gewoonte aangenomen vroeg te gaan werken, voordat de hitte zich echt helemaal meester maakte van de werkkamer. Ik dronk wat sap, werkte wat toast naar binnen en zat achter de IBM tot het middag werd, kijkend naar het Courier-bolletje dat over de vellen papier danste die leeg de machine ingingen en er gevuld met letters weer uitkwamen. Die oude magie, zo vreemd en zo geweldig. Ik had nooit het gevoel dat ik werkte, al noemde ik het wel zo; het was of ik op een vreemd soort mentale trampoline aan het springen was. Het waren sprongen die al het gewicht van de wereld een tijdje wegnamen.

Tussen de middag nam ik een pauze. Ik reed naar Buddy Jellisons restaurant om iets ongezonds te nemen. Later, als ik weer thuis was, werkte ik nog een uur of zo. Daarna ging ik zwemmen en een tijdje droomloos slapen in de noordelijke slaapkamer. Ik was nog maar nauwelijks in de grote slaapkamer aan de zuidkant van het huis geweest, en als mevrouw M. dat vreemd vond, liet ze het niet blijken.

Op vrijdag de zeventiende ging ik, op de terugweg naar huis, even naar de Lakeview General om mijn Chevrolet vol te gooien. Er stonden pompen bij de All-Purpose Garage, en de benzine was er een paar cent goedkoper, maar ik voelde me daar niet op mijn gemak. Toen ik zo voor de winkel stond, met de pomp in de automatische stand, en naar de bergen tuurde, stopte de Dodge Ram van Bill Dean aan de andere kant van de pompen. Hij stapte uit en keek me glimlachend aan. 'Hoe gaat het, Mike?'

'Vrij goed.'

'Brenda zegt dat je druk aan het schrijven bent.'

'Dat klopt,' zei ik, en het lag op het puntje van mijn tong om te vragen hoe het met mijn kapotte airconditioning gesteld was. Het bleef op dat puntje liggen. Ik was er nog niet helemaal gerust op dat ik weer kon schrijven en wilde eigenlijk niets veranderen aan de omgeving waarin ik dat deed. Misschien is dat dom, maar soms lukken dingen gewoon omdat je denkt dat ze lukken. Je zou dat geloof of vertrouwen kunnen noemen.

'Nou, ik ben blij dat te horen. Erg blij.' Hij kwam heel oprecht over, maar op de een of andere manier klonk hij niet als Bill. In elk geval niet als de Bill die me welkom had geheten.

'Ik doe wat onderzoek naar dingen die vroeger aan mijn kant van het meer zijn gebeurd,' zei ik.

'Sara en de Red-Tops? Daar was je altijd al in geïnteresseerd.'

'In hen, ja, maar niet alleen in hen. Veel geschiedenis. Ik heb met mevrouw M. gepraat, en ze vertelde me over Normal Auster. Kenny's vader.'

Bill bleef glimlachen, en hij zweeg alleen even omdat hij de dop van zijn benzinetank moest schroeven, maar ik had nog steeds duidelijk het gevoel dat hij inwendig verstijfd was. 'Je zou toch niet over zoiets schrijven, Mike? Want er zijn hier veel mensen die daar helemaal geen goed gevoel bij zouden hebben. Ik heb dat ook al tegen Jo gezegd.'

'Jo?' Ik voelde de aandrang om tussen de twee pompen te gaan staan en hem bij zijn arm te pakken. 'Wat heeft Jo hiermee te maken?'

Hij keek me behoedzaam en doordringend aan. 'Heeft ze het je niet verteld?'

'Waar heb je het over?'

'Ze dacht erover om voor een van de plaatselijke kranten iets over Sara en de Red-Tops te schrijven.' Bill koos zijn woorden met grote zorg. Ik kan me dat heel goed herinneren, en ik weet ook nog heel precies hoe de zon in mijn nek brandde, en hoe scherp onze schaduwen op het asfalt waren. Hij begon te tanken, en de motor van de pomp maakte een hard geluid. 'Ik geloof dat ze zelfs het blad *Yankee* noemde. Daar kan ik me in vergissen, maar ik denk van niet.'

Ik was sprakeloos. Waarom zou ze mij nooit iets hebben verteld over een plan om iets over de plaatselijke geschiedenis te schrijven? Omdat ze misschien dacht dat ze zich op mijn terrein begaf? Dat was belachelijk. Ze had me toch wel gekend – of niet?

'Wanneer had je dat gesprek, Bill? Weet je dat nog?'

'Natuurlijk,' zei hij. 'De dag dat ze hierheen kwam om die plastic uilen in ontvangst te nemen. Al was ik degene die erover begon, want de mensen zeiden dat ze vragen aan het stellen was.'

'Was ze aan het rondneuzen?'

'Dat zei ik niet,' zei hij stijfjes. 'Dat zijn jouw woorden.'

Zeker, maar volgens mij bedoelde hij dat ze aan het rondneuzen was. 'En verder?'

'Verder niets. Ik zei tegen haar dat er in de TR hier en daar zere tenen waren, zoals overal, en dat ze daar beter niet tegen kon schoppen. Ze zei dat ze het begreep. Misschien begreep ze het, misschien niet. Het enige dat ik weet, is dat ze doorging met vragen stellen. Ze luisterde naar verhalen van oude idioten met meer tijd dan verstand.'

'Wanneer was dat?'

'De herfst van 1993, de winter en het voorjaar van 1994. Ze was hier overal te vinden – zelfs in Motton en Harlow. Ze had altijd haar notitieboekje en haar cassetterecorder bij zich. Nou, dat is alles wat ik weet.'

Met een schok besefte ik iets: Bill loog. Als je het me voor die dag had gevraagd, zou ik je lachend hebben verteld dat Bill Dean niet één leugen in zich had. En het zullen er ook niet veel zijn geweest, want hij deed het slecht.

Ik zou hem erop kunnen aanspreken, maar wat schoot ik daarmee op? Ik moest nadenken, en dat kon ik niet hier doen – mijn hele hoofd gonsde. Na verloop van tijd zou dat gonzen verdwijnen en zou ik inzien dat het eigenlijk niets voorstelde, maar die tijd moest ik eerst wel hebben. Als je onverwachte dingen begint te ontdekken over iemand van wie je hebt gehouden en die een tijdje dood is, raak je uit balans. Neem dat maar van mij aan; het is echt zo.

Bill had zijn ogen afgewend, maar keek me nu weer aan. Hij keek ernstig, maar ook – ik had het kunnen zweren – een beetje bang.

'Ze vroeg naar die kleine Kerry Auster, en dat is een goed voorbeeld van tegen zere benen schoppen. Dat zijn geen dingen voor een krantenverhaal of een tijdschriftartikel. Normal ging gewoon door het lint. Niemand weet waarom. Het was een vreselijke tragedie, volkomen zinloos, en er zijn nog steeds mensen die er moeite mee hebben. In kleine plaatsjes staan dat soort dingen onder de oppervlakte met elkaar in verband...'

Ja, met kabels die je niet kon zien.

'... en sterft het verleden langzamer. Sara en die anderen, dat ligt een beetje anders. Dat waren maar reizigers... van ver weg. Als Jo zich tot die mensen had beperkt, zou er niks aan de hand zijn geweest. En ach, misschien heeft ze dat ook wel gedaan. Want ik heb nooit een letter van haar gelezen. Als ze al iets geschreven had.'

Wat dat betrof, sprak hij de waarheid, dacht ik. Maar ik wist nog iets anders, ik wist dat zo zeker als ik had geweten dat Mattie een witte short had gedragen toen ze me op haar vrije dag belde. *Sara en die anderen waren maar reizigers van ver weg*, had Bill gezegd, maar hij had midden in zijn gedachte geaarzeld. Hij had *reizigers* gezegd in plaats van het woord dat vanzelf in hem was opgekomen. *Nikkers* was het woord dat hij niet had gezegd. *Sara en die anderen waren maar nikkers van ver weg*.

Opeens moest ik aan een oud verhaal van Ray Bradbury denken, 'Mars is de Hemel'. De eerste ruimtereizigers op Mars ontdekken dat het Green Town, Illinois, is en dat al hun dierbare vrienden en familieleden daar zijn. Alleen zijn die vrienden en familieleden in werkelijkheid buitenaardse monsters, en 's nachts, als de ruimtereizigers denken dat ze in de bedden van hun lang geleden gestorven familieleden slapen, op een plaats die de hemel moet zijn, worden ze tot op de laatste man afgeslacht.

'Bill, weet je zeker dat ze hier buiten het seizoen een paar keer is geweest?'

'Ja. En meer dan een paar keer. Misschien wel tien keer, of nog vaker. Op één dag heen en weer.'

'Heb je ooit een man bij haar gezien? Een forsgebouwde kerel met zwart haar?'

Hij dacht na. Ik deed mijn best om mijn adem niet in te houden. Ten slotte schudde hij zijn hoofd. 'Die paar keer dat ik haar heb gezien, was ze alleen. Maar ik zag haar niet elke keer dat ze er was. Soms hoorde ik pas dat ze in de TR was geweest als ze al weer weg was. Ik zag haar in juni 1994. Ze was op weg naar Halo Bay in dat kleine autootje van haar. Ze zwaaide en ik zwaaide terug. 's Avonds ging ik naar het huis om te kijken of ze iets nodig had, maar ze was weg. Ik heb haar niet meer gezien. Toen ze later die zomer stierf, vonden ik en Yvette dat zo verschrikkelijk.'

Waar ze ook naar zocht, ze heeft het blijkbaar nooit op schrift gesteld. Anders zou ik het manuscript hebben gevonden.

Maar was dat wel zo? Ze was hier blijkbaar meermalen in alle openheid naar toe gekomen. Een van die keren had ze zelfs een vreemde man bij zich gehad, en ik hoorde nu pas bij toeval van die bezoeken.

'Ik praat hier liever niet over,' zei Bill, 'maar omdat we het er nu toch over hebben, kan ik je maar net zo goed alles vertellen. Het leven in de TR is net als toen we met zijn vieren of vijven in één bed lagen als het in januari vroor dat het kraakte. Als iedereen rustig bleef liggen, was er niks aan de hand. Maar als er één begon te woelen en te draaien, kon niemand slapen. Op dit moment ben jij aan het woelen. Zo zien de mensen het.'

Hij wachtte op een reactie van mij. Toen er bijna twintig seconden verstreken waren zonder dat ik iets zei (Harold Oblowski zou trots zijn geweest), begon hij met zijn voeten te schuifelen en ging hij verder.

'Er zijn hier mensen die er bijvoorbeeld moeite mee hebben dat je zoveel belangstelling voor Mattie Devore hebt. Nou wil ik niet zeggen dat jullie iets met elkaar hebben – al zijn er mensen die beweren van wel – maar als je in de TR wilt blijven, maak je het jezelf wel moeilijk.'

'Waarom?'

'Nou, wat ik anderhalve week geleden ook al tegen je heb gezegd. Ze kan je in moeilijkheden brengen.'

'Als ik het me goed herinner, Bill, zei je dat zij in moeilijkheden verkéérde. En dat is ook zo. Ik probeer haar te helpen. Verder hebben we niets met elkaar.'

'En ík herinner me dat ik tegen je zei dat Max Devore gek is,' zei hij. 'Als je hem kwaad maakt, worden we daar allemaal de dupe van.' De pomp klikte en hij haalde de slang eruit. Toen zuchtte hij, bracht zijn handen omhoog en liet ze weer zakken. 'Denk je dat het makkelijk voor me is om zulke dingen te zeggen?'

'Denk je dat het makkelijk voor mij is om ernaar te luisteren?'

'Goed, ja, we zitten in hetzelfde schuitje. Maar Mattie Devore is niet de enige in de TR die van de hand in de tand leeft, weet je. Andere mensen hebben ook hun sores. Dat begrijp je toch wel?'

Misschien zag hij dat ik het te goed begreep, want hij liet zijn schouders zakken.

'Als je me vraagt een stapje terug te doen en Devore de kans te geven Matties kind in te pikken, kun je je de moeite besparen,' zei ik. 'En ik hoop dat je dat niet van me vraagt. Want ik denk dat ik niets te maken zou willen hebben met iemand die een ander zou vragen zoiets te doen.'

'Ik zou het je toch niet meer vragen,' zei hij. Zijn accent werd opeens veel zwaarder, alsof hij blijk wilde geven van minachting. 'Het zou toch al te laat zijn, hè?' En toen werd hij onverwachts wat milder. 'Jezus, man, ik maak me zorgen om jóu. Als je de rest nou eens liet zitten? Als je de rest nou eens gewoon met rust liet?' Hij loog weer, maar ditmaal vond ik het niet zo erg, want ik dacht dat hij tegen zichzelf loog. 'Maar je moet voorzichtig zijn. Toen ik zei dat Devore gek was, zei ik dat niet bij wijze van spreken. Denk je dat hij naar de rechter gaat als de rechter hem niet geeft wat hij wil hebben? In 1933 zijn er mensen omgekomen bij die zomerbranden. Goede mensen. Eentje was familie van me. De halve county stond in brand en Max Devore had het allemaal aangestoken. Dat was zijn afscheidscadeau voor de TR. Het werd nooit bewezen, maar hij had het gedaan. Toen was hij nog jong en arm, nog geen twintig en hij had nog geen rechters en advocaten in zijn zak. Wat denk je dat hij nu zou doen?'

Hij keek me onderzoekend aan. Ik zei niets.

Bill knikte alsof ik wel iets had gezegd. 'Denk erover na. En vergeet niet, Mike: alleen iemand die echt iets om je geeft, zou ooit zo eerlijk tegen je praten.'

'Hoe eerlijk was dat, Bill?' Ik was me er vaag van bewust dat een toerist van zijn Volvo naar de winkel liep en nieuwsgierig naar ons keek, en toen ik het later allemaal nog eens de revue liet passeren, besefte ik dat het moet hebben geleken of we op het punt stonden slaags te raken. Ik weet nog dat ik zin had om het uit te schreeuwen van verdriet en verbijstering, en ook omdat ik op een vreemde manier het gevoel had bedrogen te worden, maar wat ik me ook herinner, is dat ik woedend was op die slungelige oude man, die man met zijn kraakheldere katoenen hemd en zijn mond vol valse tanden. Dus misschien scheelde het inderdaad niet veel of we waren slaags geraakt, al wist ik dat op het moment zelf niet.

'Zo eerlijk als ik maar kon,' zei hij, en hij wendde zich af om binnen te gaan afrekenen.

'Er zijn geesten in mijn huis,' zei ik.

Hij bleef staan, met zijn rug naar me toe, zijn schouders ingetrokken alsof hij een klap wilde opvangen. Toen draaide hij zich langzaam om. 'Er zijn altijd geesten geweest in Sara Laughs, Mike. Jij hebt ze in beroering gebracht. Misschien kun je beter naar Derry teruggaan, dan kunnen ze tot rust komen. Dat zou weleens het beste kunnen zijn.' Hij zweeg even, alsof hij die laatste woorden nog eens door zijn hoofd liet gaan om te onderzoeken of hij het ermee eens was, en knikte toen. Hij knikte net zo langzaam als hij zich had omgedraaid. 'Ja, dat zou weleens het beste kunnen zijn.'

Toen ik in Sara terug was, belde ik Ward Hankins. En toen belde ik eindelijk ook Bonnie Amudson. Een deel van me hoopte dat ze niet in het reisbureau in Augusta was waarvan ze mede-eigenares was, maar ze was er. Terwijl ik met haar sprak, begon de fax gefotokopieerde bladzijden uit Jo's bureauagenda af te drukken. Op de eerste bladzijde had Ward geschreven: 'Ik hoop dat je hier wat aan hebt.'

Ik had niet gerepeteerd wat ik tegen Bonnie zou zeggen, want dat zou gegarandeerd op een ramp uitlopen, dacht ik. Ik vertelde haar dat Jo iets had geschreven – misschien een artikel, misschien een hele serie artikelen – over de plaats waar ons zomerhuis stond, en dat sommige mensen uit de omgeving zich aan haar nieuwsgierigheid hadden gestoord. Sommigen stoorden zich er nog steeds aan. Had ze met Bonnie gesproken? Had ze haar misschien een voorlopige versie laten zien?

'Nee.' Bonnie klonk oprecht verrast. 'Ze liet me altijd haar foto's zien, en meer gedroogde planten dan me lief waren, maar ze heeft me nooit iets laten zien wat ze aan het schrijven was. Integendeel, ik herinner me dat ze eens zei dat ze had besloten het schrijven aan jou over te laten en alleen...'

'... alleen een beetje van alle andere dingen te proeven?'

'Ja.'

Dit leek me een goed moment om het gesprek te beëindigen, maar de kerels in de kelder dachten daar blijkbaar anders over. 'Ging ze met iemand om, Bonnie?'

Stilte aan de andere kant van de lijn. Met een hand aan het eind van een arm die minstens vijf kilometer lang leek, plukte ik de faxvellen uit het bakje. Het waren er tien – november 1993 tot en met augustus 1994. Overal notities in Jo's nette handschrift. Hadden we eigenlijk al een fax toen ze stierf? Ik wist het niet meer. Er was zoveel dat ik me niet kon herinneren.

'Bonnie? Als je iets weet, moet je het me vertellen. Jo is dood, maar ik niet. Ik kan haar vergeven als het moet, maar iets wat ik niet weet, kan ik niet verge...'

'Sorry,' zei ze met een nerveus lachje. 'Ik begreep je alleen niet meteen. "Met iemand omgaan", dat is zo... zoiets vreemds voor Jo... de Jo die ik kende... dat ik niet goed begreep waar je het over had. Ik dacht dat je het over kennissen in het algemeen had, maar was niet zo, hè? Je bedoelde of ze met een man omging. Een vriend.'

'Ja, dat bedoelde ik.' Ik bladerde nu door de gefaxte agendapagina's. Mijn hand had nog niet helemaal de juiste afstand tot mijn ogen ingenomen, maar hij kwam steeds dichterbij. Ik was opgelucht omdat er zoveel oprechte verbazing in Bonnies stem had doorgeklonken, maar niet zo opgelucht als ik had verwacht. Want ik had het geweten. Ik had zelfs de woorden van die vrouw in die oude *Perry Mason*-aflevering niet nodig gehad. Per slot van rekening hadden we het over Jo. *Jo.*

'Mike,' zei Bonnie, heel zachtjes, alsof ik misschien krankzinnig was geworden, 'ze hield van je. Ze hield van jóú.'

'Ja. Dat is zo.' Aan de agendapagina's was te zien hoe druk mijn vrouw het had gehad. Hoe productief ze was geweest. G-K's van Maine... de gaarkeukens. WomShel, een netwerk van opvanghuizen voor mishandelde vrouwen dat zich over verschillende county's uitstrekte. TeenShel, opvanghuizen voor tieners. Vrienden van Bib. Me. Ze had twee of drie vergaderingen per maand gehad – soms wel twee of drie per wéék – en ik had dat nauwelijks gemerkt. Ik had het te druk gehad met mijn belaagde vrouwen. 'Ik hield ook van haar, Bonnie, maar in de laatste tien maanden van haar leven voerde ze iets in haar schild. Heeft ze je, als jullie onderweg waren naar vergaderingen van de gaarkeukens of de Vrienden van de Bibliotheken van Maine, daar nooit iets over verteld?'

Stilte aan de andere kant.

'Bonnie?'

Ik haalde de telefoon van mijn oor weg om te zien of het lampje van BATTERIJ LEEG brandde, en toen hoorde ik mijn naam. Ik hield hem weer tegen mijn oor.

'Bonnie, wat is er?'

'Die laatste negen of tien maanden hebben we nooit lange autoritten met elkaar gemaakt. We telefoneerden met elkaar en ik herinner me dat we een keer in Waterville met elkaar hebben geluncht, maar er waren geen lange autoritten. Ze was eruit gestapt.'

Ik bladerde weer door de faxpagina's. Overal stonden in Jo's nette handschrift vergaderingen genoteerd, onder andere van de gaarkeukens.

'Ik begrijp je niet goed. Was ze uit het bestuur van de gaarkeukens gestapt?'

Weer een korte stilte. Toen zei ze zorgvuldig: 'Nee, Mike. Ze was uit *alle* besturen gestapt. Ze was eind 1993 met Woman Shelters en Teen Shelters gestopt – haar termijn was toen verstreken. Die andere twee, de gaarkeukens en de Vrienden van de Bibliotheken van Maine – daar was ze in oktober of november 1993 uitgestapt.'

Vergaderingen op alle pagina's die Ward me had gefaxt. Tientallen. Vergaderingen in 1993, vergaderingen in 1994. Vergaderingen van besturen waar ze niet meer in zat. Ze was hier bij het meer geweest. Op al die dagen dat ze zogenaamd een vergadering had. Jo was in de TR geweest. Daar zou ik mijn leven wel onder willen verwedden.

Maar waarom?

17

Devore was inderdaad gek, zo gek als een deur, en hij had me niet op een slechter, zwakker, angstiger moment kunnen treffen. En ik denk dat alles wat daarna gebeurde bijna voorbestemd was. Vanaf dat punt ging het als een lawine omlaag naar de verschrikkelijke storm waarover ze in dit deel van de wereld nog steeds niet zijn uitgepraat.

De rest van die vrijdagmiddag voelde ik me goed. Mijn telefoongesprek met Bonnie had veel vragen onbeantwoord gelaten, maar het had me toch goed gedaan. Ik maakte een vegetarische roerbakschotel (boetedoening voor mijn laatste baggervette hap in het Village Cafe) en keek onder het eten naar het journaal. Aan de andere kant van het meer zakte de zon naar de bergen. De huiskamer was vervuld van het gouden avondlicht. Toen het journaal was afgelopen, besloot ik in noordelijke richting over De Straat te wandelen – ik zou zo ver gaan als ik kon en zou dan toch nog voor donker thuis zijn. Onder het wandelen zou ik overdenken wat Bill Dean en Bonnie Amudson me hadden verteld. Ik zou erover nadenken zoals ik onder het wandelen soms ook aan de boeken dacht die ik aan het schrijven was.

Ik liep de bielzentrap af en voelde me nog steeds helemaal goed (een beetje verward, maar goed). Ik sloeg De Straat in en bleef nog even naar de Groene Dame kijken. Ook in het volle licht van de avondzon was het moeilijk haar te zien zoals ze in werkelijkheid was: gewoon een berkenboom met daarachter een halfdode dennenboom waarvan een tak op een wijzende arm leek. Het was of de Groene Dame zei: Ga naar het noorden, jongeman. Nou, piepjong was ik niet meer, maar ik kon nog wel naar het noorden gaan. Tenminste, een tijdje.

Toch bleef ik nog even staan. Ik keek een beetje gespannen naar het gezicht dat ik in de struiken kon zien en het stond me helemaal niet aan dat de avondbries iets in die takken vormde wat op een grijnzende mond leek. Misschien begon ik me toen al beroerd te voelen, al werd ik te zeer door mijn omgeving in beslag genomen om het te merken. Ik zette koers naar het noorden en vroeg me af wat Jo precies had geschreven – want inmiddels begon ik te geloven dat ze wel degelijk iets op papier had gezet. Waarom had ik mijn oude schrijfmachine anders in haar atelier gevonden? Ik besloot het hele huis te doorzoeken. Ik zou het van onder tot boven uitkammen en...

elp vdrink

De stem kwam uit het bos, uit het water, uit mezelf. Een golf van duizeligheid ging door mijn gedachten, nam ze op en verspreidde ze als bladeren in een bries. Ik bleef staan. Opeens voelde ik me zo beroerd, zo *getroffen*, als nooit eerder in mijn leven. Mijn borst trok samen. Mijn maag kromp ineen als een koude bloem. Mijn ogen liepen vol met kil water dat heel anders dan tranen was, en ik wist wat er kwam. *Nee*, probeerde ik te zeggen, maar het woord wilde er niet uitkomen.

In plaats daarvan vulde mijn mond zich met de koude smaak van meerwater, al die donkere mineralen, en opeens glinsterden de bomen voor mijn ogen, alsof ik er door een heldere vloeistof naar keek. De druk op mijn borst had zich nu op één punt geconcentreerd, alsof daar handen drukten. Ze hielden me tegen.

'Houdt het nou eens op?' vroeg iemand, bijna schreeuwend. Behalve ik was er niemand op De Straat en toch had ik die stem duidelijk gehoord. 'Houdt het nou eindelijk eens op?'

Wat nu kwam, was geen stem buiten mij, maar een vreemde gedachtestroom in mijn hoofd. De gedachten sloegen tegen de muren van mijn schedel, als nachtvlinders die in een lamp gevangen zaten... of in een lampion.

help ik verdrink
help ik verdrink
blauwepetman zegt grijp me
blauwepetman zegt laat me niet lopen
help ik verdrink
verloor mijn bessen op het pad
hij houdt me vast
hij met zijn lelijke glimmende gezicht
laat me omhoog O lieve Jezus laat me omhoog
ossen vrij allee allee ossen vrij ALSJEBLIEFT OSSEN *VRIJ*
ga door en stop nu ALLEE OSSEN *VRIJ*
zij schreeuwt mijn naam
zij schreeuwt ZO *HARD*

Ik boog me in volslagen paniek naar voren, deed mijn mond open, en uit mijn wijd opengesperde mond kwam een koude stroom van...

Helemaal niets.

De gruwelijke gewaarwording trok weg en toch ook weer niet. Ik voelde me nog kotsmisselijk, alsof ik iets had gegeten wat mijn lichaam absoluut niet verdroeg, een soort mierenpoeder of misschien een dodelijk giftige paddestoel, het soort paddestoelen dat in Jo's paddestoelengidsen altijd een rood kadertje kreeg. Ik wankelde zo'n vijf passen naar voren, kokhalzend uit een droge keel die nog dacht dat hij nat was. Er stond ook een berk op de plaats waar de oever steil naar het meer afdaalde. Hij welfde zijn witte buik gracieus over het water alsof hij zijn spiegelbeeld in het flatteuze licht van de avondhemel wilde bekijken. Ik greep me eraan vast als een dronken man die zich aan een lantaarnpaal vastklampt.

De druk op mijn borst begon af te nemen, maar er bleef een levensechte pijn achter. Ik leunde met bonzend hart tegen de boom, en plotseling besefte ik dat er iets stonk – een gemene, gore stank, nog erger dan een volle septic tank die een hele zomer in de zon heeft staan broeien. Tegelijkertijd daarmee voelde ik de aanwezigheid van iets walgelijks dat die stank verspreidde, iets wat dood zou moeten zijn maar het niet was.

O stop, allee allee ossen vrij, ik doe alles, maar stop, probeerde ik te zeggen, en er kwam nog steeds niets uit. Toen was het weg. Ik rook alleen het meer en het bos... maar ik kon wel iets zien; een jongen in het meer, een kleine verdronken zwarte jongen die op zijn rug lag. Zijn wangen waren opgezwollen. Zijn mond hing slap open. Zijn ogen waren zo wit als de ogen van een standbeeld.

Mijn mond vulde zich weer met het genadeloze ijzer van het meer. Help me, laat me omhoog, help ik verdrink. Ik boog me naar voren, schreeuwend in mijn hoofd, schreeuwend naar het dode gezicht, en ik besefte *dat ik omhoogkeek naar mezelf*, dat ik omhoogkeek door de rozige schittering van het water in de avondzon, dat ik omhoogkeek naar een blanke man in een blauwe spijkerbroek en een geel poloshirt, een man die zich aan een trillende berk vasthield en probeerde te schreeuwen, zijn vloeibare gezicht in beweging, zijn ogen tijdelijk uitgewist door het voorbijglijden van een kleine baars die achter een smakelijk torretje aan zat. Ik was zowel de donkere jongen als de blanke man, verdronken in het water en verdrinkend in de lucht. Is dit zo? Gebeurt dit echt? Eén keer kloppen is ja, twee keer kloppen is nee.

Ik kokhalsde, maar er kwam niets dan een klein beetje spuug, en ongelooflijk genoeg sprong er een vis op af. Tegen de avond springen ze op alles af; er moet iets in het stervende daglicht zitten wat ze gek maakt. De vis plonsde zo'n twee meter van de oever weer in het water, met zilverachtige kringen van rimpelingen, en toen was het allemaal weg – de smaak in mijn mond, de walgelijke stank, het glinsterende verdronken gezicht van de negerjongen – een neger, zo zou hij zichzelf hebben genoemd – die bijna zeker Tidwell had geheten.

Ik keek naar rechts en zag een grijs voorhoofd van gesteente uit de rottende bladermassa steken. Ik dacht: *Daar, kijk daar*, en alsof mijn gedachte werd bevestigd, walmde die afschuwelijke rottende stank weer naar me toe. Het leek of die stank uit de grond opsteeg.

Ik deed mijn ogen dicht, bleef me uit alle macht aan de berk vastklampen en voelde me zwak en ziek en misselijk. Op dat moment hoorde ik Max Devore, die krankzinnige, achter me spreken. 'Hé, hoerenloper, waar is je hoer?'

Ik draaide me om en daar was hij, met Rogette Whitmore aan zijn zijde. Het was de enige keer dat ik hem ooit ontmoet heb, maar één keer was genoeg. Geloof me, één keer was meer dan genoeg.

Zijn rolstoel zag er nauwelijks als een rolstoel uit, eerder als een kruising tussen een motorzijspan en een maanlander. Aan beide kanten zaten zes chromen wielen. Grotere wielen – vier stuks, denk ik – zaten op een rij aan de achterkant. Die wielen leken geen van alle op precies gelijke hoogte te zitten, en ik besefte dat ze elk hun eigen ophanging hadden. Devore kon zich soepel verplaatsen over terrein dat nog veel ruiger was dan De Straat. Boven de achterwielen zat een motorblok. Devores benen werden aan het oog onttrokken door een fiberglazen gondel, zwart met dunne rode strepen, die in een raceauto niet zou hebben misstaan. In het midden zat een apparaat dat op mijn DSS-schotelantenne leek – een soort computergestuurd vermijdingssysteem, nam ik aan. Misschien zelfs een automatische piloot. De armleuningen waren breed en met instrumentarium bedekt. Aan de linkerkant van die machine zat een groene zuurstoftank van meer dan een meter lang. Een slang leidde naar een doorzichtige plastic harmonicabuis; die harmonicabuis leidde naar een masker dat op Devores schoot lag. Het deed me denken aan het stenomasker van die oude kerel. Zo kort na alles wat me net was overkomen, zou ik dit Tom Clancy-achtige voertuig als een hallucinatie hebben beschouwd, als die bumpersticker niet op de gondel had gezeten, net onder de schijf. IK BLOED DODGER-BLAUW, stond erop.

De vrouw die ik die avond bij de Sunset Bar in Warrington's had gezien, droeg nu een witte blouse met lange mouwen, en een zwarte broek die zo smal toeliep dat haar benen op in scheden gestoken zwaarden leken. Met haar smalle gezicht en ingevallen wangen leek ze meer dan ooit op de schreeuwende vrouw van Edvard Munch. Haar witte haar hing als een sluike kap om haar gezicht. Haar lippen waren zo knalrood geverfd dat het leek of ze uit haar mond bloedde.

Ze was oud en ze was lelijk, maar ze was een plaatje in vergelijking met Matties schoonvader. Vel over been, blauwe lippen, de huid bij zijn ogen en mondhoeken donkerpaars – hij leek op iets wat een archeoloog in de grafkamer van een piramide zou kunnen aantreffen, omringd door zijn opgezette vrouwen en huisdieren, behangen met zijn favoriete juwelen. Er plakten nog een paar sliertjes wit haar aan zijn schubbige schedel vast, en verder kwamen er plukken haar uit enorme oren die eruitzagen alsof ze gesmolten waren, als wassen sculpturen die in de zon hadden gestaan. Hij droeg een witte katoenen broek en een wijd blauw overhemd. Met een zwarte baret, zou hij precies een Franse kunstenaar uit de negentiende eeuw lijken, een kunstenaar aan het eind van een erg lang leven.

Over zijn schoot lag een stok van een zwarte houtsoort. Aan het uiteinde daarvan zat een knalrood fietshandvat. De vingers die het handvat omklemd hielden, leken nog krachtig, maar ze waren bijna net zo zwart als de stok zelf. Zijn bloedsomloop werkte niet goed meer en ik moest er niet aan denken hoe zijn voeten en onderbenen eruitzagen.

'Is je hoer van je weggelopen?'

Ik probeerde iets te zeggen. Er kwam een krakend geluid uit mijn mond en dat was alles. Ik klampte me nog steeds aan de berk vast. Ik liet hem los en probeerde me op te richten, maar mijn benen waren nog zwak en ik moest hem weer vastgrijpen.

Hij drukte op een zilveren tuimelschakelaar en de rolstoel kwam drie meter dichterbij, zodat de afstand tussen ons gehalveerd werd. Dat ging met een zacht geruis; als je ernaar keek, was het net of je het vliegend tapijt van een boze tovenaar zag zweven. De vele wielen gingen onafhankelijk van elkaar omhoog en omlaag, glinsterend in het licht van de ondergaande zon, die nu een rode gloed verspreidde. En terwijl hij naderde, kwam er als het ware een bepaald gevoel op me af. Zijn lichaam rotte onder hem vandaan, maar hij had nog een onmiskenbaar krachtenveld om zich heen, als een onweersbui. De vrouw liep met grote passen met hem mee en keek me zwijgend en geamuseerd aan. Haar ogen waren een beetje roze. Ik veronderstelde toen dat ze grijs waren en dat de rode zon erin scheen, maar nu denk ik dat ze een albino was.

'Ik wilde altijd hoeren,' zei hij. Hij rekte het woord uit: *hoerrrren*. 'Nietwaar, Rogette?'

'Ja, Max,' zei ze. 'En je wilde altijd dat ze hun plaats kenden.'

'Soms was hun plaats op mijn gezicht!' riep hij met een soort waanzinnige parmantigheid uit, alsof ze hem had tegengesproken. 'Waar is ze, jongeman? Op wiens gezicht zit ze op dit moment? Dat vraag ik me af. Van die slimme advocaat die je hebt gevonden? O, ik weet alles van hem af, tot en met de berisping die hij in zijn derde studiejaar kreeg. Ik zorg altijd dat ik dingen weet. Dat is het geheim van mijn succes.'

Met een enorme krachtsinspanning richtte ik me op. 'Wat doe je hier?'

'Ik maak een ommetje, net als jij. Dat is toch niet verboden? De Straat is van iedereen die er gebruik van wil maken. Jij bent hier nog niet lang, jonge hoerenloper, maar vast wel al lang genoeg om dat te weten. Het is onze versie van het dorpsplein, waar brave puppy's en schurftige honden zij aan zij lopen.'

Hij gebruikte de hand die niet om het rode fietshandvat geklemd zat om het zuurstofmasker te pakken, zoog diep en liet het toen weer op zijn schoot vallen. Hij grijnsde – een niet te beschrijven samenzweerdersgrijns die tandvlees met de kleur van jodium onthulde.

'Is ze goed? Die kleine *hoerrrrr* van je? Ze moet wel goed zijn, anders had ze mijn zoon niet gevangen kunnen houden in die kleine rotcaravan van haar. En nu ben jij er al weer bij, nog voordat de wormen klaar zijn met de ogen van mijn jongen. *Zuigt* haar kut?'

'Hou je bek.'

Rogette Whitmore gooide haar hoofd in de nek en lachte. Het geluid klonk als de schreeuw van een konijn dat in de klauwen van een uil gevangen zat, en ik kreeg kippenvel over mijn hele lichaam. Zo langzamerhand kreeg ik het gevoel dat ze net zo gek was als hij. Goddank waren ze oud. 'Nu heb je een gevoelige snaar geraakt, Max,' zei ze.

'Wat wil je?' Ik haalde diep adem... en kreeg die vieze smaak weer in mijn mond. Ik kokhalsde. Ik wilde het niet, maar ik kon er niets aan doen.

Devore rechtte zijn rug in zijn stoel en haalde ook diep adem, alsof hij me bespotte. Op dat moment leek hij net Robert Duvall in *Apocalypse Now*, die met grote passen over het strand liep en aan de wereld vertelde hoeveel hij van de geur van napalm in de vroege ochtend hield. Zijn grijns werd breder. 'Het is hier mooi, hè? Een knus plekje om even rustig na te denken, vind je niet?' Hij keek om zich heen. 'Ja, hier is het gebeurd. Ja.'

'Hier is de jongen verdronken.'

Ik had de indruk dat Whitmores glimlach even verflauwde toen ik dat zei. Die van Devore niet. Met de onhandige motoriek van een oude man, vingers die meer tastten dan vastpakten, greep hij naar zijn doorschijnende zuurstofmasker. Ik zag belletjes speeksel aan de binnenkant zitten. Hij zoog weer diep en legde het masker terug.

'Er zijn minstens dertig mensen in dit meer verdronken, en dat zijn dan nog alleen degenen van wie ze het weten,' zei hij. 'Wat is één jongen meer of minder?'

'Ik begrijp het niet. Zijn hier twéé Tidwell-jongens gestorven? Die ene die bloedvergiftiging kreeg en die andere die...'

'Denk je weleens aan je ziel, Noonan? Je onsterfelijke ziel? Gods vlinder in een cocon van vlees die binnen korte tijd zal stinken als de mijne?'

Ik zei niets. De vreemde ervaring die ik kort voor zijn komst had gehad, begon weg te zakken. Ervoor in de plaats kwam zijn ongelooflijk persoonlijk magnetisme. Nooit eerder in mijn leven had ik zoveel rauwe kracht gevoeld. Er was ook niets bovennatuurlijks aan, en *rauw* is precies het goede woord. Ik had kunnen wegrennen. Onder andere omstandigheden zou ik dat vast en zeker hebben gedaan. Het was ook beslist geen moed die me ervan weerhield om hard weg te lopen. Mijn benen voelden nog aan als rubber en ik was gewoon bang dat ik zou vallen.

'Ik zal je nog één kans geven om je ziel te redden,' zei Devore. Hij bracht zijn knokige vinger omhoog om zijn woorden kracht bij te zetten. 'Ga weg, hoerenloper. Nu meteen, in de kleren waarin je bent opgestaan. Neem niet eens de moeite je koffers te pakken, ga niet eens kijken of het gas wel uit is. Ga weg. Weg van de hoer en van het hoerenkind.'

'Je wilt dat ik ze aan jou overlaat.'

'Ja, aan mij. Ik zal doen wat er gedaan moet worden. De ziel is iets voor fijnzinnige letterkundigen, Noonan. Ik was ingenieur.'

'Val dood.'

Rogette Whitmore maakte weer dat geluid van een schreeuwend konijn.

De oude man zat met gebogen hoofd in zijn rolstoel en grijnsde me met zijn vaalgele gezicht toe. Hij leek net iets wat uit de dood was opgestaan. 'Weet je zeker dat jij het wilt zijn, Noonan? Het maakt voor haar niet uit, weet je – jij of ik, voor haar is het allemaal hetzelfde.'

'Ik weet niet waar je het over hebt.' Ik haalde nog eens diep adem, en ditmaal smaakte de lucht goed. Ik deed een stap van de berk vandaan en mijn benen waren ook weer in orde. 'En het kan me niet schelen. Jij krijgt Kyra nooit. Nooit in wat er nog over is van je schimmelige leven. Dat zie ik nooit en te nimmer gebeuren.'

'Makker, jij zult nog heel wat zien,' zei Devore grijnzend, en ik zag zijn jodiumtandvlees weer. 'Voordat juli is afgelopen, zul je waarschijnlijk zoveel hebben gezien dat je wou dat je in juni je ogen uit hun kassen had gerukt.'

'Ik ga naar huis. Laat me erdoor.'

'Ga dan naar huis. Hoe kan ik je tegenhouden?' vroeg hij. 'De Straat is van iedereen.' Hij pakte het zuurstofmasker weer van zijn schoot en nam een gezonde trek. Hij liet het op zijn schoot vallen en legde zijn linkerhand op de armleuning van zijn Buck Rogers-rolstoel.

Ik liep in zijn richting, en bijna voor ik er erg in had, kwam hij met de rolstoel op me af. Hij had me kunnen raken en lelijk kunnen verwonden – het had me zo een gebroken been kunnen opleveren – maar hij stopte nog net op tijd. Ik sprong terug, maar alleen omdat hij me dat toestond. Ik registreerde dat Whitmore weer lachte.

'Wat is er, Noonan?'

'Ga opzij. Ik waarschuw je.'

'De hoer heeft je nerveus gemaakt, hè?'

Ik week naar links om hem aan die kant te passeren, maar in een ommezien had hij de rolstoel opzij gewend en schoot hij weer naar voren om me de pas af te snijden.

'Verlaat de TR, Noonan. Luister naar mijn goede ra...'

Ik sprong naar rechts, ditmaal aan de kant van het meer, en ik zou net langs hem heen geglipt zijn als die vuist er niet was geweest, die erg kleine en harde vuist die tegen de linkerkant van mijn gezicht stompte. Het witharige kreng droeg een ring en de steen sneed me achter mijn oor. Ik voelde de pijn en het warme bloed. Ik draaide me bliksemsnel om, stak beide handen uit en gaf haar een duw. Ze viel met een kreet van schrik en verontwaardiging op het met dennennaalden bedekte pad. Het volgende moment sloeg er iets tegen mijn achterhoofd. Mijn hele gezichtsveld werd gevuld door een oranje flits. Ik wankelde achterwaarts, het leek wel in slow motion, zwaaiend met mijn armen, en Devore kwam weer in zicht. Hij zat gedraaid in zijn rolstoel, zijn schubbige kop naar voren gestoken, de stok waarmee hij me had geslagen nog omhoog. Als hij tien jaar jonger was geweest, zou hij mijn schedel hebben gekraakt, denk ik. Dan was het vast niet bij die oranje flits gebleven.

Ik vloog tegen mijn oude vriend de berk op. Ik bracht mijn hand naar mijn oor en keek verbaasd naar het bloed op mijn vingertoppen. Mijn hoofd deed nog pijn van de klap.

Whitmore krabbelde overeind. Ze veegde dennennaalden van haar broek en keek me met een woedende glimlach aan. Haar wangen hadden een ijle roze blos gekregen. Haar te rode lippen waren weggetrokken, zodat je haar kleine tanden kon zien. In het licht van de ondergaande zon leek het of haar ogen vuur spuwden.

'Uit de weg,' zei ik, maar mijn stem klonk klein en zwak.

'Nee,' zei Devore, en hij legde de zwarte loop van zijn stok op de gondel die in een curve over de voorkant van zijn rolstoel heen liep. Nu zag ik de kleine jongen die absoluut die slee wilde hebben, hoe diep hij zich ook in zijn hand moest snijden om het ding te pakken te krijgen. Ik kon hem heel duidelijk zien. 'Nee, jij hoerenneukend mietje. Ik ga niet uit de weg.'

Hij haalde de zilveren tuimelschakelaar weer over en de rolstoel kwam geluidloos op me af. Als ik was blijven staan, zou hij met die stok dwars door me heen zijn gegaan, zoals kwaadaardige hertogen in een verhaal van Alexandre Dumas aan het zwaard werden geregen. Waarschijnlijk zou hij de kwetsbare botjes in zijn rechterhand hebben verpletterd en zijn rechterarm uit de kom hebben getrokken, maar deze man trok zich nooit iets van zulke dingen aan. Hij liet de kosten-batenanalyse aan de gewone stervelingen over. Als ik van schrik of verbazing zou hebben geaarzeld, zou hij me vast en zeker hebben gedood. In plaats daarvan sprong ik naar links. Mijn gymschoenen gleden even uit over de oever, die glad van de dennennaalden was. Toen verloren ze het contact met de aarde en viel ik naar beneden.

Ik kwam ongelukkig in het water terecht, en ook veel te dicht bij de oever. Mijn linkervoet kwam onder water tegen een wortel aan en verzwikte. De pijn schoot als een daverende donderslag door me heen. Ik deed mijn mond open om te schreeuwen en het meer stroomde naar binnen – die oude donkere metaalsmaak, ditmaal echt. Ik hoestte en nieste het uit en spartelde weg van de plaats waar ik was terechtkomen. Al die tijd dacht ik: *De jongen, de dode jongen hier beneden – straks steekt hij zijn hand uit en grijpt me vast.*

Ik draaide me op mijn rug, nog steeds hoestend en spartelend. Ik was me er sterk van bewust dat mijn spijkerbroek klam aan mijn benen en kruis vastplakte en dacht vreemd genoeg aan mijn portefeuille – niet dat ik me druk maakte om mijn rijbewijs of creditcards, maar ik had daar twee goede foto's van Jo in zitten en die zouden beschadigen.

Devore was zelf ook bijna van de oever af gereden, zag ik, en een ogenblik dacht ik dat hij er alsnog overheen zou gaan. De voorkant van zijn rolstoel stak naar voren over de plaats waar ik gevallen was (ik kon de korte sporen van mijn gymschoenen zien, links van de gedeeltelijk blootliggende wortels van de berk), en hoewel de voorste wielen nog op de grond stonden, liep de kruimelige aarde er in droge lawinestroompjes onder vandaan, de helling af en plink-plonk het water in. De rimpelingen vormden ingewikkelde patronen op het water. Whitmore hield zich aan de achterkant van de stoel vast, rukte eraan, maar het ding was veel te zwaar voor haar. Wilde Devore gered worden, dan moest hij zichzelf redden. Terwijl ik daar tot aan mijn middel in het meer stond, mijn kleren drijvend om me heen, hoopte ik vurig dat hij over de rand zou gaan.

Na enkele pogingen kreeg de paarse klauw van zijn linkerhand de zilveren tuimelschakelaar te pakken. Met zijn vinger haalde hij hem over, en de rolstoel reed met een laatste stortregen van steentjes en zand van de oever weg. Whitmore sprong vlug opzij om te voorkomen dat het ding over haar voeten reed.

Devore speelde nog wat met zijn instrumentarium, draaide de stoel naar de plaats waar ik in het water stond, zo'n twee meter van de overhellende berk vandaan. Toen liet hij de stoel voorzichtig naar voren komen, tot hij op de rand van De Straat stond maar op veilige afstand van de steile helling. Whitmore had zich helemaal van ons afgewend. Ze stond voorovergebogen, met haar achterste in onze richting. Als ik al aan haar dacht – en ik kan me niet herinneren dat ik dat deed – zal ik wel hebben gedacht dat ze op adem stond te komen.

Devore was er blijkbaar het best aan toe van ons alle drie. Hij hoefde niet eens een trek te nemen uit het zuurstofmasker dat hij op zijn schoot had liggen. Het avondlicht scheen vol in zijn gezicht, waardoor hij eruitzag als een halfverrotte uitgeholde pompoen die in benzine gedrenkt en in brand gestoken was.

'Lekker gezwommen?' vroeg hij, en hij lachte.

Ik keek om me heen, in de hoop een wandelend stelletje te zien, of misschien een visser die op zoek was naar een plek waar hij zijn lijn nog een keer kon uitgooien voor het donker werd... en tegelijk hoopte ik dat ik niemand zou zien. Ik was woedend, ik had pijn, en ik was bang, maar ik schaamde me. Ik was in het meer gegooid door een man van vijfentachtig, een man die zo te zien van plan was nog even te blijven rondhangen om de spot met me te drijven.

Ik begon naar rechts te waden – naar het zuiden, naar mijn huis terug. Het water kwam ongeveer tot mijn middel, en nu ik eraan gewend was, voelde het koel en bijna verfrissend aan. Mijn gymschoenen maakten zuigende geluiden over rotsen en boomwortels op de bodem. De enkel die ik had verzwikt, deed nog pijn, maar ik kon er wel op steunen. Of dat zo zou blijven als ik uit het water kwam, was nog maar de vraag.

Devore drukte weer wat op zijn knopjes. De stoel draaide om en kwam langzaam over De Straat gereden, gelijk met mij op.

'Ik heb je nooit echt aan Rogette voorgesteld, hè?' zei hij. 'Ze was in haar studietijd nogal een sportvrouw, weet je. Softbal en hockey waren haar specialiteiten, en ze is het nog niet helemaal verleerd. Rogette, laat de jongeman eens wat zien.'

Whitmore liep de langzaam rijdende rolstoel links voorbij. Een ogenblik werd ze erdoor aan het oog onttrokken. Toen ik haar weer kon zien, zag ik ook wat ze in haar hand had. Ze had niet voorovergeleund om op adem te komen.

Glimlachend liep ze naar de rand van de helling. Haar linkerhand hield ze tegen haar middenrif gerukt om de stenen tegen zich aan te drukken die ze aan de rand van het pad had opgeraapt. Ze koos een steen ter grootte van een golfbal, bracht haar hand naar haar oor en gooide hem naar me. Hard. Hij vloog langs mijn linkerslaap en plensde achter me in het water.

'Hé!' riep ik, meer geschrokken dan bang. Ondanks alles wat al gebeurd was, kon ik niet geloven dat dit echt gebeurde.

'Wat heb je toch, Rogette?' vroeg Devore afkeurend. 'Vroeger gooide je nooit als een meisje. Raak hem!'

De tweede steen ging vijf centimeter over mijn hoofd heen. De derde was een potentiële tandenverwoester. Ik sloeg hem met een woedende, angstige kreet van me weg en merkte pas daarna dat mijn handpalm gekneusd was. Op dat moment was ik me alleen bewust van haar hatelijke, glimlachende gezicht – het gezicht van een vrouw die twee dollar heeft neergeteld in een schiettent en vastbesloten is die grote pluchen teddybeer te winnen, al moet ze de hele avond blijven schieten.

En ze gooide *snel*. Het regende stenen om me heen. Sommige plensden links of rechts van me in het rood glanzende water en lieten kleine geisers omhoog spuiten. Ik begon achteruit te waden. Ik durfde me niet om te draaien en weg te zwemmen, omdat ik bang was dat ze een extra grote steen zou gooien zodra ik dat deed. Evengoed moest ik buiten haar bereik zien te komen. Intussen liet Devore een gierende oudemannenlach horen. Zijn ellendige gezicht was samengetrokken als het gezicht van een kwaadaardige appelpop.

Een van haar stenen vloog hard en pijnlijk tegen mijn sleutelbeen en stuiterde hoog de lucht in. Ik gaf een schreeuw, en zij deed dat ook: '*Hai!*, als een karatevechter die een goede trap heeft uitgedeeld.

Tot zover mijn ordelijke terugtrekking. Ik draaide me om en begon naar dieper water te zwemmen, en toen kreeg dat kreng me te pakken. Met de eerste twee stenen die ze achter me aan gooide, leek ze de afstand te bepalen. Toen kwam er even niets. Ik had net de tijd om te denken *Ik red het, ik kom buiten het bereik van...* en toen vloog er iets tegen mijn achterhoofd. Ik voelde het en hoorde het op dezelfde manier – het ging van KLONK!, als in een stripverhaal van Batman.

Het oppervlak van het meer ging van feloranje over in achtereenvolgens felrood en donkerrood. Ergens in de verte hoorde ik een goedkeurende schreeuw van Devore en opnieuw die vreemde piepende lach van Whitmore. Ik kreeg weer een mondvol ijzerwater binnen en was zo verdoofd dat ik mezelf opdracht moest geven het niet door te slikken maar uit te spuwen. Mijn voeten voelden nu aan alsof ze te zwaar waren om te zwemmen, en die verrekte gymschoenen wogen een ton. Ik wilde gaan staan en kon de bodem niet vinden – ik kon hier niet meer staan. Ik keek naar de oever. Die was spectaculair om te zien, schitterend in het licht van de ondergaande zon, als een decor met in elkaar overvloeiende tinten van oranje en rood. Ik denk dat ik inmiddels zo'n zeven meter van de oever vandaan was. Devore en Whitmore stonden op de rand van De Straat te kijken. Ze leken net pa en ma op een schilderij van Grant Wood. Devore had zijn zuurstofmasker weer voor zijn gezicht, maar ik kon toch zien dat hij grijnsde. Whitmore grijnsde ook.

Er klotste nog meer water mijn mond in. Ik spuwde het meeste uit, maar kreeg ook wat binnen en ik hoestte en kokhalsde. Ik begon onder het oppervlak te zakken en begon me naar boven te vechten, niet zwemmend maar wild spartelend. Het kostte me negen keer zoveel energie als ik nodig gehad zou hebben om boven te blijven. De eerste paniek diende zich aan en knaagde met scherpe kleine rattentandjes aan de staat van versuffing waarin ik verkeerde. Ik besefte dat ik een hoog, aangenaam gezoem hoorde. Hoeveel treffers had mijn arme oude hoofd geïncasseerd? Een van Whitmores vuist... een van Devores stok... een steen... of waren het er twee geweest? Jezus, ik wist het niet meer.

Laat je niet zo gaan, verdomme – je laat je toch niet op die manier door hem kapotmaken? Je laat je toch niet door hem verdrinken, zoals die kleine jongen verdronken is?

Nee, niet als het aan mij lag.

Ik trapte water en streek met mijn linkerhand over mijn achterhoofd. Niet ver boven de nek stuitte ik op een buil die nog aan het opzwellen was. Toen ik erop drukte, deed dat zo'n pijn dat ik me voelde alsof ik tegelijk zou overgeven en flauwvallen. De tranen sprongen in mijn ogen en rolden over mijn wangen. Ik keek naar mijn vingertoppen. Daar zat maar weinig bloed op, maar in het water kon je zoiets niet goed nagaan.

'Je lijkt net een bosmarmot in de stromende regen, Noonan!' Het leek of zijn stem over het water naar me toe rolde, alsof hij ver van me vandaan was.

'Klootzak!' riep ik. 'Ik zorg dat je hiervoor de bak in draait!'

Hij keek Whitmore aan. Ze keek met precies dezelfde uitdrukking op haar gezicht terug, en ze schoten in de lach. Als iemand op dat moment een Uzi in mijn handen had gelegd, zou ik ze allebei zonder enige aarzeling hebben gedood en daarna om een tweede clip hebben gevraagd om hun lijken te doorzeven.

Maar ik had geen Uzi en begon op zijn hondjes naar het zuiden te peddelen, naar mijn huis toe. Ze liepen over De Straat met me mee, hij in zijn fluisterzachte rolstoel, zij naast hem lopend, zo plechtig als een non. Van tijd tot tijd bleef ze even staan om een geschikte steen op te rapen.

Ik had nog niet lang genoeg gezwommen om moe te zijn, maar toch was ik dat. Het kwam vooral door de schrik, neem ik aan. Toen haalde ik op het verkeerde moment adem. Ik kreeg weer water binnen en raakte nu helemaal in paniek. Ik begon naar de oever te zwemmen om weer grond onder mijn voeten te krijgen. Rogette Whitmore begon meteen stenen op me af te vuren. Ze gebruikte eerst de stenen die ze tussen haar linkerarm en haar middenrif gedrukt hield en nam toen de stenen die ze op Devores schoot had gelegd. Ze was nu warmgedraaid. Ze gooide niet meer als een meisje en was uiterst doeltreffend. De stenen plensden overal om me heen. Ik sloeg er weer een weg – een grote die anders waarschijnlijk mijn voorhoofd zou hebben opengespleten – maar haar volgende worp trof mijn bovenarm en maakte daar een lange snee. Nu was het genoeg. Ik rolde me om en zwom weg tot ik weer buiten haar bereik was, happend naar adem. Door de aanzwellende pijn in mijn nek kostte het me de grootste moeite mijn hoofd boven water te houden.

Toen ik buiten bereik was, trapte ik water en keek naar hen. Whitmore was helemaal naar de rand van de helling gelopen. Ze wilde geen meter afstand missen. Geen centimeter. Devore had zijn rolstoel achter haar geparkeerd. Ze grijnsden nog allebei en hun gezichten waren nu zo rood als de gezichten van duivels in de hel. De hemel kleurde rood. Nog twintig minuten en het werd donker. Kon ik mijn hoofd nog twintig minuten boven water houden? Ik dacht van wel, als ik niet weer in paniek raakte, maar niet veel langer. Ik stelde me voor dat ik in het donker zou verdrinken, dat ik zou opkijken en Venus zou zien, net voordat ik voor het laatst kopje-onder ging, en meteen vrat de paniekrat zich weer met zijn scherpe tanden in me vast. De paniekrat was erger dan Rogette en haar stenen, veel erger.

Misschien niet erger dan Devore.

Ik keek naar beide kanten langs de oever, naar alle plaatsen waar De Straat een paar meter tussen de bomen vandaan kwam. Ik zou me helemaal niet meer schamen als iemand me zag, maar ik zag niemand. Lieve God, waar was iedereen? Waren ze allemaal naar de Mountain View in Fryeburg voor een pizza, of naar het Village Cafe voor een milkshake?

'Wat wil je?' riep ik naar Devore. 'Moet ik beloven dat ik me niet meer met jouw zaken bemoei? Goed, dat doe ik niet meer!'

Hij lachte.

Nou, ik had niet echt verwacht dat het zou lukken. Ook als ik het wel had gemeend, zou hij me niet hebben geloofd.

'We willen alleen zien hoe lang je kunt zwemmen,' zei Whitmore, en ze gooide nog een steen – een lange, lome worp die zo'n anderhalve meter ernaast kwam.

Ze willen me vermoorden, dacht ik. *Dat willen ze echt.*

Ja. En sterker nog: ze zouden het misschien straffeloos kunnen doen ook. Een krankzinnig idee, geloofwaardig en ongeloofwaardig tegelijk, kwam in me op. Ik zag voor me hoe Rogette Whitmore een mededeling op het prikbord op de buitenmuur van de Lakeview General Store aanbracht.

MARTIANEN VAN TR-90, GEGROET!

De heer MAXWELL DEVORE, ieders favoriete Martiaan, zal iedere inwoner van de TR HONDERD DOLLAR geven indien niemand op VRIJDAGAVOND 17 juli tussen ZEVEN en NEGEN UUR 'S AVONDS gebruik maakt van De Straat. Houdt onze 'ZOMERVRIENDEN' daar ook vandaan! En vergeet niet: GOEDE MARTIANEN zijn als GOEDE APEN: zij ZIEN geen kwaad, HOREN geen kwaad, en SPREKEN geen kwaad!

Ik kon het niet echt geloven, zelfs niet in de situatie waarin ik op dat moment verkeerde... en toch geloofde ik het bijna wél. Het minste dat ik hem moest nageven, was dat hij ongelooflijk veel geluk had.

Moe. Mijn gymschoenen leken van lood. Ik probeerde er eentje uit te duwen, maar dat had alleen maar tot gevolg dat ik weer een scheut meerwater in mijn mond kreeg. Ze stonden naar me te kijken. Van tijd tot tijd pakte Devore het masker van zijn schoot en nam een verkwikkende teug lucht.

Ik kon niet wachten tot het donker was. De zon gaat hier in het westen van Maine snel onder – zoals in alle bergstreken ter wereld, denk ik – maar het blijft lang schemeren. Tegen de tijd dat het in het westen zo donker was geworden dat ik me kon bewegen zonder dat ze me zagen, zou in het oosten de maan zijn opgekomen.

Ik stelde me mijn overlijdensbericht in de *New York Times* voor, met als kop POPULAIRE THRILLERSCHRIJVER VERDRINKT IN MAINE. Debra Weinstock zou ze de auteursfoto van het op stapel staande *Helens belofte* leveren. Harold Oblowski zou alle goede dingen zeggen, en hij zou er ook aan denken een bescheiden (maar niet minuscule) overlijdensadvertentie in *Publishers Weekly* te zetten. Hij zou de kosten met Putnam delen, en...

Ik zonk, kreeg weer water binnen en spuugde het uit. Ik begon weer door het water te maaien en dwong me om daarmee op te houden. Op de oever klonk Rogette Whitmores tinkelende lach. *Kreng*, dacht ik. *Jij mager kre...*

Mike, zei Jo.

Haar stem zat in mijn hoofd, maar het was niet de stem die ik maak als ik me haar kant van een inwendig gesprek voorstel of als ik haar gewoon mis en haar even moet oproepen. Alsof dat onderstreept werd, plensde er rechts van me iets hard in het water. Toen ik in die richting keek, zag ik geen vis, zelfs geen rimpeling. Wat ik in plaats daarvan zag, was ons drijvende vlot, zo'n honderd meter van me vandaan in het rood gekleurde water.

'Zo ver kan ik niet zwemmen, schat,' hijgde ik.

'Zei je iets, Noonan?' riep Devore vanaf de oever. Hij hield spottend zijn hand bij een van zijn grote wasachtige oren. 'Ik kon het niet goed verstaan! Je klinkt helemaal buiten adem!' Nog meer tinkelend gelach van Whitmore. Hij was Johnny Carson; zij was Ed McMahon.

Je kunt het. Ik zal je helpen.

Het vlot, realiseerde ik me, zou weleens mijn enige kans kunnen zijn – er was geen ander vlot bij dit deel van de oever, en het lag minstens tien meter verder dan de verste worp van Whitmore tot nu toe. Ik begon in die richting te peddelen. Mijn armen waren nu even zwaar als mijn voeten. Telkens wanneer ik het gevoel had dat mijn hoofd onder water zou gaan, rustte ik even uit. Ik trapte water en zei tegen mezelf dat ik rustig aan moest doen, ik verkeerde in redelijke conditie en deed het goed. Als ik niet in paniek raakte, zou ik het wel redden. Het oude kreng en de nog oudere klootzak begonnen weer met me mee te lopen, maar toen ze zagen waar ik heen ging, verstomde het lachen. Ze dreven ook niet meer de spot met me.

Een eeuwigheid leek het vlot niet dichterbij te komen. Dat kwam doordat het licht zwakker werd, zei ik tegen mezelf, het water ging over van rood naar paars naar bijna zwart, de kleur van Devores tandvlees. Maar het kostte me steeds meer moeite mezelf daarvan te overtuigen. Mijn ademhaling werd sneller en ondieper en mijn armen werden zwaarder.

Toen ik nog dertig meter moest, kreeg ik kramp in mijn linkerbeen. Ik rolde me als een volgelopen zeilboot op mijn zij en probeerde bij de verkrampte spier te komen. Er stroomde nog meer water door mijn keel. Ik probeerde het uit te hoesten, kokhalsde en ging kopje onder terwijl mijn maag nog omhoog probeerde te komen en mijn vingers nog op zoek waren naar de verkrampte plek boven de knie.

Ik verdrink echt, dacht ik, merkwaardig kalm nu het zo ver was. *Zo gaat het. Het is uit.*

Toen voelde ik dat een hand me bij mijn nekvel greep. De ruk aan mijn haar deed zo'n pijn dat ik meteen weer bij mijn positieven was. Het was nog beter dan een adrenaline-injectie. Ik voelde hoe een andere hand zich om mijn linkerbeen sloot, en gedurende korte tijd voelde ik een verschrikkelijke warmte. De kramp verdween en ik kwam zwemmend boven. Ditmaal zwom ik echt, dit was meer dan peddelen, en binnen enkele seconden, leek het wel, hing ik aan de ladder aan de zijkant van de boot. Ik haalde hijgend adem en wachtte af of ik zou herstellen of dat mijn hart als een handgranaat in mijn borst zou ontploffen. Ten slotte begonnen mijn longen zich te herstellen van mijn zuurstoftekort en kwam alles langzaam tot rust. Ik wachtte nog een minuut, klom toen het water uit en stond in de asgrauwe schemering op het vlot. Ik stond een tijdje met mijn gezicht naar het westen, mijn handen op mijn knieën, druipend op de planken. Toen draaide ik me om. Deze keer zou ik ze niet één maar beide middelvingers laten zien. Er was niemand aan wie ik mijn vinger kon tonen. De Straat was leeg. Devore en Rogette Whitmore waren weg.

Misschien waren ze weg. Ik moest vooral niet vergeten dat ik een groot deel van De Straat helemaal niet kon zien.

Ik zat in kleermakerszit op het vlot tot de maan opkwam. Ik wachtte af, bedacht op elke beweging. Een halfuur, denk ik. Misschien drie kwartier. Ik keek op mijn horloge, maar daar had ik niets aan; er was water binnengekomen en het was op halfacht blijven staan. Aan al het andere wat Devore me schuldig was kon ik nu de prijs van één Timex Indiglo toevoegen: dat is dan $ 29,95, lul, kan ik effe vangen?

Ten slotte klom ik van de ladder af, gleed het water in en zwom zo geruisloos mogelijk naar de oever. Ik was uitgerust, mijn hoofd deed geen pijn meer (al klopte de knoop boven mijn nek nog regelmatig) en ik was een beetje over de schrik en paniek heen. In sommige opzichten was dat laatste nog het ergste geweest: dat ik niet alleen de verschijning van die verdronken jongen te verwerken kreeg, en die vliegende stenen, en het meer, maar ook nog het folterende gevoel dat dit eigenlijk niet kon gebeuren, dat het nog niet zo met de wereld gesteld was dat rijke oude computerbaronnen pogingen deden schrijvers die toevallig in hun gezichtsveld kwamen te laten verdrinken.

Maar was het wel zo dat ik toevallig in Devores gezichtsveld terecht was gekomen? Was het een toevallige ontmoeting geweest? Was het niet waarschijnlijker dat hij me al vanaf vier juli in de gaten had laten houden – misschien vanaf de andere kant van het meer, door mensen met geavanceerde optische apparatuur. Paranoïde gelul, zou ik hebben gezegd – tenminste, dat zou ik hebben gezegd voordat die twee me bijna in het Dark Score Lake verzopen, als een papieren bootje in een modderplas.

Eigenlijk kon het me niet schelen wie er vanaf de andere kant van het meer naar me keek. Het kon me ook niet schelen of die twee nog ergens op De Straat, ergens tussen de bomen, naar me keken. Ik zwom tot ik slierten wier tegen mijn enkels voelde en op de halvemaan van mijn strandje zat. Toen stond ik op, huiverend in de avondlucht, die nu koud aanvoelde. Ik strompelde naar de wal, mijn ene hand omhoog om een regen van stenen af te weren, maar er kwamen geen stenen. Ik bleef een ogenblik op De Straat staan, mijn spijkerbroek en poloshirt druipend van het water, en tuurde in beide richtingen. Zo te zien had ik dit kleine deel van de wereld voor me alleen. Ten slotte keek ik achterom naar het water, waarover het zwakke maanlicht een baan van licht legde, van de duimnagel strand tot aan het vlot.

'Dank je, Jo,' zei ik, en toen begon ik de bielzentrap naar het huis te beklimmen. Ik kwam ongeveer halverwege en moest toen even gaan zitten. Nog nooit in mijn hele leven was ik zo volkomen uitgeput geweest.

18

Ik ging niet naar de voordeur maar beklom de trap naar het achterterras. Dat deed ik met langzame bewegingen, want mijn benen voelden nog steeds twee keer zo zwaar aan als anders. Toen ik in de huiskamer kwam, keek ik om me heen met de grote ogen van iemand die tien jaar weg is geweest en bij terugkeer alles aantreft zoals hij het heeft achtergelaten – Bunter de eland aan de muur, de *Boston Globe* op de bank, een cryptogrammenboek van *Lastige hersenkrakers* op het bijzettafeltje, het bord met de resten van mijn roerbakschotel. Toen ik naar die dingen keek, drong het allemaal pas goed tot me door: ik had deze normale, enigszins rommelige kamer verlaten om een eindje te gaan wandelen en was in plaats daarvan bijna om het leven gekomen. Ik was bijna vermoord.

Ik begon te beven. Ik ging naar de badkamer in de noordelijke aanbouw, trok mijn natte kleren uit en gooide ze in de badkuip – *splat!* Toen draaide ik me, nog steeds bevend, om en keek naar mezelf in de spiegel boven de wastafel. Ik leek net iemand die in een kroegruzie berokken is geraakt en daar niet als overwinnaar uit te voorschijn is gekomen. In mijn bovenarm zat een lange snijwond met veel geronnen bloed. Op mijn linker sleutelbeen ontwikkelde zich een donkerpaarse buil, met uitlopers als schaduwen. Er liep een bloederige groef door mijn hals en achter mijn oor; daar had de lieftallige Rogette me met de steen in haar ring geraakt.

Ik nam mijn scheerspiegeltje en gebruikte dat om mijn achterhoofd te bekijken. 'Kunnen jullie dat niet in jullie dikke schedel krijgen?' schreeuwde mijn moeder altijd tegen mij en Sid toen we nog klein waren, en nu dankte ik God omdat moeder dat van die dikte blijkbaar goed had gezien, tenminste in mijn geval. De plek waar Devore me met zijn stok had geraakt, leek op de kegel van een recentelijk uitgedoofde vulkaan. Whitmores voltreffer had een rode wond gemaakt die gehecht moest worden als ik er geen litteken aan wilde overhouden. Langs de haarlijn op mijn nek zat bloed, roestbruin en dun. God mocht weten hoeveel er uit die lelijke rode wond was gevloeid en door het meer was weggespoeld.

Ik goot waterstofperoxide in de kom van mijn hand, bereidde me mentaal voor en plensde het op de snee in mijn nek alsof het aftershave was. Het spul deed gruwelijk pijn in de wond en ik moest mijn lippen op elkaar persen om het niet uit te schreeuwen. Toen de pijn een beetje begon af te nemen, goot ik nog meer peroxide op wattenproppen en maakte daarmee mijn andere wonden schoon.

Ik nam een douche, schoot een T-shirt en een spijkerbroek aan en ging toen naar de gang om de sheriff van de county te bellen. Ik hoefde het nummer niet op te vragen: de nummers van de sheriff en de politie van Castle Rock stonden op het IN GEVAL VAN NOOD-kaartje dat met punaises op het prikbord zat, samen met de nummers van de brandweer, de ambulance en het informatienummer waar je voor anderhalve dollar drie antwoorden op het *Times*-cryptogram van de dag kon krijgen.

Ik draaide de eerste drie cijfers snel en deed het toen langzamer. Ik kwam tot 955-960 voordat ik er helemaal mee ophield. Ik stond daar op de gang met de telefoon tegen mijn oor en stelde me weer een krantenkop voor, ditmaal niet in de beschaafde *Times* maar in de rellerige *New York Post*. SCHRIJVER TEGEN OUDE COMPUTERKONING: 'NIET DOEN!'. En daar dan foto's bij van mij, een man die er zo oud uitzag als hij was, en Max Devore, die een jaar of honderdzes leek. De *Post* zou het prachtig vinden om de lezers te vertellen hoe Devore (samen met zijn metgezellin, een bejaarde dame die schoon aan de haak zo'n veertig kilo woog) een schrijver had mishandeld die half zo oud was als hij – iemand die er, in elk geval op die foto, redelijk fit uitzag.

De telefoon kreeg er genoeg van om maar zes van de vereiste zeven cijfers in zijn primitieve brein te bewaren. Hij liet twee klikken horen en dumpte me weer op een open lijn. Ik haalde de hoorn van mijn oor, keek er nog even naar en legde hem toen voorzichtig weer op de haak.

Ik doe nooit moeilijk over de soms nogal grillige of zelfs vijandige aandacht van de pers, maar ik ben wel altijd op mijn hoede, zoals je ook bent als je een slechtgehumeurd groot beest bij je in de buurt hebt. Amerika heeft de mensen die het land vermaken tot exotische hoeren van topklasse gemaakt, en de media mogen graag de spot drijven met een 'beroemdheid' die klaagt dat hij of zij slecht behandeld is. 'Niet zeuren!' roepen ze dan in de kranten en in de roddelshows op de televisie (met een mengeling van triomf en verontwaardiging). 'Dacht je nou echt dat je al dat geld alleen maar krijgt omdat je zo mooi kunt zingen en swingen? Mis, lul! We geven je dat geld om ons te verbazen als je het goed doet – wat dat "het" in jouw geval dan ook mag zijn – en ook omdat het leuk is als je afgaat. In zekere zin ben je mondvoorraad. Als je niet grappig meer bent, kunnen we je altijd nog vermoorden en opvreten.'

Ze kunnen je natuurlijk niet *echt* opvreten. Ze kunnen foto's van je afdrukken met je overhemd uit, en dan zeggen dat je te dik wordt; ze kunnen vertellen hoeveel je drinkt of hoeveel pillen je slikt; ze kunnen gniffelen om de avond dat je in Spago een aankomend filmsterretje op je schoot trok en je tong in haar oor probeerde te steken – maar ze kunnen je niet echt opvreten. Het was dan ook niet de gedachte aan de *Post* die me voor huilebalk uitmaakte, of aan Jay Leno die mij in zijn openingspraatje noemde, die mij ertoe bracht de hoorn op de haak te leggen – het was het besef dat ik niets kon bewijzen. Niemand had ons gezien. En, besefte ik, voor Max Devore zou het een fluitje van een cent zijn om zichzelf en zijn persoonlijk assistente aan een alibi te helpen.

Er was nog iets anders, en dat gaf op zichzelf al de doorslag: er was alle kans dat George Footman, onze 'papa', op me af werd gestuurd en dat ik hem moest vertellen hoe die gemene man kleine Mikey in het meer had gegooid. Ze zouden met zijn drieën na afloop niet meer bijkomen van het lachen!

In plaats daarvan belde ik John Storrow. Ik wilde van hem horen dat ik het juiste besluit had genomen, het enige verstandige besluit. Ik wilde dat hij me eraan herinnerde dat alleen wanhopige mannen tot zulke wanhoopsdaden in staat waren (ik zou er maar niet aan denken, tenminste voorlopig niet, hoe ze met zijn tweeën hadden gelachen, alsof ze de tijd van hun leven hadden), en dat er ten aanzien van Ki Devore niets veranderd was: de grootvader maakte geen schijn van kans op de voogdij.

Ik kreeg Johns antwoordapparaat aan de lijn en liet een boodschap achter – alleen dat hij Mike Noonan moest bellen, geen spoedgeval maar het mocht ook laat op de avond. Toen probeerde ik zijn kantoor, want ik dacht aan het evangelie volgens John Grisham: jonge advocaten werken tot ze erbij neervallen. Ik luisterde naar de instructies van het antwoordapparaat van de advocatenfirma en toetste STO in op mijn telefoon, de eerste drie letters van Johns achternaam.

Er volgde een klik en hij kwam aan de lijn – jammer genoeg weer een bandopname. 'Hallo, met John Storrow. Ik ben dit weekend naar mijn ouwelui in Philadelphia. Ik ben maandag weer op kantoor, maar de rest van de week ben ik voor zaken elders. Van dinsdag tot en met vrijdag maakt u waarschijnlijk de meeste kans om me te bereiken op...'

Het nummer dat hij opgaf, begon met 207-955. Dat was dus in Castle Rock. Het zou wel het nummer van het hotel zijn waar hij de vorige keer ook had gelogeerd, dat mooie hotel daar. 'Mike Noonan,' zei ik. 'Bel me als je kunt. Ik heb ook een boodschap op je privénummer achtergelaten.'

Ik ging naar de keuken om een biertje te halen, maar eenmaal bij de koelkast, speelde ik alleen wat met de magneetjes op de deur. Hoerenloper, had hij me genoemd. *Hé, hoerenloper, waar is je hoer?* Een minuut later had hij aangeboden mijn ziel te redden. Eigenlijk was het grappig. Net een alcoholist die aanbiedt op je drankkast te passen. *Hij sprak met een zekere genegenheid over je*, had Mattie gezegd. *Jouw overgrootvader en zijn overgrootvader scheten in dezelfde kuil.*

Ik liet al het bier veilig in de koelkast staan, liep naar de telefoon terug en belde Mattie.

'Hallo,' zei ook ditmaal een stem op een bandje. Kwam daar nooit een eind aan? 'Ik ben het, maar ik ben er niet of ik kan nu even niet aan de telefoon komen. Wil je een boodschap achterlaten?' Een stilte, geruis van een microfoon, gefluister in de verte, en toen Kyra, zo hard dat mijn oor bijna van mijn hoofd waaide: '*Zeg iets leuks!*' En daarna moesten ze allebei hard lachen en hoorde je de pieptoon.

'Hallo, Mattie, met Mike Noonan,' zei ik. 'Ik wilde alleen...'

Ik weet niet hoe ik die gedachte zou hebben afgemaakt, en dat hoefde ook niet. Er volgde een klik en de echte Mattie zei: 'Hallo, Mike.' Er was zo'n groot verschil tussen deze sombere, verslagen stem en de vrolijke stem op het bandje dat ik eerst niets kon uitbrengen. Toen vroeg ik haar wat er mis was.

'Niets,' zei ze, en toen begon ze te huilen. 'Alles. Ik ben mijn baan kwijt. Lindy heeft me ontslagen.'

Natuurlijk had Lindy het geen ontslag genoemd. Ze had gesproken over 'de buikriem aantrekken', maar het was wel degelijk een ontslag, en ik wist dat als ik naging wie er allemaal een bijdrage aan de bibliotheek van Four Lakes leverden, de heer Max Devore een van de grootste sponsors zou blijken te zijn. En dat zou hij ook blijven... dat wil zeggen, als Lindy Briggs naar zijn pijpen danste.

'We hadden niet met elkaar moeten praten waar zij bij was,' zei ik, al wist ik dat zelfs als ik nooit een voet in de bibliotheek had gezet Mattie net zo goed ontslagen zou zijn. 'En we hadden dit waarschijnlijk moeten zien aankomen.'

'John Storrow zag het aankomen.' Ze huilde nog steeds, maar probeerde zich te vermannen. 'Hij zei dat Max Devore me waarschijnlijk zo ver mogelijk in de hoek wilde drukken. Devore wil er volgens hem voor zorgen dat ik op het voogdijproces de vraag van de rechter waar ik werk moet beantwoorden met "Ik ben werkloos, edelachtbare". Ik zei tegen John dat mevrouw Briggs nooit zoiets gemeens zou uithalen, zeker niet met een meisje dat zulke briljante dingen over "Bartleby" van Melville had gezegd. Weet je wat hij toen tegen me zei?'

'Nee.'

'Hij zei: "Je bent erg jong." Ik vond dat nogal aanmatigend, maar hij had gelijk, hè?'

'Mattie...'

'Wat moet ik doen, Mike? Wat moet ik beginnen?' Zo te horen was de paniekrat naar Wasp Hill Road verhuisd.

Nogal zakelijk dacht ik: *Waarom word je niet mijn maîtresse? Officieel noemen we je 'onderzoeksassistente', een volkomen legitieme functie in de ogen van de belastingdienst. Ik doe er wat kleren bij, een onkostenvergoeding, een huis – zeg maar dag tegen die dubbelbrede roestbak aan Wasp Hill Road – en twee weken vakantie: wat zou je zeggen van februari op Maui? Plus natuurlijk Ki's schoolopleiding, en een fikse premie aan het eind van het jaar. Ik zal ook consideratie met je hebben. Consideratie en discretie. Een of twee keer per week, en nooit voordat je kleine meisje slaapt. Het enige dat je hoeft te doen, is ja zeggen en me een sleutel geven. Het enige dat je hoeft te doen, is me binnenlaten. Het enige dat je hoeft te doen, is me laten doen wat ik wil – de hele nacht door – me je laten aanraken waar ik je wil aanraken, me laten doen wat ik wil doen, en nooit, nooit zeggen dat ik moet stoppen.*

Ik deed mijn ogen dicht.

'Mike? Ben je daar nog?'

'Ja,' zei ik. Ik streek over de kloppende wond op mijn achterhoofd en huiverde. 'Je redt je wel, Mattie. Je...'

'De caravan is niet afbetaald!' zei ze bijna jengelend. 'Ik heb twee achterstallige telefoonrekeningen en ze dreigen me af te sluiten! Er is iets mis met de transmissie van de Jeep, en ook met de achteras! Ik kan voor Ki's laatste week op de Vakantie Bijbel School betalen, denk ik – mevrouw Briggs heeft me drie weken salaris gegeven bij wijze van opzegtermijn – maar waarvan moet ik *schoenen* voor haar kopen? Ze groeit overal zo snel uit... Er zitten gaten in al haar broeken en ook in bijna al haar ondergoed...'

Ze begon weer te huilen.

'Ik zal voor je zorgen tot je weer voor jezelf kunt zorgen,' zei ik.

'Nee, dat kan ik niet aannemen...'

'Dat kun je wel. Je doet het voor Kyra. Later kun je het me terugbetalen, als je dat wilt. We houden het tot op de cent bij, als je je daar beter door voelt. Maar ik zal voor je zorgen.' *En je hoeft nooit uit de kleren als ik bij je ben. Dat beloof ik je, en daar zal ik me aan houden.*

'Mike, je hoeft dit niet te doen.'

'Misschien niet, maar ik gá het doen. Probeer me maar eens tegen te houden.' Eigenlijk had ik gebeld om haar te vertellen wat me was overkomen – nou ja, de komische versie daarvan – maar dat leek me nu niet meer zo'n goed idee. 'Die voogdijzaak is achter de rug voor je er erg in hebt, en als je hier dan nog steeds niemand kunt vinden die de moed heeft je in dienst te nemen, vind ik wel iemand in Derry die dat wil. Trouwens, zeg eens eerlijk: begin je niet het gevoel te krijgen dat het tijd wordt om te gaan verkassen?'

Het lukte haar een lachje te laten horen. 'Zeg dat wel.'

'Vandaag nog iets van John gehoord?'

'Ja. Hij is op bezoek bij zijn ouders in Philadelphia, maar hij heeft me het nummer daar gegeven. Ik heb hem gebeld.'

Hij had gezegd dat hij iets in haar zag. Misschien zag ze ook iets in hem. Ik zei tegen mezelf dat het stekelige gevoel dat ik bij die gedachte kreeg alleen maar verbeelding was. Nou ja, dat probeerde ik tegen mezelf te zeggen. 'Wat vond hij ervan dat je op die manier je baan bent kwijtgeraakt?'

'Hetzelfde als jij. Maar hij gaf me geen veilig gevoel. Jij wel. Ik weet niet waarom.' Ik wel. Ik was een oudere man, en dat is de voornaamste aantrekkingskracht die we op vrouwen uitoefenen: we geven ze een veilig gevoel. 'Hij is hier dinsdagmorgen weer. Ik heb gezegd dat ik met hem zou lunchen.'

Soepel, zonder enige trilling of aarzeling in mijn stem, zei ik: 'Misschien kan ik dan ook komen.'

Matties stem klonk meteen een stuk warmer. Vreemd genoeg voelde ik me schuldig doordat ze meteen akkoord ging. 'Dat zou geweldig zijn! Zal ik hem bellen om voor te stellen dat jullie allebei hierheen komen? We kunnen weer barbecuen. Misschien houd ik Ki thuis van de V.B.S., dan zijn we gezellig met zijn vieren. Ze hoopt dat jij haar nog een keer voorleest. Daar heeft ze echt van genoten.'

'Dat klinkt goed,' zei ik, en ik meende het. Als Kyra erbij was, zou het lijken of het allemaal vanzelfsprekend was. Dan hoefde ik me geen indringer voelen, niet iemand die hun afspraakje verstoorde. En John kon er niet van beschuldigd worden dat hij een onethische belangstelling voor zijn cliënte koesterde. Uiteindelijk zou hij me waarschijnlijk dankbaar zijn. 'Ik denk dat Ki wel aan "Hans en Grietje" toe is. Hoe voel je je, Mattie? Gaat het weer een beetje?'

'Veel beter dan voordat je belde.'

'Prima. Het komt allemaal wel goed.'

'Beloof het me.'

'Dat heb ik toch zojuist gedaan?'

Er volgde weer een korte stilte. 'Voel jíj je wel goed, Mike? Je klinkt een beetje... Ik weet het niet... Een beetje vreemd.'

'Ik voel me prima,' zei ik, en dat was ook zo, tenminste voor iemand die nog geen uur geleden bijna zeker had geweten dat hij zou verdrinken. 'Mag ik je nog iets vragen? Er is iets wat me gek maakt.'

'Ga je gang.'

'Die avond dat ik bij je kwam eten, zei je dat Devore tegen je had gezegd dat zijn overgrootvader en de mijne elkaar kenden. Vrij goed, volgens hem.'

'Hij zei dat ze in dezelfde kuil scheten. Ik vond dat nogal elegant.'

'Zei hij niets anders? Denk goed na.'

Ze deed het maar kon niets bedenken. Ik vroeg haar me te bellen als haar nog iets van dat gesprek te binnen schoot, of als ze zich eenzaam of angstig voelde, of als ze zich ergens zorgen over begon te maken. Ik wilde niet te veel zeggen, maar ik had al besloten dat ik John alles over mijn nieuwste avontuur zou vertellen. Misschien was het verstandig om de privédetective uit Lewiston – George Kennedy, net als de acteur – een of twee mannetjes naar de TR te laten sturen om een oogje op Mattie en Kyra te houden. Max Devore was krankzinnig, precies zoals mijn huisbeheerder had gezegd. Ik had het toen niet begrepen, maar nu begreep ik het wel. Telkens wanneer ik begon te twijfelen, hoefde ik alleen maar over mijn achterhoofd te wrijven.

Ik ging naar de koelkast terug en vergat hem weer open te doen. In plaats daarvan gingen mijn handen naar de magneetjes. Ik begon ze weer te verplaatsen, zag hoe woorden ontstonden, uiteenvielen, zich vormden. Het was een vreemd soort schrijven... Maar het wás schrijven. Dat merkte ik, want ik raakte in een trance.

Die toestand van halve hypnose kun je jezelf aanleren tot je het naar believen aan en uit kunt zetten – tenminste, dat kun je doen als het goed gaat. Als het begint te werken, maakt het intuïtieve deel van de geest zich vrij en stijgt het op tot een hoogte van zo'n twee meter (drie meter op goede dagen). Als het daar eenmaal is, blijft het gewoon hangen en stuurt het heldere beelden en magische boodschappen naar je toe. De rest van de dag zit dat deel stevig aan de overige machinerieën vast en wordt het min of meer vergeten... behalve wanneer het zich uit eigen beweging losmaakt en je onverwachts in een trance raakt. Je geest legt dan verbanden die niets met rationele gedachten te maken hebben en die onverwachte beelden in je oproepen. Dat is in sommige opzichten het vreemdste aspect van het creatieve proces. De muzen zijn geesten, en soms komen ze onuitgenodigd.

Het spookt in mijn huis.

Het heeft altijd in Sara Laughs gespookt... Jij hebt ze opgerakeld.

opgerakeld, schreef ik op de koelkast. Maar het zag er niet goed uit en dus maakte ik er een kring van groente- en fruitmagneetjes omheen. Dat was veel beter. Ik bleef met mijn armen over elkaar staan, zoals ik ze ook over elkaar deed als ik aan mijn bureau zat en niet op een woord of zin kon komen. Toen haalde ik *opgerakeld* weg en zette er *spoken* voor in de plaats.

'Het spookt in de kring,' zei ik, en heel vaag hoorde ik het gerinkel van Bunters bel, alsof hij blijk gaf van zijn instemming.

Ik haalde de letters weg en bedacht op dat moment hoe vreemd het was om een advocaat te hebben die Romeo heette...

(*romeo* ging in de kring)

... en een privédetective die George Kennedy heette.

(*george* ging op de koelkast)

Ik vroeg me af of Kennedy me met Andy Drake kon helpen...

(*drake* op de koelkast)

... en me misschien wat ideeën aan de hand kon doen. Ik had nooit eerder over een privédetective geschreven en het zijn de kleine dingen...

(*rake* weggehaald, met achterlating van de *d*, en daarachter *etails* gezet)

... die het doen. Ik legde een 3 op zijn rug en zette er een I onder, zodat ik een soort mestvork kreeg. De duivel zit in de details.

Toen ging ik naar iets anders. Ik weet niet precies waarheen, want ik was in trance en dat intuïtieve deel van mijn geest was zo hoog opgestegen dat een zoekteam het nooit zou kunnen vinden. Ik stond voor mijn koelkast en speelde met de letters. Ik spelde kleine stukjes gedachten zonder er zelfs maar bij na te denken. Misschien geloof je niet dat zoiets mogelijk is, maar elke schrijver weet dat het kan.

Toen bracht een lichtbundel die door de ramen van de hal gleed me bij mijn positieven. Ik keek op en zag het silhouet van een auto die achter mijn Chevrolet tot stilstand kwam. Meteen had ik een kramp van angst in mijn buik. Het was een moment waarop ik er alles voor over zou hebben gehad om een geladen pistool in mijn hand te hebben. Want het was Footman. Dat moest wel. Devore had hem gebeld toen hij en Whitmore in Warrington's terug waren, had hem verteld dat Noonan geen brave Martiaan wilde zijn en dat hij even naar Noonan toe moest gaan om de man onschadelijk te maken.

Toen de deur aan de bestuurderskant openging en de binnenverlichting van de auto aanging, slaakte ik een voorwaardelijke zucht van verlichting. Ik wist niet wie het was, maar in ieder geval was het niet 'papa'. Deze man zag eruit alsof hij het met een opgerolde krant nog niet van een vlieg kon winnen – al moet gezegd worden dat veel mensen zich op diezelfde manier in de seriemoordenaar Jeffrey Dahmer hadden vergist.

Op de koelkast stond een rijtje spuitbussen, allemaal oud en waarschijnlijk niet ozonvriendelijk. Ik wist niet hoe ze aan de aandacht van mevrouw M. hadden kunnen ontsnappen, maar ik was blij dat ze ze had laten staan. Ik greep de eerste de beste bus – Black Flag, een uitstekende keuze – wipte de dop eraf en stak de bus in de linkerzak van mijn spijkerbroek. Toen draaide ik me om naar de laden rechts van de gootsteen. In de bovenste zat bestek. In de tweede zat wat Jo 'keukentroep' had genoemd – alles van kippenthermometers tot die dingetjes die je in maïskolven steekt om je vingers niet te branden. De derde la bevatte een uitgebreide collectie vleesmessen. Ik pakte er een, stopte hem in de rechterzak van mijn spijkerbroek en ging naar de deur.

De man die voor mijn deur stond, schrok een beetje toen ik de buitenlamp aandeed. Vervolgens keek hij me met knipperende ogen aan, als een bijziend konijn. Hij was ongeveer een meter zestig, mager, bleek. Zijn haar was kortgeknipt in een model dat in mijn jongensjaren een kippenkontje heette. Hij had bruine ogen, die schuilgingen achter een hoornen bril met vettige glazen. Zijn kleine handen hingen langs zijn zijden. In een daarvan hield hij de handgreep van een smalle leren aktetas, en in de andere had hij iets wat klein en wit en rechthoekig was. Omdat ik niet geloofde dat het mijn lot was om gedood te worden door iemand met een visitekaartje in zijn hand, maakte ik de deur open.

De man glimlachte, de gespannen glimlach van mensen in Woody Allen-films. Hij droeg ook een Woody Allen-outfit, zag ik – een verbleekt geruit overhemd dat bij de polsen een beetje te kort was, een kaki broek die slobberde rond het kruis. *Iemand moet hem over de gelijkenis hebben verteld,*' dacht ik. *Dat moet wel.*

'Meneer Noonan?'

'Ja?'

Hij gaf me het kaartje. NEXT CENTURY VASTGOED, stond er in gouden reliëfletters. Daaronder stond in bescheidener zwarte letters de naam van mijn bezoeker.

'Ik ben Richard Osgood,' zei hij alsof ik niet kon lezen, en hij stak zijn hand uit. Het zit er bij de Amerikaanse man diep in geheid om zo'n hand automatisch te schudden, maar die avond kon ik me bedwingen. Hij hield me zijn kleine roze klauw nog even voor, liet hem toen zakken en veegde nerveus met de palm over zijn broek. 'Ik heb een boodschap voor u. Van meneer Devore.'

Ik wachtte.

'Mag ik binnenkomen?'

'Nee,' zei ik.

Hij ging een stap achteruit, veegde weer met zijn hand over zijn broek en vermande zich blijkbaar weer. 'Ik zie geen enkele reden tot onbeleefdheid, meneer Noonan.'

Ik was niet onbeleefd. Als ik onbeleefd had willen zijn, had ik hem op een gezicht vol kakkerlakkenverdelger getrakteerd. 'Max Devore en zijn verzorgster hebben vanavond geprobeerd me in het meer te verdrinken. Als mijn manieren te wensen overlaten, zal het daar wel door komen.'

Osgood keek geschokt. Ik geloof dat hij echt geschokt was. 'U werkt blijkbaar te hard aan uw nieuwste boek, meneer Noonan. Max Devore wordt op zijn volgende verjaardag zesentachtig – als hij dat al haalt, wat helemaal niet zeker schijnt te zijn. Die arme oude kerel kan niet eens meer van zijn rolstoel naar zijn bed lopen. En wat Rogette betreft...'

'Ik begrijp wat u bedoelt,' zei ik. 'Ik heb het twintig minuten geleden met eigen ogen gezien, zonder enige hulp van u. Ik kan het zelf ook nauwelijks geloven, en dat terwijl ik er bij was. Nou, geeft u me maar wat u me komt brengen.'

'Goed,' zei hij met een nuffige dan-moet-je-het-zelf-maar-weten-stem. Hij maakte een zijvak van zijn leren tas open en haalde er een witte, langgerekte envelop uit, die dichtgeplakt was. Ik pakte hem aan en hoopte dat Osgood niet merkte dat mijn hart bonkte. Voor iemand die met een zuurstoftank door het leven ging, reageerde Devore verdomd snel. De vraag was: wat voor manoeuvre was dit?

'Dank u,' zei ik, en ik wilde de deur sluiten. 'Ik zou u anders wel een fooi geven, maar ik heb mijn portemonnee op het dressoir laten liggen.'

'Wacht! Het is de bedoeling dat u het leest en me een antwoord geeft.'

Ik trok mijn wenkbrauwen op. 'Ik weet niet waar Devore het idee vandaan haalt dat hij me kan rondcommanderen, maar ik ben niet van plan me daar iets van aan te trekken. En nu oprotten.'

Zijn mondhoeken gingen omlaag, zodat daar diepe kuiltjes ontstonden, en opeens leek hij helemaal niet op Woody Allen. Hij zag eruit als een vijftigjarige makelaar die zijn ziel aan de duivel had verkocht en er nu niet tegen kon dat iemand aan de gevorkte staart van zijn baas trok. 'Een goede raad, meneer Noonan – een raad die u ter harte dient te nemen. Max Devore is geen man die met zich laat sollen.'

'Dan mag ik blij zijn dat ik niet sol.'

Ik deed de deur dicht en bleef met de envelop in mijn hand in de hal naar meneer NEXT CENTURY VASTGOED staan kijken. Hij maakte een woedende, verwarde indruk. Het zou de laatste tijd niet vaak zijn gebeurd dat iemand hem de deur wees, dacht ik. Misschien zou het hem goed doen. Misschien zette het zijn leven in een nieuw perspectief. Het kon hem eraan herinneren dat Richie Osgood nooit en te nimmer, Max Devore of geen Max Devore, langer dan een meter vijfenzestig zou zijn. Zelfs niet met cowboylaarzen aan.

'Meneer Devore wil een antwoord!' riep hij door de dichte deur.

'Ik zal bellen,' riep ik terug, en toen bracht ik langzaam mijn middelvinger omhoog, het gebaar dat ik eerder die avond tegen Devore en Rogette had willen maken. 'Misschien kun je hem intussen dit overbrengen.'

Ik verwachtte bijna dat hij zijn bril zou afzetten en over zijn ogen zou wrijven. In plaats daarvan liep hij naar zijn auto terug, gooide zijn tas erin en stapte er zelf achteraan. Ik keek hem na tot hij achteruit was weggereden en ik er zeker van was dat hij weg was. Toen ging ik naar de huiskamer en opende de envelop. Er zat een vel papier in, met de vage geur van het parfum dat mijn moeder had gebruikt toen ik een kind was. White Shoulders, heet het, geloof ik. Bovenaan – netjes, stijlvol, met letters die enig reliëf vertoonden – stond:

ROGETTE D. WHITMORE

Daaronder stond de volgende boodschap in een enigszins bevend vrouwelijk handschrift:

20.30 uur

Geachte heer Noonan,

Max verzoekt me u mee te delen hoe aangenaam hij het vond kennis met u te maken! Ik sluit me daarbij aan. U bent een erg komisch en amusant persoon! Wij hebben zeer van uw capriolen genoten. Nu ter zake. M. doet u een erg eenvoudig voorstel: als u belooft geen vragen meer over hem te stellen, en als u belooft alle juridische stappen achterwege te laten – als u dus belooft hem met rust te laten – belooft de heer Devore dat hij geen pogingen meer zal doen de voogdij over zijn kleindochter te verkrijgen. Als dit u aanstaat, hoeft u alleen maar 'Akkoord' tegen de heer Osgood te zeggen. Hij zal de boodschap overbrengen! Max hoopt binnenkort per privéjet naar Californië terug te keren – hij heeft zaken die geen uitstel dulden, al heeft hij zich hier erg geamuseerd en vond hij vooral u erg interessant. Hij verzoekt me u eraan te herinneren dat voogdij verantwoordelijkheden met zich meebrengt en verzoekt u dringend om niet te vergeten dat hij dat heeft gezegd.

Rogette

P.S. Hij herinnert mij eraan dat u zijn vraag niet hebt beantwoord – zuigt haar kut? Max is daar erg nieuwsgierig naar.

R.

Ik las die brief een tweede en toen een derde keer door. Ik wilde hem op de tafel leggen en las hem toen een vierde keer. Het was of hij niet goed tot me door wilde dringen. Ik moest me inhouden om niet de telefoon te grijpen en Mattie meteen te bellen. Het is voorbij, Mattie, zou ik zeggen. Dat hij je je baan afpakte en mij in het meer gooide – dat waren de laatste twee schoten van de oorlog. Hij geeft het op.

Nee. Niet voordat ik absolute zekerheid had.

In plaats daarvan belde ik naar Warrington's, waar ik mijn vierde antwoordapparaat van die avond aan de lijn kreeg. Devore en Whitmore hadden ook niet de moeite genomen een warme, hartelijke boodschap in te spreken. Een stem, zo koud als een ijsmachine in een motel, deelde me simpelweg mee dat ik na de pieptoon mijn boodschap moest achterlaten.

'Met Noonan,' zei ik. Voordat ik verder kon gaan, was er een klik te horen. Iemand nam op.

'Lekker gezwommen?' vroeg Rogette Whitmore met een rokerige, spottende stem. Als ik haar niet zelf had gezien, zou ik me een type à la Barbara Stanwyck hebben voorgesteld, zo koel aantrekkelijk als ze maar kon zijn, in een perzikkleurige zijden ochtendjas op een roodfluwelen bank, de telefoon in haar ene hand, een ivoren sigarettenpijpje in de andere.

'Als ik u te pakken had gekregen, mevrouw Whitmore, zou ik u mijn gevoelens maar al te duidelijk hebben gemaakt.'

'Ooo,' zei ze. 'Mijn dijen tintelen.'

'Bespaart u me het beeld van uw dijen.'

'Schelden doet geen pijn, meneer Noonan,' zei ze. 'Waaraan danken we het genoegen van uw telefoontje?'

'Ik heb Osgood zonder antwoord weggestuurd.'

'Dat dacht Max al. Hij zei: "Onze jonge hoerenloper hecht waarde aan een persoonlijk antwoord. Dat kun je zo aan hem zien." '

'Als hij verliest, krijgt hij akelige trekjes, hè?'

'Meneer Devore *verliest* niet.' Haar stem daalde minstens twintig graden in temperatuur en alle spottende humor ging ook meteen overboord. 'Soms verandert hij zijn doelstellingen, maar hij *verliest* niet. U was vanavond de verliezer, meneer Noonan. Ik zie u nog rondspartelen en schreeuwen in dat meer. U was bang, hè?'

'Ja. Erg bang.'

'Daar had u ook alle reden voor. Misschien beseft u nog niet eens hoeveel geluk u hebt gehad.'

'Mag ik u iets vertellen?'

'Natuurlijk, Mike – mag ik je Mike noemen?'

'Hou het maar op meneer Noonan. Nou – luistert u?'

'Met ingehouden adem.'

'Uw baas is oud, hij is gek, en ik vermoed dat hij al niet meer in staat is een yahtzee-scorekaart bij te houden, laat staan een voogdijproces. Hij heeft ze niet meer op een rijtje.'

'Wilt u hier iets mee zeggen?'

'Jazeker, dus luister goed: als een van jullie ooit nog zoiets probeert, kom ik achter die oude rotschoft aan en ram ik zijn snotterige zuurstofmasker zo diep in zijn reet dat hij zijn longen van onderaf lucht kan geven. En als ik u op De Straat tegenkom, mevrouw Whitmore, gebruik ik u als boksbal. Is dat duidelijk?'

Ik zweeg, diep ademhalend. Ik verbaasde me over mezelf en walgde ook van mezelf. Als je me had verteld dat ik zulke woorden in me had, zou ik je smalend hebben aangekeken.

Na een lange stilte zei ik: 'Mevrouw Whitmore? Bent u daar nog?'

'Ik ben er nog,' zei ze. Ik wilde dat ze woedend was, maar ze klonk geamuseerd. 'Wie doet er nu akelig, meneer Noonan?'

'Ik,' zei ik, 'als u dat maar niet vergeet, stenengooiend kreng.'

'Wat is uw antwoord voor meneer Devore?'

'Ik ga akkoord. Ik hou op, de advocaten houden op, hij verdwijnt uit het leven van Mattie en Kyra. Als hij daarentegen doorgaat met...'

'Ik weet het, ik weet het, dan maakt u gehakt van hem. Ik vraag me af hoe u zich vandaag over een week zult voelen. U bent een arrogant en stom stuk vreten.'

Voordat ik nog iets kon zeggen – het lag op het puntje van mijn tong dat ze zelfs op haar best nog steeds als een meisje gooide – was ze weg.

Ik stond nog even met de telefoon in mijn hand en hing toen op. Was het een truc? Het voelde aan als een truc, maar tegelijk ook niet. John moest hiervan weten. Hij had het nummer van zijn ouders niet op zijn antwoordapparaat achtergelaten, maar Mattie had het. Maar als ik haar nog eens belde, zou ik moeten vertellen wat er zojuist was gebeurd. Misschien was het wel een goed idee om geen telefoontjes meer te plegen tot de volgende ochtend – om er eerst een nachtje over te slapen.

Ik stak mijn hand in mijn zak en spieste hem bijna aan het vleesmes dat ik daar had gestopt. Ik was het hele ding vergeten. Ik haalde het te voorschijn, ging ermee naar de keuken en legde het in de la terug. Vervolgens viste ik de spuitbus uit mijn zak en zette hem bij zijn oude makkers op de koelkast. Opeens verstijfde ik. In de kring van groente- en fruitmagneetjes stonden de letters:

19
oml
ga
ag

Had ik dat zelf gedaan? Was ik zo ver heen geweest, zo diep in trance verzonken, dat ik een minicryptogram op de koelkast had gemaakt zonder dat ik het me kon herinneren? En zo ja, wat betekende dat dan?

Misschien heeft iemand anders het gedaan, dacht ik. *Een van mijn onzichtbare huisgenoten.*

'Ga 19 omlaag,' zei ik hardop, en ik raakte de letters aan. Een kompasrichting? Of misschien betekende het *19 verticaal.* Dat zou weer op een cryptogram wijzen. Soms krijg je een omschrijving als *Zie 19 horizontaal* of *Zie 19 verticaal.* Als dat hier de bedoeling was, in welk cryptogram moest ik dan kijken?

'Ik kan wel wat hulp gebruiken,' zei ik, maar er kwam geen antwoord – niet op het astrale vlak, niet in mijn eigen hoofd. Ten slotte nam ik het blikje bier dat ik mezelf had beloofd en liep ermee naar de bank. Ik pakte mijn *Lastige hersenkrakers* en keek naar de puzzel waaraan ik werkte. Cryptische omschrijvingen werden afgewisseld met gewone kruiswoordomschrijvingen. 'Tegen Wil en Drank' heette deze aflevering, en hij stond vol met de melige woordgrappen die alleen echte cryptogrammenverslaafden kunnen waarderen. Tipsy acteur? Marlon Brandy. Dronken dubbelspel? Gin rummy. En de omschrijving van 19 verticaal was 'oosterse min', en elke puzzelaar ter wereld weet dat je dan 'amah' moet invullen. Niets in 'Tegen Wil en Drank' stond in verband met wat er in mijn leven gebeurde, tenminste niet voor zover ik kon zien.

Ik keek naar 19 verticaal van andere puzzels in het boek. Marmerwerkersgereedschap (beitel). CNN's favoriete giller (Wolfblitzer). Bijv. ethanol en dimethylether (isomeren). Ik smeet het boek vol walging opzij. Wie zei trouwens dat het dit specifieke puzzelboek moest zijn? Er waren waarschijnlijk wel vijftig andere puzzelboeken in huis. Alleen al in de la van het bijzettafeltje waarop mijn bierblikje stond, lagen er vier of vijf. Ik leunde op de bank achterover en deed mijn ogen dicht.

Ik wilde altijd hoeren... Soms was hun plaats op mijn gezicht.

Hier lopen brave puppy's en schurftige honden zij aan zij.

Er is hier geen dorpsdronkaard; we zijn het om beurten.

Hier is het gebeurd. Ja.

Ik viel in slaap en werd drie uur later met een stijve nek en stampende pijn in mijn achterhoofd wakker. Ver weg rommelde de donder tegen de White Mountains, en het huis voelde erg warm aan. Toen ik van de bank opstond, kwam de achterkant van mijn dijen min of meer van de rest los. Ik schuifelde als een stokoude man naar de noordaanbouw, keek naar mijn natte kleren, overwoog even ze naar het washok te brengen en dacht toen dat als ik me zo diep bukte mijn hoofd zou exploderen.

'Zorgen jullie geesten daar maar voor,' mompelde ik. 'Als jullie de broeken en het ondergoed aan de droogmolen kunnen verplaatsen, kunnen jullie ook mijn kleren in de wasmand gooien.'

Ik nam drie aspirines en ging naar bed. Op een gegeven moment werd ik voor de tweede keer wakker en hoorde ik het spookkind snikken.

'Hou op,' zei ik. 'Hou op, Ki, niemand komt je halen. Je bent veilig.' Toen ging ik weer slapen.

19

De telefoon ging. Ik klom ernaartoe uit een verdrinkingsdroom waarin ik geen adem kon krijgen. Ik steeg op naar het vroege ochtendlicht en zwaaide, huiverend van de pijn in mijn achterhoofd, mijn voeten uit het bed. De telefoon zou ophouden voordat ik er was, dat gebeurt in zulke situaties bijna altijd, en dan zou ik weer gaan liggen en me, voordat ik definitief opstond, tien minuten afvragen wie het geweest was.

Ringgg... ringgg... ringgg...

Was dat tien keer? Twaalf keer? Ik was de tel kwijt. Iemand wilde me erg graag spreken. Ik hoopte dat het geen slecht nieuws was, maar het is mijn ervaring dat mensen niet zo erg hun best doen als ze goed nieuws te melden hebben. Ik streek voorzichtig over mijn achterhoofd. Dat deed nog pijn, maar die diepe, verdovende pijn was blijkbaar weg. En er zat geen bloed op mijn vingers toen ik ernaar keek.

Ik liep door de gang en pakte de telefoon op. 'Hallo?'

'Nou, je hoeft tenminste niet bang meer te zijn dat je een getuigenverklaring moet afleggen in dat voogdijproces.'

'Bill?'

'Ja.'

'Hoe wist je...' Ik leunde om de hoek en keek naar die irritante, zwaaiende kattenklok. Twintig over zeven en het was al smoorheet. Hoe heter, hoe zweter, zeiden wij TR-Martianen dan. 'Hoe weet je dat hij heeft besloten...'

'Ik weet niks van zijn zaken,' zei Bill nogal geprikkeld. 'Hij heeft mij nooit om raad gevraagd en ik heb hem nooit raad gegeven.'

'Wat is er dan? Wat is er gebeurd?'

'Heb je de tv nog niet aan gehad?'

'Mijn koffiezetapparaat staat nog niet eens aan.'

Geen verontschuldiging van Bill. Hij was iemand die vond dat mensen die pas na zes uur 's morgens opstonden geen recht van spreken hadden. Maar ik was nu wakker. En ik had een sterk vermoeden van wat er ging komen.

'Devore heeft zich gisteravond van kant gemaakt, Mike. Hij is in een badkuip met warm water gestapt en heeft een plastic zak over zijn hoofd getrokken. Het moet niet lang geduurd hebben, met die longen van hem.'

Nee, dacht ik, waarschijnlijk niet lang. Ondanks de vochtige zomerhitte die al over het huis was neergedaald, huiverde ik.

'Wie heeft hem gevonden? Die vrouw?'

'Ja.'

'Hoe laat?'

'"Even voor middernacht," zeiden ze op het journaal van Channel 6.'

Met andere woorden, ongeveer toen ik op de bank wakker was geworden en houterig naar bed was gestrompeld.

'Heeft zij er iets mee te maken?'

'Of ze hem erbij heeft geholpen, bedoel je? Op het journaal hadden ze het daar niet over. De roddelmolen in het Lakeview General zal wel al op volle toeren draaien, maar ik ben daar nog niet geweest om er wat van op te pikken. Als ze hem heeft geholpen, denk ik niet dat ze er last mee krijgt. Hij was vijfentachtig en krakkemikkerig.'

'Weet je of hij in de TR wordt begraven?'

'In Californië. Ze zei dat er dinsdag een dienst in Palm Springs is.'

Ik kreeg een vreemd gevoel bij het idee dat de bron van Matties problemen in een aula met veel bloemen zou liggen terwijl de Vrienden van Kyra Devore net hun middageten aan het verteren waren en uit hun stoel kwamen om de frisbee eens lekker rond te gooien. *Dat wordt feest*, dacht ik een beetje verbaasd. *Ik weet niet hoe ze het in de Heilige Kapel van de Microchip in Palm Springs gaan aanpakken, maar aan Wasp Hill Road wordt het een feest van dansen en juichen en loof de Heer.*

Ik was nooit eerder in mijn leven blij geweest met iemands dood, maar deze keer was ik dat wel. Ik vond het niet mooi van mezelf dat ik er zo over dacht, maar het was niet anders. Die oude rotschoft had me in het meer gegooid... Maar voordat de avond voorbij was, was hij zelf degene die verdronk. Hij was verdronken in een plastic zak, zittend in een bad met warm water.

'Enig idee hoe die jongens van de tv er zo snel achter waren?' Het was niet *supersnel*, want er zat zeven uur tussen de ontdekking van het lijk en het ochtendjournaal, maar televisiemensen zijn vaak nogal lui en traag.

'Whitmore belde ze. Ze heeft vannacht om twee uur een persconferentie in de grote salon van Warrington's gegeven. Ze beantwoordde vragen op die grote kastanjebruine bank, de bank waarvan Jo altijd zei dat hij op een ouderwets schilderij thuishoorde, met een naakte vrouw erop. Weet je nog wel?'

'Ja.'

'Ik zag wat politie van de county op de achtergrond rondlopen, plus iemand die ik van uitvaartbedrijf Jaquard in Motton herkende.'

'Dat is bizar,' zei ik.

'Ja, het lijk lag waarschijnlijk nog boven, en Whitmore maar ratelen... Ze zei dat ze het alleen maar deed omdat de baas het haar had opgedragen. Ze zei dat hij een bandje had achtergelaten. Op dat bandje zegt hij dat hij het op vrijdagavond deed om de aandelenkoers van zijn bedrijf te beschermen. Hij wilde dat Rogette meteen een persconferentie belegde om de mensen te vertellen dat het bedrijf solide was, dat zijn zoon en de raad van bestuur de beste maatjes waren. En toen vertelde ze over de dienst in Palm Springs.'

'Hij pleegt zelfmoord, en dan houdt zij om twee uur 's nachts namens hem een persconferentie om de aandeelhouders gerust te stellen?'

'Ja. En dat lijkt me net wat voor hem.'

Er viel een stilte. Ik probeerde na te denken maar kon het niet. Het enige dat ik wist, was dat ik naar boven wilde gaan om te werken, hoofdpijn of geen hoofdpijn. Ik verlangde naar Andy Drake, John Shackleford en de vriend uit Shacklefords kinderjaren, de afschuwelijke Ray Garraty. In mijn verhaal zat ook waanzin, maar dan wel waanzin die ik begreep.

'Bill,' zei ik ten slotte, 'zijn we nog vrienden?'

'Jezus, ja,' zei hij prompt. 'Maar als er hier mensen zijn die een beetje stug tegen je doen, weet je waarom, hè?'

Natuurlijk wist ik dat. Velen zouden zeggen dat de dood van de oude man mijn schuld was. Gezien zijn lichamelijke conditie was dat absurd, maar die gedachte zou een zekere geloofwaardigheid krijgen, zeker op de korte termijn – dat wist ik net zo goed als dat ik de waarheid over de vriend uit John Shacklefords kinderjaren wist.

Lieve kindertjes, er was eens een gans die terugvloog naar de kleine TR waar hij als jong gansje had geleefd. Hij begon mooie gouden eieren te leggen, en de mensen in de TR stonden er verbaasd naar te kijken en kregen ieder hun deel. Maar nu was die gans in de pot gegaan en moest iemand daar de schuld van krijgen. Ik zou een deel van de schuld krijgen, maar Mattie zou misschien nog een net iets vollere laag krijgen. Per slot van rekening had zij de euvele moed gehad om voor haar kind te vechten in plaats van Ki gedwee uit handen te geven.

'Hou je de komende weken een beetje gedeisd,' zei Bill. 'Dat raad ik je aan. Sterker nog, als je buiten de TR dingen te regelen hebt, zou dat misschien het beste zijn.'

'Ik stel het op prijs dat je me die raad geeft, maar ik kan niet weg. Ik ben een boek aan het schrijven. Als ik mijn bullen pak en ergens anders heen ga, is er kans dat het hele boek als een nachtkaars uitdooft. Dat is al eens eerder gebeurd en dat mag niet weer gebeuren.'

'Het wordt een goeie, hè?'

'Niet slecht, maar daar gaat het nog niet eens om. Het is... nou, laten we zeggen dat dit boek om andere redenen belangrijk voor me is.'

'Kan het niet mee naar Derry?'

‘Wou je me weg hebben, Bill?’

‘Ik probeer een oogje op je te houden, dat is alles – beheren is nu eenmaal mijn werk. En zeg niet dat je niet gewaarschuwd bent: het gonst al van de verhalen. Er doen twee verhalen over je de ronde, Mike. Ten eerste dat je het met Mattie Devore doet. Ten tweede dat je bent teruggekomen om een boek te schrijven waarin je de TR kapotmaakt. Je weet wel, alle oude skeletten uit de kast, alle schandalen boven water.’

‘Met andere woorden, om af te maken wat Jo begonnen was. Wie heeft dat verhaal verspreid, Bill?’

Bill zweeg. We stonden weer op een vulkaan, en ditmaal rommelde het heviger dan ooit.

‘Het boek waar ik aan werk, is een roman,’ zei ik. ‘Het speelt in Florida.’

‘O ja?’ Je zou niet zeggen dat in twee lettergrepen zoveel opluchting kon doorklinken.

‘Zou je dat een beetje rond kunnen vertellen?’

‘Ik denk van wel,’ zei hij. ‘Als je het Brenda Meserve vertelt, gaat het sneller rond en komt het verder.’

‘Goed, dat zal ik doen. Wat Mattie betreft...’

‘Mike, je hoeft niet...’

‘Ik doe het niet met haar. Dat heeft er nooit achter gezeten. Wat er achter zat, was dat ik over straat liep, een hoek omging en zag hoe een grote kerel een kleine in elkaar sloeg.’ Ik zweeg even. ‘Zij en haar advocaat zijn van plan dinsdagmiddag bij haar thuis te gaan barbecuen. Ik denk erover om ook te gaan. Zullen ze in het dorp dan denken dat we op Devores graf dansen?’

‘Sommigen zullen dat denken. Royce Merrill bijvoorbeeld. En Dickie Brooks. Oude wijven met een broek aan, noemt Yvette ze.’

‘Ze kunnen de pleuris krijgen,’ zei ik. ‘Allemaal.’

‘Ik kan me voorstellen hoe je je voelt, maar zeg tegen haar dat ze de mensen niet de ogen moet uitsteken,’ zei hij op bijna smekende toon. ‘Doe dat dan tenminste, Mike. Ze kan die barbecue toch wel achter haar caravan zetten? Dan zouden de mensen in de winkel of de garage alleen maar wat rook zien.’

‘Ik zal de boodschap doorgeven. En als ik erheen ga, sjouw ik de barbecue persoonlijk naar achteren.’

‘Je zou er verstandig aan doen bij dat meisje en haar kind uit de buurt te blijven,’ zei Bill. ‘Nu zul je wel zeggen dat het mijn zaken niet zijn, maar ik zeg het voor je eigen bestwil.’

Op dat moment zag ik weer een flits van mijn droom. De heerlijke, nauwe gladheid toen ik in haar gleed. Die kleine borsten met hun harde tepels. Haar stem in de duisternis, haar stem die tegen me zei dat ik moest doen wat ik wilde. Mijn lichaam reageerde bijna meteen. ‘Dat weet ik,’ zei ik.

'Goed.' Hij klonk opgelucht omdat ik hem niet de les las – een preek afstak, zou hij gezegd hebben. 'Ga dan nu maar rustig ontbijten.'

'Ik stel het op prijs dat je belde.'

'Ik had het bijna niet gedaan. Yvette heeft me overgehaald. Ze zei: "Je mocht Mike en Jo Noonan altijd het meest van alle mensen voor wie je beheerde. Ga nou geen ruzie met hem maken nu hij terug is."'

'Zeg tegen haar dat ik dat waardeer,' zei ik.

Ik hing op en keek peinzend naar de telefoon. Blijkbaar stonden we weer op goede voet met elkaar... en toch geloofde ik niet dat we echt vrienden waren. In ieder geval niet zoals we vroeger vrienden waren geweest. Dat was veranderd toen ik besefte dat Bill over sommige dingen had gelogen en andere dingen achterhield. Het was ook veranderd toen ik besefte hoe hij Sara en de Red-Tops bijna had genoemd.

Je kunt iemand niet veroordelen om wat misschien alleen maar een hersenspinsel van jezelf is.

Zeker, en ik zou proberen dat niet te doen... Maar ik wist wat ik wist.

Ik ging naar de huiskamer, zette de tv aan en zette hem weer uit. Met mijn schotelantenne kreeg ik vijftig of zestig verschillende zenders, maar daar zat niet één plaatselijke bij. In de keuken stond een portable, en als ik de konijnenoren op het meer richtte, zou ik WMTW kunnen ontvangen, het ABC-station in het westen van Maine.

Ik pakte Rogettes brief van de tafel, ging naar de keuken en zette de kleine Sony aan die naast het koffiezetapparaat onder de kastjes stond. *Good Morning America* was aan de gang, maar straks begon het regionale journaal. Intussen las ik het briefje nog eens over. Ditmaal concentreerde ik me meer op de woordkeuze dan op de boodschap, die de vorige avond al mijn aandacht in beslag had genomen.

Hoopt binnenkort per privéjet naar Californië terug te keren, had ze geschreven.

Heeft zaken die geen uitstel dulden, had ze geschreven.

Als u belooft hem met rust te laten, had ze geschreven.

Het was een regelrechte zelfmoordbrief.

'Je wist het,' zei ik toen ik met mijn duim over de reliëfletters van haar naam streek. 'Je wist het toen je dit schreef, en waarschijnlijk ook al toen je met stenen naar me gooide. Maar waarom?'

Voogdij brengt verantwoordelijkheden met zich mee, had ze geschreven. *Vergeet niet dat hij dat heeft gezegd.*

Maar die voogdijzaak was nu toch van de baan? Zelfs een rechter die zich aan de hoogste bieder verkocht, kon de voogdij over een kind niet aan een dode toekennen.

Good Morning America maakte eindelijk plaats voor het regionale journaal, en dat begon met Max Devores zelfmoord. Het beeldscherm was besneeuwd, maar ik zag de kastanjebruine bank waarover Bill het had gehad. Rogette Whitmore zat op die bank en hield haar handen rustig gevouwen op haar schoot. Ik dacht dat een van de politiemannen op de achtergrond George Footman was, al kon ik dat in de sneeuw van het beeldscherm niet goed zien.

De heer Devore had in de afgelopen acht maanden vaak over zelfdoding gesproken, zei Whitmore. Zijn gezondheid had te wensen overgelaten. Hij had haar de vorige avond gevraagd met hem naar buiten te gaan, en ze realiseerde zich nu dat hij nog één keer een zonsondergang had willen zien. Het was ook nog een glorieuze zonsondergang geweest, voegde ze eraan toe. Daar kon ik over meepraten; ik herinnerde me die zonsondergang erg goed, want ik was er bijna in verdronken.

Rogette was Devores verklaring aan het voorlezen toen de telefoon weer ging. Het was Mattie, en ze huilde met gierende uithalen.

'Het nieuws,' zei ze. 'Mike, heb je... weet je...'

Eerst was dat het enige verstaanbare dat ze kon uitbrengen. Ik vertelde haar dat ik het wist, Bill Dean had me gebeld en ik had er ook iets van op de televisie gezien. Ze probeerde iets te zeggen, maar kon niets uitbrengen. Schuldgevoel, opluchting, afschuw, zelfs hilariteit – dat klonk allemaal in haar huilbui door. Ik vroeg waar Ki was. Ik kon met Mattie meevoelen – totdat ze vanmorgen het nieuws aanzette, had ze gedacht dat die oude Max Devore haar bitterste vijand was – maar ik vond het geen prettig idee dat een meisje van drie haar moeder helemaal zag instorten.

'Achter,' kon ze uitbrengen. 'Ze heeft haar ontbijt op. Nu houdt ze een p-poppenp-p-p... poppenpi-p-pick...'

'Poppenpicknick. Ja. Goed. Laat je dan maar gaan. Helemaal. Gooi het er maar uit.'

Ze huilde nog minstens twee minuten, misschien langer. Ik stond met de telefoon tegen mijn oor gedrukt, zwetend in de zomerwarmte. Het kostte me moeite om geduldig te blijven.

Ik zal je één kans geven om je ziel te redden, had Devore tegen me gezegd, maar nu was hij dood en was zijn ziel daar waar zielen heen gingen. Hij was dood, Mattie was van hem verlost, ik schreef mijn boek. Het leven had geweldig moeten lijken, maar dat deed het niet.

Ten slotte kwam ze weer tot zichzelf. 'Sorry. Ik heb niet meer zo gehuild – echt, echt gehuild – sinds Lance doodging.'

'Het is begrijpelijk en je hebt het volste recht.'

'Kom lunchen,' zei ze. '*Alsjeblieft*, kom lunchen, Mike. Ki is vanmiddag bij een vriendinnetje van de Vakantie Bijbel School, dus we kunnen praten. Ik moet met iemand praten... God, mijn hoofd tolt ervan. Alsjeblieft, zeg dat je komt.'

'Ik zou graag willen, maar het is een slecht idee. Zeker als Ki er niet bij is.'

Ik gaf haar een gekuiste versie van mijn gesprek met Bill Dean. Ze luisterde aandachtig. Ik dacht dat er misschien een woedeuitbarsting zou komen als ik klaar was, maar ik was één simpel feit vergeten: Mattie Stanchfield Devore had hier haar hele leven gewoond. Ze wist hoe het hier ging.

'Ik begrijp dat de wonden sneller zullen helen als ik mijn ogen dicht, mijn kaken op elkaar en mijn knieën stijf gesloten hou,' zei ze, 'en ik zal mijn best doen, maar er zijn grenzen aan mijn diplomatieke vaardigheden. Die oude man probeerde mijn dochter af te pakken, snappen ze dat in die vervloekte supermarkt dan niet?'

'*Ik* snap het.'

'Dat weet ik. Daarom wilde ik met je praten.'

'Als we aan het eind van de middag nu eens een hapje gingen eten in Castle Rock? Zelfde plaats als vrijdag? Zullen we zeggen, om een uur of vijf?'

'Dan zou ik Ki mee moeten ne...'

'Prima,' zei ik. 'Breng haar mee. Zeg tegen haar dat ik "Hans en Grietje" uit mijn hoofd ken en het haar graag wil vertellen. Bel je John in Philadelphia? Om hem het nieuws te vertellen?'

'Ja. Ik wacht nog een uur of zo. God, wat ben ik gelukkig. Ik weet dat het verkeerd is, maar ik barst haast van geluk uit elkaar!'

'Je bent de enige niet.' Het werd stil aan de andere kant van de lijn. Ze haalde luidruchtig haar neus op. 'Mattie? Alles goed?'

'Ja, maar hoe vertel je een kind van drie dat haar opa is gestorven?'

Zeg tegen haar dat die ouwe lul is uitgegleden en met zijn kop in een plastic zak is gevallen, dacht ik, en ik drukte mijn hand weer tegen mijn mond om te voorkomen dat ik hysterisch zou gaan lachen.

'Ik weet het niet, maar je moet het doen zodra ze binnenkomt.'

'O ja? Waarom?'

'Omdat ze het aan je ziet. Ze ziet het aan je gezicht.'

Ik hield het precies twee uur in de werkkamer op de bovenverdieping uit, en toen verdreef de hitte me – de thermometer op de veranda gaf om tien uur al vijfendertig graden aan. Misschien was het op de bovenverdieping nog vijf graden warmer.

In de hoop dat ik geen fout beging, trok ik de stekker van de IBM uit het contact en droeg ik de machine naar beneden. Ik werkte met ontbloot bovenlijf, en toen ik door de huiskamer liep, gleed de achterkant van de schijfmachine over het laagje zweet op mijn middenrif en viel het ouderwetse ding bijna op mijn tenen. Daardoor dacht ik weer aan mijn enkel, die ik bezeerd had toen ik in het meer viel, en ik zette de schrijfmachine even neer om naar die enkel te kijken. Hij had allerlei kleuren, zwart en paars en rood aan de randen, maar hij was niet erg opgezwollen. Ik denk dat mijn onderdompeling in het koele water de zwelling enigszins had beperkt.

Ik zette de schrijfmachine op de terrastafel, zocht een verlengsnoer, stak de stekker onder Bunters waakzaam oog in het contact, en ging met mijn gezicht naar het wazige blauwgrijze wateroppervlak van het meer zitten. Ik verwachtte een van mijn bekende angstaanvallen – de samengetrokken maag, de kloppende ogen, en wat nog het ergste was, dat gevoel dat er onzichtbare stalen banden om mijn borst geklemd zaten, zodat ik geen adem meer kreeg. Er gebeurde niets van dat alles. De woorden kwamen er net zo makkelijk uit als in de werkkamer, en mijn naakte bovenlichaam genoot van de lichte bries die nu en dan van het meer kwam waaien. Ik dacht niet meer aan Max Devore, Mattie Devore, Kyra Devore. Ik dacht niet meer aan Jo Noonan en Sara Tidwell. Ik dacht niet meer aan mezelf. Twee uur lang was ik weer in Florida. John Shacklefords executie zat eraan te komen. Voor Andy Drake was het een race tegen de klok.

De telefoon haalde me weer naar de werkelijkheid terug, en deze keer ergerde ik me daar niet aan. Als ik niet gestoord was, zou ik misschien zijn blijven schrijven tot ik gesmolten was en als een dampend drabje op de planken van de veranda lag.

Het was mijn broer. We spraken over onze moeder – volgens Siddy had ze er nu niet één meer op een rijtje – en haar zuster Francine, die in juni haar heup had gebroken. Sid vroeg hoe het met me ging, en ik zei dat het goed met me ging. Het had me wat moeite gekost om aan een nieuw boek te beginnen, zei ik, maar nu zat ik weer op het goede spoor (in mijn familie mag je alleen over moeilijkheden praten als ze achter de rug zijn). En hoe ging het met Sid? Supergaaf, zei hij, en daarmee bedoelde hij waarschijnlijk dat het redelijk goed ging – Siddy had een kind van twaalf en daardoor was zijn taalgebruik altijd helemaal bijdetijds. Het nieuwe boekhoudbedrijf begon van de grond te komen, al was hij een tijdje erg bang geweest dat het mis zou gaan (dat hoorde ik nu natuurlijk voor het eerst). Hij was dolblij met de overbruggingslening die ik hem in november had gegeven. Ik zei dat die lening het minste was geweest dat ik kon doen, en dat was de absolute waarheid, vooral wanneer ik bedacht hoeveel meer tijd – zowel persoonlijk als door de telefoon – hij aan onze moeder besteedde dan ik.

'Nou, dan laat ik je nu gaan,' zei Siddy na nog wat beleefdheden – hij zegt je nooit echt gedag als hij met je belt, het is altijd *nou, dan laat ik je gaan*, alsof hij je heeft gegijzeld. 'Hou het een beetje koel, Mike – volgens Weather Channel wordt het daar bij jou in de buurt dit hele weekend nog heter dan de hel.'

'Als het te erg wordt, kan ik altijd het meer in. Hé, Sid?'

'Hé wat?' Dat was net zoiets als *ik laat je gaan. Hé wat* dateerde uit onze kinderjaren. Het was een beetje geruststellend; het was ook een beetje verontrustend.

'Onze hele familie kwam toch uit Prout's Neck? Ik bedoel, van vaderskant.' Moeder kwam uit een heel andere wereld – een wereld waarin de mannen Lacoste-poloshirts droegen, waarin de vrouwen altijd een onderjurk aanhadden en waarin iedereen het tweede couplet van 'Dixie' uit zijn hoofd kende. Ze had mijn vader in Portland ontmoet toen ze daar aan een cheerleaders-competitie deelnam. Mevrouw kwam uit de betere kringen van Memphis, lieveling, en ze zorgde er wel voor dat je dat niet vergat.

'Ik denk het,' zei hij. 'Ja. Maar je moet mij niet te veel over de familiestamboom vragen, Mike – ik geloof dat ik niet eens het verschil tussen een volle neef en een andere neef weet. Dat heb ik ook al tegen Jo gezegd.'

'O ja?' Alles in me was erg stil geworden... Maar ik kan niet zeggen dat ik stomverbaasd was. Toen niet meer.

'Ja, allicht.'

'Wat wilde ze weten?'

'Alles wat ik wist. En dat is niet veel. Ik had haar alles over ma's overovergrootvader kunnen vertellen, je weet wel, die door de indianen is gedood, maar Jo interesseerde zich niet voor ma's familie.'

'Wanneer zal dat zijn geweest?'

'Doet dat er iets toe?'

'Misschien.'

'Goed, eens kijken dan. Ik denk dat het ongeveer in de tijd was dat Patricks blindedarm eruit werd gehaald. Ja, dat was het. Februari 1994. Het kan ook maart zijn geweest, maar ik weet bijna zeker dat het februari was.'

Zes maanden voor het parkeerterrein van Rite Aid. Jo die zich in de schaduw van haar eigen dood begaf, als een vrouw die in de schaduw van een luifel gaat staan. Maar ze was niet zwanger geweest, nog niet. Jo die dagtochtjes naar de TR maakte. Jo die vragen stelde, ook vragen die de mensen volgens Bill Dean helemaal niet aanstonden... maar ze was ze evengoed blijven stellen. Ja. Want als Jo iets op het spoor was, was ze net een terriër met een lap tussen zijn kaken. Had ze vragen gesteld aan de man in het bruine colbertje? Wie wás de man in het bruine colbertje?

'Ja, Pat lag in het ziekenhuis. Dokter Alpert zei dat het goed met hem ging, maar toen de telefoon ging, schrok ik toch. Ik dacht dat hij het was, Alpert, om te zeggen dat Pat een terugval had of zoiets.'

'Hoe komt het toch dat jij altijd denkt dat er onheil dreigt, Sid?'

'Ik weet het niet, broertje, maar ik heb dat nou eenmaal. Hoe dan ook, het was niet Alpert, het was Johanna. Ze wilde weten of we voorouders hadden – drie, misschien vier generaties terug – die woonden waar jij nu zit, of daar ergens in de buurt. Ik zei tegen haar dat ik het niet wist, maar jij misschien wel. Dat jij het wist, bedoel ik. Ze zei dat ze het jou niet wilde vragen omdat het een verrassing was. Was het een verrassing?'

'Een grote,' zei ik. 'Pa was kreeftenvisser...'

'Slik dat meteen in. Hij was *kunstenaar* – "een primitief van de kust". Zo noemt ma hem nog steeds.' Siddy lachte net niet.

'Lul niet. Hij ging de baai op om kreeften te vangen, en toen hij daar te reumatisch voor werd, verbouwde hij kreeftenfuiken tot salontafels en tuinornamenten, en die verkocht hij dan aan toeristen.'

'Dat weet ík, maar ma heeft haar huwelijk helemaal opnieuw bewerkt, alsof ze een televisiefilm van een boek maakte.'

Een waar woord. Onze eigen versie van Blanche Du Bois. 'Pa was kreeftenvisser in Prout's Neck. Hij...'

' "*Papa was a rolling stone*," ' zong Siddy met een hemeltergend valse tenorstem, ' "*and wherever he hung his hat was his home...*" '

'Kom nou, even serieus. Hij kreeg zijn eerste boot van zijn vader, hè?'

'Zo luidt het verhaal,' beaamde Sid. 'Jack Noonans *Lazy Betty*, oorspronkelijke eigenaar: Paul Noonan. Ook van Prout's. Die boot kreeg een stevige opdonder van de wervelstorm Donna. In 1960, was dat. Ik denk dat het Donna was.'

Twee jaar nadat ik geboren was. 'En pa bood hem in 1963 te koop aan.'

'Ja. Ik weet niet hoe het verder ging met die boot, maar in het begin was hij van opa Paul geweest. Weet je nog, al die kreeftenpastei die we als kinderen te eten kregen, Mikey?'

'Zeevruchtengehakt,' zei ik bijna zonder erbij na te denken. Zoals de meeste kinderen die aan de kust van Maine zijn opgegroeid, kan ik me niet voorstellen dat ik in een restaurant ooit kreeft zou bestellen – kreeft is iets voor mensen uit het binnenland. Ik dacht aan opa Paul, die in de jaren negentig van de vorige eeuw was geboren. Paul Noonan gewon Jack Noonan, Jack Noonan gewon Mike en Sid Noonan, en dat was eigenlijk het enige dat ik wist, behalve dat de Noonans allemaal heel ergens anders waren opgegroeid dan waar ik nu het vocht uit mijn lijf stond te zweten.

Ze scheten in dezelfde kuil.

Devore had zich vergist, dat was alles. Omdat wij Noonans geen poloshirts droegen en niet tot de betere standen van Memphis behoorden, waren we Prout's Neckers. Het was toch al onwaarschijnlijk dat Devores overgrootvader en de mijne iets met elkaar te maken hadden gehad; die oude schobbejak was twee keer zo oud geweest als ik; de generaties klopten dus niet.

Maar als hij zich nu eens volkomen had vergist, waar had Jo dan achteraan gezeten?

'Mike?' vroeg Sid. 'Ben je daar nog?'

'Ja.'

'Gaat het wel? Je klinkt niet zo geweldig, moet ik zeggen.'

'Dat komt door de warmte,' zei ik. 'Om nog maar te zwijgen van jouw voorgevoelens. Bedankt voor je telefoontje, Siddy.'

'Bedankt dat je bestaat, grote broer.'

'Supergaaf,' zei ik.

Ik ging naar de keuken om een glas koud water te halen. Terwijl ik het glas liet vollopen, hoorde ik dat de magneetjes op de koelkastdeur weer begonnen te schuiven. Ik draaide me meteen om, morste water op mijn blote voeten maar merkte het nauwelijks. Ik was zo opgewonden als een kind dat denkt dat hij misschien nog net een glimp kan opvangen van de kerstman voordat die weer door de schoorsteen verdwijnt.

Ik was nog net op tijd om te zien hoe negen plastic letters lukraak in de kring getrokken werden. CARLADEAN, stond er... maar niet langer dan een seconde. Iets krachtigs maar onzichtbaars schoot langs me. Geen haar op mijn hoofd bewoog, maar evengoed had ik duidelijk het gevoel dat er iets tegen me aan kwam, zoals je de lucht voelt van een voorbijrijdende sneltrein als je dicht bij de gele lijn op het perron staat. Ik slaakte een kreet van schrik, zette vlug mijn glas op het aanrecht terug, morste nog meer water. Ik had geen behoefte meer aan koud water, want de temperatuur in de keuken van Sara Laughs was gekelderd.

Ik blies mijn adem uit en zag damp, zoals je op een koude dag in januari ziet. Een wolkje, misschien twee, en toen was het voorbij – maar het was er wel echt geweest, en gedurende zo'n vijf seconden was het zweet op mijn lichaam veranderd in iets wat aanvoelde als een laagje ijs.

CARLADEAN explodeerde in alle richtingen – het was net of ik naar een atoom keek dat in een tekenfilm uit elkaar werd geslagen. Gemagnetiseerde groente- en fruitletters vlogen van de koelkastdeur af en verspreidden zich door de keuken. Een ogenblik was de razernij die dat alles teweegbracht iets wat ik bijna kon proeven, als buskruit.

En iets bezweek voor dat geweld, iets ging weg met een zuchtend, spijtig gefluister dat ik al eerder had gehoord: '*O Mike, o Mike*.' Het was de stem die ik op het Memo-Scriber-bandje had gehoord, en hoewel ik toen nog had getwijfeld, wist ik het nu zeker: het was Jo's stem.

Maar wie was die ander? Waarom had die de letters verspreid?

Carla Dean. Niet Bills vrouw; die heette Yvette. Zijn moeder? Zijn grootmoeder?

Ik liep langzaam door de keuken, verzamelde koelkastmagneetjes alsof ik vodden aan het rapen was en plakte ze met handenvol weer op de Kenmore. Ze werden niet uit mijn handen gerukt; het zweet verkilde niet op mijn nek; Bunters bel rinkelde niet. Evengoed was ik niet alleen. Dat wist ik zeker.

CARLADEAN: Jo had gewild dat ik dat wist.

Iets anders had dat niet gewild. Iets anders was me als een kanonskogel voorbijgevlogen en had geprobeerd de letters te verspreiden voordat ik ze kon lezen.

Jo was hier; een jongen die 's nachts huilde was hier ook.

En wat nog meer?

Wat was er nog meer dat mijn huis met me deelde?

20

In het begin zag ik ze niet, en dat was niet vreemd. Het leek wel of half Castle Rock op die benauwde zaterdagmiddag, die in een zwoele avond overging, naar de meent, het veld in het midden van het stadje, was gekomen. Alles lag in het heldere waas van het midzomerlicht en de kinderen waren uitgezwermd over de speeltoestellen. Een stel oude mannen in knalrode jasjes – een soort club, nam ik aan – zat te schaken, en jonge mensen lagen op het gras en luisterden naar een tiener met een hoofdband die gitaar speelde en iets zong wat ik me van een oude plaat van Ian en Sylvia herinnerde, een opgewekt nummer:

'Ella Speed was havin her lovin fun,
John Martin shot Ella with a Colt forty-one...'

Ik zag geen joggers en geen honden die achter frisbees aan renden. Daar was het gewoon te heet voor.

Ik draaide me om en keek naar het muziekpaviljoen, waar een achtkoppig combo, The Castle Rockers, zich aan het installeren was (ik had de indruk dat ze nooit dichter bij rock & roll zouden komen dan 'In the Mood'), toen een klein persoontje van achteren tegen me aan botste, me net boven de knieën vastgreep en bijna op het gras gooide.

'Hebbes!' riep het kleine persoontje vrolijk uit.

'Kyra Devore!' riep Mattie. Ze klonk tegelijk geamuseerd en geërgerd. 'Straks gooi je hem nog om!'

Ik draaide me om, liet de vettige McDonald's-draagtas zakken die ik in mijn hand had gehad, en tilde het kind op. Het was iets vanzelfsprekends, en het was geweldig. Je beseft pas hoe zwaar een gezond kind is als je er een in je armen hebt, en dan begrijp je ook pas iets van het leven dat als een gloeiende stroomdraad door ze heen gaat. Ik kreeg geen brok in mijn keel ('Nou niet sentimenteel worden, Mike,' fluisterde Siddy soms als we als kinderen in de bioscoop zaten en ik natte ogen kreeg omdat er iets droevigs gebeurde), maar ja, ik dacht aan Jo. En aan het kind dat ze had gedragen toen ze op dat stomme parkeerterrein in elkaar zakte, ja, daar ook aan.

Ki piepte en lachte. Ze had haar armen gespreid en haar haar hing omlaag in twee grappige bosjes, die nog geaccentueerd werden door speldjes met Raggedy Ann en Andy.

'Nooit je eigen quarterback tackelen!' riep ik grijnzend, en tot mijn grote plezier schreeuwde ze meteen naar me terug: 'Nooit je eigen quartermack stekkelen! Nooit je eigen quartermack stekkelen!'

Ik zette haar neer. We lachten allebei. Ki deed een stap terug, struikelde, plofte op het gras neer en gierde van de lach. Ik had op dat moment een gemene gedachte, heel even, maar o zo duidelijk: die ouwe rotzak zou eens moeten zien hoe we hem missen. Hoeveel verdriet zijn dood ons doet.

Mattie kwam naar me toe, en deze keer zag ze eruit zoals ik me haar half had voorgesteld toen ik haar voor het eerst ontmoette – als een van die mooie bevoorrechte kinderen die je op de countryclub ziet, waar ze met hun vrienden rondrennen of braaf bij hun ouders aan tafel zitten. Ze droeg een witte mouwloze jurk en schoenen met lage hakken. Haar haar viel losjes over haar schouders en ze had een klein beetje lipstick opgedaan. Haar ogen hadden een schittering die er de vorige keer niet was geweest. Toen ze me omhelsde, rook ik haar parfum en voelde ik haar stevige kleine borsten tegen me aan drukken.

Ik kuste haar op de wang. Ze kuste me hoog op mijn kaak. Haar kus smakte in mijn oor en ik voelde hem helemaal tot in mijn rug. 'Zeg dat het van nu af aan beter gaat,' fluisterde ze, nog steeds met haar armen om me heen.

'Veel beter,' zei ik, en ze drukte me weer stevig tegen zich aan. Toen stapte ze terug. 'Ik hoop dat je veel eten hebt meegebracht, grote jongen, want wij vrouwen rammelen van de honger. Nietwaar, Kyra?'

'Ik stekkelde mijn eigen quartermack,' zei Ki, en toen leunde ze op haar ellebogen achterover en giechelde opgetogen naar de wazige en tegelijk heldere hemel.

'Kom,' zei ik, en ik pakte haar bij haar middel vast en sjouwde haar zo naar een picknicktafel. Ki trappelde met haar benen, zwaaide met haar armen en lachte. Ik zette haar op de bank; ze gleed eraf en onder de tafel, zo soepel als een paling en nog steeds lachend.

'Goed, Kyra Elizabeth,' zei Mattie. 'Nu gaan zitten. Laat nu de andere kant zien.'

'Braaf meisje, braaf meisje,' zei ze, en ze klauterde naast me op de bank. 'Dat is mijn andere kant, Mike.'

'Vast en zeker,' zei ik. In de draagtas had ik Big Macs en frites voor Mattie en mij. Voor Ki had ik een felgekleurde doos waarop Ronald McDonald en zijn naamloze trawanten hun streken uithaalden.

'Mattie, ik heb een Happy Meal! Mike heeft een Happy Meal voor me genomen! Daar zit speelgoed in!'

'Nou, kijk maar wat het is.'

Kyra maakte de doos open, rommelde erin en glimlachte. Ze straalde met heel haar gezicht. Toen haalde ze iets uit de doos wat me op het eerste gezicht een grote stofbal leek. Gedurende een afschuwelijke seconde was ik weer in mijn droom, die droom van Jo onder het bed met het boek over haar gezicht. *Geef hier*, had ze gesnauwd. *Dat is mijn stofnest*. En nog iets anders – een of andere associatie, misschien uit een andere droom. Ik kon het niet goed thuisbrengen.

'Mike?' vroeg Mattie. In haar stem klonk nieuwsgierigheid door, misschien zelfs bezorgdheid.

'Het is een hondje!' zei Ki. 'Ik heb een hondje gewonnen in mijn Happy Meal!'

Ja, natuurlijk. Een hond. Een pluchen hondje. En hij was grijs, niet zwart... al wist ik niet waarom ik me eigenlijk zo druk maakte om de kleur.

'Dat is een heel mooie prijs,' zei ik, en ik pakte hem van haar aan. De hond was zacht, dat was goed, en hij was grijs, dat was nog beter. Dat hij grijs was, maakte hem op de een of andere manier tot iets goeds. Raar maar waar. Ik gaf hem aan haar terug en glimlachte.

'Hoe heet hij?' vroeg Ki. Ze liet het hondje heen en weer springen over de doos van haar Happy Meal. 'Hoe heet het hondje, Mike?'

En zonder na te denken zei ik: 'Strickland.'

Ik dacht dat ze me verbaasd zou aankijken, maar dat deed ze niet. Ze keek opgetogen. 'Stricken!' zei ze, en ze liet het hondje steeds hogere sprongen over de doos maken. 'Stricken! Stricken! Mijn hondje Stricken!'

'Wie is die Strickland?' vroeg Mattie met een vaag lachje. Ze zat haar Big Mac uit te pakken.

'Iemand uit een boek dat ik vroeger heb gelezen,' zei ik, kijkend naar Ki, die met het pluizige hondje speelde. 'Niet iemand die echt bestaat.'

'Mijn opa is dood,' zei ze vijf minuten later.

We zaten nog aan de picknicktafel, maar het eten was bijna op. Strickland, de opgezette pluizenbol, was op de tafel gezet om de wacht te houden bij de overgebleven frites. Ik had naar het komen en gaan van mensen gekeken en me afgevraagd wie van die mensen uit de TR kwamen en nu popelden van ongeduld om thuis te vertellen dat ze ons hier hadden zien zitten. Ik zag niemand die ik kende, maar dat zei niet veel, want ik was een hele tijd niet in deze contreien geweest.

Mattie legde haar Big Mac neer en keek Ki een beetje bezorgd aan, maar ik dacht dat er niets met het kind aan de hand was – het was een mededeling geweest, geen uiting van verdriet.

'Dat weet ik,' zei ik.

'Opa was oeroud.' Ki nam een paar patatjes tussen haar dikke kleine vingers. Ze bewogen naar haar mond, en toen: hap, daar gingen ze.

'Hij is nu bij de Here Jezus. Op de V.B.S. hebben we alles over de Here Jezus gehoord.'

Ja, Ki, dacht ik, *op dit moment leert je opa de Here Jezus waarschijnlijk Pixel Easelen en vraagt hij hem waar de hoeren zitten.*

'De Here Jezus liep op water en veranderde ook wijn in macaroni.'

'Ja, zoiets,' zei ik. 'Het is verdrietig als mensen doodgaan, hè?'

'Het zou verdrietig zijn als Mattie doodging, en het zou verdrietig zijn als jij doodging, maar opa wás oud.' Ze zei het alsof ik die gedachtegang de eerste keer niet goed had begrepen. 'In de hemel maken ze hem weer beter.'

'Dat is een goede manier om het te bekijken, schatje,' zei ik.

Mattie fatsoeneerde Ki's afgezakte haarspeldjes. Ze deed dat erg zorgvuldig en met een soort gedachteloze liefde. Ik vond dat ze glansde in het zomerlicht, haar gladde, gebruinde huid in contrast met de witte jurk die ze waarschijnlijk in een discountzaak had gekocht. Op dat moment besefte ik dat ik van haar hield. En misschien was dat goed.

'Maar ik mis de witte oma,' zei Ki, en ditmaal keek ze wel verdrietig. Ze pakte de pluchen hond op, probeerde hem een patatje te voeren en zette hem weer neer. Haar kleine gezichtje stond nu peinzend, en ik kon er een zweem van haar grootvader in zien. Het was slechts een zweem, maar het was er: weer een geest. 'Mama zegt dat witte oma naar Californië is gegaan met opa's stoppelig overschot.'

'*Stoffelijk* overschot, Ki-tje,' zei Mattie. 'Dat is zijn lichaam.'

'Komt witte oma terug om mij te zien, Mike?'

'Ik weet het niet.'

'We hadden een spel. Het waren allemaal rijmpjes.' Ze had die peinzende blik weer in haar ogen.

'Je mama heeft me over dat spel verteld,' zei ik.

'Ze komt niet terug,' zei Ki in antwoord op haar eigen vraag. Er rolde een dikke traan over haar rechterwang. Ze pakte 'Stricken' op, liet hem even op zijn achterpoten staan en zette hem toen weer op wacht bij de frites. Mattie sloeg haar arm om haar heen, maar Ki scheen het niet te merken. 'Witte oma hield niet echt van me. Ze deed alsof ze van me hield. Dat was haar *baan.*'

Mattie en ik wisselden een blik.

'Waarom denk je dat?' vroeg ik.

'Weet ik niet,' zei Ki. Niet ver van de gitaarspeler gooide een jongleur met een witgeverfd gezicht een stuk of zes gekleurde ballen door de lucht. Kyra's gezicht klaarde een beetje op. 'Mammie-bammie, mag ik naar die leuke witte man gaan kijken?'

'Ben je klaar met eten?'

'Ja, ik zit vol.'

'Bedank Mike.'

'Nooit je eigen quartermack stekkelen,' zei ze, en toen lachte ze om te laten zien dat ze me alleen maar in de maling nam. 'Dank je, Mike.'

'Geen dank,' zei ik, en omdat dat een beetje ouderwets klonk, voegde ik eraan toe: 'Supergaaf.'

'Je mag tot aan die boom, maar niet verder,' zei Mattie. 'En je weet waarom.'

'Dan kun je me zien. Goed.'

Ze pakte Strickland en wilde wegrennen, maar toen bleef ze staan en keek over haar schouder naar mij. 'Ik denk dat het de kastenkoelenmensen waren,' zei ze, en toen verbeterde ze zichzelf erg zorgvuldig en serieus. 'De *koel-kast-men-sen.*' Mijn hart gaf een roffel in mijn borst.

'Wat deden de koelkastmensen, Ki?' vroeg ik.

'Ze zeiden dat witte oma niet echt van me hield.' Toen rende ze naar de jongleur. Zo te zien had ze helemaal geen last van de hitte.

Mattie keek haar na en draaide zich toen naar mij om. 'Ik heb met niemand over Ki's kastenkoelenmensen gepraat. En zij ook niet, tot nu toe. Niet dat er echte mensen zijn, maar het is net of de letters uit zichzelf bewegen. Het is net een Ouija-bord.'

'Spellen ze dingen?'

Een hele tijd zei ze niets. Toen knikte ze. 'Niet altijd, maar soms.' Weer een korte stilte. 'Eigenlijk meestal. Ki noemt het post van de mensen in de koelkast.' Ze glimlachte, maar keek een beetje bang. 'Zouden het bijzondere magneetletters zijn? Of is er hier bij het meer een poltergeist aan het werk?'

'Ik weet het niet. Het spijt me dat ik ze heb meegebracht, als je er problemen mee hebt.'

'Doe niet zo gek. Jij hebt ze aan haar gegeven, en jij bent momenteel heel belangrijk voor haar. Ze heeft het de hele tijd over je. Ze maakte zich veel drukker om de kleren die ze zou aandoen om jou vanavond te ontmoeten, dan om de dood van haar grootvader. Ik moest ook iets moois aantrekken, vond ze. Zo denkt ze meestal niet over mensen – ze accepteert mensen als ze er zijn en denkt niet meer aan ze als ze weg zijn. Dat is nog niet zo'n gekke levenshouding voor een klein meisje, denk ik soms.'

'Jullie zijn allebei mooi gekleed,' zei ik. 'Daar ben ik zeker van.'

'Dank je.' Ze keek liefdevol naar Ki, die bij de boom naar de jongleur stond te kijken. Hij had zijn rubberen ballen weggelegd en werkte nu met knotsen. Toen keek ze me weer aan. 'Zijn we klaar met eten?'

Ik knikte, en Mattie begon de rommel te verzamelen en weer in de draagtas te doen. Ik hielp haar daarbij en toen onze vingers tegen elkaar aan kwamen, pakte ze mijn hand vast en gaf er een kneepje in. 'Dank je,' zei ze. 'Voor alles wat je hebt gedaan. Verschrikkelijk veel bedankt.'

Ik gaf een kneepje terug en liet haar los.

'Weet je,' zei ze, 'het zou kunnen dat Kyra die letters zelf verplaatst. Met haar geest.'

'Telekinese?'

'Dat is de officiële term, geloof ik. Alleen kan Ki geen moeilijker woorden spellen dan "pop" of "kat".'

'Wat staat er op de koelkast te lezen?'

'Vooral namen. Een keer was het jouw naam. En ook een keer de naam van je vrouw.'

'Jo?'

'De hele naam – JOHANNA. En OMA. Rogette, neem ik aan. JARED duikt soms ook op, en BRIDGET. En er stond een keer KITO.' Ze spelde het.

'Kito,' zei ik, en ik dacht: *Kyra, Kia, Kito. Wat is dit?* 'Een jongensnaam, denk je?'

'Een jongensnaam, ja. Het is Swahili, en het betekent dierbaar kind. Ik heb het opgezocht in mijn babynamenboek.' Met onze blik op haar dierbare kind gericht, liepen we over het gras naar de dichtstbijzijnde afvalbak.

'Kun je je nog meer namen herinneren?'

Ze dacht na. 'We hebben een paar keer REG gehad. En één keer CARLA. Je begrijpt zeker wel dat Ki die namen meestal zelf niet eens kan lezen. Ze moet mij vaak vragen wat er staat.'

'Zou het kunnen dat Kyra ze overschrijft uit een boek of tijdschrift? Dat ze de magneetletters gebruikt om te leren schrijven, in plaats van pen en papier?'

'Dat zou kunnen...' Maar ze keek niet alsof ze het geloofde. Dat was niet zo vreemd. Zelf geloofde ik het ook niet.

'Ik bedoel, je hebt de letters nooit zelf over de voorkant van de koelkast zien bewegen?' Ik hoopte dat ik zo onbekommerd overkwam als mijn bedoeling was.

Ze lachte een beetje nerveus. 'God, nee!'

'Verder nog iets?'

'Soms laten de kastenkoelenmensen boodschappen achter als HALLO en DAG en BRAAF MEISJE. Gisteren was er een boodschap die ik heb opgeschreven om hem aan jou te laten zien. Kyra wilde dat ik dat deed. Het is heel vreemd.'

'Wat is het?'

'Ik laat het je liever zien, maar ik heb het in het handschoenenvakje van de Scout laten liggen. Help het me herinneren als we weggaan.'

Ja. Dat zou ik doen.

'Dit is griezelige boel, *señor*,' zei ze. 'Net als toen er wat in het meel geschreven stond.'

Ik dacht erover haar te vertellen dat ik mijn eigen kastenkoelenmensen had, maar deed het niet. Ze had al genoeg aan haar hoofd – tenminste, dat zei ik tegen mezelf.

We stonden naast elkaar op het gras en keken naar Ki die naar de jongleur keek. ‘Heb je John gebeld?’ vroeg ik.

‘Reken maar.’

‘Wat zei hij ervan?’

Ze keek me met pretlichtjes in haar ogen aan. ‘Hij zong een liedje van “Ding Dong, de Heks is Dood”.’

‘Verkeerde sekse, juiste stemming.’

Ze knikte en keek weer naar Kyra. Het viel me nogmaals op hoe mooi ze was, haar slanke lichaam in die witte jurk, haar gezicht zo zuiver en perfect opgemaakt.

‘Was hij kwaad op me omdat ik mezelf voor de lunch heb uitgenodigd?’ vroeg ik.

‘Nee, hij had wel zin in een feestje.’

Een feestje. Hij had er wel zin in. Ik begon me nogal klein te voelen.

‘Hij stelde zelfs voor om jouw advocaat van vorige week vrijdag ook uit te nodigen. Meneer Bissonette? Plus de privédetective die John op aanbeveling van Bissonette heeft ingehuurd. Vind je dat goed?’

‘Prima. En jij, Mattie? Hoe gaat het met jou?’

‘Goed.’ Ze keek me aan. ‘Ik ben vandaag wel vaker opgebeld dan anders. Ik ben opeens erg populair.’

‘Oei.’

‘De meesten hangen meteen op, maar één meneer nam de tijd om me een lellebel te noemen, en er was een dame met een zwaar Yankee-accent die zei: “Hé, kreng, je hebt hem vermoord. Ben je nou tevreden?” Ze hing op voordat ik kon zeggen: ja, erg tevreden, dank u.’ Maar Mattie keek niet tevreden. Ze keek ongelukkig en schuldbewust, alsof ze hem letterlijk dood had gewenst.

‘Wat vervelend voor je.’

‘Het valt wel mee. Echt waar. Kyra en ik zijn al een hele tijd alleen, en het grootste deel van die tijd was ik bang. Nu heb ik een paar vrienden. Als een paar anonieme telefoontjes de prijs zijn die ik daarvoor moet betalen, heb ik daar geen moeite mee.’

Ze stond erg dicht bij me en keek naar me op, en ik kon me niet bedwingen. Ik gaf de schuld aan de zomer, haar parfum en vier jaar zonder vrouw. In die volgorde. Ik legde mijn armen om haar middel en ik herinner me nog precies hoe haar jurk aanvoelde; de kleine bobbel aan de achterkant waar de rits zat. Ik herinner me hoe de stof aanvoelde die over haar blote huid bewoog. Toen kuste ik haar, erg teder maar erg grondig – als je iets doet, moet je het goed doen – en ze kuste me op precies dezelfde manier terug, een beetje verbaasd maar niet bang. Haar lippen waren warm en zacht en hadden een vage zoete smaak. Perzik, denk ik.

We hielden er tegelijk mee op en gingen een beetje van elkaar vandaan. Ze had haar handen nog op mijn schouders. De mijne rustten op haar taille, net boven haar heupen. Haar gezicht was heel kalm, maar haar ogen schitterden meer dan anders en ze had een beetje kleur op haar wangen. Die kleur trok op langs haar jukbeenderen.

'Allemachtig,' zei ze. 'Dat wilde ik echt. Al vanaf het moment dat Ki je tackelde en jij haar oppakte, wilde ik dit.'

'John is er vast niet blij mee dat we elkaar in het openbaar kussen,' zei ik. Mijn stem was een beetje onvast, en mijn hart ging als een razende tekeer. Zeven seconden, één kus, en alle systemen in mijn lichaam kwamen in de rode zone. 'Eigenlijk denk ik dat John helemaal niet graag ziet dat wij elkaar kussen. Hij heeft een oogje op je, weet je.'

'Dat weet ik, maar ik heb een oogje op joú.' Ze keek even naar Ki, die nog gehoorzaam naar de jongleur stond te kijken. Wie zou er naar óns kijken? Iemand die op een warme zomeravond uit de TR naar Castle Rock was gekomen om een ijsje te halen bij Frank's Tas-T-Freeze en een beetje van de muziek en de gezelligheid op de meent te genieten? Een vaste klant van de All-Purpose Garage? Dit was waanzin en dit bleef waanzin, hoe je het ook bekeek. Ik haalde mijn handen van haar af.

'Mattie, ze kunnen een foto van ons naast "indiscreet" in het woordenboek zetten.'

Ze haalde haar handen van mijn schouders en deed een stap naar achter, maar haar stralende ogen bleven me onafgebroken aankijken. 'Dat weet ik. Ik ben jong maar niet helemaal achterlijk.'

'Ik bedoelde niet...'

Ze onderbrak me door haar hand op te steken. 'Ki gaat om een uur of negen naar bed – ze kan nooit slapen als het niet bijna donker is. Ik blijf langer op. Kom me opzoeken, als je wilt. Je kunt aan de achterkant parkeren.' Ze glimlachte een beetje. Die glimlach was hartelijk en ook ongelooflijk sexy. 'Als de maan eenmaal onder is, kan niemand je daar zien.'

'Mattie, je bent jong genoeg om mijn dochter te zijn.'

'Misschien, maar ik ben je dochter niet. En soms zijn mensen discreter dan goed voor ze is.'

Mijn lichaam wist heel nadrukkelijk wat het wilde. Als we op dat moment in haar caravan waren geweest, zou de strijd al beslist zijn geweest. Het was nu toch al bijna geen strijd. Toen schoot me iets te binnen, iets wat ik had gedacht toen ik me met Devores voorouders en die van mezelf bezighield: de generaties klopten niet. Was dat hier niet ook van toepassing? En ik geloof niet dat mensen automatisch het recht hebben om te doen wat ze willen, hoe graag ze het ook willen. Niet elke dorst hoeft gelest te worden. Sommige dingen zijn gewoon verkeerd – daar komt het op neer, denk ik. Maar ik wist niet of dit een van die dingen was, en ik wilde haar erg graag. Zo verschrikkelijk graag. Ik moest er steeds weer aan denken hoe haar jurk was verschoven toen ik mijn armen om haar middel legde, hoe ik de warmte van haar huid onder die jurk had gevoeld. En nee, ze was mijn dochter niet.

'Je hebt je dankbaarheid getoond,' zei ik met een droge keel. 'En dat is genoeg. Echt waar.'

'Denk je dat ik dit uit *dankbaarheid* doe?' Ze liet een diep, gespannen lachje horen. 'Je bent veertig, Mike, geen tachtig. Je bent niet Harrison Ford, maar je bent een knappe man. En ook getalenteerd en interessant. En ik mag je zo verschrikkelijk graag. Ik wil je bij me hebben. Moet ik alsjeblieft zeggen? Goed. Alsjeblieft, kom bij me.'

Nee, het was niet alleen uit dankbaarheid – dat had ik eigenlijk al geweten toen ik dat woord gebruikte. Ik had geweten dat ze een witte short en een haltertopje droeg toen ze me belde op de dag dat ik weer aan het werk ging. Had zij ook geweten wat ik aanhad? Had ze gedroomd dat ze met me in bed lag, dat we verwoed aan het neuken waren terwijl de lampionnen hun licht verspreidden en Sara Tidwell haar versie van het rijmspel van de witte oma zong, al dat gekke Manderley-sanderley-canderley-gedoe? Had Mattie gedroomd dat ze tegen me zei dat ik mocht doen wat ik wilde?

En dan waren er de kastenkoelenmensen. Dat was ook iets wat we met elkaar deelden, zij het iets wat lang niet zo gezellig was. Ik had niet het lef om Mattie over de mijne te vertellen, maar misschien wist ze het evengoed. Diep in haar geest. Diep in haar geest, waar de blauweboordenwerkers druk in de weer waren. Haar werkers en mijn werkers, allemaal lid van dezelfde vreemde vakbond. En misschien was het toch niet helemaal een kwestie van moraliteit. Iets aan dit alles – aan *ons* – gaf me het gevoel dat er gevaar dreigde.

En tegelijk ging er een grote aantrekkingskracht van uit.

'Ik heb tijd nodig om na te denken,' zei ik.

'Het gaat er niet om wat je denkt. Wat voél je voor me?'

'Zoveel dat ik er bang van word.'

Voordat ik nog iets kon zeggen, hoorde ik vertrouwde gitaarakkoorden. Ik draaide me om naar de jongen met de gitaar. Hij had het beginrepertoire van Dylan doorgewerkt, maar ging nu over op iets wat een beetje vlotter, meer up-tempo, was, iets waardoor je zin kreeg om te grijnzen en in je handen te klappen.

'Do you want to go fishin
here in my fishin hole?
Said do you want to fish some, honey,
here in my fishin hole?
You want to fish in my pond, baby,
you better have a big long pole.'

'Fishin Blues'. Geschreven door Sara Tidwell, oorspronkelijk gezongen door Sara en de Red-Top Boys, gecoverd door iedereen van Ma Rainey tot en met de Lovin' Spoonful. Als je ging vissen, moest je een lange hengel meebrengen. Die schunnige nummers waren haar specialiteit geweest, de dubbelzinnigheid zo doorzichtig dat je er een krant doorheen kon lezen... al was lezen niet Sara's grootste hobby geweest, te oordelen naar haar teksten.

Voordat de jongen aan het volgende couplet kon beginnen – dat je moet 'wiggelen' als je 'wobbelt' en dat je die grote er diep in moet doen – lieten de Castle Rockers een trompetgeschal horen, zo van 'Stil, iedereen, we komen eraan'. De jongen hield op met gitaarspelen; de jongleur begon zijn knotsen op te vangen en liet ze vlug op een rij in het gras vallen. De Rockers zetten een extreem venijnige mars van Sousa in, muziek om seriemoorden bij te begaan, en Kyra kwam op een holletje naar ons terug.

'De jonkeleer is klaar. Wil je me het verhaaltje vertellen, Mike? Hans en Pietje?'

'Het is Hans en *Grietje*,' zei ik, 'en dat zal ik graag doen. Maar zullen we dan ergens heen gaan waar het rustiger is? Ik krijg hoofdpijn van die band.'

'Doet de muziek pijn aan je koppie?'

'Een beetje.'

'Laten we dan naar Matties auto gaan.'

'Goed idee.'

Kyra rende voor me uit om een bankje aan de rand van het veld te veroveren. Mattie keek me lang en warm aan en stak me toen haar hand toe. Ik pakte hem vast. Onze vingers verstrengelden zich met elkaar alsof ze dat al jaren hadden gedaan. Ik dacht: *Ik zou graag willen dat het langzaam gaat, dat we allebei nauwelijks bewegen. Tenminste, in het begin. En zou ik mijn mooiste, langste hengel meebrengen? Ik denk dat je daar wel op kunt rekenen*. En na afloop zouden we praten. Misschien net zo lang praten tot we bij het eerste ochtendlicht het meubilair konden zien. Als je in bed ligt met iemand van wie je houdt, vooral voor het eerst, lijkt vijf uur bijna een heilig tijdstip.

'Je moet vakantie nemen van je eigen gedachten,' zei Mattie. 'Ik wed dat de meeste schrijvers dat van tijd tot tijd doen.'

'Dat is waarschijnlijk waar.'

'Ik wou dat we thuis waren,' zei ze, en ik kon niet nagaan of haar vurigheid echt of gespeeld was. 'Ik zou je kussen tot dit hele gesprek er niet meer toe deed. En als je nog zou twijfelen, zou je dat tenminste in mijn bed doen.'

Ik draaide mijn gezicht naar het rode licht van de ondergaande zon. 'Of we nu hier of daar zijn: voorlopig is Ki nog op.'

'Dat is zo,' zei ze, en ze klonk opeens erg somber. 'Dat is zo.'

Kyra bereikte een bank bij het bord met DE MEENT – PARKEREN en klom erop, met het pluchen hondje van McDonald's in haar hand. Ik probeerde mijn hand weg te trekken toen we haar naderden, maar Mattie hield hem stevig vast. 'Het geeft niet, Mike. Op de V.B.S. lopen ze de hele tijd hand in hand. Het zijn de volwassenen die er een toestand van maken.'

Ze bleef staan en keek me aan.

'Ik wil je iets vertellen. Misschien vind jij het niet belangrijk, maar ik wel. Er is voor Lance, en na hem, niemand geweest. Als je bij me komt, ben je mijn tweede. Ik praat hier niet nog een keer over. Alsjeblieft zeggen is tot daaraan toe, maar ik ga niet smeken.'

'Ik...'

'Er staat een pot met tomatenplanten bij het trapje van de caravan. Ik leg daar een sleutel onder. Niet nadenken. Gewoon komen.'

'Niet vanavond, Mattie. Dat kan ik niet.'

'Dat kun je wél,' zei ze.

'Schiet óp, slome duikelaars!' riep Kyra, die op en neer sprong op de bank.

'Híj is de slome!' riep Mattie terug, en ze porde me in de ribben. En met veel zachtere stem: 'Dat bén je.' Ze maakte haar hand uit de mijne los en rende naar haar dochter toe. Haar bruine benen bewogen zich soepel onder de zoom van de witte jurk.

In mijn versie van 'Hans en Grietje' heette de heks Depravia. Met ogen als theeschoteltjes keek Kyra me aan toen ik vertelde hoe Depravia tegen Hans zei dat hij zijn vinger tussen de tralies moest steken, dan kon ze voelen hoe dik hij al werd.

'Is het te eng?' vroeg ik.

Ki schudde nadrukkelijk met haar hoofd. Ik keek even naar Mattie om zekerheid te krijgen. Mattie knikte en maakte een gebaar dat ik verder kon gaan, en dus maakte ik het verhaal af. Depravia ging de oven in en Grietje vond haar geheime voorraad winnende lottoformulieren. De kinderen kochten een jetski en leefden nog lang en gelukkig aan de oostkant van het Dark Score Lake. Inmiddels waren de Castle Rockers bezig Gershwin af te slachten en ging de zon bijna onder. Ik droeg Kyra naar Scoutie en maakte haar vast. Ik herinnerde me de eerste keer dat ik had geholpen haar in het kinderzitje te zetten, en hoe ik toen per ongeluk met mijn hand tegen Matties borst was gekomen.

'Ik hoop dat je niet naar gaat dromen van dat verhaal,' zei ik. Totdat ik het uit mijn eigen mond hoorde komen, had ik niet beseft hoe afschuwelijk die woorden waren.

'Ik ga niet naar dromen,' zei Kyra nuchter. 'De kastenkoelenmensen jagen de nare dromen weg.' En toen zei ze nogmaals zorgvuldig: '*Koelkast-men-sen*.' Ze keek Mattie aan. 'Laat hem het kippegram zien, mammie-bammie.'

'*Cryptogram*. Maar bedankt, ik zou het vergeten zijn.' Ze maakte het handschoenenvakje open en haalde er een opgevouwen stuk papier uit.

'Het stond vanmorgen op de koelkast. Ik heb het overgeschreven omdat Ki zei dat jij zou weten wat het betekende. Ze zei dat jij cryptogrammen deed. Nou, ze zei kippegrammen, maar ik begreep wat ze bedoelde.'

Had ik Kyra verteld dat ik cryptogrammen oploste? Ik wist bijna zeker van niet. Verraste het me dat ze het wist? Helemaal niet. Ik pakte het stuk papier aan, vouwde het open en keek naar wat erop geschreven stond:

o
m
l
ga
a
g
2negentig

'Is het een kippegram, Mike?' vroeg Kyra.

'Zo te zien wel – een heel eenvoudige. Maar als het iets betekent, weet ik niet wat het is. Mag ik dit houden?'

'Ja,' zei Mattie.

Ik begeleidde haar naar de bestuurderskant van de Scout en pakte haar hand weer vast. 'Geef me een beetje tijd. Ik weet dat het meisje dat eigenlijk moet zeggen, maar...'

'Neem de tijd,' zei ze. 'Als het maar niet te lang duurt.'

Ik wilde helemaal geen tijd nemen; dat was nu juist het probleem. De sex zou geweldig zijn, dat wist ik. Maar daarna?

Maar misschien wás er een daarna. Ik wist dat en zij wist dat ook. Met Mattie was 'daarna' een reële mogelijkheid. Het idee was een beetje angstaanjagend en een beetje geweldig.

Ik kuste haar mondhoek. Ze lachte en pakte me bij mijn oorlel. 'Dat kun je wel beter,' zei ze, en toen keek ze naar Ki, die in haar kinderzitje zat en aandachtig naar ons keek. 'Maar deze keer neem ik hier genoegen mee.'

'Kus Ki!' riep Kyra, en ze stak haar armen uit. Ik liep naar haar toe en kuste haar. In de auto op weg naar huis, met mijn donkere bril op om me tegen de schittering van de ondergaande zon te beschermen, schoot me te binnen dat ik misschien Kyra Devores vader zou kunnen zijn. Dat leek me net zo aantrekkelijk als naar bed gaan met haar moeder, en daaruit bleek hoe diep het al zat. En het zou misschien nog dieper worden.

Nog veel dieper.

Sara Laughs leek, nadat ik Mattie in mijn armen had gehad, erg leeg – een slapend hoofd zonder dromen. Ik keek naar de letters op de koelkast, zag daar alleen maar de gebruikelijke chaos, en nam een biertje. Ik ging naar de veranda om het op te drinken en naar de laatste gloed van de zonsondergang te kijken. Ik dacht aan de koelkastmensen en de puzzelomschrijvingen die op beide koelkasten waren verschenen: 'ga omlaag 19' op Lane 42 en 'ga omlaag 92' op Wasp Hill Road. Twee verschillende vectoren om vanaf het land een punt op het meer te vinden? Twee verschillende punten op De Straat? Jezus, het kon van alles zijn.

Ik dacht aan John Storrow, die vast erg slecht te spreken zou zijn als hij merkte dat er – om Sara Laughs te citeren, die het weer van John Mellencamp had – een andere ezel in Mattie Devores stal aan het trappelen was. Maar waar ik vooral aan dacht, was dat ik haar voor het eerst in mijn armen had gehouden, voor het eerst had gekust. Geen enkel menselijk instinct is sterker dan een seksuele aandrang, en de beelden en gevoelens die dan over ons komen, zijn emotionele tatoeages die ons nooit verlaten. Voor mij was zo'n gevoel de aanraking met de zachte naakte huid van haar taille onder haar jurk. Het gladde gevoel van de stof...

Ik draaide me abrupt om en liep vlug door het huis naar de noordelijke aanbouw. Ik rende bijna, liet kleren vallen onder het lopen. Ik draaide alleen de koude kraan van de douche open en bleef er vijf minuten huiverend onder staan. Toen ik eronder vandaan kwam, voelde ik me een beetje meer een menselijk wezen en een beetje minder een bundeltje trillende zenuwen. En toen ik me afdroogde, schoot me nog iets anders te binnen. Op een gegeven moment had ik aan Jo's broer Frank gedacht, had ik gedacht dat als iemand anders dan ikzelf Jo's aanwezigheid in Sara Laughs zou kunnen voelen, hij het was. Ik was er nog niet aan toe gekomen hem uit te nodigen en vroeg me af of ik dat eigenlijk wel wilde. Ik had steeds meer het gevoel dat alles wat in dit huis gebeurde iets van mij alleen was, iets wat ik niet met anderen wilde delen. Aan de andere kant: als Jo in het geheim bezig was geweest iets te schrijven, zou Frank het misschien weten. Natuurlijk had ze hem niet over haar zwangerschap verteld, maar...

Ik keek op mijn horloge. Kwart over negen. In de caravan bij het kruispunt van Wasp Hill Road en Route 68 lag Kyra waarschijnlijk al te slapen... en had haar moeder al een sleutel onder de pot met tomatenplanten bij het trapje gelegd. Ik dacht aan haar in die witte jurk, de ronding van haar heupen onder mijn handen, de geur van haar parfum, en zette die gedachten toen van me af. Ik kon niet de hele avond koude douches blijven nemen. Kwart over negen was nog vroeg genoeg om Frank Arlen te bellen.

Hij nam op toen zijn toestel de tweede keer overging. Zo te horen was hij blij iets van me te horen en lag hij ook zo'n drie of vier blikjes bier op me voor. We wisselden de gebruikelijke beleefdheden uit – die van mij waren bijna geheel en al gelogen, merkte ik tot mijn schrik – en hij zei dat hij op het journaal had gezien dat een beroemde buurman van me de pijp was uitgegaan. Had ik hem ontmoet? Ja, zei ik, en ik herinnerde me hoe Max Devore met zijn rolstoel op me af was gekomen. Ja, ik had hem ontmoet. Frank wilde weten wat hij voor iemand was geweest. Dat was moeilijk te zeggen, zei ik tegen hem. Die arme ouwe kerel zat in een rolstoel en leed aan emfyseem.

'Nogal zwakjes, hè?' vroeg Frank vol medeleven.

'Ja,' zei ik. 'Zeg, Frank, ik belde over Jo. Ik keek in haar werkkamer en vond daar mijn schrijfmachine. En nu heb ik het gevoel dat ze iets aan het schrijven was. Het kan als een klein stukje over ons huis begonnen zijn en zich daarna hebben uitgebreid. Dit huis is genoemd naar Sara Tidwell, weet je. De blueszangeres.'

Een lange stilte. Toen zei Frank: 'Dat weet ik.' Zijn stem klonk zwaar, ernstig.

'Wat weet je nog meer, Frank?'

'Dat ze erg bang was. Ik denk dat ze iets had ontdekt wat haar bang maakte. Ik denk dat vooral omdat...'

Nu drong het eindelijk tot me door. Ik had het waarschijnlijk al op grond van Matties beschrijving moeten weten en *zou* het ook hebben geweten als ik niet zo diep geschokt was geweest. 'Jij bent hier met haar geweest, hè? In juli 1994. Jullie gingen naar de softbalwedstrijd en daarna gingen jullie over De Straat naar het huis.'

'Hoe weet je dat?' Hij blafte het bijna uit.

'Iemand heeft jullie gezien. Een kennis van me.' Ik deed mijn best om mijn ergernis verborgen te houden maar slaagde daar niet in. Ik was kwaad, maar het was een mengeling van woede en opluchting, zoals wanneer je kind met een schuldbewuste glimlach te laat thuiskomt als je net op het punt staat de politie te bellen.

'Een dag of twee voor de begrafenis heb ik het je bijna verteld. We zaten in dat café, weet je nog wel?'

Jack's Pub, kort nadat Frank bij de begrafenisondernemer op de prijs van Jo's kist had afgedongen. Natuurlijk wist ik dat nog. Ik wist zelfs nog wat voor blik hij in zijn ogen had gehad toen ik hem vertelde dat Jo zwanger was toen ze stierf.

Het moet hem zijn opgevallen dat ik stil was, want hij vroeg zorgelijk: 'Mike, ik hoop dat je je geen...'

'Wat? Dat ik me geen verkeerde ideeën in mijn hoofd haal? Ik dacht dat ze misschien een verhouding had. Is dat een verkeerd idee of niet? Je zult dat misschien afkeuren, maar ik had mijn redenen. Ze heeft me een hoop dingen niet verteld. Wat heeft ze joú verteld?'

'Bijna niets.'

'Wist je dat ze uit al haar besturen en commissies was gestapt? Zonder iets tegen mij te zeggen?'

'Nee.' Ik geloofde niet dat hij loog. Waarom zou hij dat nu nog doen? 'Jezus, Mike, als ik had geweten dat...'

'Wat gebeurde er op de dag dat je hierheen kwam? Vertel het me.'

'Ik was in de drukkerij in Sanford. Jo belde me vanuit... Ik weet het niet meer, ik geloof vanaf een parkeerplaats langs de snelweg.'

'Tussen Derry en de TR?'

'Ja. Ze was op weg naar Sara Laughs en wilde me daar ontmoeten. Ze zei dat ik op het pad moest parkeren als ik daar als eerste aankwam, dat ik het huis niet in moest gaan – wat ik wel had kunnen doen, want ik weet waar jullie de reservesleutel hebben liggen.'

Zeker wist hij dat, in een Sucrets-blikje onder de veranda. Ik had hem dat zelf laten zien.

'Zei ze ook waarom ze niet wilde dat je naar binnen ging?'

'Als ik het zeg, denk je dat ik gek ben.'

'Nee, heus niet. Geloof me.'

'Ze zei dat het huis gevaarlijk was.'

Enkele ogenblikken bleven de woorden tussen ons in hangen. Toen vroeg ik: 'Kwám je als eerste aan?'

'Ja.'

'En heb je buiten gewacht?'

'Ja.'

'Heb je toen iets gevaarlijks gezien of gevoeld?'

Er volgde een lange stilte. Ten slotte zei hij: 'Er waren veel mensen op het meer – speedboten, waterskiërs, je kent dat wel – maar het was of al die motorgeluiden en stemmen... opeens verstomden toen ik bij het huis kwam. Is het jou ooit opgevallen dat het daar soms stil lijkt ook al is het niet stil?'

Natuurlijk was me dat opgevallen. Sara stond in een eigen zone van stilte. 'Maar voelde het *gevaarlijk* aan?'

'Nee,' zei hij, bijna met tegenzin. 'Niet voor mij, in elk geval. Maar het voelde ook niet bepaald leeg aan. Ik had het gevoel... verdomme, ik had het gevoel dat ik *bekeken* werd. Ik zat op een van die bielzen op mijn zus te wachten. Ten slotte kwam ze. Ze parkeerde achter mijn auto en omhelsde me... maar ze verloor het huis geen moment uit het oog. Ik vroeg haar wat ze in haar schild voerde en ze zei dat ze het me niet kon vertellen, en dat ik jou niet mocht vertellen dat we daar geweest waren. Ze zei iets in de trant van: "Als hij er zelf achter komt, moet dat maar zo zijn. Ik zal het hem vroeg of laat moeten vertellen. Maar nu niet, want ik moet zijn volledige aandacht hebben. Die krijg ik niet als hij aan het werk is.'

Ik voelde dat ik een kleur kreeg. 'Zei ze dat echt?'

'Ja. Toen zei ze dat ze naar binnen moest gaan om iets te doen. Ze wilde dat ik buiten bleef wachten. Ze zei dat ik meteen naar binnen moest komen als ze riep. Als ze niet riep, moest ik blijven waar ik was.'

'Ze wilde iemand bij zich hebben voor het geval dat ze in moeilijkheden kwam.'

'Ja, maar dan wel iemand die niet allerlei vragen zou stellen waar ze geen antwoord op wilde geven. Dat was ik. Eigenlijk was ik dat altijd al.'

'En?'

'Ze ging naar binnen. Ik zat op de motorkap van mijn auto sigaretten te roken. Ik rookte toen nog. En weet je, ik begon inderdaad het gevoel te krijgen dat er iets niet in de haak was. Dat er iemand in het huis was die op haar had gewacht, iemand die een hekel aan haar had. Misschien zelfs iemand die haar kwaad wilde doen. Waarschijnlijk had ik dat gewoon van Jo overgenomen – ze was erg gespannen geweest en had, zelfs toen ze me omhelsde, de hele tijd over mijn schouder naar het huis gekeken. Toch leek het me iets anders. Als een... Ik weet het niet...'

'Als een vibratie.'

'Ja!' Hij schreeuwde het bijna uit. 'Een vibratie. Maar geen goede vibratie, zoals in dat nummer van de Beach Boys. Een *slechte* vibratie.'

'Wat gebeurde er?'

'Ik zat te wachten. Ik rookte maar twee sigaretten, dus het kan niet langer dan twintig minuten of een halfuur hebben geduurd, maar het leek langer. Ik had de hele tijd het gevoel dat de geluiden van het meer een heel eind de helling op kwamen en dan min of meer... *verdwenen*. En het was ook net of er helemaal geen vogels waren, alleen heel in de verte.

Ze ging een keer naar buiten. Ik hoorde de verandadeur dichtslaan, en toen hoorde ik haar voetstappen op de trap aan die kant van het huis. Ik riep naar haar, vroeg of alles goed was, en ze zei ja. Ze zei dat ik moest blijven waar ik was. Ze klonk een beetje buiten adem, alsof ze iets droeg of een karweitje had gedaan.'

'Ging ze naar haar atelier of naar het meer?'

'Ik weet het niet. Ze was ongeveer een kwartier weg – tijd voor mij om nog een peuk te roken – en toen kwam ze door de voordeur naar buiten. Ze keek of hij goed op slot zat en kwam toen naar me toe. Ze zag er veel beter uit. Opgelucht. Zoals mensen eruitzien als ze een vervelend karweitje hebben gedaan dat ze hebben uitgesteld. Ze stelde voor om over het pad dat De Straat heet naar dat hotel te lopen.'

'Warrington's.'

'Ja, precies. Ze zei dat ze me op een biertje en een sandwich zou trakteren. En dat deed ze, op het eind van die lange drijvende steiger.'

De Sunset Bar, waar ik Rogette voor het eerst had gezien.

'En toen gingen jullie naar de softbalwedstrijd kijken.'

'Dat was Jo's idee. Ze had drie biertjes op, en ik één, en ze stond erop. Ze zei dat iemand een homerun tot in de bomen zou slaan. Dat wist ze gewoon.'

Nu had ik een goed beeld van wat Mattie had gezien. Wat Jo ook had gedaan, ze was uitbundig van opluchting geweest. Ze was bijvoorbeeld het huis ingegaan. Ze had de geesten getart, had gedaan wat ze wilde doen, en had dat overleefd. Ze had drie biertjes genomen om het te vieren en toen had ze haar voorzichtigheid laten varen – niet dat ze zich de vorige keren dat ze naar de TR was geweest zo discreet had gedragen. Volgens Frank had ze gezegd dat als ik er zelf achter kwam het maar zo moest zijn – *que sera, sera*. Dat was niet de houding van iemand die een verhouding geheim wilde houden, en ik besefte nu dat ze weliswaar iets geheim hield maar dat ze van plan was het me te vertellen. Ze zou het me hebben verteld als ik met mijn stomme boek klaar was, als ze was blijven leven. Als.

'Jullie keken een tijdje naar de wedstrijd, en toen gingen jullie over De Straat naar het huis terug.'

'Ja,' zei hij.

'Is een van jullie toen nog naar binnen gegaan?'

'Nee. Toen we daar aankwamen, was haar opwinding gezakt en vond ik dat ze weer kon rijden. Ze lachte toen we naar die softbalwedstrijd keken, maar ze lachte niet toen we weer bij het huis waren. Ze keek ernaar en zei: 'Ik ben klaar met haar. Ik ga nooit meer door die deur, Frank.'

Mijn huid bevroor eerst en begon toen te prikken.

'Ik vroeg haar wat er aan de hand was, wat ze had ontdekt. Ik wist dat ze iets aan het schrijven was, dat had ze me verteld...'

'Ze heeft het iedereen verteld, behalve mij,' zei ik, maar zonder veel bitterheid. Ik wist nu wie de man in het bruine colbertje was geweest, en voor zover ik verbitterd of kwaad was geweest – kwaad op Jo, kwaad op mezelf – voelde ik me op dat moment vooral erg opgelucht. Ik besefte nu pas hoe druk ik me om die kerel had gemaakt.

'Ze moet haar redenen hebben gehad,' zei Frank. 'Dat weet je toch?'

'Maar ze heeft jou niet verteld wat die redenen waren.'

'Het enige dat ik weet, is dat het begon – wat het ook was – met onderzoek dat ze voor een artikel deed. Het was een aardigheidje, Jo die voor Nancy Drew speelde. Ik ben er vrijwel zeker van dat ze het je niet meteen vertelde omdat het een verrassing moest blijven. Ze las boeken, maar ze praatte vooral met mensen – luisterde naar hun verhalen over vroeger en haalde ze over om op zoek te gaan naar oude brieven... dagboeken... Daar was ze goed in, denk ik. Verdomd goed. Jij weet hier niets van?'

'Nee,' zei ik moeizaam. Jo had geen verhouding gehad, maar ze had er een kunnen hebben, als ze had gewild. Ze had een verhouding met Tom Selleck kunnen hebben en met grote foto's in *Inside View* hebben kunnen staan en al die tijd zou ik gewoon op mijn PowerBook zijn blijven typen, in gelukzalige onwetendheid.

'Wat ze ook heeft ontdekt,' zei Frank, 'volgens mij is ze er bij toeval op gestuit.'

'En dat heb je me nooit verteld. In al die vier jaar heb je me daar nooit iets van verteld.'

'Dat was de laatste keer dat ik haar heb gezien,' zei Frank, en nu klonk hij helemaal niet verontschuldigend of beschaamd. 'En het laatste dat ze me vroeg, was of ik jou niet wilde vertellen dat we naar het huis waren geweest. Ze zei dat ze je alles zou vertellen als ze klaar was, maar toen ging ze dood. Daarna leek het me niet belangrijk meer. Mike, ze was mijn zuster. Ze was mijn zuster en ik had het beloofd.'

'Goed. Ik begrijp het.' En ik begreep het inderdaad – maar er was nog veel wat ik niet begreep. Wat had Jo ontdekt? Dat Normal Auster zijn zoontje onder een pomp had verdronken? Dat rond de eeuwwisseling een wildklem op een plaats was gelegd waar waarschijnlijk een negerjongen voorbij zou komen? Dat een andere jongen, misschien het uit bloedschande geboren kind van Son en Sara Tidwell, door zijn moeder in het meer verdronken was en dat misschien haar doorrookte, krankzinnige lach over het water had geschald toen ze hem onderdompelde? Je moet wiggelen als je wobbelt, schat, en je moet die kleine er diep in doen.

'Als je vindt dat ik me moet verontschuldigen, Mike, doe ik dat bij deze.'

'Dat hoeft niet. Frank, herinner je je nog iets anders wat ze die avond gezegd heeft? Het doet er niet toe wat.'

'Ze zei dat ze wist hoe jij het huis had gevonden.'

'Ze zei wát?'

'Ze zei dat het jou wilde, dat het jou riep.'

Eerst kon ik daar niets op zeggen, want Frank Arlen had met die woorden iets verwoest wat voor mij altijd een rotsvaste zekerheid was geweest: een van de fundamenten in je leven, een van die dingen die zo elementair zijn dat je ze geen moment in twijfel trekt. Bijvoorbeeld dat zwaartekracht je aan de grond houdt. Dat je kunt zien omdat er licht is. Dat de kompasnaald naar het noorden wijst. Dat soort dingen.

In dit geval was het de veronderstelling dat Jo degene was geweest die, toen ik als schrijver voor het eerst echt geld ging verdienen, Sara Laughs wilde kopen, omdat Jo de 'huispersoon' in ons huwelijk was geweest, zoals ik de 'autopersoon' was geweest. Jo was degene geweest die onze flats had uitgekozen toen een flat het enige was dat we ons konden permitteren. Jo was degene geweest die verliefd was geworden op het huis in Derry en die uiteindelijk mijn bezwaren (dat het te groot was en te veel achterstallig onderhoud vertoonde om eraan te beginnen) had overwonnen. Jo was de nestbouwer geweest.

Ze zei dat het jou wilde, dat het jou riep.

En waarschijnlijk was het waar. Nee, ik zou nog verder kunnen gaan, als ik mijn luie manier van denken en mijn selectieve geheugen even opzij wilde zetten. Het was *zeker* waar. Ik was degene die voor het eerst had geopperd dat we een huis in het westen van Maine konden kopen. Ik was degene die stapels brochures van makelaars in huis haalde. Ik was begonnen regionale bladen als *Down East* te kopen en begon altijd achterin, bij de huizenadvertenties. Ik was degene die in een glossy, *Maine Retreats*, voor het eerst een foto van Sara Laughs had gezien, en ik was ook degene die voor het eerst naar de makelaar van de advertentie had gebeld, en toen naar Marie Hingerman, nadat ik haar naam van hem had losgekregen.

Johanna was ook van Sara Laughs gecharmeerd geweest – dat zou iedereen overkomen, denk ik, iedereen die het huis voor het eerst in de herfstzon ziet, met al die bomen eromheen en al die kleuren van bladeren die door de wind over De Straat werden gejaagd – maar ik was degene die actief naar het huis had gezocht.

Alleen was dat ook een luie manier van denken, een selectief geheugen. Dat was toch zo? Sara had naar míj gezocht.

Hoe kan het dan dat ik het nu pas weet? En hoe ben ik hier eigenlijk heen geleid, een en al gelukzalige onwetendheid?

Het antwoord op beide vragen was hetzelfde. Het was ook het antwoord op de vraag hoe Jo iets verontrustends over het huis, het meer, misschien de hele TR, kon hebben ontdekt en het me daarna niet had verteld, en waarom ik er niets van had gemerkt. Ik was weg geweest; dat is alles. Ik was in trance geweest omdat ik aan een van die stomme boeken van mij werkte. Ik was gehypnotiseerd door de fantasieën in mijn hoofd, en iemand die gehypnotiseerd is, laat zich gemakkelijk misleiden.

'Mike? Ben je daar nog?'

'Ik ben er nog, Frank. Maar ik weet echt niet wat haar zo bang kan hebben gemaakt.'

'Ik herinner me dat ze nog een naam noemde: Royce Merrill. Ze zei dat hij degene was die zich het meest herinnerde, omdat hij zo oud was. En ze zei: "Ik wil niet dat Mike met hem praat. Ik ben bang dat die ouwe kerel uit de school klapt en hem meer vertelt dan goed voor hem is." Enig idee wat ze daarmee bedoelde?'

'Nou... Ik heb horen vertellen dat hier een splinter van mijn familiestamboom te vinden is, maar de familie van mijn moeder komt uit Memphis. De Noonans komen uit Maine, maar niet uit dit deel van Maine.' Toch geloofde ik dat niet meer voor de volle honderd procent.

'Mike, je klinkt bijna alsof je ziek bent.'

'Ik voel me goed. Beter dan ik me in een hele tijd heb gevoeld.'

'En je begrijpt waarom ik je dit niet eerder heb verteld? Ik bedoel, als ik had geweten welke ideeën je in je hoofd zou halen... Als ik daar enig idee van had gehad...'

'Ik denk dat ik het begrijp. Die ideeën hoorden om te beginnen al niet in mijn hoofd thuis, maar als je ze eenmaal tussen je oren hebt zitten...'

'Toen ik die avond in Sanford terug was en het achter de rug was, zal ik wel hebben gedacht dat het gewoon iets van Jo was geweest, iets in de trant van "O, kijk, er zit een schaduw op de maan, niemand de deur uit tot morgenvroeg". Ze was altijd al bijgelovig, weet je – iets afkloppen op hout, een snufje zout over haar schouder gooien als ze er iets van had gemorst, die oorhangers in de vorm van klavertjes vier die ze vroeger had...'

'Of dat ze een trui niet wilde dragen als ze hem per ongeluk achterstevoren had aangetrokken,' zei ik. 'Als je dat deed, zei ze, keerde je je hele dag om.'

'Nou? Dat is toch ook zo?' zei Frank, en er klonk een vaag lachje in zijn stem door.

Opeens kon ik me Jo helemaal herinneren, tot en met de kleine gouden vlekjes in haar linkeroog. En ik wilde niemand anders. Niemand anders was goed genoeg.

'Ze dacht dat er iets mis was met het huis,' zei Frank. 'Dat weet ik wél.'

Ik trok een stuk papier naar me toe en schreef daar *Kia* op. 'Ja. En inmiddels vermoedde ze misschien ook dat ze zwanger was. Misschien was ze bang voor... invloeden.' En invloeden waren er, nou en of. 'Denk je dat ze het meeste van Royce Merrill te horen kreeg?'

'Nee, dat was maar een naam die ze noemde. Ze zal wel met tientallen mensen hebben gepraat. Ken je een zekere Kloster? Gloster? Zoiets?'

'Auster,' zei ik. Onder *Kia* maakte mijn potlood een aantal grote lussen. Het konden cursieve letters *l* zijn, of haarlinten. 'Kenny Auster. Was dat het?'

'Zo klonk het ongeveer. Hoe dan ook, je weet hoe ze was als ze echt achter iets aan zat – als een terriër die achter ratten aan zat.'

Ja. Als een terriër die achter ratten aan zat.

'Mike? Moet ik naar je toe komen?'

Nee. Daar was ik nu zeker van. Harold Oblowski niet, en Frank ook niet. Er was in Sara iets gaande, iets wat zo delicaat en zo organisch was als rijzend brooddeeg in een warme kamer. Frank zou dat proces kunnen verstoren... of er schade van ondervinden.

'Nee, ik wilde het alleen opgehelderd hebben. Trouwens, ik ben aan het schrijven. Als ik schrijf, heb ik niet graag mensen om me heen.'

'Bel je me als ik kan helpen?'

'Reken maar,' zei ik.

Ik hing op, bladerde in het telefoonboek en vond een R. MERRILL aan de Deep Bay Road. Ik draaide het nummer, liet het toestel een keer of tien overgaan en hing toen op. Royce had natuurlijk niet zoiets nieuwerwetsigs als een antwoordapparaat. Ik vroeg me af waar hij was. Op je vijfennegentigste ging je volgens mij niet meer dansen in de Country Barn in Harrison, zeker niet op zo'n benauwde avond als deze.

Ik keek naar het papier waarop ik *Kia* had geschreven. Onder de letters *l* schreef ik *Kyra* en toen herinnerde ik me dat ik, toen ik Ki voor het eerst haar naam hoorde zeggen, had gedacht dat ze 'Kia' zei. Onder *Kyra* schreef ik *Kito*. Toen aarzelde ik even en schreef *Carla*. Ik tekende een vakje om die namen heen. Daarnaast schreef ik *Johanna, Bridget en Jared*. De kastenkoelenmensen. Mensen die wilden dat ik negentien omlaag en tweeënnegentig omlaag ging.

'Ga, Mozes, ga naar het Beloofde Land,' zei ik tegen het lege huis. Ik keek om me heen. Alleen ik en Bunter en die gekke klok... maar dat was niet zo.

Toen het jou wilde, riep het je.

Ik stond op om nog een biertje te pakken. De groente- en fruitmagneetjes vormden weer een kring. In het midden stond nu:

loog dat ze bar

Ik keek een hele tijd naar die letters. Toen herinnerde ik me dat de IBM nog buiten stond. Ik haalde hem naar binnen, zette hem op de tafel in de eetkamer en begon aan mijn nieuwste stomme boek te werken. Binnen vijftien minuten was ik voor de wereld verloren. Ik was me nog maar vaag bewust van onweer ergens boven het meer, van Bunters bel die van tijd tot tijd heel licht tinkelde. Toen ik na ongeveer een uur naar de koelkast terugkeerde en zag dat de magneetletters in de kring nu

loog dat ze barste

vormden, merkte ik het nauwelijks. Op dat moment kon het me niet schelen wie er loog dan wel de zuivere waarheid sprak, of wie er spelfouten maakte. John Shackleford begon zich zijn verleden te herinneren, en het kind wiens enige vriend hij, John, was geweest. Die kleine verwaarloosde Ray Garraty.

Ik schreef tot middernacht. Inmiddels was het onweer afgezakt, maar de warmte was blijven hangen, zo drukkend als een deken. Ik zette de IBM af en ging naar bed. Voor zover ik me herinner, dacht ik aan helemaal niets – zelfs niet aan Mattie, die niet zoveel kilometers van me vandaan in haar eigen bed lag. Het schrijven had al mijn gedachten aan de echte wereld laten opbranden, in elk geval tijdelijk. Ik denk dat ik het uiteindelijk daarom doe. Of ik nu goed of slecht schrijf, het verdrijft de tijd.

21

Ik liep in noordelijke richting over De Straat. Daar hingen lampions, maar die brandden niet, want het was overdag – *klaarlichte* dag. De benauwde, bedompte atmosfeer van midden juli was weg; de hemel had die diep saffierblauwe kleur die je alleen in oktober ziet. Het meer was van het diepste indigo, met fonkelende lichtpuntjes van de zon. De bomen waren net over het hoogtepunt van hun herfstkleuren heen en brandden als fakkels. De wind uit het zuiden blies de gevallen bladeren langs me heen en tussen mijn benen door, ratelende, geurende vlagen van wind. De lampions knikten alsof ze het met het seizoen eens waren. Verderop hoorde ik zwakjes muziek. Sara en de Red-Tops. Sara brulde het uit, ze lachte zich door de tekst heen zoals ze altijd al had gedaan – alleen, hoe kon een lach zo grauwend en snauwend klinken?

'Blanke jongen, ik zou nooit mijn eigen kind vermoorden. Hoe kun je dat van me denken!'

Ik draaide me bliksemsnel om, verwachtte haar pal achter me te zien, maar daar was niemand. Nou ja...

De Groene Dame was er, alleen had ze met de komst van de herfst haar jurk van bladeren veranderd en was ze de Gele Dame geworden. De kale dennentak achter haar wees nog de weg: *go north, young man, go north*. Ga naar het noorden, jongeman. Niet veel verder op het pad stond nog een berk, de berk waaraan ik me had vastgeklampt toen ik dat verschrikkelijke gevoel had gehad dat ik aan het verdrinken was.

Ik wachtte tot het terugkwam – tot ik de ijzersmaak van het meer weer in mijn mond en keel kreeg – maar dat gebeurde niet. Ik keek om naar de Gele Dame, en toen langs haar naar Sara Laughs. Het huis stond er wel, maar het was kleiner geworden; geen noordelijke aanbouw, geen zuidelijke aanbouw, geen bovenverdieping. En er was ook niets van Jo's vrijstaande atelier te zien. Die dingen waren allemaal nog niet gebouwd. De damesberk was uit 1998 met me in de tijd teruggereisd, net als de berk die over het meer hing. Anders...

'Waar ben ik?' vroeg ik de Gele Dame en de knikkende lampions. Toen schoot me een betere vraag te binnen: '*Wanneer* ben ik?' Geen antwoord. 'Dit is toch een droom? Ik lig in bed en ik droom.'

Ergens in het glanzende, fonkelende net van het meer riep een fuut. Twee keer. *Eén keer roepen is ja, twee keer is nee*, dacht ik. *Dit is geen droom, Michael. Ik weet niet precies wat het is – misschien een spirituele reis door de tijd – maar het is geen droom.*

'Gebeurt dit echt?' vroeg ik aan de dag, en ergens uit de bomen, waar een pad dat later Lane 42 zou worden naar een onverharde weg leidde die uiteindelijk de naam Route 68 zou krijgen, schreeuwde een kraai. Eén keer maar.

Ik ging naar de berk die over het meer hing, legde mijn arm eromheen (en herinnerde me meteen hoe ik mijn handen om Matties middel had gelegd, hoe ik had gevoeld dat haar jurk over haar huid gleed), en tuurde het water in. Aan de ene kant wilde ik de verdronken jongen zien, aan de andere kant was ik daar bang voor. Er was daar geen jongen, maar daar waar hij op de bodem had gelegen, lag nu iets anders tussen de stenen en de wortels en het wier. Ik tuurde nog wat beter en op dat moment ging de wind een beetje liggen, zodat de glinsteringen op het water tot rust kwamen. Het was een wandelstok, zo eentje met een gouden knop. Een *Boston Post*-stok. Er zat iets omheen gewonden, een paar linten of zoiets, witte linten met helrode randen. De uiteinden woven loom in het water. Toen ik Royce' stok met die linten eromheen zag, moest ik aan eindexamens op de middelbare school denken, en aan de stok waarmee de klassenleraar zwaait als hij of zij de in lange gewaden gestoken kandidaten naar hun plaatsen leidt. Nu begreep ik waarom die oude baas de telefoon niet had opgenomen. De tijd dat Royce Merrill een telefoon opnam, was definitief voorbij. Ik wist dat; ik wist ook dat ik in een tijd was gekomen voordat Royce geboren was. Sara Tidwell was hier, ik kon haar horen zingen, en toen Royce in 1903 geboren werd, was Sara al twee jaar weg, zij en haar hele Red-Top-familie.

'Ga, Mozes,' zei ik tegen de met linten omwonden stok in het water. 'Ga naar het Beloofde Land.'

Ik liep verder in de richting van de muziek, gestimuleerd door de koele lucht en frisse wind. Nu hoorde ik ook stemmen, veel stemmen, ze praatten en schreeuwden en lachten. Boven die stemmen uit, en pompend als een zuiger, was het schorre geschreeuw van een kermisman te horen: 'Komt dat zien, mensen, binnen moet je wezen! Zie Angelina de Slangenvrouw, ze kronkelt en glijdt, ze betovert je oog en steelt je hart, maar kom niet te dichtbij, want haar beet is giftig! Zie Hando de Jongen met de Hondenkop, de schrik van de Stille Zuidzee! Zie het Menselijk Skelet! Zie de Menselijke Hagedis, overblijfsel uit een tijd die God vergeten is! Zie de Vrouw met de Baard en alle Dodelijke Marsmannen! Het is allemaal binnen te zien, mensen, dus binnen moet je wezen, binnen moet je wezen!'

Ik hoorde het stoomorgel van een draaimolen en het rinkelen van een bel boven in een paal, waar een houthakker een pluchen beest voor zijn liefje won. Aan de opgetogen vrouwelijke gilletjes kon je horen dat hij bijna hard genoeg had gemept om het ding van de paal te laten vliegen. Ik hoorde het knallen van .22's in de schiettent, het snurkend geloei van iemands prijskoe... en nu rook ik ook de geuren die ik met kermissen associeer sinds ik een kleine jongen was: zoete broodjes, gebakken uien en pepers, suikerspinnen, mest, hooi. Ik begon sneller te lopen naarmate het tokkelen van gitaren en het dreunen van contrabassen luider werd. Mijn hart ging over op een hogere versnelling. Ik zou ze zien optreden, ik zou Sara Laughs en de Red-Tops op het toneel zien staan. En dit was ook geen gekke koortsdroom. Dit gebeurde op dit moment, dus binnen moest ik wezen, binnen moest ik wezen.

Het huis van de Washburns (het huis dat voor mevrouw M. altijd het huis van de Brickers zou blijven) was weg. Voorbij de plaats waar het later zou komen te staan liep een brede houten trap de steile helling aan de oostkant van De Straat op. Die trap deed me denken aan de trap die in Old Orchard van het pretpark naar het strand leidde. Hier brandden de lampions bij klaarlichte dag, en de muziek was loeihard. Sara zong 'Jimmy Crack Corn'.

Ik beklom de trap in de richting van het lachen en schreeuwen, de Red-Tops en het stoomorgel, de geuren van vee en gebakken voedsel. Aan de bovenkant van de trap zag ik een houten boogpoort met

WELKOM OP DE JAARMARKT VAN FRYEBURG
WELKOM IN DE 20e EEUW.

Ik zag een kleine jongen in korte broek en een vrouw in een overhemdjurk en een linnen rok die tot haar enkels reikte onder de poort door lopen, naar mij toe. Ze zinderden, werden wazig. Een ogenblik kon ik hun geraamten zien, en de benige grijnslachjes onder hun lachende gezichten. Even later waren ze weg.

Twee boeren – de een droeg een strohoed, de ander maakte weidse gebaren met een maïskolfpijp – verschenen op precies dezelfde manier aan de kermiskant van de poort. Nu begreep ik dat er een barrière tussen De Straat en de jaarmarkt zat. Toch geloofde ik dat die barrière mij niet zou hinderen. Ik was een uitzondering.

'Klopt dat?' vroeg ik. 'Kan ik naar binnen gaan?'

De bel boven in de Test-Uw-Kracht-paal rinkelde luid en duidelijk. Eén keer rinkelen is ja, twee keer is nee. Ik klom verder.

Nu kon ik het reuzenrad tegen de achtergrond van de stralende hemel zien draaien, het rad dat op de achtergrond van de foto in *De tijden van Dark Score* van Osteen had gestaan. Het frame was van metaal, maar de felgekleurde gondels waren van hout. Er leidde een breed, met zaagsel bestrooid pad naar toe, als het middenpad dat in kerken naar het altaar leidt. Het zaagsel lag daar niet zonder reden; bijna alle mannen die ik zag, pruimden tabak.

Boven aangekomen bleef ik even staan, nog steeds aan de meerkant van de poort. Ik was bang voor wat me zou kunnen overkomen als ik onder die poort door liep. Ja, ik was bang dat ik zou sterven en verdwijnen, maar vooral dat ik niet meer terug zou kunnen, dat ik tot in de eeuwigheid een bezoeker op de jaarmarkt van Fryeburg van rond de eeuwwisseling zou blijven. Nu ik erover nadacht, was dat ook net een verhaal van Ray Bradbury.

Wat me uiteindelijk naar die andere wereld toe trok, was Sara Tidwell. Ik moest haar met eigen ogen zien. Ik moest haar zien zingen. Dat móest.

Ik voelde een tinteling toen ik onder de poort door liep, en er klonk een gezucht in mijn oren als van een miljoen stemmen die heel ver weg waren. Zucht van verlichting? Ontzetting? Dat kon ik niet nagaan. Het enige dat ik zeker wist, was dat de andere kant anders was – zoals het verschil uitmaakte of je iets door een raam zag of zelf aan de andere kant van het raam was. Het was het verschil tussen waarnemen en deelnemen.

Kleuren sprongen te voorschijn als struikrovers die in de aanval gingen. De geuren die aan de meerkant van de poort zoet en stimulerend en nostalgisch waren geweest, waren nu grof en zinnelijk, proza in plaats van poëzie. Ik kon vette worstjes ruiken, en gebraden rundvlees, en het weeïge aroma van kokende cacao. Twee kinderen die me voorbijliepen, deelden samen een suikerspin in een papieren hoorn. Allebei hadden ze een geknoopte zakdoek met hun kleingeld in hun knuist geklemd. 'Hé jongens!' riep een kermisgast in een donkerblauw overhemd naar hen. Hij droeg mouwophouders en omdat hij glimlachte, kon je een schitterende gouden tand zien. 'Gooi die melkflessen om en win een prijs! Ik heb de hele dag nog geen verliezer gehad!'

Verderop zetten de Red-Tops 'Fishin Blues' in. Ik had die jongen op de meent van Castle Rock vrij goed gevonden, maar vergeleken met deze versie had die band oud en traag en ongeïnspireerd geklonken. Het was geen schilderachtige vertoning, zoals een oude prent van dames die hun rok tot hun knie optrokken en een sierlijke versie van de black bottom dansten, zodat je de rand van hun lange onderbroek kon zien. Het was niet een van de folksongs die Alan Lomax had verzameld, geen stoffige Amerikaanse vlinder in een vitrine vol soortgenoten. Dit was roet met net genoeg glans om het hele stel uit de gevangenis te houden. Sara Tidwell zong over de *dirty boogie*, en ik denk dat iedere pruimende boer, met eeltige handen, in overall en met een strohoed op zijn hoofd – dat al die boeren die daar voor het podium stonden ervan droomden dat ze het met haar deden, dat ze zo ver waren dat het zweet in haar plooi ging staan en dat de hitte heet werd en het roze er doorheen begon te schemeren.

Ik begon in die richting te lopen, was me bewust van koeien die loeiden en schapen die blaatten in de schuren van de tentoonstelling – Fryeburgs versie van de Hi-Ho Dairy-O uit mijn kinderjaren. Ik liep langs de schiettent en het ringwerpen en het muntjewerpen. Ik liep langs een toneel waarop de Dienstmaagden van Angelina een langzame slangendans opvoerden, met hun handen tegen elkaar gevouwen, terwijl een man met een tulband om zijn hoofd en schoenpoets op zijn gezicht een fluit bespeelde. Een schilderij dat bij de ingang hing, suggereerde dat vergeleken met Angelina – voor slechts een dubbeltje te bezichtigen, mensen – die twee meiden een stel oude heksen waren. Ik liep langs de ingang van de rariteitentent, de popcorntent, het spookhuis, waar ook een schilderij hing waarop je spoken uit kapotte ramen en afbrokkelende schoorstenen zag komen. *Alles daar is de dood*, dacht ik... Maar van binnen kwam het geluid van kinderen die springlevend waren: ze gilden en lachten als ze in het donker tegen dingen opbotsten. De oudste van hen zouden elkaar wel stiekem kusjes geven. Ik kwam langs de Test-Uw-Kracht-paal, waar de volgende gradaties naar de koperen bel bovenin leidden BABY MOET ZIJN FLESJE, WATJE, NOG EENS PROBEREN, GROTE JONGEN, HE-MAN, met net onder de bel zelf in rode letters HERCULES! Te midden van een klein groepje mensen was een roodharige jongeman bezig zijn overhemd uit te trekken. Hij had een zwaar gespierd bovenlijf. Een kermisgast met een sigaar in zijn mond hield hem een hamer voor. Ik liep langs de tent met de quilts, een tent waar mensen op banken zaten en bingo speelden, de honkbalwerpbaan. Ik liep langs al die kermistenten en keek er nauwelijks naar. Ik was helemaal in trance. 'Bel later maar terug,' had Jo weleens tegen Harold gezegd als hij belde. 'Michael is momenteel in het Grote Fantasieland.' Alleen voelde dit niet aan als fantasie en interesseerde ik me eigenlijk alleen voor het podium onder het reuzenrad. Daarop stonden acht zwarte mensen, misschien tien. Helemaal vooraan stond, rammend op een gitaar en luidkeels zingend, Sara Tidwell. Ze leefde. Ze was in de bloei van haar leven. Ze legde haar hoofd in de nek en lachte naar de oktoberlucht.

Toen werd ik uit mijn roes gehaald door een kreet achter me: 'Wacht, Mike! Wacht even!'

Ik draaide me om en zag Kyra op me af rennen. Ze zigzagde tussen de slenteraars en gokkers en kijkers door en ik zag haar dikke knieën op en neer gaan. Ze droeg een kort wit matrozenjurkje met rode biezen en een strohoed met een marineblauw lint. In haar ene hand had ze Strickland, en toen ze me bereikt had, stortte ze zich vol vertrouwen naar voren, want ze wist dat ik haar zou opvangen en door de lucht zou zwaaien. Ik deed het, en toen haar hoed viel, ving ik hem op en zette ik hem weer op haar hoofd.

'Ik stekkelde mijn eigen quartermack,' zei ze, en ze lachte. 'Nog een keer.'

'Dat is goed,' zei ik. 'Je bent een echte Mean Joe Green.' Ik droeg een overall (uit de borstzak stak de punt van een verwassen blauwe halsdoek) en werkschoenen met mestvlekken. Ik keek naar Kyra's witte sokken en zag dat ze zelf gemaakt waren. En als ik haar strohoed afzette en een blik op de binnenkant wierp, zou ik daar ook geen klein merkje met MADE IN MEXICO of MADE IN CHINA aantreffen. Deze hoed was hoogstwaarschijnlijk MADE IN MOTTON, gemaakt door een boerin met rode handen en pijnlijke gewrichten.

'Ki, waar is Mattie?'

'Thuis, denk ik. Ze kon niet komen.'

'Hoe ben je hier gekomen?'

'De trap op. Het was een hoge trap. Je had op me moeten wachten. Je had me kunnen dragen, net als laatst. Ik wil de muziek horen.'

'Ik ook. Weet je wie dat is, Kyra?'

'Ja,' zei ze. 'Dat is Kito's mama. Schiet op, slome duikelaar!'

Ik liep naar het podium en dacht dat we achteraan in de menigte zouden moeten staan, maar de mensen gingen voor ons opzij toen we naar voren kwamen, ik met Kyra in mijn armen – dat heerlijke lieve lijfje van haar, een kleine Gibson Girl in haar matrozenjurk en met linten op haar strohoed. Ze had haar arm om mijn hals geslagen en de menigte week voor ons uiteen zoals de Rode Zee voor Mozes uiteenweek.

Ze keken ook niet naar ons om. Ze klapten en stampten en brulden met de muziek mee, helemaal in de ban daarvan. Ze gingen onwillekeurig opzij, alsof er een magnetisme aan het werk was – dat van ons positief, dat van hen negatief. De weinige vrouwen in de menigte hadden een kleur, maar het was duidelijk dat ze zich enorm amuseerden. Een van hen lachte zo hard dat de tranen over haar gezicht liepen. Ze leek niet ouder dan twee- of drieëntwintig. Kyra wees naar haar en zei op zakelijke toon: 'Ken je Matties baas van de bibliotheek? Dat is haar oma.'

Linda Briggs' grootmoeder, en nog zo fris als een hoentje, dacht ik. *Jezus Christus.*

De Red-Tops stonden verspreid over het podium onder slingers van rode, witte en blauwe vlaggetjes, als een rockgroep die door de tijd was gereisd. Ik herkende ze allemaal van de foto in Edward Osteens boek. De mannen droegen een wit overhemd met mouwophouder, een donker vest, een donkere broek. Son Tidwell, op het andere eind van het podium, droeg de bolhoed die hij ook op de foto droeg. Sara daarentegen...

'Waarom heeft die mevrouw Matties jurk aan?' vroeg Kyra me, en ze begon te beven.

'Ik weet het niet, schatje. Ik kan het je niet vertellen.' En ik kon het ook niet tegenspreken – het was inderdaad de witte mouwloze jurk die Mattie op de meent had gedragen.

Op het podium dreunde de band zich door een instrumentaal intermezzo. Reginald 'Son' Tidwell kwam slenterend naar Sara toe, zijn handen een bruin waas op de snaren en frets van zijn gitaar, en ze draaide zich naar hem om. Ze hielden hun voorhoofden tegen elkaar, zij lachend, hij ernstig. Ze keken in elkaars ogen en probeerden elkaar de loef af te steken. De menigte juichte en klapte en de andere Red-Tops lachten onder het spelen. Toen ik ze daar zo samen zag, besefte ik dat ik het goed had gezien: ze waren broer en zus. De gelijkenis was onmiskenbaar. Maar waar ik vooral naar keek, was de manier waarop haar heupen en achterste in die witte jurk bewogen. Kyra en ik mochten dan boerenkleding van rond de eeuwwisseling aanhebben, Sara was helemaal modern. Ze droeg geen lange onderbroek, geen petticoat, geen katoenen kousen. Niemand scheen te merken dat ze een jurk droeg die boven haar knieën ophield – dat ze volgens de normen van die tijd dus zo goed als naakt was. En onder Matties jurk zou ze dingen dragen die deze mensen nog nooit gezien hadden: een Lycra-beha en een strak nylon slipje. Als ik mijn handen op haar middel legde, zou de jurk niet over een stug corset wrijven maar over zachte naakte huid glijden. Bruine huid, geen witte. *Wat wil je, schatje?*

Sara liep van Son vandaan en schudde lachend met haar vrije, niet ingesnoerde achterste. Hij slenterde naar zijn plek terug en ze draaide zich om naar de menigte terwijl de band het refrein speelde. Toen ze het volgende couplet zong, keek ze me recht aan.

'Before you start in fishin
you better check your line.
Said before you start in fishin, honey,
you better check on your line.
I'll pull on yours, darlin,
and you best tug on mine.'

De menigte joelde opgetogen. Kyra, in mijn armen, beefde als een bang vogeltje. 'Ik ben bang, Mike,' zei ze. 'Ik vind die vrouw niet aardig. Ze is eng. Ze heeft Matties jurk gestolen. Ik wil naar huis.'

Het was of Sara haar hoorde, zelfs boven het dreunen en jengelen van de muziek uit. Ze legde haar hoofd schuin in de nek, sperde haar mond wijd open en lachte naar de hemel. Haar tanden waren groot en geel. Ze leken op de tanden van een hongerig dier, en ik was het met Kyra eens: ze was eng.

'Goed, schatje,' fluisterde ik in Ki's oor. 'We gaan hier weg.'

Maar voordat ik in beweging kon komen, viel het gevoel van die vrouw – ik weet niet hoe ik het anders moet zeggen – over me heen en hield het me vast. Nu begreep ik wat er in de keuken langs me heen was geschoten om de CARLADEAN-letters weg te maaien; het was eenzelfde kilte. Het was net of ik iemand op het geluid van zijn voetstappen moest identificeren.

Ze liet de band weer aan het refrein beginnen en zette even later het volgende couplet in. Maar het was geen couplet dat je ooit in een schriftelijke versie van het nummer zou vinden:

'I ain't gonna hurt her, honey,
not for all the treasure in the worl'.
Said I wouldn't hurt your baby,
not for diamonds or for pearls.
Only one black-hearted bastard
dare to touch that little girl.'

Dus ze zong dat ze het kleine meisje geen kwaad zou doen, maar dat een schoft 'met een zwart hart' daar wel toe in staat was. De mensen brulden alsof dit het grappigste was dat ze ooit hadden gehoord, maar Kyra begon te huilen. Sara zag dat en stak haar borsten naar voren – veel grotere borsten dan die van Mattie – schudde ermee naar het meisje en lachte intussen de typische lach die haar handelsmerk was. Er ging een bijna parodistische kilte van die lach uit... en ook een leegte. Een droefheid. Toch kon ik geen medelijden met haar hebben. Het was of haar hart uit haar lijf was gebrand en of de droefheid die was achtergebleven niets meer dan een geest was – alsof de naweeën van liefde door haar haatdragende botten spookten.

En dan die grijnzende tanden...

Sara bracht haar armen boven haar hoofd en liet ze deze keer helemaal naar beneden schudden, alsof ze mijn gedachten las en er de spot mee dreef. Net als gelei op een bord, zoals ze in een ander oud nummer uit die tijd zongen. Haar schaduw lag over het doek achter haar, een schilderij van Fryeburg, en toen ik ernaar keek, besefte ik dat ik de gedaante uit mijn Manderley-dromen had gevonden. Het was Sara. Sara was de gedaante en was dat altijd geweest.

Nee, Mike. Je bent warm, maar je zit er net naast.

Of ik het nu goed had of niet, ik had er genoeg van. Ik draaide me om, legde mijn hand op Ki's achterhoofd en drukte haar gezicht tegen mijn borst. Ze hield nu allebei haar armen om mijn hals en drukte zich in paniek tegen me aan.

Ik dacht dat ik me een weg door de menigte zou moeten banen – ze hadden me gemakkelijk toegelaten maar zouden zich misschien minder schappelijk opstellen als ik weer weg wilde. *Maak het me niet moeilijk, jongens*, dacht ik. *Dat moeten jullie niet doen.*

En dat deden ze ook niet. Op het podium had Son Tidwell de band van E naar G laten overgaan. Iemand begon op een tamboerijn te slaan en Sara ging zonder onderbreking van 'Fishin Blues' op 'Dog My Cats' over. Hier beneden, voor het podium, week de menigte weer voor mij en mijn kleine meisje uiteen, zonder naar ons te kijken en zonder het ritme van hun klappende eelthanden ook maar even te onderbreken. Een jongeman met een grote wijnvlek op de zijkant van zijn gezicht deed zijn mond open – op zijn twintigste miste hij al zijn halve gebit – en brulde '*Jiiii-hooo*', met een natte prop pruimtabak in zijn mond. Het was Buddy Jellison van het Village Cafe, besefte ik... Buddy Jellison die op wonderbaarlijke wijze in leeftijd van achtenzestig naar twintig was teruggegaan. Toen merkte ik dat zijn haar de verkeerde kleur had – lichtbruin in plaats van zwart (hoewel Bud tegen de zeventig liep en in alle andere opzichten zo oud leek als hij was, had hij niet één grijze haar op zijn hoofd). Dit was Buddy's grootvader, misschien zelfs zijn overgrootvader. Het kon me trouwens geen zier schelen. Ik wilde daar alleen maar weg.

'Pardon,' zei ik, terwijl ik me langs hem wrong.

'Er is hier geen dorpsdronkaard, bemoeizieke klootzak,' zei hij zonder me aan te kijken en zonder met zijn handgeklap uit het ritme te raken. 'We zijn het allemaal om beurten.'

Het is dus toch een droom, dacht ik. *Het is een droom; dit is het bewijs.*

Maar de tabakslucht uit zijn mond was geen droom, de geur van de menigte was geen droom, en het gewicht van het angstige kind in mijn armen was ook geen droom. Mijn overhemd voelde warm en nat aan op de plaats waar ze haar gezicht er tegenaan drukte. Ze huilde.

'Hé, Ier!' riep Sara vanaf het toneel, en haar stem leek zo sterk op die van Jo dat ik een schreeuw had kunnen geven. Ze wilde dat ik me naar haar omdraaide – ik voelde dat haar wil als vingers aan de zijkanten van mijn gezicht trok – maar dat weigerde ik.

Ik glipte om drie boeren heen die een aardewerken kruik aan elkaar doorgaven, en toen was ik de menigte uit. Het jaarmarktveld strekte zich voor me uit, zo breed als Fifth Avenue, met aan het eind de poort, de trap, De Straat, het meer. Thuis. Als ik op De Straat kon komen, zouden we veilig zijn. Daar was ik zeker van.

'Bijna klaar, Ier!' gilde Sara me achterna. Ze klonk kwaad, maar niet te kwaad om te lachen. 'Je krijgt wat je wilt, schat, alles wat je wilt, maar dan moet je me wel mijn werk laten afmaken. Hoor je me, jongen? Blijf nou staan! Doe wat ik zeg!'

Ik begon terug te rennen in de richting vanwaar ik gekomen was en streelde Ki's hoofd, hield haar gezicht tegen mijn overhemd. Haar strohoed viel af en toen ik ernaar graaide, kreeg ik alleen het lint te pakken, dat was losgeraakt. Het deed er niet toe. We moesten daar weg.

Links van ons lag het honkbalveld. Een kleine jongen schreeuwde:

'Willie sloeg hem over het hek, ma! Willy sloeg hem over het hek!' Hij riep dat met een monotone, irritante regelmaat. We kwamen langs de bingotent, waar een vrouw schreeuwde dat ze de kalkoen had gewonnen, gossiemijne, er zat een knop op elk nummer en zij had de kalkoen gewonnen. Hoog boven ons schoof de zon achter een wolk en werd de dag opeens veel doffer. Onze schaduwen verdwenen. De poort aan het eind van het veld kwam tergend langzaam dichterbij.

'Zijn we al thuis?' Ki kreunde het bijna uit. 'Ik wil naar huis, Mike, alsjeblieft, breng me naar huis, naar mijn mammie.'

'Het komt wel goed,' zei ik. 'Alles komt goed.'

We kwamen langs de Test-Uw-Kracht-paal, waar de jongeman met het rode haar zijn overhemd weer aantrok. Hij keek me met norse afkeer aan – misschien met het instinctieve wantrouwen van een dorpeling ten opzichte van een buitenstaander – en ik besefte dat ik hem ook kende. Hij zou een kleinzoon krijgen die Dickie heette en die tegen het eind van de eeuw waaraan deze jaarmarkt was gewijd de All-Purpose Garage aan Route 68 zou hebben.

Een vrouw die uit de tent met de quilts kwam, bleef staan en wees naar me. Op hetzelfde moment trok ze haar bovenlip op, net als een grommende hond. Dat gezicht kende ik ook. Maar waarvan? Ergens in de TR. Het deed er niet toe. Ik wilde het eigenlijk niet eens weten.

'We hadden hier nooit heen moeten gaan,' klaagde Ki.

'Ik weet hoe je je voelt,' zei ik. 'Maar ik geloof niet dat we veel keus hadden, schatje. We...'

Ze kwamen uit de rariteitentent, zo'n twintig meter voor ons. Ik zag ze en bleef staan. Ze waren met zijn zevenen, mannen in kleren van een ouderwetse kleermaker. Ze liepen met grote stappen, maar vier van hen deden er niet toe – die vier zagen er verbleekt en wit en spookachtig uit. Het waren zieke mannen, misschien zelfs dode mannen, en ze waren net zo gevaarlijk als daguerreotypes. Maar de andere drie waren echt. Tenminste, net zo echt als de rest van deze jaarmarkt. De leider was een oude man met een verschoten blauwe Union Army-pet. Hij keek me aan met ogen die ik kende. Ogen die me over de rand van een zuurstofmasker hadden aangekeken.

'Mike? Waarom blijven we staan?'

'Rustig maar, Ki. Er is niets aan de hand. Dit is allemaal een droom. Morgenvroeg word je wakker in je eigen bed.'

'Goed.'

De kerels verspreidden zich, hand in hand, laars aan laars, over het veld. Ze versperden ons de weg naar de poort en De Straat. Oude Blauwpet stond in het midden. De mannen aan weerskanten van hem waren veel jonger, sommigen misschien wel een halve eeuw. Twee van de bleke mannen, de mannen die er bijna niet waren, stonden naast elkaar aan de rechterkant van de oude man, en ik vroeg me af of ik door dat deel van hun linie heen zou kunnen breken. Ik dacht dat ze niet meer vlees hadden dan het ding dat tegen de isolatie van de keldermuur had gebonkt... maar als ik me nu eens vergiste?

'Geef haar aan mij, jongen,' zei de oude man. Zijn stem klonk ijl en onverzoenlijk. Hij stak zijn handen uit. Het was Max Devore. Hij was teruggekomen en eiste zelfs in de dood de voogdij over Kyra op. Toch was hij het niet. Ik wist dat hij het niet was. De vlakken van het gezicht van deze man waren op een subtiele manier anders, de wangen waren dieper ingevallen, de ogen waren helderder blauw.

'Waar ben ík?' riep ik naar hem, en ik legde de nadruk op het laatste woord, en voor Angelina's tent legde de man met de tulband (een hindoe die waarschijnlijk gewoon uit Sandusky, Ohio, kwam) zijn fluit neer om naar ons te kunnen kijken. De slangenmeisjes hielden op met dansen en keken ook. Ze sloegen hun armen om elkaar heen en gingen dicht tegen elkaar staan om zich veiliger te voelen. 'Waar ben ík, Devore? Als onze overgrootvaders in dezelfde kuil scheten, waar ben ík dan?'

'Ik ben hier niet om antwoord op je vragen te geven. Geef haar aan mij.'

'Ik neem haar wel, Jared,' zei een van de jongere mannen, een van de mannen die echt *aanwezig* waren. Hij keek Devore aan met een kruiperige gretigheid waar ik misselijk van werd, vooral omdat ik wist wie hij was: Bill Deans vader. Een man die later een van de meest gerespecteerde ingezetenen van Castle County zou worden, likte Devores hielen.

Denk niet te slecht over hem, fluisterde Jo. *Denk niet te slecht over hem en die anderen. Ze waren nog erg jong.*

'Je hoeft niets te doen,' zei Devore. Zijn ijle stem klonk geërgerd; Fred Dean keek terneergeslagen. 'Hij geeft haar uit eigen beweging. En als hij dat niet doet, pakken we haar samen af.'

Ik keek naar de man die uiterst links stond, de derde die me helemaal echt, helemaal *aanwezig* leek. Was ik dat? Hij leek niet op mij. En toch had zijn gezicht iets wat me bekend voorkwam, maar...

'Geef op, Ier,' zei Devore. 'Laatste kans.'

'Nee.'

Devore knikte, alsof hij dat precies had verwacht. 'Dan pakken we haar. Hier moet een eind aan komen. Kom op, jongens.'

Ze begonnen op me af te komen en ik besefte nu ook aan wie de laatste man – die met de grote houthakkerslaarzen en de flanellen broek – me deed denken: Kenny Auster, wiens wolfshond koekjes kon eten tot hij barstte. Kenny Auster, wiens kleine broertje onder de pomp door Kenny's vader was verdronken.

Ik keek achter me. De Red-Tops speelden nog. Sara lachte nog, en ze schudde met haar heupen, met haar handen omhooggestoken, en de menigte verdrong zich nog aan die kant van het veld. Die kant moest ik niet op. Als ik die kant opging, zou het erop uitdraaien dat ik in het begin van de eeuw een klein meisje moest grootbrengen en de kost moest verdienen met het schrijven van stuiverromannetjes. Misschien was dat nog niet zo gek... maar een eenzame jonge vrouw, kilometers en jaren hiervandaan, zou haar missen. Misschien zou ze zelfs ons beiden missen.

Ik draaide me om en zag dat de kerels me bijna hadden bereikt. Sommigen waren meer aanwezig dan anderen, vitaler, maar ze waren allemaal dood. Ze waren allemaal verdoemd. Ik keek naar de vlaskop van wie Kenny Auster later zou afstammen, en vroeg hem: 'Wat hebben jullie gedaan? Wat hebben jullie in godsnaam gedaan?'

Hij stak zijn handen uit. 'Geef haar aan ons, Ier. Dat is het enige dat jíj hoeft te doen. Jij en die vrouw kunnen er nog meer krijgen. Zoveel als jullie maar willen. Ze is jong, ze werpt ze als watermeloenzaadjes.'

Ik was gehypnotiseerd, en ze zouden ons hebben overmeesterd als Kyra niet 'Wat gebeurt er?' tegen mijn overhemd had geschreeuwd. 'Het stinkt! Het stinkt *heel erg! O, Mike, laat het ophouden!*'

En toen rook ik het ook. Bedorven vlees en moerasgas. Opengebarsten weefsel en rottende ingewanden. Devore was het levendst van het hele stel. Hij straalde het primitieve maar krachtige magnetisme uit dat ik ook bij zijn achterkleinzoon had gevoeld, maar hij was net zo dood als de anderen: toen hij dichterbij kwam, zag ik de kleine beestjes die aan zijn neusgaten en roze ooghoeken vraten. *Alles hier is de dood*, dacht ik. *Heeft mijn eigen vrouw me dat niet verteld?*

Ze staken hun macabere handen uit, eerst om Ki aan te raken en toen om haar af te pakken. Ik deed een stap terug, keek naar rechts en zag nog meer geesten. Sommige kwamen uit kapotte ruiten, sommige gleden van bakstenen schoorstenen omlaag. Met Kyra in mijn armen rende ik naar het spookhuis.

'Grijp hem!' riep Jared Devore geschrokken. 'Grijp hem, jongens! Grijp die schooier! Verdomme!'

Ik rende de houten trap op en was me er vaag van bewust dat iets zachts over mijn wang wreef – Ki's pluchen hondje, dat ze nog in haar hand geklemd hield. Ik wilde achterom kijken om te zien hoe dichtbij ze waren, maar dat durfde ik niet. Als ik struikelde...

'Hé!' krijste de vrouw achter het loket. Ze had wolken rossig haar, make-up die zo te zien met een troffel was aangebracht, en ze leek gelukkig op niemand die ik kende. Ze was gewoon een kermisvrouw, op doorreis in deze achterwereld. Had zij even geluk. 'Hé, jij, je moet een kaartje kopen!'

Geen tijd, mevrouw, geen tijd.

'Houdt hem!' schreeuwde Devore. 'Hij is een smerige dief! Dat is zijn kind niet! Houdt hem!' Maar niemand deed het en ik rende met Ki in mijn armen de duisternis van het spookhuis in.

Achter de ingang begon een gang die zo smal was dat ik er zijwaarts doorheen moest. Fosforescerende ogen keken ons in het halfduister aan. Verderop was een langzaam aanzwellend gerommel van hout te horen, een los geluid met een klakkende ketting erbij. Achter ons was er het doffe dreunen van houthakkerslaarzen die de trap op stampten. De rossige kermisvrouw schreeuwde nu naar hen, zei tegen hen dat als ze binnen iets kapotmaakten, ze de schade moesten vergoeden. 'Hé, stelletje kinkels!' krijste ze. 'Dit is voor kinderen, niet voor kerels als jullie!'

Het gerommel was recht voor ons. Er draaide iets. Eerst begreep ik niet wat het was.

'Zet me neer, Mike!' Kyra klonk opgewonden. 'Ik wil er zelf doorheen!'

Ik zette haar neer en keek toen nerveus over mijn schouder. Het felle licht bij de ingang werd tegengehouden door de mannen, die nu dicht opeengedrongen naar binnen probeerden te komen.

'Stomkoppen!' riep Devore. 'Niet allemaal tegelijk! Godskelere nog aan toe.' Er klonk een klap en iemand gaf een schreeuw. Ik keek nog net op tijd naar voren om Kyra door de draaiende ton te zien springen. Ze hield haar armen wijd om in evenwicht te blijven. Ongelooflijk genoeg lachte ze.

Ik volgde haar, kwam halverwege de ton en viel toen met een klap neer.

'Oeps!' riep Kyra vanaf de andere kant, en ze giechelde toen ik overeind probeerde te komen, opnieuw viel en helemaal naar de andere kant tuimelde. De halsdoek viel uit de borstzak van mijn overall. Uit een andere zak viel een zakje met malrovepastilles. Ik probeerde achterom te kijken om te zien of ze de orde hersteld hadden en door de ingang kwamen. Onderwijl slingerde de ton me weer in het rond. Nu wist ik hoe kleren zich voelden in een wasdroger.

Ik kroop naar het eind van de ton, krabbelde overeind, pakte Ki's hand vast en liet me dieper het spookhuis in leiden. We hadden amper tien stappen gezet of iets wits bloeide bij haar op, om haar heen. Ze gaf een schreeuw. Een dier – het klonk als een grote katachtige – siste hard. De adrenaline schoot door mijn aderen en ik wilde haar net weer in mijn armen trekken toen dat gesis opnieuw te horen was. Ik voelde hete lucht op mijn enkels, en Ki's jurk vormde weer een klok om haar benen. Ditmaal schreeuwde ze niet maar lachte ze.

'Vlug, Ki!' spoorde ik haar aan. 'Vlug.'

We gingen verder, voorbij de stoombuis. We kwamen in een spiegelgang waar we eerst als kleine dikke dwergen weerspiegeld werden, en toen als broodmagere leptosomen met lange witte vampiergezichten. Ik moest Kyra weer aansporen; ze wilde gezichten trekken naar zichzelf. Achter ons hoorde ik hoe de vloekende houthakkers door de ton probeerden te komen. Ik hoorde Devore ook vloeken, maar hij klonk niet meer zo... nou, zo *eminent*.

Via een glijpaal kwamen we op een groot kussen van zeildoek. Dat maakte een hard scheetgeluid toen we erop landden, en Ki lachte tot de tranen haar over de wangen liepen. Ze rolde in het rond en trappelde van puur plezier met haar benen. Ik greep haar onder haar armen vast en trok haar overeind.

'Niet je eigen quartermack stekkelen,' zei ze, en toen lachte ze weer. Blijkbaar was haar angst helemaal verdwenen.

We gingen weer een smalle gang door. Die gang rook naar het geurige dennenhout waarvan hij gemaakt was. Achter een van die muren rammelden twee 'geesten' zo regelmatig met kettingen als mannen die achter de lopende band van een schoenenfabriek stonden. Ze hadden het erover waar ze die avond met hun meisjes naar toe gingen en wie wat 'roodoogmachine' zou meebrengen, wat dat ook mocht zijn. Ik kon niemand meer achter ons horen. Kyra liep dapper voorop. Een van haar kleine handjes hield een van mijn grote handen vast en trok me mee. Toen we bij een deur kwamen waarop vlammen geverfd waren en die van een bord met HADES – DEZE KANT OP was voorzien, duwde ze hem zonder enige aarzeling open. We kwamen in een gang met een plafond van rood micaglas. De mica wierp een rozige gloed die me veel te gezellig voor de Hades leek.

We liepen een hele tijd door, en ik besefte dat ik het stoomorgel, het harde *bonggh!* van de Test-Uw-Kracht-bel en Sara en de Red-Tops niet meer kon horen. En dat was ook niet bepaald verrassend. We moesten al enkele honderden meters hebben afgelegd. Hoe kon een spookhuis op de kermis zo groot zijn?

We kwamen bij drie deuren, een links, een rechts en een aan het eind van de gang. Op een van die deuren was een rood driewielertje geschilderd. Op de deur daartegenover prijkte mijn groene IBM-schrijfmachine. De afbeelding op de deur aan het eind leek op de een of andere manier ouder – verbleekt en smoezelig. Het was een afbeelding van een kinderslee. *Dat is Scooter Larribees slee*, dacht ik. *Dat is de slee die Devore gestolen heeft*. Ik kreeg meteen kippenvel op mijn rug en armen.

'Kijk,' zei Kyra, 'daar is ons speelgoed.' Ze hield Strickland omhoog, vermoedelijk om hem het rode driewielertje te laten zien.

'Ja,' zei ik. 'Volgens mij ook.'

'Bedankt dat je me hebt weggehaald,' zei ze. 'Dat waren enge mannen, maar het spookhuis was leuk. Welterusten. Stricken zegt ook welterusten.' Het kwam er nog steeds op die speciale manier van haar uit – *wtuste* – als een exotisch woord voor subliem geluk.

Voordat ik nog iets kon zeggen, had ze de deur met het driewielertje opengeduwd en was ze over de drempel gestapt. De deur viel achter haar dicht, en op dat moment zag ik het lint van haar strohoed. Het hing uit de borstzak van de overall die ik droeg. Ik keek er even naar en probeerde toen de knop van de deur waar zij doorheen was gegaan. Die knop wilde niet in beweging komen, en toen ik met mijn hand op het hout sloeg, was het of ik op hard en ontzaglijk zwaar metaal sloeg. Ik deed een stap terug en hield mijn hoofd schuin in de richting vanwaar ik gekomen was. Er was niets te horen. Totale stilte.

Dit is de tussentijd, dacht ik. *Als mensen het over "tussen de spleten door glijden" hebben, bedoelen ze dit. Dit is de plaats waar ze dan heen gaan.*

Ga nou zelf ook maar, zei Jo tegen me. *Als je hier niet in de val wilt lopen, misschien voorgoed, moet je zelf ook verder gaan.*

Ik probeerde de knop van de deur met de schrijfmachine. Die draaide gemakkelijk rond. Achter de deur lag weer een smalle gang – nog meer houten wanden, weer de zoete geur van dennenhout. Ik wilde daar niet in, want die gang deed me aan een lange doodkist denken, maar ik kon niets anders doen, ik kon nergens anders heen. Ik ging, en de deur viel achter me dicht.

Jezus, dacht ik. *Ik ben in het donker, in een afgesloten ruimte... Het is tijd voor een van Michael Noonans wereldberoemde paniekaanvallen.*

Maar er klemden geen banden om mijn borst en hoewel mijn hart snel sloeg en mijn spieren nog stijf stonden van de adrenaline, had ik mezelf in de hand. Bovendien merkte ik dat het niet helemaal donker was. Ik kon slechts weinig zien, maar wel genoeg om de wanden en de planken vloer te onderscheiden. Ik wond het donkerblauwe lint van Ki's strohoed om mijn pols en stak het uiteinde eronder om te voorkomen dat het los zou raken. Toen begon ik naar voren te schuifelen.

Ik liep een hele tijd door. De gang boog naar links en naar rechts, voor zover ik kon nagaan volstrekt willekeurig. Ik voelde me net een microbe die door een darm gleed. Ten slotte kwam ik bij twee houten boogdeuren. Ik bleef ervoor staan en vroeg me af wat de juiste keuze was, maar toen hoorde ik Bunters bel zwakjes achter de deur aan mijn linkerkant. Ik ging die kant op en terwijl ik door die nieuwe gang liep, werd de bel steeds luider. Op een gegeven moment kreeg de bel gezelschap van onweersgerommel. De herfstkoelte was uit de lucht weggetrokken en het was weer heet – smoorheet. Ik keek omlaag en zag dat de overall en de werkschoenen verdwenen waren. Ik droeg thermo-ondergoed en kriebelende sokken.

Nog twee keer kwam ik voor een keuze te staan, en elke keer koos ik de deur waarachter ik Bunters bel hoorde. Toen ik voor het tweede stel deuren stond, hoorde ik een stem ergens in het donker heel duidelijk zeggen: 'Nee, de vrouw van de president is niet geraakt. Dat bloed op haar kousen is van hem.'

Ik liep door en bleef staan toen ik besefte dat mijn voeten en enkels niet meer jeukten en dat mijn dijen niet meer zweetten in hun lange onderbroek. Ik droeg de Jockey-shorts waar ik altijd in sliep. Ik keek op en zag dat ik in mijn eigen huiskamer was en dat ik voorzichtig langs het meubilair liep, zoals je in het donker doet om toch vooral niet je tenen te stoten. Ik kon iets beter zien; er kwam een vaag melkwit licht door de ramen naar binnen. Ik kwam bij de ontbijtbar die de huiskamer van de keuken scheidde en keek naar de klok met de staartzwaaiende kat. Het was vijf over vijf.

Ik liep naar de gootsteen en draaide de kraan open. Toen ik een glas pakte, zag ik dat ik het lint van Ki's strohoed nog om mijn pols had. Ik maakte het los en legde het tussen het koffiezetapparaat en de keukentelevisie op de ontbijtbar. Toen schonk ik me wat koud water in, dronk het op en liep voorzichtig in het vaalgele schijnsel van het nachtlampje in de badkamer door de gang van de noordelijke aanbouw. Ik piste (*urineerde*, kon ik Ki horen zeggen) en ging toen de slaapkamer in. De lakens waren verkreukeld, maar het bed zag er niet zo orgiastisch uit als op de ochtend na mijn droom over Sara, Mattie en Jo. Waarom zou het ook? Ik was eruit gestapt en was een eindje gaan slaapwandelen. Een uiterst levendige droom over de jaarmarkt van Fryeburg.

Alleen was dat onzin, en niet alleen omdat ik dat blauwe zijden lint van Ki's hoed had. Het kwam allemaal heel anders over dan een droom waaruit je wakker wordt en de dingen die in de droom nog geloofwaardig leken opeens belachelijk zijn en alle kleuren – zowel de heldere als de onheilspellende – op slag vaal worden. Ik bracht mijn handen naar mijn gezicht, hield ze voor mijn neus en haalde diep adem. Dennenhout. Toen ik keek, zag ik zelfs een beetje hars op mijn pink.

Ik ging op het bed zitten, dacht erover om in de Memo-Scriber te dicteren wat ik had meegemaakt, en liet me toen achterover in de kussens vallen. Ik was te moe. De donder rommelde. Ik deed mijn ogen dicht, begon weg te zakken, en toen snerpte er opeens een gil door het huis. Die kreet klonk zo scherp als de hals van een kapotte fles. Ik ging met een schreeuw overeind zitten en greep naar mijn borst.

Het was Jo. In de tijd dat we samen waren had ik haar nooit zo horen gillen, maar toch wist ik dat zij het was. 'Doe haar geen pijn!' schreeuwde ik in de duisternis. 'Wie je ook bent, *doe haar geen pijn!*'

Ze gilde weer, alsof iets met een mes, een klem of een hete kachelpook er een boosaardig genoegen in schiep mij ongehoorzaam te zijn. Het leek ditmaal uit de verte te komen, en haar derde kreet, die nog even gekweld klonk als de eerste twee, kwam van nog verder weg. Het geluid zwakte af zoals het snikken van de kleine jongen was afgezwakt.

Een vierde kreet kwam uit de duisternis gezweefd, en toen was het stil in het huis. Ademloos voelde ik hoe het huis onder me ademde. In de warmte was ik me bewust van het vage geluid van donderslagen in de vroege ochtend.

22

Ik kon eindelijk weer in trance raken, maar toen het eenmaal zover was, kon ik niets doen. Ik heb altijd een stenoblok bij de hand voor aantekeningen – lijsten van personages, paginaverwijzingen, de chronologische volgorde van gebeurtenissen – en ik zat daar een beetje op te krabbelen, maar het vel papier in de IBM bleef leeg. Mijn hart bonkte niet, mijn ogen klopten niet en ik had geen moeite met ademhalen – met andere woorden, ik had geen paniekaanval – maar er kwam ook geen verhaal. Andy Drake, John Shackleford, Ray Garraty, de mooie Regina Whiting... ze stonden met hun rug naar me toe en weigerden te spreken of te bewegen. Het manuscript lag op zijn gebruikelijke plaats aan de linkerkant van de schrijfmachine onder een mooi stuk kwarts dat ik eens langs Lane 42 had gevonden, en er gebeurde niets. Helemaal niets.

Ik zag de ironie daarvan in. Misschien zat er zelfs een moraal in. Jarenlang was ik de problemen van de echte wereld ontvlucht door naar allerlei fantasiewerelden te vertrekken. Nu had de echte wereld zich met onheilspellend kreupelhout gevuld, waarin dingen met tanden zich schuilhielden, en had de fantasiewereld de deur voor me dichtgegooid.

Kyra, had ik getikt. Ik had haar naam in een geschulpte vorm gezet die voor een koolroos moest doorgaan. Daaronder had ik een stuk brood getekend, met een baret schuin op de bovenste korst. Noonans versie van Franse toast. De letters L.B., omringd door krullen. Een shirt met een primitieve eend erop. Daarnaast had ik *kwak kwak* geschreven. Onder *kwak kwak* had ik geschreven: '*Zou weg moeten vliegen – Bon Voyage*'.

Ergens anders op het papier had ik *Dean*, *Auster* en *Devore* geschreven. Dat waren degenen die het meest aanwezig hadden geleken, het gevaarlijkst. Omdat ze nakomelingen hadden? Maar die zouden al die zeven kerels toch wel hebben gehad? In die tijd waren de meeste gezinnen erg groot. En waar was ík geweest? Ik had het gevraagd, maar Devore had het niet willen zeggen.

Om halftien op een benauwend hete zondagmorgen voelde het niet meer als een droom aan. Maar wat was het dan geweest? Een visioen?

Een reis door de tijd? En als zo'n reis een zin had, welke zin was dat dan? Wat was de boodschap en wie probeerde die boodschap over te brengen? Ik kon me nog goed herinneren wat ik had gezegd voordat ik uit de droom kwam waarin ik slaapwandelend naar Jo's atelier was gegaan en mijn schrijfmachine had teruggebracht: *Ik geloof deze leugens niet.* En nu zou ik ze ook niet geloven. Zolang ik niet tenminste iets van de waarheid kon zien, was het veiliger om helemaal niets te geloven.

Boven aan het papier waarop ik aan het tekenen was, schreef ik met dikke letters het woord GEVAAR!, waarna ik er een cirkel omheen tekende. Vanaf die cirkel tekende ik een pijltje naar Kyra's naam. Vanaf haar naam tekende ik een pijltje naar *Zou weg moeten vliegen – Bon Voyage* en voegde er *mattie* aan toe.

Onder het brood met de baret tekende ik een kleine telefoon. Daarboven zette ik een cartoonballon met R-R-RINGGG! erin. Toen ik daarmee klaar was, ging de draadloze telefoon. Ik zat op de reling van de veranda. Ik omcirkelde *mattie* en nam de telefoon op.

'Mike?' Ze klonk opgewonden. Blij. Opgelucht.

'Ja,' zei ik. 'Hoe is het met je?'

'Heel goed!' zei ze, en ik omcirkelde L.B. op mijn schrijfblok.

'Lindy Briggs belde tien minuten geleden – ik heb nog maar net de telefoon neergelegd. Mike, ik krijg mijn baan terug! Is dat niet geweldig?'

Jazeker. En ook geweldig dat ze daardoor in de TR zou blijven. Ik streepte *Zou weg moeten vliegen – Bon Voyage* door, want ik wist dat Mattie niet zou gaan. Niet nu. En hoe kon ik het haar vragen? Opnieuw dacht ik: *Wist ik maar iets meer...*

'Mike? Ben je...'

'Het is geweldig,' zei ik. In gedachten zag ik haar in de keuken staan. Ze trok het kronkelende telefoonsnoer tussen haar vingers door. Haar benen staken lang en rank uit haar denim short. Ik kon het shirt zien dat ze droeg, een wit T-shirt met een gele eend op de voorkant. 'Ik hoop dat Lindy het fatsoen had om zich te schamen.' Ik omcirkelde het T-shirt dat ik had getekend.

'Dat had ze. En ze was zo eerlijk dat... nou ja, dat het ontwapenend was. Ze zei dat dat mens van Whitmore begin vorige week met haar had gesproken. Die vrouw had er niet omheen gedraaid, zei Lindy. Ik moest onmiddellijk weg. In dat geval kon de bibliotheek blijven rekenen op het geld, de computerapparatuur en de software die Devore verstrekte. Zo niet, dan werd de kraan meteen dichtgedraaid. Ze zei dat ze het belang van de gemeenschap moest afwegen tegen iets waarvan ze wist dat het verkeerd was... Ze zei dat het een van de moeilijkste beslissingen was die ze ooit had moeten nemen...'

'Ja.' Mijn hand bewoog zelfstandig over het schrijfblok, als een planchette over een Ouija-bord. Er ontstonden de woorden ALSJEBLIEFT MAG

IK ALSJEBLIEFT. 'Dat is misschien ten dele waar, maar Mattie... Hoeveel denk je dat Lindy verdient?'

'Ik weet het niet.'

'Ik wed dat het meer is dan drie andere bibliothecaresses in kleine plaatsjes in de staat Maine bij elkaar.'

Op de achtergrond hoorde ik Ki: 'Mag ik praten, Mattie? Mag ik met Mike praten? Alsjeblieft, mag ik alsjeblieft?'

'Straks, schatje.' En toen tegen mij: 'Misschien. Ik weet alleen dat ik mijn baan terug heb, en dat wat mij betreft alles vergeten en vergeven is.'

Op het schrijfblok tekende ik nu een boek. Toen tekende ik een serie elkaar overlappende cirkels tussen het boek en het T-shirt met de eend.

'Ki wil met je praten,' zei Mattie lachend. 'Ze zegt dat jullie gisteravond samen naar de jaarmarkt van Fryeburg zijn geweest.'

'Oei, dus je bedoelt dat ik een afspraakje met een mooi meisje had en de hele tijd heb zitten slapen?'

'Daar lijkt het op. Ben je zover?'

'Ja.'

'Goed, dan komt hier de kletskous.'

Ik hoorde wat geruis door de telefoon, en toen had ik Ki aan de lijn. 'Ik stekkelde je op de jaarmarkt, Mike! Ik stekkelde mijn eigen quartermack!'

'O ja?' vroeg ik. 'Wat een droom, hè, Ki?'

Er volgde een lange stilte aan de andere kant van de lijn. Ik kon me voorstellen dat Mattie zich afvroeg wat er met haar telefoonkletskous was gebeurd. Ten slotte zei Ki met een aarzelende stem: 'Jij daar ook.' *Da-ook*, weer die exotische klanken. 'We zagen de slangendansmevrouwen... de mast met de bel bovenin... we gingen het spokiehuis in... jij viel in de ton! Het was geen droom... Of wel?'

Ik had haar ervan kunnen overtuigen dat het wel degelijk een droom was geweest, maar dat leek me opeens een slecht idee, in zekere zin zelfs een gevaarlijk idee. Ik zei: 'Jij had een mooie hoed op en een mooie jurk aan.'

'*Ja!*' Ki klonk enorm opgelucht. 'En *jíj* had...'

'Kyra, stop. Luister naar me.'

Ze zweeg meteen.

'Het is beter dat je niet te veel over die droom praat, denk ik. Niet met je mama en ook niet met iemand anders.'

'Behalve met jou.'

'Ja. En dat geldt ook voor de koelkastmensen. Afgesproken?'

'Afgesproken. Mike, er was een vrouw in Matties kleren.'

'Dat weet ik,' zei ik. Ze kon vrijuit spreken, daar was ik zeker van, maar toch vroeg ik: 'Waar is Mattie nu?'

'De bloemen water geven. We hebben veel bloemen, wel een miljard. Ik moet de tafel afruimen. Dat is een karwei. Maar ik vind het niet erg. Ik hou van karweien. We hadden Franse toast. Dat hebben we op zondag altijd. Het is jammie, vooral met aardbeiensiroop.'

'Dat weet ik,' zei ik, en ik tekende een pijl naar het stuk brood met de baret. 'Franse toast is erg lekker. Ki, heb je je mama over die vrouw in haar jurk verteld?'

'Nee. Ik dacht dat het haar bang zou maken.' Ze dempte haar stem. 'Daar komt ze!'

'Goed... Maar we hebben een geheim, ja?'

'Ja.'

'Mag ik nu weer met Mattie praten?'

'Goed.' Haar stem verwijderde zich een beetje van de hoorn. 'Mammie-bammie, Mike wil met je praten..' Toen sprak ze weer tegen mij: 'Kom je vandaag op bisite? Dan gaan we weer picknicken.'

'Vandaag kan ik niet, Ki. Ik moet werken.'

'Mattie werkt nooit op zondag.'

'Nou, als ik een boek aan het schrijven ben, schrijf ik elke dag. Dat moet wel, anders vergeet ik het verhaal. Maar misschien kunnen we dinsdag picknicken. Een barbecuepicknick bij jullie thuis.'

'Duurt het lang tot dinsdag?'

'Niet zo heel lang. De dag na morgen.'

'Duurt het lang om een boek te schrijven?'

'Tamelijk lang.'

Ik hoorde Mattie tegen Ki zeggen dat ze de telefoon moest overgeven.

'Ja. Nog heel even. Mike?'

'Ik ben er nog, Ki.'

'Ik hou van je.'

Ik was tegelijk ontroerd en bang. Een ogenblik was ik er zeker van dat mijn keel zou worden dichtgesnoerd, zoals altijd met mijn borst gebeurde als ik probeerde te schrijven. Toen trok dat gevoel weer weg en zei ik: 'Ik hou ook van jou, Ki.'

'Hier komt Mattie.'

Opnieuw was er dat ruisende geluid van een telefoon die wordt overgegeven, en toen zei Mattie: 'Heeft dat je herinnering aan je afspraakje met mijn dochter weer wat opgefrist?'

'Nou,' zei ik, 'in ieder geval heeft het háár geheugen opgefrist.' Er was een schakel tussen Mattie en mij, maar die strekte zich niet uit tot dit – daar was ik zeker van.

Ze lachte. Ik vond dat ze die morgen erg gelukkig klonk en ik wilde haar niet in de put praten... maar ik wilde ook niet dat ze de witte lijnen op het midden van de weg voor een zeeplapad aanzag.

'Mattie, je moet toch voorzichtig zijn. Dat Lindy Briggs je je baan heeft teruggegeven, wil nog niet zeggen dat iedereen in de TR opeens je vriend is.'

'Dat begrijp ik,' zei ze. Ik dacht er weer aan om haar te vragen of ze had overwogen een tijdje met Ki naar Derry te gaan – ze konden de hele zomer in mijn huis blijven wonen, als het zolang duurde voordat de dingen hier bij het meer weer normaal werden. Maar dat zou ze niet doen. Toen ik haar een dure advocaat uit New York aanbood, had ze geen keus gehad. Maar nu wel. Of tenminste, ze dacht dat ze een keus had, en hoe zou ik haar op andere gedachten kunnen brengen? Ik beschikte niet over logische redenen of samenhangende feiten; ik had alleen een vage donkere gedaante, als iets wat onder twintig centimeter ijs ligt.

'Ik wil dat je vooral op je hoede bent voor twee mannen,' zei ik. 'De een is Bill Dean. De ander is Kenny Auster. Dat is de man...'

'... met de hond die een zakdoek draagt. Hij...'

'Dat is Boeberry!' riep Ki vanuit de kamer. 'Boeberrie likte over mijn gezichie!'

'Ga buiten spelen, schatje,' zei Mattie.

'Ik ruim de tafel af.'

'Dat kan later wel. Ga nu naar buiten.' Er volgde een stilte waarin ze Ki met Strickland in haar armen de caravan uit zag gaan. Hoewel het meisje buiten was, sprak Mattie nog steeds op de gedempte toon van iemand die niet wil dat iemand haar hoort. 'Probeer je me bang te maken?'

'Nee,' zei ik, en ik tekende nog meer cirkels om het woord GEVAAR. 'Maar ik wil dat je voorzichtig bent. Bill en Kenny zaten misschien in Devores team, net als Footman en Osgood. Vraag me niet waarom ik dat denk, want dat zou ik je niet kunnen vertellen. Het is alleen een gevoel, maar sinds ik in de TR terug ben, is er iets met mijn gevoel aan de hand.'

'Wat bedoel je?'

'Draag je een T-shirt met een eend erop?'

'Hoe weet je dat? Heeft Ki het je verteld?'

'Nam ze daarnet die kleine pluchen hond uit haar Happy Meal mee naar buiten?'

Een lange stilte. Ten slotte zei ze: 'Mijn god.' Ze zei dat met zo'n zachte stem dat ik het nauwelijks kon horen. En toen weer: 'Hoe...'

'Ik wéét niet hoe. Ik wéét ook niet of je nog in... in moeilijkheden verkeert, of waarom je daarin zou verkeren, maar ik heb het gevoel van wel. Dat jullie allebei in moeilijkheden verkeren.' Ik had meer kunnen zeggen, maar dan zou ze misschien denken dat ik helemaal gek geworden was.

'Hij is dóód!' riep ze uit. 'Die oude man is dóód! Waarom kan hij ons niet met rust laten?'

‘Misschien doet hij dat ook wel. Misschien vergis ik me in dit alles. Maar het kan toch geen kwaad om voorzichtig te zijn?’

‘Nee,’ zei ze. ‘Meestal is dat waar.’

‘Meestal?’

‘Waarom kom je niet hierheen, Mike? Misschien kunnen wíj samen naar de jaarmarkt gaan.’

‘Misschien doen we dat in het najaar. Wij met zijn drieën.’

‘Dat zou ik leuk vinden.’

‘Intussen denk ik nog na over die sleutel.’

‘Denken is de helft van jouw probleem, Mike,’ zei ze, en ze lachte weer. Ze lachte een beetje zuur, vond ik. En ik begreep wat ze bedoelde. Wat ze niet scheen te begrijpen, was dat voelen de andere helft was. Het is een katapult, en ik denk dat die uiteindelijk de meesten van ons doodgooit.

Ik werkte een tijdje, droeg de IBM weer het huis in en liet het manuscript erbovenop liggen. Ik was er klaar mee, althans voorlopig. Ik zocht niet meer naar een weg terug door de kleerkast – geen Andy Drake en John Shackleford meer tot dit voorbij was. En toen ik voor het eerst in weken (zo leek het tenminste) een lange broek en een keurig overhemd aanhad, schoot me te binnen dat iets – een of andere kracht – me misschien had proberen te verdoven met het verhaal dat ik aan het vertellen was – me had verdoofd door me weer te laten werken. Dat zou logisch zijn. Werk was altijd mijn favoriete drug geweest, nog beter dan drank of dan de Mellaril die nog steeds in het medicijnkastje in de badkamer lag. Of misschien was werk alleen maar het afleveringssysteem, de spuit met alle dromerige dromen erin. Misschien was de trance de echte drug. Soms hoorde je ook basketbalspelers zeggen dat ze in trance raakten. Ik was in trance en ik kon dat echt voelen.

Ik pakte mijn autosleutels van het aanrecht en keek daarbij naar de koelkast. De magneetjes vormden weer een kring. In het midden stond een boodschap die ik al eerder had gezien en die nu meteen begrijpelijk was, dankzij de extra Magnabet-letters:

help haar

‘Ik doe mijn best,’ zei ik, en ik ging naar buiten.

Vijf kilometer noordwaarts langs Route 68 – dan ben je op het deel dat vroeger Castle Rock Road werd genoemd – ligt een tuincentrum. Slips ’n Greens heet het, en Jo kwam daar heel geregeld om dingen voor de tuin te kopen of gewoon wat te kletsen met de twee eigenaressen. Een van hen was Helen Auster, Kenny’s vrouw.

Ik reed daar die zondagmorgen om ongeveer tien uur naar toe (het was natuurlijk open; in het toeristenseizoen wordt bijna elke winkelier uit Maine een heiden) en parkeerde naast een Beamer met een nummerbord uit de staat New York. Ik bleef nog even zitten om de weersvoorspelling op de radio te horen – aanhoudend warm en vochtig weer, nog minstens achtenveertig uur – en stapte toen uit. Een vrouw in een badpak en een rok, met een gigantische gele zonnehoed op, kwam met een zak tuinaarde in haar armen naar buiten. Ze keek me met een glimlachje aan. Ik beantwoordde dat glimlachje met achttien procent rente. Ze kwam uit New York. Dat betekende dat ze geen Martiaan was.

In het tuincentrum was het nog heter en vochtiger dan buiten in de witte ochtend. Lila Proulx, de mede-eigenares, was aan het telefoneren. Er stond een kleine ventilator achter de kassa en ze stond daar recht voor om de voorkant van haar mouwloze blouse op te laten waaien. Ze zag me en wriemelde even met haar vingers om me te groeten. Ik wriemelde terug en voelde me net iemand anders. Werk of geen werk, ik was nog in trance. Zo voelde ik me nog steeds.

Ik liep het tuincentrum door, pakte gedachteloos een paar dingen op, keek vanuit mijn ooghoek naar Lila en wachtte tot ze klaar was met telefoneren en ik met haar kon praten... en al die tijd zoemde mijn eigen persoonlijke hyperdrive zachtjes door. Eindelijk hing ze op. Ik liep naar de toonbank.

'Michael Noonan, wat ben ik blij jou te zien!' zei ze, en ze begon mijn aankopen aan te slaan. 'Ik vond het verschrikkelijk toen ik hoorde dat Johanna overleden was. Laat ik dat meteen zeggen. Jo was een schat.'

'Dank je, Lila.'

'Geen dank. We hoeven er verder niets meer over te zeggen, maar zoiets kun je het beste meteen afhandelen. Dat heb ik altijd gevonden en zal ik altijd blijven vinden. Meteen afhandelen. Ga je een beetje tuinieren?'

'Als het ooit afkoelt.'

'Ja! Is het niet erg?' Ze flapte weer met de bovenkant van haar blouse om me te laten zien hoe erg het was en wees toen naar een van mijn aankopen. 'Wil je dat in een apart zakje? Veilig is veilig, zeg ik altijd maar.'

Ik knikte en keek toen naar een klein schoolbord dat tegen de toonbank stond. VERSE BOSBESSEN, stond erop. NIEUWE OOGST!

'Ik neem ook een pond bosbessen,' zei ik. 'Als ze maar niet van vrijdag zijn. Dan pluk ik ze net zo lief zelf.'

Ze knikte enthousiast, alsof ze dat wilde beamen. 'Deze zaten gisteren nog aan de struik. Is dat vers genoeg?'

'Prima,' zei ik. 'Blueberry, zo heet Kenny's hond toch ook?'

'Ja, grappig, hè? God, ik ben gek op grote honden, als ze zich goed gedragen.' Ze draaide zich om, pakte een pond bosbessen uit haar kleine koelkastje en deed ze voor me in een andere zak.

'Waar is Helen?' vroeg ik. 'Heeft ze een vrije dag?'

'Zij niet,' zei Lila. 'Als ze in de TR is, is ze met geen stok uit de zaak te slaan. Zij en Kenny en de kinderen zijn naar Taxachusetts. Zij en haar broer met zijn gezin huren 's zomers altijd twee weken een huisje aan zee. Ze zijn allemaal vertrokken. Die ouwe Blueberry rent daar achter de zeemeeuwen aan tot hij erbij neervalt.' Ze lachte – het was een harde, hartelijke lach die me aan Sara Tidwell deed denken. Of misschien kwam dat door de manier waarop Lila me aankeek. Er zat geen lach in haar ogen. Die waren klein en ernstig, koele nieuwsgierige ogen.

Wil je daar nou eens mee ophouden, zei ik tegen mezelf. *Ze kunnen niet allemaal in het complot zitten, Mike!*

Of wel? Er bestaat wel degelijk zoiets als een dorpsbewustzijn – iemand die daaraan twijfelt, is nooit op een dorpsbijeenkomst in New England geweest. En als er een bewustzijn is, zal er toch ook wel een onderbewustzijn zijn? En als de gedachtewerelden van Kyra en mij konden samensmelten, kon dat bij andere mensen in de TR-90 toch ook gebeuren, misschien zelfs zonder dat ze het doorhadden? We deelden allemaal dezelfde lucht, hetzelfde land. We deelden het meer en het grondwater, dat onder alles lag, onderaards water dat naar rotsen en mineralen smaakte. We deelden ook De Straat, dat paadje waar brave puppy's en schurftige honden zij aan zij liepen.

Toen ik met mijn aankopen in een jute boodschappentas naar buiten wilde lopen, zei Lila: 'Wat erg, hè, van Royce Merrill. Heb je het al gehoord?'

'Nee,' zei ik.

'Gisteravond van zijn keldertrap gevallen. Wat een man van zijn leeftijd op zo'n steil trappetje doet, is me een raadsel, maar ja, als je zo oud bent als hij, zul je wel je eigen redenen hebben om dingen te doen.'

Is hij dood? wilde ik vragen, maar ik formuleerde het anders. Op die manier vroeg je zoiets niet in de TR. 'Is hij overleden?'

'Nog niet. De ambulance heeft hem naar het ziekenhuis van Castle County gebracht. Hij ligt in coma.' Ze sprak het uit als *comber*. 'Ze denken dat hij niet meer wakker wordt, die arme kerel. Met hem gaat een stukje geschiedenis dood.'

'Dat denk ik ook.' *Opgeruimd staat netjes*, dacht ik. 'Heeft hij kinderen?'

'Nee. Tweehonderd jaar zijn er Merrills op de TR geweest; er is er een omgekomen op Cemetery Ridge. Maar ja, alle oude families zijn aan het uitsterven. Een prettige dag verder, Mike.' Ze glimlachte. Haar ogen bleven dof en serieus.

Ik stapte in mijn Chevrolet, zette mijn tas met aankopen naast me op de voorbank en bleef toen nog even zitten om mijn gezicht en hals door de airconditioning te laten verkoelen. Kenny Auster was in Taxachusetts. Dat was goed. Een stap in de goede richting.

Maar mijn huisbeheerder was er nog.

'Bill is er niet,' zei Yvette. Ze stond in de deuropening en blokkeerde die zo goed mogelijk (dat lukt je maar tot op zekere hoogte, als je een meter zestig bent en een kilo of vijftig weegt). Ze keek me aan met de doordringende blik van een nachtclubuitsmijter die een dronken kerel die al een keer aan zijn oren naar buiten is gesleept de toegang ontzegt.

Ik stond op de veranda van het smetteloos onderhouden Cape Codhuis dat op de top van Peabody Hill staat en helemaal tot New Hampshire en Vermont uitkijkt. Bills gereedschapsschuurtjes stonden op een rij aan de linkerkant van het huis, allemaal geverfd in dezelfde tint grijs, allemaal met een eigen bord: DEAN HUIZENBEHEER No. 1, No. 2 en No. 3. Voor No. 2 stond Bills Dodge Ram geparkeerd. Ik keek ernaar en keek toen Yvette weer aan. Haar lippen verstrakten. Nog een beetje meer en ze zouden helemaal verdwijnen.

'Hij is met Butch Wiggins naar North Conway,' zei ze. 'Ze gingen in Butch' wagen. Om...'

'Je hoeft niet voor me te liegen, liefste,' zei Bill achter haar.

Het was pas elf uur in de morgen, en bovendien de Dag des Heren, maar ik had nog nooit iemand gehoord die zo vermoeid klonk. Hij sjokte door de hal, en toen hij uit de schaduw in het licht kwam – de zon brandde eindelijk door de nevel heen – zag ik dat Bill er nu zo oud uitzag als hij was. Hij zag er geen dag jonger uit, eerder tien jaar ouder. Zoals gewoonlijk droeg hij een kaki overhemd en broek – Bill Dean zou een Dickies-man blijven tot de dag waarop hij stierf – maar zijn schouders waren ingezakt, bijna uitgerekt, alsof hij een week lang met te zware emmers had gesjouwd. Het wegvallen van zijn gezicht was begonnen, een niet te beschrijven proces waardoor zijn ogen te groot leken, zijn kin te ver naar voren stak, zijn mond een beetje slapper werd. Hij leek oud. En hij had ook geen kinderen die de familietraditie van het huizenbeheer konden voortzetten. Alle oude families stierven uit, had Lila Proulx gezegd. En misschien was dat maar goed ook.

'Bill...' begon ze, maar hij hief een van zijn grote handen om haar tot zwijgen te brengen. De eeltige vingertoppen trilden een beetje.

'Ga even naar de keuken,' zei hij tegen haar. 'Ik moet met mijn *compadre* hier praten. Het duurt niet lang.'

Yvette keek hem aan, en toen ze mij weer aankeek, was er inderdaad geen millimeter van haar lippen meer te zien. Waar de lippen hadden gezeten, zag je nu alleen nog een zwarte streep, alsof ze er vlug met een potlood overheen was gegaan. Het was volkomen duidelijk dat ze me haatte.

'Maak hem niet te moe,' zei ze tegen mij. 'Hij heeft niet geslapen. Dat komt door de warmte.' Ze liep door de gang terug, een en al stijve rug en hoge schouders, en verdween in een schaduw die waarschijnlijk koel was. In huizen van oude mensen lijkt het altijd koel, is je dat weleens opgevallen?

Bill kwam de veranda op en stak zijn grote handen in zijn broekzakken zonder ze door mij te laten schudden. 'Ik heb je niets te zeggen. Jij en ik hebben niets meer met elkaar te maken.'

'Waarom, Bill? Waarom hebben wij niets meer met elkaar te maken?'

Hij keek naar het westen, waar de heuvels het brandende zomerwaas in stapten en daarin verdwenen voordat ze bergen konden worden, en zei niets.

'Ik probeer die jonge vrouw te helpen.'

Hij keek me vanuit zijn ooghoeken aan, een blik die maar al te duidelijk was. 'Ja. Je helpt je in haar broek. Ik zie vaak mannen uit New York en New Jersey met hun jonge meisjes hierheen komen. Zomerweekends, skiweekends, het maakt niet uit. Mannen die met meisjes van die leeftijd gaan, zien er allemaal hetzelfde uit. Hun tong hangt uit hun mond zelfs als ze die dicht hebben. Nu zie jij er ook zo uit.'

Ik voelde me zowel kwaad als opgelaten, maar ik wist dat hij dat juist wilde en verzette me ertegen.

'Wat is hier gebeurd?' vroeg ik hem. 'Wat hebben jullie vaders en grootvaders en overgrootvaders met Sara Tidwell en haar familie gedaan? Jullie hebben ze niet alleen maar weggejaagd, hè?'

'Dat hoefde niet,' zei Bill, en hij keek langs me heen naar de heuvels. Zijn ogen waren zo vochtig dat de tranen er bijna in stonden, maar zijn kin stak strak naar voren. 'Ze gingen uit zichzelf weg. Er is nog nooit een nikker geweest zonder jeuk onder zijn voet, zei mijn vader altijd.'

'Wie had die klem gezet waardoor Son Tidwells zoon gedood is? Was dat jouw vader, Bill? Was het Fred?'

Zijn ogen bewogen; zijn kin bewoog niet. 'Ik weet niet waar je het over hebt.'

'Ik hoor hem huilen in mijn huis. Weet je hoe het is om een dood kind in je huis te horen huilen? *Een of andere rotschoft heeft hem als een beest in een klem laten lopen en ik hoor hem huilen in mijn huis, verdomme!*

'Je hebt een nieuwe huisbeheerder nodig,' zei Bill. 'Ik kan het niet meer voor je doen. Ik wil het niet. Wat ik wil, is dat je van mijn veranda af gaat.'

'Wat is er aan de hand? Help me dan toch.'

'Ik zal je helpen met de punt van mijn schoen, als je niet maakt dat je wegkomt.'

Ik keek hem nog even aan, zag zijn natte ogen en strakke kaak, zag de gespletenheid van zijn persoonlijkheid op zijn gezicht.

'Ik heb mijn vrouw verloren, ouwe rotzak,' zei ik. 'En jij zei dat je van haar hield.'

Nu bewoog zijn kin eindelijk. Hij keek me verrast en gekwetst aan. 'Dat is niet hiér gebeurd,' zei hij. 'Dat heeft niets met híer te maken. Misschien was ze buiten de TR omdat... nou, misschien had ze haar redenen om buiten de TR te zijn... maar ze had gewoon een hartaanval. Dat kon overal gebeuren. *Overal.*'

'Dat geloof ik niet. En volgens mij geloof jij dat ook niet. *Iets is haar naar Derry gevolgd*, misschien omdat ze zwanger was...'

Bill sperde zijn ogen open. Ik gaf hem de kans om iets te zeggen, maar hij deed het niet.

'... of misschien gewoon omdat ze te veel wist.'

'Ze had een hartaanval.' Bills stem trilde een beetje. 'Ik heb zelf het overlijdensbericht gelezen. Ze had een hartaanval!'

'Wat was ze te weten gekomen? Vertel het me, Bill. Alsjeblieft.'

Er volgde een lange stilte. Zolang die voortduurde, verbeeldde ik me de luxe dat ik misschien toch nog tot hem door zou dringen.

'Ik heb je nog maar één ding te zeggen, Mike – ga weg. Doe het voor je onsterfelijke ziel: ga weg en laat de dingen op hun beloop. De dingen gaan toch hun eigen gang, of jij het nu wilt of niet. De rivier is bijna tot de zee gekomen; hij laat zich niet meer indammen door iemand als jij. Ga weg. In godsnaam.'

Denk je weleens aan je ziel, Noonan? Gods vlinder in een cocon van vlees die binnen korte tijd net zo zal stinken als de mijne?

Bill draaide zich om en liep naar de deur. De hakken van zijn werkschoenen stampten over de geverfde planken.

'Blijf bij Mattie en Ki vandaan,' zei ik. 'Als je ook maar in de buurt van die caravan komt...'

Hij draaide zich naar me om, en het wazige zonlicht glinsterde op de vochtsporen onder zijn ogen. Hij haalde een halsdoek uit zijn achterzak en veegde over zijn wangen. 'Ik kom dit huis niet uit. Ik wou bij god dat ik nooit van vakantie was teruggekomen, maar dat deed ik – vooral voor jou, Mike. Die twee op Wasp Hill hebben niets van mij te vrezen. Nee, niet van míj.'

Hij ging naar binnen en sloot de deur. Ik stond ernaar te kijken en voelde me onecht – het was toch niet mogelijk dat ik zo'n dodelijk gesprek met Bill Dean had gehad? Bill die me had verweten dat ik de mensen niet de kans had gegeven mijn verdriet om Jo met hen te delen en me misschien te troosten, Bill die me zo hartelijk had verwelkomd toen ik terugkwam?

Toen hoorde ik een *klak*-geluid. Misschien had hij in zijn hele leven nog nooit zijn deur op slot gedaan als hij thuis was, maar nu deed hij het. Die *klak* was erg duidelijk te horen in de roerloze zomerlucht. Dat geluid vertelde me alles wat ik over mijn lange vriendschap met Bill

Dean moest weten. Ik draaide me om en liep met gebogen hoofd naar mijn auto terug. En ik draaide me ook niet om toen ik achter me een raam hoorde opengaan.

'Waag het niet hier ooit nog te komen, ellendeling!' schreeuwde Yvette over de smoorhete voortuin heen. 'Je hebt zijn hart gebroken! Waag het niet ooit terug te komen. Waag het niet!'

'Alsjeblieft,' zei mevrouw M. 'Stel me geen vragen meer, Mike. Ik kan het me niet veroorloven Bill Dean tegen me in het harnas te jagen, net zo min als mijn moeder zich dat bij Normal Auster of Fred Dean kon veroorloven.'

Ik verplaatste de telefoon naar mijn andere oor. 'Ik wil alleen maar weten of...'

'In dit deel van de wereld hebben de huizenbeheerders het zo ongeveer voor het zeggen. Als ze tegen een zomergast zeggen dat hij timmerman zus of elektricien zo moet nemen, dan gebeurt dat. Of als een huisbeheerder zegt dat iemand moet worden ontslagen omdat hij niet te vertrouwen is, wordt hij ontslagen. Of *zíj*. Want wat voor loodgieters en tuinmannen en elektriciens geldt, heeft altijd dubbel voor werksters gegolden. Als je aanbevolen wilt worden – en aanbevolen wilt *blíj*ven – moet je zorgen dat je in een goed blaadje blijft staan bij mensen als Fred en Bill Dean, of Normal en Kenny Auster. Dat begrijp je toch wel?' Ze zei het bijna smekend. 'Toen Bill merkte dat ik jou had verteld wat Normal Auster met Kerry heeft gedaan, oooo, wat was hij toen kwaad op me.'

'Kenny Austers broertje – het kind dat door Normal onder de pomp verdronken is – heette die Kerry?'

'Ja. Kenny en Kerry. Ik heb veel mensen gekend die zoiets met de namen van hun kinderen deden, omdat ze het grappig vonden. Ik heb op school gezeten met een broer en zus die Roland en Rolanda Therriault heetten. Ik denk dat Roland nu in Manchester woont, en Rolanda is getrouwd met die jongen van...'

'Brenda, nog één vraag. Ik zal het nooit tegen iemand zeggen. Alsjeblieft?'

Ik wachtte met ingehouden adem op de klik die zou komen als ze haar hoorn op de haak legde. In plaats daarvan sprak ze met een zachte, bijna spijtige stem twee woorden. 'Wat dan?'

'Wie was Carla Dean?'

Ik wachtte weer een hele tijd. Mijn hand speelde met het lint dat uit Ki's strohoed van rond de eeuwwisseling afkomstig was. 'Je mag tegen niemand zeggen dat ik je iets heb verteld,' zei ze ten slotte.

'Dat zal ik niet doen.'

'Carla was Bills tweelingzus. Ze is vijfenzestig jaar geleden gestorven, in de tijd van de branden.' De branden die volgens Bill door Ki's grootvader waren aangestoken – zijn afscheidscadeau voor de TR. 'Ik weet niet precies hoe het gebeurd is. Bill praat er nooit over. Als je tegen hem zegt dat ik het je heb verteld, mag ik nooit meer een bed opmaken in de TR. Daar zal hij voor zorgen.' En toen zei ze op wanhopige toon: 'Hij komt er misschien toch wel achter.'

Op grond van mijn eigen ervaringen nam ik aan dat ze gelijk had. Ook in dat geval zou ze tot aan haar pensioen iedere maand een cheque van me krijgen. Maar ik was niet van plan haar dat door de telefoon te vertellen – het zou haar Yankee-ziel kwetsen. In plaats daarvan bedankte ik haar. Ik beloofde nogmaals dat ik het niemand zou vertellen en hing op.

Ik bleef nog even aan de tafel zitten, starend naar Bunter, en zei toen: 'Wie is daar?'

Geen antwoord.

'Kom,' zei ik. 'Niet zo verlegen. Laten we negentien of tweeënnegentig omlaag gaan. Of als dat niet kan, laten we dan praten.'

Nog steeds geen antwoord. Nog geen trilling van de bel om de nek van de opgezette eland. Ik keek naar de dingen die ik op papier had gezet toen ik met Jo's broer praatte en trok het schrijfblok naar me toe. Ik had *Kia*, *Kyra*, *Kito* en *Carla* in een vakje gezet. Nu kraste ik de benedenlijn van dat vakje door en voegde de naam *Kerry* aan de lijst toe. *Ik heb veel mensen gekend die zoiets met de namen van hun kinderen deden, omdat ze het grappig vonden*, had mevrouw M. gezegd.

Ik vond het niet grappig; ik vond het angstaanjagend.

Het schoot me te binnen dat minstens twee van die bijna-naamgenoten waren verdronken – Kerry Auster onder een pomp, Kia Noonan in het stervende lichaam van haar moeder toen ze niet veel groter dan een zonnebloemzaadje was. En ik had de geest van een derde verdronken kind in het meer gezien. Kito? Was dat Kito geweest? Of was Kito degene die aan bloedvergiftiging was gestorven?

Ze geven hun kinderen bijna dezelfde namen, want dat vinden ze grappig.

Hoeveel bijna-naamgenoten waren er oorspronkelijk geweest? Hoeveel waren er nog over? Ik dacht dat het antwoord op de eerste vraag niet belangrijk was, en dat ik het antwoord op de tweede vraag al wist. *De rivier is bijna tot de zee gekomen*, had Bill gezegd.

Carla, Kerry, Kito, Kia... allemaal dood. Alleen Kyra Devore was er nog.

Ik stond zo abrupt op dat ik mijn stoel omgooide. Door het gekletter gaf ik een schreeuw. Ik ging weg, nu meteen. Ik zou niemand meer bellen, ik zou niet meer voor Andy Drake de privédetective spelen, ik zou geen verklaringen meer afleggen en ik zou de schone jonkvrouw niet meer het hof maken. Ik had op mijn intuïtie moeten afgaan en die eerste avond meteen hard moeten wegrijden. Nou, ik ging weg. Ik zou in de Chevrolet stappen en als de wiedeweerga naar Der...

Bunters bel begon verwoed te rinkelen. Ik draaide me om en zag dat de bel om zijn nek slingerde alsof hij heen en weer werd geslagen door een hand die ik niet kon zien. De schuifdeur naar de veranda vloog open en klapte dicht alsof hij aan een onzichtbare katrol vastzat. Het puzzelboek met *Lastige hersenkrakers* op het bijzettafeltje en de televisiegids fladderden open. Er volgde een ratelende serie bonkgeluiden over de vloer, alsof iets enorms snel op me af kroop en daarbij met zijn vuisten sloeg.

Een luchtstroom – niet koud maar warm, als de luchtstroom van een metrotrein op een zomeravond – streek over me heen. In die luchtstroom hoorde ik een vreemde stem zoiets als *Bye-* BY, *bye-* BY, *bye-* BY *zeggen, alsof die stem me een goede reis naar huis wenste. Toen drong tot me door dat die stem in werkelijkheid Ki-Ki, Ki-Ki, Ki-Ki* zei, en op datzelfde moment werd ik door iets geraakt waardoor ik naar voren schoot. Het voelde aan als een grote zachte vuist. Ik viel over de tafel, graaide ernaar om me in evenwicht te houden, gooide het draairekje met zout en peper om, en de servettenhouder, en het vaasje waar mevrouw M. madeliefjes in had gezet. Het vaasje rolde van de tafel en viel kapot. De keukentelevisie ging opeens hard aan en ik hoorde een politicus zeggen dat de inflatie weer in opmars was. De cd-speler ging aan en overstemde de politicus. Het waren de Rolling Stones die een cover van Sara Tidwells 'I Regret You, Baby' zongen. Boven ging een rookalarm af, en toen nog een, en toen een derde. Ze kregen even later gezelschap van het gejodel van mijn autoalarm. De hele wereld was een kakofonie.

Iets warms en zachts pakte mijn pols vast. Mijn hand schoot als een zuiger naar voren en viel met een smak op het stenoblok. Ik zag die hand stuntelig naar een lege bladzijde graaien en toen het potlood pakken dat naast het blok lag. Ik greep het als een dolk vast en toen begon iets ermee te schrijven. Het leidde mijn hand niet maar *verkrachtte* hem. De hand bewoog eerst langzaam, bijna blindelings, en kreeg toen meer snelheid tot hij over het papier vloog en er bijna doorheen scheurde:

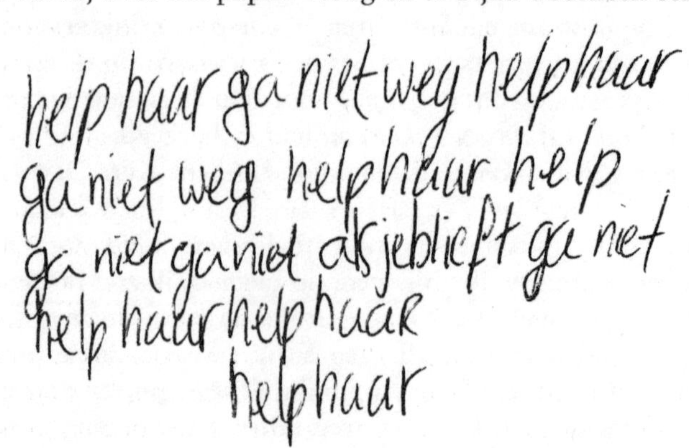

Ik was bijna onder aan de pagina aangekomen toen de kou weer over me neerdaalde, die uitwendige kou die zo venijnig als januarihagel was en die mijn huid verkilde en het snot in mijn neus hard maakte en twee huiverende wolkjes witte lucht uit mijn mond joeg. Mijn hand balde zich tot een vuist en het potlood knapte in tweeën. Achter me liet Bunters bel een laatste verwoede rinkeling horen en werd toen stil. En achter me was een merkwaardig dubbel plopgeluid te horen, als het geluid van champagnekurken die uit flessen werden getrokken. Toen was het voorbij. Wat het ook was geweest – of hoeveel het er ook waren geweest – het was afgelopen. Ik was weer alleen.

Ik zette de cd-speler af op het moment dat Mick en Keith op een blankejongensversie van Howling Wolf overgingen. Daarna rende ik naar boven om de rookdetectoren af te zetten. Ik boog me uit het raam van de grote logeerkamer, richtte mijn sleutelhanger op de Chevrolet beneden en drukte op de knop. Het alarm ging uit.

Nu het ergste lawaai weg was, kon ik de televisie weer horen schetteren in de keuken. Ik ging naar beneden, zette hem uit en verstijfde toen met mijn hand nog op de knop. Ik keek naar Jo's irritante kattenklok met slingerstaart. De staart was eindelijk opgehouden met slingeren en de grote plastic ogen van de kat lagen op de vloer. Ze waren uit zijn kop geplopt.

Ik ging naar het Village Cafe om te eten en pakte de laatste *Sunday Telegram* uit het rek (COMPUTERMAGNAAT DEVORE STERFT IN ZIJN GEBOORTEDORP IN MAINE, luidde de kop) voordat ik aan het buffet ging zitten. De bijbehorende foto was een studiofoto van Devore waarop hij ongeveer dertig jaar oud leek. Hij glimlachte. De meeste mensen doen dat van nature. Op Devores gezicht leek het iets wat hij had aangeleerd.

Ik bestelde de bonen die van Buddy Jellisons 'Zaterdagavond Bonenavond' waren overgebleven. Mijn vader hield niet van aforismen – in mijn familie was het moeders taak om kleine wijsheden te debiteren – maar als papa op zondagmiddag de bonen van zaterdagavond in de oven opwarmde, zei hij altijd dat bonen en hutspot op de tweede dag lekkerder waren. Dat is me bijgebleven. Het enige andere staaltje van vaderlijke wijsheid dat ik me kan herinneren, is dat je altijd je handen moest wassen als je gescheten had in een busstation.

Terwijl ik het verhaal over Devore las, kwam Audrey naar me toe om te vertellen dat Royce Merrill gestorven was zonder nog bij kennis te zijn geweest. De begrafenisdienst zou dinsdagmiddag in de Grace Baptist worden gehouden, zei ze. Het grootste deel van de TR zou er zijn, velen vooral om Ila Meserve de *Boston Post*-wandelstok in ontvangst te zien nemen. Was ik ook van plan te gaan? Nee, zei ik, waarschijnlijk niet. Het leek me verstandig om er niet aan toe te voegen dat ik waarschijnlijk op een overwinningsfeestje bij Mattie Devore zou zijn als Royce aan de overkant van de weg begraven werd.

De gebruikelijke stroom klanten op het eind van de zondagmiddag kwam en ging terwijl ik zat te eten, mensen die hamburgers bestelden, mensen die bonen bestelden, mensen die broodjes kipsalade bestelden, mensen die blikjes bier kwamen kopen. Sommigen kwamen uit de TR, anderen kwamen ergens anders vandaan. Ik lette niet zo erg op hen, en niemand sprak me aan. Ik heb geen idee wie het servet op mijn krant heeft laten vallen, maar toen ik de sportpagina opsloeg, zag ik het liggen. Ik pakte het op om het opzij te schuiven en zag wat met grote donkere letters op de achterkant geschreven was: GA WEG UIT DE TR.

Ik ben er nooit achter gekomen wie het daar heeft neergelegd. Het kan iedereen geweest zijn.

23

De duisternis viel weer en veranderde de schemering van die zondagavond tot iets van decadente schoonheid. De zon werd roder naarmate hij naar de heuvels zakte, en de nevel pikte die rode gloed op en veranderde de westelijke hemel in een bloedneus. Ik zat er op de veranda naar te kijken en probeerde een cryptogram op te lossen, al wilde dat niet erg lukken. Toen de telefoon ging, liet ik *Lastige hersenkrakers* op mijn manuscript vallen en ging opnemen. Ik was het zat om iedere keer dat ik langs het manuscript kwam de titel van mijn boek te lezen.

'Hallo?'

'Hoe staan de zaken daar?' vroeg John Storrow. Hij nam niet eens de moeite om me te begroeten. Toch klonk hij niet kwaad, eerder opgewonden. 'Ik mis al die smeuïge verwikkelingen!'

'Ik heb mezelf uitgenodigd voor de lunch op dinsdag,' zei ik. 'Ik hoop dat je dat niet erg vindt.'

'Nee, best. Hoe meer zielen, hoe meer vreugd.' Het klonk alsof hij het werkelijk meende. 'Wat een zomer, hè? Wat een zomer! De laatste tijd nog iets gebeurd? Aardbevingen? Vulkanen? Massazelfmoorden?'

'Geen massazelfmoorden, maar die ouwe kerel is dood,' zei ik.

'Shit, de hele wéreld weet dat Max Devore de pijp uit is,' zei hij. 'Verras me, Mike! Verbijster me! Sla me met stomheid!'

'Nee, die *andere* ouwe kerel, Royce Merrill.'

'Ik weet niet wie je... O, wacht. Die met die gouden wandelstok, die kerel die eruitzag alsof hij zo uit *Jurassic Park* was weggelopen?'

'Ja, die.'

'Jammer. En verder...?'

'Verder is alles onder controle,' zei ik, en toen dacht ik aan de uitgeplopte ogen van de kattenklok en schoot bijna in de lach. Dat ik dat niet deed, kwam door de zekerheid dat het goede humeur van mijn gesprekspartner slechts gespeeld was – John belde in werkelijkheid om te vragen of er iets tussen mij en Mattie was. En wat moest ik zeggen? Nog niets? Eén kus, één blauwstalen harde, zoals dat nu eenmaal gaat.

John had andere dingen aan zijn hoofd. 'Hoor eens, Michael, ik belde omdat ik je iets te vertellen heb. Ik denk dat je tegelijk blij en verbaasd zult zijn.'

'Een gemoedstoestand waarnaar wij allen hunkeren,' zei ik. 'Kom maar op.'

'Rogette Whitmore belde, en... je hebt haar toch niet het nummer van mijn ouders gegeven, hè? Ik ben nu weer in New York, maar ze belde me in Philadelphia.'

'Ik hád het nummer van je ouders niet. Je hebt het niet op een van je antwoordapparaten ingesproken.'

'O, goed.' Geen verontschuldiging. Blijkbaar was hij zo opgewonden dat hij niet meer aan zulke beleefdheden dacht. Ik begon me zelf ook opgewonden te voelen, en dat terwijl ik niet eens wist wat er aan de hand was. 'Ik had het aan Mattie gegeven. Denk je dat dat mens van Whitmore Mattie heeft gebeld om haar het nummer te vragen? Zou Mattie het haar geven?'

'Ik weet niet of Mattie, als Rogette in lichterlaaie stond, op haar zou pissen om het vuur te doven.'

'Vulgair, Michael, *très vulgarino*.' Maar hij lachte. 'Misschien is Whitmore er op dezelfde manier aan gekomen als Devore aan jouw nummer.'

'Waarschijnlijk,' zei ik. 'Ik weet niet wat er de komende maanden gaat gebeuren, maar volgens mij heeft ze op dit moment nog toegang tot Max Devores persoonlijke instrumentenpaneel. En als iemand weet hoe de knoppen werken, is zij het. Belde ze uit Palm Springs?'

'Ja. Ze zei dat ze net voor het eerst met Devores advocaten over het testament van de oude man had gesproken. Volgens haar heeft opa tachtig miljoen dollar aan Mattie Devore nagelaten.'

Ik was met stomheid geslagen. Ik was nog niet blij, maar verbaasd was ik zeker.

'Een hele verrassing, hè?' zei John lachend.

'Je bedoelt dat hij het aan Kyra heeft nagelaten,' zei ik ten slotte. 'Dat hij een regeling voor *Kyra* heeft getroffen.'

'Nee, dat heeft hij nou net niet gedaan. Ik heb het Whitmore drie keer gevraagd, en de derde keer begon ik het te begrijpen. Er zat systeem in zijn waanzin. Niet veel, maar een beetje. Er is namelijk een voorwaarde. Als hij het geld aan het minderjarige kind in plaats van de moeder had nagelaten, zou die voorwaarde geen betekenis hebben gehad. Eigenlijk is het grappig, als je bedenkt dat Mattie zelf ook nog maar net meerderjarig is.'

'Grappig,' beaamde ik, en ik dacht aan haar jurk die onder mijn hand gleed, en aan de gladde huid op haar middel. Ik dacht ook aan Bill Dean die had gezegd dat mannen die met meisjes van die leeftijd omgingen altijd hetzelfde leken: hun tong hing naar buiten al hadden ze hun mond dicht.

'Welke conditie heeft hij gesteld?'

'Dat Mattie gedurende het jaar na Devores dood in de TR blijft – dus tot 17 juli 1999. Ze mag dagtochtjes maken, maar ze moet iedere avond om negen uur in haar bed in de TR-90 liggen, anders krijgt ze het geld niet. Heb je van je leven ooit zoiets krankzinnigs gehoord? Afgezien van een oude film van George Sanders, bedoel ik?'

'Nee,' zei ik, en ik herinnerde me het bezoek dat ik met Kyra aan de jaarmarkt van Fryeburg had gebracht. *Zelfs na zijn dood wil hij de voogdij*, had ik gedacht, en natuurlijk was dit hetzelfde. Hij wilde hen hier hebben. Zelfs nu hij dood was, wilde hij hen in de TR hebben.

'En die vlieger gaat niet op?' vroeg ik.

'Natúúrlijk gaat die vlieger niet op. Die ouwe gek had net zo goed kunnen schrijven dat hij haar tachtig miljoen dollar naliet als ze een jaar lang blauwe tampons gebruikte. Maar die tachtig miljoen krijgt ze wel. Al is dat het laatste wat ik voor elkaar krijg. Ik heb al met drie van onze erfrechtspecialisten gepraat, en... zal ik er dinsdag eentje meenemen? Will Stevenson is onze beste man op het gebied van erfrecht. Als Mattie hem wil hebben...' Hij praatte aan één stuk door. Hij had niets gedronken, daar durfde ik heel wat onder te verwedden, maar hij was high van de mogelijkheden die dit alles bood. Wat hem betrof, waren we in het stadium van en-ze-leefden-nog-lang-en-gelukkig gekomen. Assepoester gaat door een wolkbreuk van het bal naar huis.

'... natuurlijk is Will een beetje oud,' hoorde ik John zeggen. 'Ongeveer driehonderd, wat betekent dat hij niet echt een fuifnummer is, maar...'

'Waarom laat je hem dan niet thuis?' zei ik. 'Er is later nog tijd genoeg om Devores wil onder het mes te nemen. En in de nabije toekomst lijkt het me voor Mattie geen probleem om zich aan die onzinnige voorwaarde te houden. Ze heeft haar baan toch terug?'

'Ja, de witte buffel valt dood neer en de hele kudde stuift uiteen!' riep John uit. 'Moet je ze zien gaan! En de nieuwe multimiljonaire gaat boeken op de plank terugzetten en herinneringen sturen aan mensen die te laat zijn met terugbrengen! Goed, dinsdag gaan we feestvieren en verder niets.'

'Goed.'

'Feestvieren tot we moeten kotsen.'

'Nou... Misschien gaan de ouderen onder ons alleen feestvieren tot we een beetje misselijk zijn. Is dat ook goed?'

'Natuurlijk. Ik heb Romeo Bissonette al gebeld, en hij brengt George Kennedy mee, de privédetective die al die schitterende onzin over Durgin heeft ontdekt. Bissonette zegt dat Kennedy hartstikke grappig wordt als hij een paar borrels op heeft. Ik dacht erover wat steaks van Peter Luger mee te brengen, had ik je dat al verteld?'

'Ik geloof van niet.'

'De beste steaks van de wereld. Michael, besef je wel wat er met die jonge vrouw gebeurd is? *Tachtig miljoen dollar!*'

'Dan kan ze Scoutie inruilen.'

'Huh?'

'Laat maar. Kom je morgenavond of dinsdag?'

'Dinsdag om een uur of tien op het vliegveld van Castle County. Ik vlieg met New England Air. Mike, is alles wel goed met je? Je klinkt zo vreemd.'

'Ik voel me prima. Ik ben hier op mijn plaats, denk ik.'

'Wat bedoel je daar nou weer mee?'

Ik was de veranda opgelopen. In de verte rommelde de donder. Het was snikheet en er stond geen zuchtje wind. De zonsondergang was niet meer dan een sombere nagloed en de hemel in het westen leek op het wit van een bloeddoorlopen oog.

'Ik weet het niet,' zei ik, 'maar ik heb zo het idee dat het hier allemaal vanzelf wel goed komt. Ik zie je op het vliegveld.'

'Goed,' zei hij, en toen met een gedempte, bijna plechtige stem: 'Tachtig miljoen pietermannen.'

'Dat is een heleboel sla,' beaamde ik, en ik wenste hem een goede avond.

De volgende morgen zat ik met toast en zwarte koffie in de keuken naar de weerman op de televisie te kijken. Zoals zoveel weermannen van tegenwoordig had hij een lichtelijk getikte uitstraling, alsof al die Doppler-radarbeelden hem tot de grens van iets hadden gedreven. Ik noem dat een Millennial Video Game-gezicht.

'We moeten nog door zesendertig uur van deze soep heen, en dan komt er een grote verandering,' zei hij, en hij wees naar wat donkergrijs schuim dat boven het Middenwesten hing. Kleine, felle bliksemschichtjes dansten als defecte bougies door dat schuim. Ondanks het schuim en de bliksemschichten zag Amerika er helemaal tot aan het woestijnland volkomen helder uit, en de temperaturen waren daar zo'n tien graden lager. 'We krijgen hier vandaag temperaturen van zo'n vijfendertig graden en daar komt vannacht en morgenvroeg niet veel verandering in. Maar morgenmiddag zal het onweer het westen van Maine bereiken, en ik denk dat de meesten van u er behoefte aan zullen hebben om de weerberichten op de voet te volgen. Voordat we op woensdag koelere lucht en een heldere hemel krijgen, zullen we waarschijnlijk te maken krijgen met hevig onweer, zware regen en plaatselijk hagel. Wervelwinden zijn zeldzaam in Maine, maar sommige plaatsen in het westen en midden van Maine kunnen er morgen mee te maken krijgen. Terug naar jou, Earl.'

Earl, de presentator van het ochtendjournaal, had het onschuldige vlezige uiterlijk van een Chippendale die net met pensioen is, en hij las zijn tekst ook op als zo iemand. 'Wauw,' zei hij. 'Dat is nogal een pittige voorspelling, Vince. Kans op wervelstormen.'

'Wauw,' zei ik. 'Zeg nog eens wauw, Earl. Zeg het tot ik tevreden ben.'

'*Holy cow*,' zei Earl om mij dwars te zitten, en toen ging de telefoon. Ik liep erheen en keek in het voorbijgaan naar de slingerklok. Het was een rustige nacht geweest – geen gesnik, geen geschreeuw, geen nachtelijke avonturen – maar evengoed vond ik die klok verontrustend. Hij hing daar oogloos en dood aan de muur, als een boodschap vol slecht nieuws.

'Hallo?'

'Meneer Noonan?'

Ik kende die stem, maar kon hem niet meteen thuisbrengen. Dat kwam doordat ze me meneer Noonan had genoemd. Voor Brenda Meserve was ik al bijna vijftien jaar Mike.'

'Mevrouw Meserve? Brenda? Wat...'

'Ik kan niet meer voor u werken,' zei ze gejaagd. 'Het spijt me dat ik u geen opzegtermijn kan geven – ik ben nooit zonder opzegtermijn gestopt met werken, zelfs niet bij die oude dronken meneer Croyden – maar ik moet wel. Ik hoop dat u er begrip voor hebt.'

'Is Bill erachter gekomen dat ik je heb gebeld? Ik zweer je bij God, Brenda, ik heb nooit een woord gezegd...'

'Nee. Ik heb hem niet gesproken. Ik kan gewoon niet meer naar Sara Laughs komen. Ik heb vannacht een akelige droom gehad. Een verschrikkelijke droom. Ik droomde dat... iets kwaad op me is. Als ik terugkom, zou ik een ongeluk kunnen krijgen. Tenminste, het zou op een ongeluk lijken, maar... dat zou het niet zijn.'

Dat is belachelijk, mevrouw M., wilde ik zeggen. *Je bent de leeftijd voorbij waarop je in kampvuurverhalen over spoken en geesten en monsters met lange poten gelooft.*

Maar natuurlijk kon ik zoiets niet zeggen. Wat in mijn huis gebeurde, was geen kampvuurverhaal. Ik wist dat, en zij wist dat ik het wist.

'Brenda, als ik je in moeilijkheden heb gebracht, vind ik dat heel erg.'

'Ga hier weg, meneer Noonan... Mike. Ga terug naar Derry en blijf daar een tijdje. Dat is het beste wat je kunt doen.'

Ik hoorde dat de letters over de koelkast schoven en draaide me om. Ditmaal zag ik met eigen ogen hoe de kring van groente en fruit tot stand kwam. Die kring bleef aan de bovenkant lang genoeg open om vijf letters naar binnen te laten glijden. Toen maakte een plastic citroentje het gat dicht en was de cirkel compleet.

flijb

zeiden de letters, en toen wisselden ze van plaats en stond er

Toen gingen de cirkel en de letters weer uiteen.

'Mike, *alsjeblieft.*' Mevrouw M. huilde. 'Royce' begrafenis is morgen. Alle belangrijke mensen uit de TR – de oude TR-mensen – zullen er zijn.'

Ja, natuurlijk zouden ze er zijn. De oudjes, de zakken met beenderen die wisten wat ze wisten en zich nergens mee bemoeiden. Alleen hadden sommigen van hen met mijn vrouw gepraat. Royce zelf had met haar gepraat. En nu was hij dood. En zij ook.

'Het zou het beste zijn als je wegging. Misschien kun je die jonge vrouw meenemen. Met haar dochtertje.'

Maar kon ik dat doen? Op de een of andere manier dacht ik van niet. Ik dacht dat wij drieën in de TR zouden blijven tot dit allemaal voorbij was... en ik begon al te vermoeden wanneer dat het geval zou zijn. Er was onweer op komst. Zomers onweer. Misschien zelfs een wervelstorm.

'Brenda, bedankt voor je telefoontje. En ik laat je niet gaan. Zullen we het gewoon een tijdelijk verlof noemen?'

'Goed... wat u maar wilt. Wilt u alstublieft nadenken over wat ik zei?'

'Ja. Intussen kan ik maar beter niemand vertellen dat je me hebt gebeld.'

'Nee!' zei ze. Ze klonk geschokt. 'Maar ze zullen het weten. Bill en Yvette... Dickie Brooks in de garage... De oude Anthony Weyland en Buddy Jellison en alle anderen... Ze zullen het weten. Ik wens u het beste, meneer Noonan. Ik vind het zo erg. Voor u en uw vrouw. Uw arme vrouw. Het spijt me zo.' Toen hing ze op.

Ik hield de telefoon nog een hele tijd in mijn hand. En toen legde ik hem neer, als een man in een droom. Ik liep de kamer door en haalde de oogloze klok van de muur. Ik gooide hem in de vuilnisbak en ging naar het meer om te zwemmen, met in mijn hoofd een verhaal van W.F. Harvey, 'Augustuswarmte', dat eindigt met de regel: 'De hitte is in staat om iemand gek te maken.'

Ik ben geen slechte zwemmer als mensen me niet met stenen bekogelen, maar mijn eerste baantje van wal naar vlot naar wal was aarzelend en onregelmatig – lelijk – omdat ik verwachtte dat iets vanaf de bodem naar me zou graaien. De verdronken jongen misschien. Het tweede baantje verliep beter, en onder het derde baantje genoot ik van de nieuwe energie in mijn hart en de zijdezachte koelte van het water dat aan me voorbij gleed. Op de helft van het vierde baantje trok ik me op aan de ladder van het vlot en liet ik me op de planken vallen. Ik voelde me veel beter dan ik me sinds mijn ontmoeting met Devore en Rogette Whitmore op die vrijdagavond had gevoeld. Ik was nog in trance, en daar kwam bij dat ik voelde hoe de adrenaline door mijn aderen werd gestuwd. Zelfs de schok die ik had gekregen toen mevrouw M. me vertelde dat ze haar ontslag nam, verflauwde nu. Ze zou terugkomen als dit voorbij was; natuurlijk zou ze terugkomen. Voorlopig was het waarschijnlijk beter dat ze wegbleef.

Iets is kwaad op me. Ik zou een ongeluk kunnen krijgen.

Jazeker. Ze zou zich kunnen snijden. Ze zou van de keldertrap kunnen vallen. Ze zou zelfs een hartaanval kunnen krijgen als ze over een heet parkeerterrein rende.

Ik ging rechtop zitten en keek naar Sara op haar heuvel, het terras dat boven de helling uitstak, de bielzentrap naar de oever. Ik was nog maar een paar minuten uit het water, maar de plakkerige hitte van de dag daalde alweer over me neer en ontnam me mijn energie. Het water was nog een spiegel. Ik zag het huis erin weerspiegeld, en in die weerspiegeling werden Sara's ramen waakzame ogen.

Ik dacht dat het middelpunt van alle verschijnselen – het epicentrum – hoogstwaarschijnlijk De Straat tussen het echte Sara en zijn verdronken beeltenis was. *Hier is het gebeurd*, had Devore gezegd. En die oude mensen? De meesten wisten waarschijnlijk wat ik ook wist: dat Royce Merrill vermoord was. En was het niet mogelijk – was het niet waarschijnlijk – dat datgene wat hem had vermoord ook naar hén toe zou komen als ze in hun kerkbanken zaten of na afloop bij zijn graf stonden? Dat het iets van hun kracht zou stelen – of iets van hun schuldgevoel, hun herinneringen, hun *TR*-heid – om het karwei beter te kunnen afmaken?

Ik was erg blij dat John morgen naar de caravan zou komen, en Romeo Bissonette, en George Kennedy, die zo grappig werd als hij een paar borrels op had. Ik was blij dat ik daar niet met Mattie en Ki alleen zou zijn als de oude mensen bij elkaar kwamen om Royce Merrill ten grave te dragen. Het kon me niet veel meer schelen wat er met Sara en de Red-Tops was gebeurd, of zelfs wat er in mijn huis rondspookte. Wat ik nu wilde, was de tijd doorkomen tot het morgen was, en dat Mattie en Ki die tijd ook doorkwamen. We zouden gaan eten voordat de regen begon en dan de voorspelde onweersbuien afwachten. Ik dacht dat als we dat onweer konden doorstaan, ons leven en onze toekomst tegelijk met de lucht weer helder zouden worden.

'Is dat goed?' vroeg ik. Ik verwachtte geen antwoord – hardop praten was een gewoonte die ik had opgepikt sinds ik hier was teruggekomen – maar ergens in de bossen ten oosten van het huis kraste een uil. Eén keer maar, alsof hij wilde zeggen dat het goed wás: de tijd doorkomen tot morgen en dan werd alles weer helder. Die uil deed me bijna aan iets anders denken, een associatie die uiteindelijk net even te vaag was om helemaal tot me door te dringen. Ik probeerde het een of twee keer, maar het enige dat ik kon bedenken was de titel van een geweldige oude roman – *Ik hoorde de uil mijn naam roepen*.

Ik liet me van het vlot in het water zakken en trok mijn knieën tegen mijn borst als een kind dat een bommetje maakt. Ik bleef zo lang mogelijk onder water, tot de lucht in mijn longen begon aan te voelen als hete gebottelde vloeistof, en toen dook ik op. Zo'n dertig meter van de wal bleef ik watertrappelen tot ik weer op adem was, en toen richtte ik mijn vizier op de Groene Dame en begon ik naar de oever te zwemmen.

Ik waadde het water uit, liep de bielzentrap op en bleef toen staan en ging terug naar De Straat. Daar bleef ik een ogenblik staan om mijn moed te verzamelen en toen liep ik naar de berk die haar gracieuze buik over het water boog. Ik greep me aan die gekromde witte stam vast, zoals ik vrijdagavond had gedaan, en keek in het water. Ik was er zeker van dat ik het kind zou zien, dat ik zijn dode ogen uit zijn opgezwollen bruine gezicht naar me omhoog zou zien kijken, en dat mijn mond en keel zich weer met de smaak van het meer zouden vullen: *help ik verdrink, laat me omhoog, o lieve Jezus laat me omhoog*. Maar er was niets. Geen dode jongen, geen *Boston Post*-wandelstok met linten eromheen, geen smaak van het meer in mijn mond.

Ik draaide me om en keek naar de grijze rotswand die uit de modder stak. Ik dacht *Daar, op die plek*, maar dat was louter een bewuste en onspontane gedachte: mijn geest bracht een herinnering onder woorden. Het was allemaal weg: de geur van verrotting en de zekerheid dat daar iets afschuwelijks was gebeurd.

Toen ik in het huis terug was en wat frisdrank ging pakken, ontdekte ik dat de voorkant van de koelkast helemaal leeg was. Alle magnetische letters, alle groente- en fruitmagneetjes, waren weg. Ik heb ze nooit meer gevonden. Ik had ze misschien, of waarschijnlijk, wel kunnen vinden als ik meer tijd had gehad, maar op die maandagochtend was de tijd bijna op.

Ik kleedde me aan en belde Mattie. We praatten over het feestje dat we zouden vieren, en ze vertelde dat Ki helemaal opgewonden was en dat zijzelf vrijdag weer aan haar werk zou gaan – ze was bang dat de dorpelingen gemeen tegen haar zouden zijn, maar op een vreemde, vrouwelijke manier was ze nog banger dat ze koel tegen haar zouden zijn, dat ze haar met de nek zouden aankijken. We praatten over het geld en ik merkte al gauw dat ze het niet kon geloven. 'Lance zei altijd dat zijn vader zo'n man was die een stuk vlees aan een uitgehongerde hond liet zien en het dan zelf opvrat,' zei ze. 'Maar nu ik mijn baan terug heb, zal ik niet verhongeren, en Ki ook niet.'

'Maar als er echt een heleboel geld is...'

'O, geef maar, geef maar, geef maar,' zei ze lachend. 'Ik ben toch niet gek?'

'Nee. O ja, hoe is het met Ki's kastenkoelenmensen? Schrijven ze nog nieuwe dingen?'

'Dat is het gekke,' zei ze. 'Ze zijn weg.'

'De kastenkoelenmensen?'

'Daar weet ik niets van, maar die magneetletters die je haar gaf zijn weg. Toen ik Ki vroeg wat ze ermee had gedaan, begon ze te huilen en zei ze dat Allamagoosalum ze had weggehaald. Ze zei dat hij ze midden in de nacht, toen iedereen sliep, heeft opgegeten omdat hij honger had.'

'Allama-*wie*-salum?'

'Allamagoosalum,' zei Mattie, en ik hoorde een wrang glimlachje. 'Ook iets wat ze van haar grootvader heeft. Het is een verbastering van het Micmac-woord voor "boeman" of "demon" – ik heb het in de bibliotheek opgezocht. Kyra had aan het eind van de winter en in het voorjaar veel last van nachtmerries over demonen en boemannen.'

'Wat was hij toch een leuke ouwe opa,' zei ik sentimenteel.

'Ja, een echte schat. Ze was erg verdrietig omdat ze die letters kwijt was. Ik had haar nog maar amper gekalmeerd toen haar bus naar de V.B.S. kwam. O ja, Ki wil weten of je vrijdagmiddag naar de weeksluiting komt. Zij en haar vriendje Billy Turgeon gaan het hele verhaal van de kleine Mozes opvoeren.'

'Ik zou het niet willen missen,' zei ik... maar natuurlijk zou ik het mislopen. Iedereen zou het mislopen.

'Enig idee waar haar letters gebleven kunnen zijn, Mike?'

'Nee.'

'Zijn die van jou er nog?'

'Die van mij zijn er nog, maar die vormen natuurlijk geen woorden,' zei ik met een blik op de lege deur van mijn eigen kastenkoel. Er zat zweet op mijn voorhoofd. Ik voelde hoe het als olie in mijn wenkbrauwen liep. 'Heb je... Ik weet het niet... Heb je iets gevoeld?'

'Je bedoelt of ik die gemene alfabettendief misschien heb gehoord toen hij door het raam naar binnen glipte?'

'Je weet wat ik bedoel.'

'Ja.' Een korte stilte. 'Ik meende vannacht iets te horen. Om een uur of drie. Ik stond op en ging naar het gangetje. Er was niets. Maar... je weet toch hoe heet het de laatste tijd is?'

'Ja.'

'Nou, niet in mijn caravan, niet vannacht. Het was ijskoud. Ik zweer je dat ik bijna mijn adem kon zien.'

Ik geloofde haar. Per slot van rekening had ik de mijne gezien.

'Zaten die letters toen nog op de koelkast?'

'Ik weet het niet. Ik ben niet ver genoeg de gang ingegaan om in de keuken te kunnen kijken. Ik heb even gekeken en ben toen weer naar bed gegaan. Ik rénde bijna naar bed terug. Soms lijkt het in bed veiliger, weet je.' Ze lachte nerveus. 'Dat is iets van kinderen. De lakens houden de monsters tegen. Alleen dacht ik in het begin, toen ik er net in lag... Ik weet het niet... Ik dacht dat er al iemand was. Alsof iemand zich onder het bed had verstopt en dat die iemand... toen ik op de gang ging kijken... in het bed was gestapt. En niet een aardig iemand.'

Geef me mijn stofnest, dacht ik, en ik huiverde.

'Wat?' vroeg Mattie op scherpe toon. 'Wat zei je?'

'Ik vroeg wie het volgens jou was. Wat was de eerste naam die je te binnen schoot?'

'Devore,' zei ze. 'Híj. Maar er was niemand.' Stilte. 'Ik wou dat jíj er geweest was.'

'Ik ook.'

'Daar ben ik blij om. Mike, heb je enig idee wat er gaande is? Want het is erg griezelig.'

'Misschien...' Een ogenblik stond ik op het punt om haar te vertellen wat er met mijn eigen letters gebeurd was. Maar als ik begon te praten, waar hield het dan op? En hoeveel zou ze kunnen geloven? 'Misschien heeft Ki de letters zelf weggehaald. Misschien ging ze slaapwandelen en heeft ze die letters onder de caravan verstopt of zoiets. Zou dat kunnen?'

'Het idee dat Kyra in haar slaap rondloopt, staat me nog minder aan dan het idee dat geesten met koude adem die letters van de koelkast wegpakken,' zei Mattie.

'Laat haar vanavond bij je in bed slapen,' zei ik, en ik voelde meteen wat ze dacht: *Ik had liever jou bij me in bed.*

Maar na een korte stilte zei ze: 'Kom je vandaag?'

'Ik denk van niet,' zei ik. Terwijl we praatten, at ze yoghurt met een smaakje. Ze nam er kleine hapjes van. 'Maar morgen kom ik wel. Op het feestje.'

'Ik hoop dat we kunnen eten voordat het gaat onweren. Het schijnt noodweer te worden.'

'Dat lukt ons vast wel.'

'En denk je er nog over na? Ik vraag dat alleen omdat ik van je droomde toen ik eindelijk weer in slaap viel. Ik droomde dat je me kuste.'

'Ik denk nog na,' zei ik. 'Ik denk diep na.'

Maar in werkelijkheid dacht ik die hele dag eigenlijk nergens over na. Ik herinner me dat ik steeds verder wegzakte in die trance die ik zo moeilijk kan omschrijven. Tegen de avond ging ik ondanks de warmte een heel eind wandelen – helemaal tot aan de plaats waar Lane 42 op de grote weg uitkomt. Op de terugweg bleef ik aan de rand van Tidwell's Meadow staan. Ik keek naar het licht dat uit de hemel verdween en luisterde naar het rommelen van de donder ergens boven New Hampshire. Opnieuw voelde ik hoe dun de realiteit was, niet alleen hier maar overal. We zullen in dit leven nooit weten hoe de werkelijkheid als huid over het bloed en weefsel van een lichaam spant dat we in dit leven nooit goed leren kennen. Ik keek naar bomen en zag armen; ik keek naar struiken en zag gezichten. Geesten, had Mattie gezegd. Geesten met een koude adem.

De tijd was ook dun, dacht ik. Kyra en ik waren echt op de jaarmarkt van Fryeburg geweest – tenminste, op een versie daarvan. We waren echt in het jaar 1900 geweest. En onder aan het veld waren de Red-Tops nu bijna in hun keurige kleine blokhutten, net als vroeger. Bijna hoorde ik het geluid van hun gitaren, hun geroezemoes en hun gelach. Bijna zag ik het schijnsel van hun lampen en rook ik het vlees dat ze aan het braden waren. *Say baby, do you remember me?* luidde een van haar nummers, *Well I ain't your honey like I used to be.*

Er ritselde iets in de struiken links van me. Ik keek die kant op en verwachtte Sara in Matties jurk en op Matties witte gymschoenen uit het bos te zien komen. In dit halfduister zou het bijna lijken of die schoenen uit zichzelf zweefden, tot ze dicht bij me was...

Er was natuurlijk niemand. Ongetwijfeld waren het gewoon Knabbel en Babbel geweest, op weg naar huis na een dag in het bos. Toch wilde ik daar niet meer blijven staan kijken hoe het licht uit de dag wegtrok en de nevel uit de grond opsteeg. Ik draaide me om en ging op weg naar huis.

Toen ik bij het huis terug was, ging ik niet naar binnen maar liep ik over het pad naar Jo's atelier, waar ik niet meer geweest was sinds de nacht waarin ik in een droom mijn IBM had teruggehaald. Het pad werd van tijd tot tijd verlicht door bliksemschichten.

Het was warm in het atelier, maar niet benauwd. Ik rook een kruidig aroma dat prettig aandeed en vroeg me af of het Jo's kruiden konden zijn. Ze had hier airconditioning, en die werkte – ik zette hem aan en bleef er toen een tijdje voor staan. Zoveel koude lucht op mijn oververhitte lichaam was waarschijnlijk ongezond, maar het voelde geweldig.

Afgezien daarvan voelde ik me niet erg geweldig. Terwijl ik om me heen keek, bekroop me een gevoel dat zwaarder was dan alleen verdriet. Het voelde aan als wanhoop. Ik denk dat het kwam door het contrast: in Sara Laughs was zo weinig van Jo achtergebleven en in dit atelier zoveel. Ik stelde me ons huwelijk als een soort speelhuis voor – en is het huwelijk niet voor een groot deel huisje spelen? – waar maar de helft van de dingen op hun plaats werd gehouden met kleine magneetjes of verborgen kabels. Er was iets gekomen dat ons speelhuis bij één hoek had opgepakt – een koud kunstje, en misschien moest ik er dankbaar voor zijn dat het 'iets' zijn voet niet even had teruggetrokken om het arme ding helemaal ondersteboven te schoppen. Het pakte het alleen maar bij één hoek op, weet je. Mijn spullen bleven op hun plaats, maar die van Jo waren allemaal verschoven...

Het huis uit en hierheen.

'Jo?' vroeg ik, en ik ging in haar stoel zitten. Er kwam geen antwoord. Er werd niet op de muur gebonkt. Er riepen geen uilen in het bos. Ik legde mijn hand op haar bureau, waar de schrijfmachine had gestaan, en schoof mijn hand over het blad. Er kwam stof op mijn hand.

'Ik mis je, lieveling,' zei ik, en ik begon te huilen.

Toen de tranen voorbij waren – opnieuw – veegde ik als een klein kind met een punt van mijn T-shirt over mijn gezicht, en toen keek ik om me heen. Ik keek naar de foto van Sara Tidwell op haar bureau en zag aan de muur een foto die ik me niet herinnerde – die laatste foto was oud en sepiakleurig. Het was iets in een bos. In het midden zag je een manshoog berkenhouten kruis op een veldje in een bos, op een helling boven het meer. Dat veldje was inmiddels waarschijnlijk allang verdwenen, allang dichtgegroeid met bomen.

Ik keek naar haar potten met kruiden en plakjes paddestoel, haar archiefkasten, haar Afghaanse kleedjes. Het groene lappenkleedje op de vloer. De pot met potloden op het bureau, potloden die ze had aangeraakt en gebruikt. Ik hield een van die potloden enkele ogenblikken boven een leeg vel papier, maar er gebeurde niets. Ik had het gevoel dat er leven in deze kamer was, het gevoel dat er naar me werd gekeken – maar niet het gevoel dat ik *geholpen* werd.

'Ik weet er iets van, maar niet genoeg,' zei ik. 'Het belangrijkste dat ik niet weet, is misschien wie "help haar" op de koelkast heeft geschreven. Was jij dat, Jo?'

Geen antwoord.

Ik zat daar nog even – tegen beter weten in – en stond toen op, zette de airconditioning af, deed de lichten uit en ging het huis weer in, dat telkens even verlicht werd door de bliksem in de verte. Ik zat een tijdje op de veranda naar de avond te kijken. Op een gegeven moment besefte ik dat ik het blauwe zijden lint uit mijn zak had gehaald en het nerveus tussen mijn vingers heen en weer draaide, de ene lus na de andere. Kwam dat lint echt uit het jaar 1900? Het leek me een volslagen krankzinnig idee, maar tegelijk ook volkomen logisch. De avond hing heet en stil over het land. Ik stelde me voor hoe oude mensen in de TR – misschien ook in Motton en Harlow – hun begrafeniskleren klaarlegden voor de volgende dag. In de dubbelbrede caravan aan Wasp Hill Road zat Ki op de vloer naar een video van *Jungleboek* te kijken – Baloo en Mowgli waren aan het zingen. Mattie lag op de bank de nieuwe Mary Higgins Clark te lezen en zong mee. Ze droegen allebei een pyjama met korte broek. Die van Ki was roze en die van Mattie was wit.

Na een tijdje voelde ik hen niet meer; dat gevoel zakte weg zoals radiosignalen 's avonds laat soms wegzakken. Ik ging naar de noordelijke slaapkamer, kleedde me uit en ging op het bovenlaken van mijn onopgemaakte bed liggen. Ik viel bijna meteen in slaap.

Midden in de nacht werd ik wakker doordat iemand met een warme vinger over het midden van mijn rug heen en weer streek. Ik rolde me op mijn zij en toen de bliksem flitste, zag ik dat er een vrouw bij me in bed lag. Het was Sara Tidwell. Ze grijnsde. Er zaten geen pupillen in haar ogen. 'O schatje, ik ben bijna terug,' fluisterde ze in het donker. Ik had het gevoel dat ze zich weer naar me uitstrekte, maar toen de volgende flits van de bliksem kwam, was die kant van het bed leeg.

24

Inspiratie is niet altijd een kwestie van geesten die magneetjes verplaatsen op koelkastdeuren, en op dinsdagmorgen kreeg ik opeens een geweldige inval. Het gebeurde terwijl ik me stond te scheren en aan niets anders dacht dan dat ik bier voor het feestje moest meebrengen. En zoals de beste invallen kwam hij zomaar in me op.

Ik ging vlug naar de huiskamer, net niet rennend, en veegde onder het lopen het scheerschuim van mijn gezicht. Ik wierp een vluchtige blik op het *Lastige hersenkrakers*-puzzelboek dat boven op mijn manuscript lag. Daar had ik het eerst in gekeken toen ik probeerde '19 omlaag' en '92 omlaag' te ontcijferen. Geen onredelijk beginpunt, maar wat had *Lastige hersenkrakers* met de TR-90 te maken? Ik had het boek bij Mr. Paperback in Derry gekocht, en de ongeveer dertig cryptogrammen die ik had afgemaakt, had ik op een stuk of zes na in Derry gedaan. Je kon niet van TR-geesten verwachten dat ze in mijn puzzelboekje uit Derry geïnteresseerd waren. Het telefoonboek daarentegen...

Ik pakte het van de tafel in de eetkamer. Hoewel het de hele zuidkant van Castle County besloeg – niet alleen de TR, maar ook Motton, Harlow en Kashwakamak – was het nogal dun. Het eerste dat ik deed, was bij de witte pagina's kijken of er wel minstens tweeënnegentig waren. Ze waren er. De *Y* en de *Z* eindigden op bladzijde zevenennegentig.

Dit was het antwoord. Dat moest wel.

'Ik heb het, hè?' vroeg ik aan Bunter. 'Dit is het.'

Niets. Zelfs geen tinkeling van de bel.

'Ach, wat weet een opgezette elandskop nou van een telefoonboek?'

Negentien omlaag. Ik sloeg bladzijde negentien van het telefoonboek op, bij de letter *F*. Ik liet mijn vinger over de eerste kolom glijden en mijn opwinding begon af te zakken. De negentiende naam op bladzijde negentien was Harold Failles. Die naam zei me niets. Er waren ook Feltons en Fenners, een Filkersham en een aantal Finney's, een stuk of vijf Flaherty's en volop mensen die Fosse heetten. De laatste naam op bladzijde negentien was Framingham. Die naam zei me ook niets, maar...

Framingham, Kenneth P.

Ik keek daar even naar. Er begon me iets te dagen. Het had niets met de boodschappen op de koelkast te maken.

Je ziet niet wat je denkt dat je ziet, dacht ik. *Dit is net als wanneer je een blauwe Buick koopt...*

'Dan zie je overal blauwe Buicks rijden,' zei ik. 'Dan stikt het van de Buicks. Ja, dat is het.' Maar toen ik bladzijde tweeënnegentig opsloeg, beefden mijn handen.

Hier stonden de *T*'s uit het zuiden van Castle County, samen met een paar *U*'s als Alton Ubeck en Catherine Udell om de bladzijde vol te maken. Ik nam niet de moeite om de tweeënnegentigste vermelding op de pagina op te zoeken; het telefoonboek was toch niet de sleutel van de magnetische cryptogrammen, maar had me wel op een enorm idee gebracht. Ik sloot het boek, hield het gewoon even in mijn handen (blije mensen met bosbessenharken op het omslag), sloeg het toen op een willekeurige plek open, bij de *M*. En als je eenmaal wist waar je naar zocht, sprong het je zo tegemoet.

Al die *K*'s.

O, er waren Stevens en Johns en Martha's; je had Meserve, G., en Messier, V., en Jayhouse, T. En toch zag ik keer op keer de voorletter *K* bij mensen die gebruik hadden gemaakt van hun recht om niet hun voornaam in het telefoonboek te laten afdrukken. Alleen al op bladzijde vijftig zag ik minstens twintig keer de voorletter *K*, en ook een stuk of tien voorletters *C*. En wat de namen betrof die voluit waren afgedrukt...

Er waren twaalf Kenneth's op deze willekeurige bladzijde bij de *M*, waaronder drie Kenneth Moores en twee Kenneth Munters. Er waren vier Catherines en twee Katherines. Er waren een Casey, een Kiana, een Kiefer.

'Allemachtig, het is net radioactieve neerslag,' fluisterde ik.

Ik bladerde in het boek, kon niet geloven wat ik zag en zag het toch. Overal zag ik Kenneths, Katherines en Keiths. Ik zag ook Kimberly, Kim en Kym. Er waren Cammie, Kia (ja, en we hadden gedacht dat we origineel waren), Kiah, Kendra, Kaela, Keil en Kyle. Kirby en Kirk. Er was een vrouw die Kissy Bowden heette, en een man die Kito Rennie heette – Kito, dezelfde naam als een van Kyra's kastenkoelenmensen. En overal stonden die *K*'s. Ze kwamen veel meer voor dan anders zo veel voorkomende initialen als *S* en *T* en *E*. Ze dansten voor mijn ogen.

Ik draaide me om en keek naar de klok – het was niet de bedoeling dat ik nergens te bekennen was als John Storrow op het vliegveld aankwam – maar er was daar geen klok. Natuurlijk niet. Die ouwe Krazy Kat had tijdens een paranormale seance zijn doppen laten ploppen. Ik liet een harde lach horen waar ik zelf een beetje bang van werd – het klonk niet helemaal jofel.

'Rustig aan, Mike,' zei ik. 'Diep ademhalen, jongen.'

Ik haalde diep adem. Hield die adem vast. Keek op het digitale schermpje van de magnetron. Kwart over acht. Nog tijd genoeg voor John. Ik nam het telefoonboek weer en begon het snel door te bladeren. Ik had een tweede inval gehad – geen gigantische, zoals die eerste, maar wel eentje die veel accurater was, zoals al gauw zou blijken.

Het westen van Maine is een tamelijk afgelegen gebied – het is ongeveer te vergelijken met het heuvelland aan de zuidgrens – maar er is altijd enige instroom van mensen van buiten geweest ('import' is de term die de mensen hier gebruiken als ze blijk willen geven van hun minachting), en in het laatste kwart van de eeuw is het een populair woongebied geworden voor actieve senioren die na hun pensioen willen vissen en skiën. In het telefoonboek kun je vrij goed zien wie de nieuwkomers zijn en wie hier al generaties leven. De Babicki's, Paretti's, O'Quindlans, Donahues, Smolnacks, Dvoraks, Blindermeyers – allemaal van buiten. Allemaal import. De Jalberts, Meserves, Pillsbury's, Spruces, Therriaults, Perraults, Stanchfields, Starbirds, Dubay's – allemaal uit Castle County. Je begrijpt toch wel wat ik bedoel? Als je op bladzijde twaalf een hele kolom met Bowies ziet, weet je dat die mensen hier lang genoeg zijn om hun draai te hebben gevonden en de Bowie-genen te hebben verspreid.

Bij de Paretti's en de Smolnacks zaten een paar voorletters *K* en voornamen die met een *K* begonnen, maar dat waren er niet veel. De grote *K*-concentraties deden zich allemaal voor bij families die hier lang genoeg waren om de atmosfeer in zich op te nemen. Om de neerslag in te ademen. Alleen was het niet echt straling. Het was...

Plotseling stond me een zwarte grafsteen voor ogen, hoger dan de hoogste boom aan het meer, een monoliet die zijn schaduw over half Castle County wierp. Dat beeld was zo helder en zo verschrikkelijk dat ik mijn handen voor mijn ogen hield. Het telefoonboek liet ik op tafel vallen. Ik deinsde er huiverend voor terug. Maar het leek wel of het beeld nog helderder werd toen ik mijn handen voor mijn ogen hield: een grafsteen zo gigantisch dat hij de zon onzichtbaar maakte; de TR-90 lag als een grafkrans aan zijn voet. Sara Tidwells zoon was in het Dark Score Lake verdronken... of hij was er door iemand in verdronken. Maar ze had zijn dood van een teken voorzien. Ze had er een monument van gemaakt. Ik vroeg me af of dit ooit iemand anders in de TR was opgevallen. Dat leek me niet waarschijnlijk. Als je een telefoonboek openslaat, zoek je meestal naar een specifieke naam. Je leest niet hele bladzijden regel voor regel. Ik vroeg me af of het *Jo* was opgevallen – of ze had geweten dat bijna alle oude families in dit deel van de wereld op de een of andere manier minstens één kind naar Sara Tidwells dode zoon hadden vernoemd.

Jo was niet dom. Waarschijnlijk had ze het ontdekt.

Ik liep terug naar de badkamer, zeepte me nog eens in en begon me opnieuw te scheren. Toen ik klaar was, ging ik naar de telefoon terug. Ik toetste drie nummers in, hield toen op en keek naar het meer. Mattie en Ki waren al op en ze waren in de keuken. Ze droegen allebei een schort en waren allebei opgetogen. Er was een feestje te vieren! Ze zouden mooie nieuwe zomerkleren dragen en er zou muziek uit Matties gettoblaster-cd-speler komen! Ki hielp Mattie koekjes te bakken, en terwijl de koekjes in de oven lagen, zouden ze salades maken. Als ik Mattie belde en tegen haar zei *Pak een paar tassen, jij en Ki gaan een weekje naar Disney World*, zou Mattie veronderstellen dat ik een grapje maakte en dan tegen me zeggen dat ik me gauw moest aankleden, anders kwam ik niet meer op tijd op het vliegveld om John af te halen. Als ik aandrong, zou ze me eraan herinneren dat Lindy haar weer in dienst had genomen, maar dat die dat aanbod meteen zou intrekken als Mattie vrijdagmiddag niet prompt om twee uur in de bibliotheek verscheen. Als ik bleef aandringen, zou ze gewoon nee zeggen.

Want ik was niet de enige die in trance was, hè? Ik was niet de enige die het echt voelde.

Ik legde de telefoon weer op de oplader en ging naar de noordelijke slaapkamer terug. Toen ik me had aangekleed, voelde mijn schone overhemd al slap aan onder mijn armen; het was die ochtend net zo heet als het de afgelopen week was geweest, misschien zelfs heter. Maar ik zou tijd genoeg hebben om naar het vliegveld te gaan. Mijn hoofd stond totaal niet naar een feestje, maar ik zou er zijn. Mikey is op zijn plek. Mikey is altijd op zijn plek.

John had me zijn vluchtnummer niet gegeven, maar op het vliegveld Castle County had je die rompslomp niet nodig. De hele luchthaven bestaat uit drie hangars en een terminal die vroeger een Flying A-benzinestation was – als het licht fel op de roestige noordkant van het gebouwtje schijnt, kun je de vorm van die gevleugelde *A* nog zien. Er is één startbaan. De beveiliging wordt verzorgd door Lassie, Breck Pellerins stokoude collie, die haar dagen languit op de linoleumvloer doorbrengt en alleen even een oor omhoogsteekt als er een vliegtuig landt of opstijgt.

Ik stak mijn hoofd om de deur van Pellerins kantoor en vroeg hem of de tien uit Boston op tijd was. Hij zei van wel, al hoopte hij dat degene die ik kwam afhalen diezelfde middag nog zou terugvliegen of anders zou blijven overnachten. Er was slecht weer op komst, allemachies, ja. Breck Pellerin noemde het *elektrisch* weer. Ik wist precies wat hij bedoelde, want in mijn zenuwstelsel was die elektriciteit blijkbaar al gearriveerd.

Ik liep naar de startbaankant van de terminal en ging daar op een bankje met reclame voor Cormier's Market zitten (VLIEG NAAR ONZE

DELI VOOR DE BESTE VLEESWAREN VAN MAINE). De zon was een zilveren bil op de oostelijke helling van een hete witte hemel. Hoofdpijnweer zou mijn moeder dat hebben genoemd, maar er was verandering op til. Ik zou me zo goed mogelijk aan de hoop op die verandering vastklampen.

Om tien over tien hoorde ik wespengezoem in het zuiden. Om kwart over kwam er een tweemotorig vliegtuig uit de nevel te voorschijn. Het zakte op de baan en taxiede naar de terminal. Er waren maar vier passagiers, en John Storrow was de eerste die uitstapte. Ik grijnsde toen ik hem zag. Ik moest wel grijnzen. Hij droeg een zwart T-shirt met WE ARE THE CHAMPIONS en een kaki short waaruit een tweetal typische stadsbenen stak; wit en knokig. Hij probeerde zowel een koeltas van piepschuim als een aktetas met zich mee te sjouwen. Ik greep de koeltas zo'n vier seconden voordat hij hem liet vallen, en stak hem onder mijn arm.

'Mike!' riep hij, en hij hield me zijn hand voor met de palm naar boven.

'John!' Ik beantwoordde zijn gebaar in dezelfde geest (*trant* is het woord dat dan bij menige puzzelfanaat opkomt) en sloeg hem op zijn handpalm. Op zijn alledaags-knappe gezicht verscheen een brede grijns, en ik voelde me meteen schuldig. Mattie had geen voorkeur voor John uitgesproken – integendeel – en eigenlijk had hij haar problemen niet opgelost; Devore had dat gedaan door zich van kant te maken voordat John zelfs maar de kans kreeg iets namens haar te ondernemen. Toch had ik dat geniepige kleine schuldgevoel.

'Kom,' zei hij. 'Laten we de hitte ontvluchten. Je hebt airconditioning in je auto, neem ik aan?'

'Natuurlijk.'

'En een cassettespeler? Heb je die ook? Zo ja, dan zal ik je wat laten horen om te gnuiven.'

'Ik geloof niet dat ik dat woord ooit eerder in een gesprek heb gehoord, John.'

Die grijns kwam terug, en het viel me op hoeveel sproeten hij had. Sheriff Andy's jongen Opie wordt groot en mag achter de tap staan. 'Ik ben advocaat. Ik gebruik in een gesprek ook woorden die nog niet eens zijn uitgevonden. Heb je een cassettespeler?'

'Natuurlijk,' Ik tilde de koeltas even op. 'Steaks?'

'Reken maar. Van Peter Luger. Dat zijn...'

'... de beste van de wereld. Dat heb je me al verteld.'

Toen we de terminal ingingen, zei iemand: 'Michael?'

Het was Romeo Bissonette, de advocaat die me had bijgestaan toen ik mijn verklaring moest afleggen. In zijn hand had hij een doos in blauw papier, met een wit lint eromheen. Naast hem kwam een lange man met een randje grijs haar uit een van de doorgezakte stoelen overeind. Hij droeg een bruin pak, een blauw overhemd en een koorddasje met een golfclub op de klem. Hij leek meer op een boer op een boeldag dan op iemand die hartstikke grappig werd als je er een paar borrels in goot, maar ik twijfelde er niet aan dat hij de privédetective was. Hij stapte over de comateuze collie heen en schudde me de hand. 'George Kennedy, meneer Noonan. Aangenaam kennis te maken. Mijn vrouw heeft alle boeken gelezen die u ooit hebt geschreven.'

'Nou, bedank haar namens mij.'

'Zal ik doen. Ik heb er een in de auto liggen – een gebonden exemplaar...' Hij keek verlegen, zoals veel mensen doen als ze op het punt staan het te vragen. 'Misschien heeft u even tijd om dat voor haar te signeren?'

'Met alle genoegen,' zei ik. 'Laten we het meteen maar doen, anders vergeet ik het nog.' Ik wendde me tot Romeo. 'Blij je te zien, Romeo.'

'Zeg maar Rommie,' zei hij. 'Ook blij jou te zien.' Hij hield me de doos voor. 'George en ik hebben dit samen voor je gekocht. We vonden dat je iets leuks had verdiend omdat je een dame in nood had geholpen.'

Kennedy zag er nu inderdaad uit als iemand die na een paar borrels hartstikke grappig werd. Zo iemand die het in zijn hoofd kan halen om op de eerste de beste tafel te springen, een tafelkleed als kilt om zich heen te trekken en als een gek te gaan dansen. Ik keek John aan, die zijn schouders ophaalde, alsof hij wilde zeggen: ik weet van niks.

Ik trok de satijnen strik los, stak mijn vinger onder de Scotch-tape die om het papier heen zat en keek op. Ik betrapte Romeo Bissonette erop dat hij Kennedy een por met zijn elleboog gaf. Nu grijnsden ze allebei.

'Er zit toch niet iets in dat opeens op me af springt en boe roept, hè, jongens?' vroeg ik.

'Absoluut niet,' zei Rommie, maar zijn grijns werd nog breder.

Nou, ik kan reuzesportief zijn als het moet. Denk ik. Ik haalde het papier van het pakje, opende de witte doos, zag een vierkant stuk katoen liggen en pakte het eruit. Ik had al die tijd geglimlacht, maar nu merkte ik dat mijn glimlach verstijfde en verdween. Er kronkelde ook iets langs mijn ruggengraat omhoog, en ik denk dat het niet veel scheelde of ik had die doos laten vallen.

Het was het zuurstofmasker dat Devore op zijn schoot had gehad toen hij me op De Straat ontmoette, het masker waar hij soms een snuif lucht uit nam toen hij en Rogette met me meeliepen en me in diep water probeerden te houden om me te laten verdrinken. Rommie Bissonette en George Kennedy gaven me dat masker, als de scalp van een dode vijand, en nu werd er van mij verwacht dat ik dat grappig zou vinden...

'Mike?' vroeg Rommie bezorgd. 'Mike, voel je je wel goed? Het was maar een grapje...'

Ik knipperde met mijn ogen en zag dat het helemaal geen zuurstofmasker was – hoe had ik ooit zo dom kunnen zijn? Ten eerste was het groter dan Devores masker. Ten tweede was het van ondoorzichtig in plaats van helder plastic. Het was...

Ik liet een aarzelend grinniklachje horen. Rommie Bissonette keek enorm opgelucht. Kennedy ook. John keek alleen maar verbaasd.

'Grappig,' zei ik. 'Net een rubberen invalidenkruk.' Ik haalde het microfoontje uit het masker en liet het bungelen. Het zwaaide heen en weer aan het snoer en deed me aan de staart van de slingerlok denken.

'Wat is dat nou weer?' vroeg John.

'Een advocaat van Park Avenue,' zei Rommie met een overdreven accent tegen George, zodat het klonk als *Paa-aak Avenew*. 'Zeker nooit zo'n ding gezien, hè, ouwe jongen? Nee meneer, nooit gezien.' Hij zei dat met datzelfde overdreven accent, maar toen ging hij weer op een normale manier van spreken over, wat ik nogal een opluchting vond. Ik heb mijn hele leven in Maine gewoond en zo langzamerhand is de amusementswaarde van overdreven Yankee-accenten voor mij dan ook niet groot meer. 'Het is een stenomasker. De stenograaf die op de rechtbank was toen Mike zijn verklaring aflegde, had er een op. Mike keek de hele tijd naar hem...'

'Hij joeg me de stuipen op het lijf,' zei ik. 'Die ouwe kerel die in de hoek zat en in dat masker van Zorro mompelde.'

'Gerry Bliss jaagt een hoop mensen de stuipen op het lijf,' zei Kennedy. Hij sprak met een diepe stem. 'Hij is de laatste hier in de buurt die zo'n ding draagt. Hij heeft er nog tien of elf in zijn rommelhok liggen. Ik kan het weten, want ik heb deze van hem gekocht.'

'Ik hoop dat hij je het vel over de oren heeft gehaald,' zei ik.

'Het leek me een leuk aandenken,' zei Rommie, 'maar daarstraks dacht ik even dat ik je per ongeluk de doos met de afgehakte hand had gegeven – ik vind het vervelend als ik mijn cadeautjes verwissel. Wat is het probleem?'

'Het is een lange, hete maand geweest,' zei ik. 'Laten we het daar maar op houden.' Ik hing het riempje van het stenomasker aan mijn vinger en liet het bungelen.

'Mattie zei dat we er om elf uur moesten zijn,' zei John tegen ons. 'We gaan bier drinken en frisbeeën.'

'Dat zijn nou net twee dingen waar ik goed in ben,' zei George Kennedy.

Op het kleine parkeerterrein liep George naar een stoffige Altima. Hij rommelde in de kofferbak en haalde er een gehavend exemplaar van *De man in het rode overhemd* uit. 'Frieda wou dat ik dit meenam. Ze heeft de volgende ook, maar dit is haar favoriete boek. Sorry dat het er zo uitziet – ze heeft het wel zes keer gelezen.'

'Het is ook mijn favoriete boek,' zei ik, en dat was waar. 'En ik hou van stukgelezen boeken.' Dat was ook waar. Ik sloeg het boek open, keek goedkeurend naar een veeg allang opgedroogde chocola op het schutblad, en schreef toen: *Voor Frieda Kennedy, wier echtgenoot mij een handje heeft geholpen. Bedankt voor het uitlenen van je man, en bedankt voor het lezen, Mike Noonan.*

Dat was een lange tekst voor mijn doen – meestal houd ik het op *De beste wensen* of *Veel geluk*, maar ik had iets goed te maken omdat ik zo geschrokken was toen ik hun onschuldige fopcadeautje openmaakte. Terwijl ik schreef, vroeg George me of ik aan een nieuw boek werkte.

'Nee,' zei ik. 'De accu's zitten even in de oplader.' Ik gaf het boek terug.

'Dat zal Frieda niet leuk vinden.'

'Nee. Maar er is altijd nog *De man in het rode overhemd*.'

'We rijden achter je aan,' zei Rommie, en ergens diep in het westen was gerommel te horen. Het was niet harder dan het onweer dat de hele week al had gerommeld, maar dit was geen droog onweer. Dat wisten we allemaal, en we keken allemaal in die richting.

'Zouden we nog de kans krijgen om te eten voordat het gaat onweren?' vroeg George me.

'Ja. Nog net.'

Ik reed naar het hek van het parkeerterrein en keek naar rechts of daar verkeer aankwam. Ik zag John peinzend naar me kijken.

'Wat is er?'

'Mattie zei dat je wél aan het schrijven was, dat is alles. Is je boek kassiewijle of zoiets?'

De vriend uit mijn kinderjaren was nog net zo springlevend als eerst... maar ik zou het nooit afmaken. Ik wist dat die ochtend net zo goed als ik wist dat er regen op komst was. De jongens in de kelder hadden om de een of andere reden besloten het terug te nemen. Het zou niet zo'n goed idee zijn om ze te vragen waarom – het antwoord zou weleens erg onaangenaam kunnen zijn.

'Iets. Ik weet niet wat.' Ik reed de grote weg op, keek achter me en zag dat Rommie en George me in George' kleine Altima volgden. Amerika is een land vol grote mannen in kleine autotjes geworden. 'Wat wil je me laten horen? Als het karaoke uit eigen keuken is, pas ik. Het laatste dat ik zou willen horen, is jouw hoogstpersoonlijke versie van "Bubba Shot the Jukebox Last Night".'

'O, het is veel beter dan dat,' zei hij. 'Stukken beter.'

Hij maakte zijn tas open, zocht erin en haalde een plastic cassettedoosje te voorschijn. Op het bandje dat erin zat, stond *20-7-98* – de vorige dag. 'Ik vind dit prachtig,' zei hij. Hij boog zich naar voren, zette de radio aan en duwde de cassette in de speler.

Ik hoopte dat ik mijn portie akelige verrassingen voor die ochtend al achter de kiezen had, maar daar vergiste ik me in.

'Sorry, ik moest even een ander telefoontje afhandelen,' zei John met zijn soepelste advocatenstem vanuit de speakers van mijn Chevrolet. Ik had er wel een miljoen dollar onder willen verwedden dat zijn knokige schenen niet te zien waren toen dat bandje werd gemaakt.

Er was een lachje te horen, rokerig en scherp. Mijn maag kwam meteen in opstand. Ik herinnerde me hoe ik haar voor het eerst bij de Sunset Bar had zien staan, met een zwart short over een zwart badpak. Hoe ze daar als een vluchtelinge uit de Hel van het Supersnelle Dieet had gestaan.

'Je bedoelt dat je je bandrecorder moest aanzetten,' zei ze, en nu herinnerde ik me hoe het water van kleur was veranderd toen ze me die voltreffer op mijn achterhoofd verkocht. Van licht oranje tot donkerrood. En toen had ik water uit het meer binnengekregen. 'Dat geeft niet. Je neemt maar op wat je wilt.'

John stak plotseling zijn hand uit en liet de cassette uit het apparaat springen. 'Je hoeft dit niet te horen,' zei hij. 'Zo belangrijk is het niet. Ik dacht dat je een kick zou krijgen van haar gewauwel, maar... Man, wat zie jij er beroerd uit. Zal ik het stuur van je overnemen? Je bent zo wit als een laken.'

'Ik kan wel rijden,' zei ik. 'Toe maar, speel het maar af. Dan vertel ik je na afloop over een avontuurtje dat ik vrijdagavond heb meegemaakt... maar dat moet je dan wel voor je houden. Zij hoeven het niet te weten...' Ik wees met mijn duim over mijn schouder naar de Altima. 'En Mattie hoeft het ook niet te weten. Vooral Mattie niet.'

Hij stak zijn hand weer uit naar het bandje, maar aarzelde. 'Weet je het zeker?'

'Ja. Ik schrok net even omdat ik opeens haar stem weer hoorde. De klank van haar stem. Jezus, die opname is goed.'

'Alleen het beste is goed genoeg voor Avery, McLain en Bernstein. We hebben trouwens erg strenge regels over wat we mogen opnemen en wat niet. Als je je dat soms afvroeg.'

'Dat vroeg ik me niet af. Ik neem aan dat dit niet in een proces te gebruiken zou zijn?'

'In heel zeldzame gevallen staat een rechter toe dat je een bandje als bewijsmateriaal indient, maar dat is niet de reden waarom we het doen. Zo'n bandje als dit heeft vier jaar geleden iemands leven gered, ongeveer in de tijd dat ik voor de firma kwam werken. Die man maakt nu gebruik van een speciaal programma om getuigen te beschermen.'

'Speel maar af.'

Hij boog zich naar voren en drukte op de knop.

John: 'Hoe is het in de woestijn, mevrouw Whitmore?'

Whitmore: 'Heet.'
John: 'Lukt het u om alles naar wens te regelen? Ik weet hoe moeilijk tijden als deze kunnen zijn...'
Whitmore: 'Jij weet erg weinig, advocaatje, neem dat maar van mij aan. Kunnen we dat gelul overslaan?'
John: 'Bij deze.'
Whitmore: 'Heb je de condities van meneer Devores testament aan zijn schoondochter overgebracht?'
John: 'Jazeker.'
Whitmore: 'En wat zei ze?'
John: 'Ik kan u nu geen reactie geven. Misschien wel nadat meneer Devores testament is bekrachtigd. Maar u weet vast wel dat zulke bepalingen zelden of nooit door de rechter worden geaccepteerd.'
Whitmore: 'Nu, als dat dametje de TR uitgaat, zullen we zien, hè?'
John: 'Ja.'
Whitmore: 'Wanneer is het overwinningsfeest?'
John: 'Pardon?'
Whitmore: 'O, kom nou. Ik heb vandaag zestig verschillende afspraken, plus morgen een baas te begraven. Jij gaat daar toch heen om het met haar en haar dochter te vieren? Wist je al dat ze die schrijver ook heeft uitgenodigd? Haar neukmaatje?'

John keek me opgewekt aan. 'Hoor je hoe kwaad ze is? Ze probeert het te verbergen, maar dat lukt haar niet. Het vreet aan haar!'
Ik hoorde hem nauwelijks. Ik werd helemaal in beslag genomen door wat ze zei
(*die schrijver haar neukmaatje*)
en door wat er *onder* haar woorden lag. Er lag namelijk iets onder. *We willen alleen zien hoe lang je kunt zwemmen*, had ze naar me geroepen.

John: 'Ik geloof niet dat het u iets aangaat wat ik of Matties vrienden doen, mevrouw Whitmore. Mag ik u met alle respect voorstellen dat u zich amuseert met uw vrienden en dat Mattie Devore zich amuseert met...'
Whitmore: 'Geef hem een boodschap door.'

Mij. Ze had het over mij. Toen besefte ik dat het nog persoonlijker was – ze sprak tégen mij. Haar lichaam mocht dan aan de andere kant van het land zijn, haar stem en rancuneuze geest waren bij ons in de auto.
En Max Devores laatste wil. Niet dat stomme stuk papier dat zijn advocaten hadden opgesteld, maar zijn laatste wíl. Die ouwe hufter was

zo dood als Damocles, maar ja, hij probeerde nog steeds de voogdij te krijgen.

John: 'Wie moet ik een boodschap doorgeven, mevrouw Whitmore?'
Whitmore: 'Zeg tegen hem dat hij nooit antwoord heeft gegeven op meneer Devores vraag.'
John: 'Op welke vraag?'

Zuigt haar kut?

Whitmore: 'Vraag het hem. Hij weet het wel.'
John: 'Als u Mike Noonan bedoelt, kunt u het hem zelf vragen. U komt hem dit najaar op de rechtbank van Castle County tegen, op de zitting over het testament van meneer Devore.'
Whitmore: 'Dat denk ik niet. Het testament van meneer Devore is hier opgemaakt.'
John: 'Toch zal erover beslist worden in Maine, waar hij gestorven is. Daar zal ik voor zorgen. En de volgende keer dat je Castle County verlaat, Rogette, zul je heel wat meer van recht en wet weten dan op dit moment.'

Voor het eerst klonk ze kwaad. Ze verhief haar stem en wat eruit kwam, was een ijl gekras:

Whitmore: 'Als jij denkt...'
John: 'Ik denk niet. Ik weet. Tot ziens, mevrouw Whitmore.'
Whitmore: 'Ik raad je aan om je verre te houden van...'

Er was een klik te horen, het zoemen van een open lijn, en toen een robotstem die zei: 'Nul negen uur veertig... twintig... juli.' John drukte op EJECT, pakte zijn bandje en stopte het weer in de tas.

'Toen heb ik de hoorn op de haak gegooid.' Hij klonk als iemand die je over zijn eerste parachutesprong vertelt. 'Zonder pardon. Ze was kwaad, hè? Vind je ook niet dat ze pisnijdig klonk?'

'Ja.' Dat was wat hij wilde horen maar niet wat ik echt geloofde. Kwaad, ja. Pisnijdig? Misschien niet. Want ze maakte zich niet druk om Matties domicilie of gemoedstoestand. Rogette had gebeld om tegen *míj* te praten. Om me te vertellen hoe ze over me dacht. Om herinneringen bij me op te roepen, herinneringen aan watertrappelen terwijl er bloed uit je achterhoofd loopt. Om me de stuipen op het lijf te jagen. En daar was ze in geslaagd.

'Wat was die vraag waarop je geen antwoord gaf?' vroeg John me.

'Ik weet niet wat ze daarmee bedoelde,' zei ik, 'maar ik kan je wel vertellen waarom ik een beetje wit om de neus werd toen ik haar stem hoorde. Als je discreet kunt zijn, en als je het wilt horen.'

'We hebben nog dertig kilometer voor de boeg. Kom maar op.'

Ik vertelde hem over vrijdagavond. Ik lardeerde mijn verhaal niet met paranormale verschijnselen. Het ging gewoon over Michael Noonan die 's avonds nog een ommetje maakte over De Straat. Ik had bij een berk gestaan die over het meer hing en had de zon naar de bergen zien zakken. En toen waren ze opeens achter me geweest. Vanaf het moment waarop Devore me met zijn rolstoel te lijf ging tot het moment waarop ik eindelijk weer vaste grond onder de voeten kreeg, hield ik me vrij nauwkeurig aan de waarheid.

Toen ik klaar was, zweeg John. Dat zei wel iets: onder normale omstandigheden was hij net zo'n kletskous als Ki.

'Nou?' vroeg ik. 'Opmerkingen? Vragen?'

'Haal je haar weg, dan kan ik achter je oor kijken.'

Ik deed wat hij vroeg en liet een grote pleister en een fikse buil zien. John boog zich naar me over om ernaar te kijken als een klein kind dat in de schoolpauze naar de littekens kijkt waarmee zijn beste vriend uit de strijd is gekomen. 'Allemachtig,' zei hij ten slotte.

Nu was het mijn beurt om te zwijgen.

'Die twee ouwe krengen wouen je verzuipen.'

Ik zei niets.

'Ze wouen je verzuipen omdat je Mattie helpt.'

Nu zei ik helemáál niets.

'En je hebt geen aangifte gedaan?'

'Dat wou ik eerst wel doen,' zei ik, 'maar toen besefte ik dat ik dan zou overkomen als een jengelend lulletje. En waarschijnlijk ook nog als een leugenaar.'

'Hoeveel denk je dat Osgood weet?'

'Van die verdrinkingspoging? Niets. Hij is maar een boodschappenjongen.'

Weer dat ongebruikelijke zwijgen van John. Na enkele ogenblikken stak hij zijn hand uit en raakte de bult op mijn achterhoofd aan.

'Au!'

'Sorry.' Stilte. 'Jezus. En toen ging hij naar Warrington's terug en maakte zich van kant. Jezus. Michael, ik zou dat bandje nooit hebben afgespeeld als ik had geweten...'

'Het geeft niet. Maar vertel het absoluut niet aan Mattie. Dat is ook de reden waarom ik mijn haar over mijn oren laat groeien.'

'Denk je dat je het haar nóóit zal vertellen?'

'Misschien ooit weleens. Op een dag, als hij zo lang dood is dat we kunnen lachen om mijn zwempartij met kleren aan.'

'Dat kan nog wel even duren,' zei hij.

'Ja. Dat kan.'

We reden een tijdje in stilte. Ik voelde dat John naar een manier zocht om de feestelijke stemming weer op te roepen, en dat stelde ik in hem op prijs. Hij boog zich naar voren, zette de radio aan en vond iets hards en venijnigs van Guns 'n Roses – welkom in de jungle, jongen, hier hebben we altijd lol.

'Feesten tot we erin blijven,' zei hij. 'Afgesproken?'

Ik grijnsde. Dat viel niet mee, met de stem van die oude vrouw nog als dun slijm in mijn hoofd, maar het lukte me. 'Als je dat wilt,' zei ik.

'Dat wil ik,' zei hij. 'Nou en of ik dat wil.'

'John, voor een advocaat ben je geen slechte kerel.'

'En voor een schrijver ben jij ook geen slechte.'

Ditmaal voelde de grijns op mijn gezicht natuurlijker aan en hield hij ook langer stand. We kwamen langs het bord met TR-90, en op dat moment boorde de zon zich door de nevel en was het landschap overgoten met licht. Het leek me een voorteken van betere tijden, maar toen keek ik naar het westen. Daar zag ik onweerswolken die zich samenpakten boven de White Mountains, pikzwart in het heldere licht.

25

Voor mannen, denk ik, is liefde iets wat uit gelijke delen lust en verbazing bestaat. Dat van die verbazing kunnen vrouwen wel begrijpen. Wat de lust betreft, dénken ze alleen maar dat ze het begrijpen. Maar weinig vrouwen – misschien één op de twintig – hebben enig idee van wat het werkelijk is of hoe diep het zit. Dat is voor hun nacht- en gemoedsrust waarschijnlijk maar goed ook. En nu heb ik het niet over de lust van saters en verkrachters en aanranders. Ik heb het over de lust van schoenenverkopers en schoolhoofden.

Om van schrijvers en advocaten nog maar te zwijgen.

Om tien voor elf reden we Matties erf op, en toen ik mijn Chevrolet naast haar roestige Jeep parkeerde, ging de deur van de stacaravan open en kwam Mattie naar buiten. Ik hield mijn adem in en hoorde hoe John naast mij de zijne inhield.

Zoals ze daar in haar rozekleurige short en bijpassend matrozentopje stond, was ze waarschijnlijk de mooiste jonge vrouw die ik in mijn hele leven had gezien. Die short was niet kort genoeg om ordinair te zijn (een term van mijn moeder), maar ruimschoots kort genoeg om uitdagend te zijn. Haar topje had grote strikken die achter haar schouders waren vastgemaakt en liet net genoeg bruine huid zien om je te laten dromen. Haar haar hing tot op haar schouders. Ze glimlachte en zwaaide. Ik dacht: *Ze heeft het gemaakt – breng haar naar het restaurant van de country-club, zoals ze nu gekleed is, en niemand durft nog een woord te zeggen.*

'O god,' zei John. Er klonk een triest verlangen in zijn stem door. 'Dat alles en een zak chips.'

'Ja,' zei ik. 'Stop je ogen weer in je hoofd, grote jongen.'

Hij maakte bewegingen met zijn handen alsof hij dat deed. Intussen was George met zijn Altima naast ons gestopt.

'Kom,' zei ik, en ik maakte mijn deur open. 'Het feest gaat beginnen.'

'Ik kan haar niet aanraken, Mike,' zei John. 'Dan smelt ik.'

'Kom op, sukkel.'

Mattie kwam het trapje af, langs de bloembak met de tomatenplant.

Ki was achter haar. Ze droeg net zo'n outfit als haar moeder, maar dan donkergroen. Ze was weer verlegen, zag ik. Ze had haar hand om Matties been om steun bij haar te zoeken, en ze had haar duim in haar mond.

'De jongens zijn er! De jongens zijn er!' riep Mattie lachend uit, en ze wierp zich in mijn armen. Ze drukte me tegen zich aan en kuste mijn mondhoek. Ik omhelsde haar van mijn kant en kuste haar wang. Toen ging ze naar John. Ze las zijn shirt, klapte in haar handen en omhelsde hem toen ook. Hij beantwoordde haar omhelzing vrij goed voor iemand die bang was dat hij zou smelten, vond ik. Hij tilde haar van de grond en zwaaide haar in het rond, terwijl ze lachend haar armen om zijn nek hield.

'Rijke dame, rijke dame, rijke dame!' zong John, en toen zette hij haar weer op de kurkzolen van haar witte schoenen neer.

'Vrije dame, vrije dame, vrije dame!' zong ze terug. 'Wat kan mij die rijkdom schelen!' Voordat hij antwoord kon geven, drukte ze een stevige kus op zijn mond. Zijn armen kwamen omhoog, hij wilde ze om haar heen laten glijden, maar ze ging een stap terug voordat hij houvast had. Nu wendde ze zich tot Rommie en George, die naast elkaar stonden en eruitzagen als twee heren die je graag alles over de Heiligen der Laatste Dagen willen uitleggen.

Ik ging een stap naar voren om hen aan haar voor te stellen, maar John was me voor en een van zijn armen zag kans om toch nog zijn doel te bereiken – hij ging om haar middel heen toen hij haar naar de mannen toe leidde.

Intussen gleed er een klein handje in mijn hand. Ik keek omlaag en zag Ki naar me opkijken. Haar gezicht was ernstig en bleek en net zo mooi als dat van haar moeder. Haar blonde haar, pas gewassen en glanzend, werd met een fluwelen bandje in bedwang gehouden.

'De kastenkoelenmensen vinden me zeker niet lief meer,' zei ze. De pret en zorgeloosheid waren weg, tenminste eventjes. Zo te zien stond ze op het punt in tranen uit te barsten. 'Mijn letters hebben allemaal dag-dag gedaan.'

Ik tilde haar van de grond en nam haar op mijn arm, zoals ik gedaan had op de dag dat ik haar had ontmoet, de dag waarop ze in haar badpak over de middenstreep van Route 68 had gelopen. Ik kuste haar voorhoofd en toen het puntje van haar neus. Haar huid was zijdezacht. 'Dat weet ik,' zei ik. 'Ik koop andere voor je.'

'Beloof je dat?' Ze keek me met vragende donkerblauwe ogen aan.

'Ik beloof het. En ik zal je bijzondere woorden als "zygote" en "biconcaaf" leren. Ik ken een hoop bijzondere woorden.'

'Hoeveel?'

'Honderdtachtig.'

De donder rommelde in het westen. Het klonk niet harder, maar op de een of andere manier klonk het alsof het geluid meer op ons gericht was. Ki's blik ging in die richting, en toen keek ze me weer aan. 'Ik ben bang, Mike.'

'Bang? Waarvoor?'

'Weet ik niet. Die mevrouw in Matties jurk. De mannen die we zagen.' Toen keek ze over mijn schouder. 'Daar komt mammie.' Ik heb actrices de zin *Niet waar de kinderen bij zijn* op precies dezelfde toon horen uitspreken. Kyra probeerde zich los te wringen. 'Zet me neer.'

Ik zette haar neer. Mattie, John, Rommie en George kwamen naar ons toe. Ki rende naar Mattie toe, die haar oppakte en ons toen bekeek als een generaal die haar troepen inspecteert.

'Heb je het bier?' vroeg ze me.

'Ja. Een krat Bud en ook een kratje met allerlei frisdranken. Plus vruchtenlimonade.'

'Magnifiek. Meneer Kennedy...'

'George, mevrouw.'

'George, dan. En als je me nog eens mevrouw noemt, stomp ik je een bloedneus. Ik ben Mattie. Wil je naar het Lakeview General rijden...' Ze wees naar de winkel aan Route 68, een kleine kilometer van ons vandaan. '... om wat ijs te halen?'

'Natuurlijk.'

'Meneer Bissonette...'

'Rommie.'

'Er is een moestuintje aan de andere kant van de stacaravan, Rommie. Kun je een paar mooie kroppen sla voor me halen?'

'Dat lukt me wel, denk ik.'

'John, laten we het vlees in de koelkast doen. En jij, Michael...' Ze wees naar de barbecue. 'De briketten gaan vanzelf aan – je laat er een lucifer op vallen en gaat een stapje achteruit. Doe je plicht.'

'Welzeker, edele dame,' zei ik, en ik liet me voor haar op mijn knieën vallen. Nu kon Ki eindelijk weer giechelen.

Lachend pakte Mattie mijn hand vast en ze trok me overeind. 'Kom op, sir Galahad,' zei ze. 'Er komt regen. Als het begint, wil ik veilig binnen zijn, en te vol om nog een stap te verzetten.'

In de stad beginnen feestjes met begroetingen bij de deur, het aannemen van jassen, en die heel aparte kushandjes (wanneer precies is díe sociale eigenaardigheid begonnen?). Op het platteland beginnen ze met karweitjes. Je haalt, je draagt, je zoekt naar dingen als barbecuevorken en ovenhandschoenen. De gastvrouw rekruteert een paar mannen om de picknicktafel te verplaatsen, besluit dan dat hij beter stond waar hij eerst stond, en vraagt ze hem terug te zetten. En op een gegeven moment merk je dat je het naar je zin hebt.

Ik stapelde briketten tot het er ongeveer zo uitzag als de piramide die op de zak stond afgebeeld, en hield er toen een lucifer bij. Ze vatten vlam zoals ik dat graag zag, en ik ging een stap terug en streek met mijn onderarm over mijn voorhoofd. Er mocht dan koel helder weer op komst zijn, dat was nog lang niet binnen roepafstand. De zon brandde weer door de nevel heen en de dag was van dof in schitterend overgegaan, en toch bleven die zwartsatijnen donderwolken zich opstapelen in het westen. Het was of daar in de hemel een bloedvat van de nacht was gesprongen.

'Mike?'

Ik keek om naar Kyra. 'Wat, schatje?'

'Wil je voor me zorgen?'

'Ja,' zei ik zonder enige aarzeling.

Eerst scheen ze moeite te hebben met iets in mijn antwoord – misschien alleen met de snelheid daarvan. Toen glimlachte ze. 'Goed,' zei ze. 'Hé, daar heb je de ijsman!'

George was terug uit de winkel. Hij parkeerde en stapte uit. Ik liep er met Kyra heen. Ze hield mijn hand vast en zwaaide ermee heen en weer alsof ze hem nooit meer los wilde laten. Rommie kwam jonglerend met drie kroppen sla naar ons toe – ik geloof niet dat hij een serieuze concurrent zou zijn van de man op de meent naar wie Ki op zaterdagavond zo gefascineerd had gekeken.

George maakte de achterdeur van de Altima open en haalde er twee zakken ijs uit. 'De winkel was dicht,' zei hij. 'Op een bord stond WEER OPEN OM VIJF UUR. Dat leek me nogal lang wachten, dus ik heb zelf ijs gepakt en het geld door de brievenbus gedaan.'

Ze waren natuurlijk gesloten in verband met Royce Merrills begrafenis. Ze hadden bijna een hele dag klandizie in het toeristisch hoogseizoen misgelopen om te zien hoe die oude kerel de grond inging. Het was eigenlijk wel ontroerend. Ik vond het ook nogal griezelig.

'Mag ik wat ijs dragen?' vroeg Kyra.

'Ja, maar niet bevriezelen,' zei George, en hij legde voorzichtig een zak van twee kilo ijs in Ki's uitgestoken armen.

'Bevriezelen,' zei Kyra giechelend. Ze liep in de richting van de caravan. Mattie kwam net naar buiten. John liep achter haar en keek met de ogen van een opgefokte beagle naar haar. 'Mammie, kijk! Ik bevriezel!'

Ik nam de andere zak. 'Ik weet dat die ijsbak buiten staat, maar zit daar geen hangslot op?'

'Ik ben goed bevriend met de meeste hangsloten,' zei George.

'O. Ik begrijp het.'

'Mike! Vangen!' John gooide een rode frisbee. Hij zweefde naar me toe, maar hoog. Ik sprong ernaar, griste hem uit de lucht, en opeens had ik Devore weer in mijn hoofd: *Wat doe je toch, Rogette? Vroeger gooide je nooit als een meisje. Raak hem!*

Ik keek omlaag en zag Ki naar me opkijken. 'Niet aan verdrietige dingen denken,' zei ze.

Ik lachte en wierp de frisbee naar haar toe. 'Goed, geen verdrietige dingen. Toe maar, schatje. Gooi hem naar je moeder. Laat eens zien of je het kunt.'

Ze lachte terug, draaide zich om en wierp de schijf snel en doelgericht naar haar moeder – zo hard dat Mattie bijna misgreep. Wat Kyra Devore verder ook mocht zijn, in ieder geval was ze een frisbeekampioene in de dop.

Mattie gooide de frisbee naar George, die zich zo snel omdraaide dat het absurde bruine jasje van zijn pak om hem heen flapte. Hij ving de frisbee behendig achter zijn rug op en Mattie lachte en applaudisseerde. De zoom van haar topje flirtte met haar navel.

'Uitslover!' riep John vanaf het trapje.

'Jaloezie is een lelijke emotie,' zei George tegen Rommie Bissonette, en hij wierp hem de frisbee toe. Rommie liet hem naar John terugzweven, maar hij ging naast en bonkte tegen de zijkant van de caravan. Toen John het trapje afsprong om hem op te halen, keek Mattie mij aan. 'Mijn gettoblaster staat op de salontafel in de huiskamer, naast een stapeltje cd's. De meeste zijn nogal oud, maar in ieder geval is het muziek. Wil je ze even halen?'

'Ja.'

Ik ging naar binnen, waar het ondanks drie strategisch geplaatste ventilatoren, die op volle toeren draaiden, erg heet was. Ik keek naar het deprimerende, massaal geproduceerde meubilair, en naar Matties nogal dappere pogingen om het interieur een eigen karakter te geven: de plaat van Van Gogh die niet op zijn plaats zou moeten zijn in het keukentje van een stacaravan maar dat wel was, Edward Hoppers *Nighthawks* boven de bank, de geknoopverfde gordijnen waarom Jo zou moeten lachen. Er ging een zekere moed van dit alles uit, en daardoor kreeg ik weer medelijden met haar en was ik opeens ook weer woedend op Max Devore. Dood of niet, ik zou hem graag een schop verkopen.

Ik ging naar de zithoek en zag de nieuwe Mary Higgins Clark op het bijzettafeltje liggen, met een boekenlegger erin. Naast het boek lagen een stuk of wat haarlinten van een klein meisje – op de een of andere manier kwamen ze me bekend voor, al kon ik me niet herinneren dat ik Ki zo'n lint had zien dragen. Ik bleef daar nog even peinzend staan, pakte toen de gettoblaster en de cd's en ging weer naar buiten. 'Hé, jongens,' zei ik. 'Laten we swingen.'

Er was niets met me aan de hand tot ze begon te dansen. Ik weet niet of dat jou iets doet, maar mij wel. Er was niets met me aan de hand tot ze begon te dansen. Toen was ik verloren.

We gingen met de frisbee naar de achterkant van de caravan, ook omdat we met onze vrolijke uitbundigheid niet de woede van de begrafenisgasten wilden opwekken, maar vooral omdat Matties achtertuin een goed speelterrein was – vlakke grond en laag gras. Nadat ze een paar keer had misgegrepen, trapte Mattie haar feestschoenen uit, rende op blote voeten het huis in en kwam op haar gymschoenen terug. Daarna deed ze het veel beter.

We gooiden met de frisbee, riepen elkaar beledigingen toe, dronken bier, lachten veel. Ki kon niet goed vangen, maar voor een kind van drie had ze een fenomenale arm en ze speelde met veel enthousiasme. Rommie had de gettoblaster op de achtertrap van de caravan gezet, en er kwam een golf van muziek uit het eind van de jaren tachtig en het begin van de jaren negentig uit: U2, Tears for Fears, de Eurythmics, Crowded House, A Flock of Seagulls, Ah-Hah, de Bangles, Melissa Etheridge, Huey Lewis and the News. Ik had het gevoel dat ik elk nummer, elk riedeltje kende.

We zweetten en renden in het middaglicht. We keken naar Matties lange, gebruinde benen en luisterden naar Kyra's tinkelende lach. Op een gegeven moment ging Romeo Bissonette over de kop en al het kleingeld viel uit zijn zakken, en toen lachte John zo hard dat hij even moest gaan zitten. De tranen rolden over zijn wangen. Ki rende naar hem toe en plofte op zijn weerloze schoot neer. Er kwam meteen een eind aan Johns lach. 'Oefff!' riep hij uit, en hij keek me met glanzende, verwonde ogen aan, terwijl zijn gekneusde ballen verwoede pogingen deden om in zijn lichaam terug te klimmen.

'Kyra *Devore*!' riep Mattie, en ze keek bezorgd naar John.

'Ik stekkelde mijn eigen quartermack,' zei Ki trots.

John glimlachte zwakjes en kwam wankelend overeind. 'Ja,' zei hij. 'Dat deed je. En de scheidsrechter deelt een gele kaart uit.'

'Alles goed, kerel?' vroeg George. Hij keek bezorgd, maar zijn stem grinnikte.

'Niks aan de hand,' zei John, en hij wierp hem de frisbee toe. Het ding zeilde over de tuin. 'Hup, gooien. Laat zien wat je kunt.'

De donder rommelde harder, maar de zwarte wolken waren allemaal nog in het westen. De hemel boven ons was nog onschuldig vochtig blauw. Vogels zongen nog en krekels sjirpten in het gras. Er hing een hittewaas boven de barbecue, en straks zou het tijd zijn om Johns New Yorkse steaks erop te gooien. De frisbee vloog nog in het rond, rood afstekend tegen het groen van het gras en de bomen, het blauw van de hemel. Ik werd nog beheerst door mijn lustgevoelens, maar verder was alles goed – overal ter wereld hebben mannen lustgevoelens, zowat de hele tijd, denk ik, en toch smelten de ijskappen niet. Maar toen begon ze te dansen, en dat veranderde alles.

Het was een oud nummer van Don Henley met een verrekt venijnig gitaarloopje.

'O god, wat een schitterend nummer,' riep Mattie uit. De frisbee kwam naar haar toe. Ze ving hem, liet hem vallen, ging erop staan alsof hij een rood lichtbundeltje op het toneel van een nachtclub was, en begon te shaken. Ze hield haar handen eerst achter haar nek en toen op haar heupen en toen achter haar rug. Ze danste met de punten van haar gymschoenen op de frisbee. Ze danste zonder te bewegen. Ze danste zoals ze in dat nummer zeggen – als een golf op de oceaan.

'The government bugged the men's room
in the local disco lounge,
And all she wants to do is dance, dance...
To keep the boys from selling
all the weapons they can scrounge,
And all she wants to do, all she wants to do is dance.'

Vrouwen zijn sexy als ze dansen – ongelooflijk sexy – maar dat was het niet. De lust kon ik de baas, maar dit was meer dan lust, en ik kon het niet de baas. Het was iets wat de lucht uit me wegzoog en me het gevoel gaf dat ik volkomen aan haar genade was overgeleverd. Op dat moment was ze het mooiste dat ik ooit had gezien, geen mooie vrouw in een short en een matrozentopje die op een frisbee danste, maar Venus zelf. Ze was alles wat ik in de afgelopen vier jaar had gemist, die jaren waarin ik er zo slecht aan toe was geweest dat ik niet eens wist dat ik iets miste. Ze beroofde me van het laatste verweer dat ik misschien nog had. Het leeftijdsverschil deed er niet toe. Als ik naar mensen keek alsof mijn tong naar buiten hing, zelfs als ik mijn mond dicht had, moest dat maar zo zijn. Als ik mijn waardigheid verloor, mijn trots, mijn gevoel van eigenwaarde, moest dat maar zo zijn. Ik was vier jaar in mijn eentje geweest en in die tijd had ik geleerd dat er ergere dingen waren om te verliezen.

Hoe lang stond ze daar te dansen? Ik weet het niet. Waarschijnlijk niet lang, nog geen minuut, en toen besefte ze dat we in vervoering naar haar keken – want tot op zekere hoogte zagen ze allemaal wat ik zag en voelden ze wat ik voelde. Ik geloof dat we in die minuut, of hoe lang het ook was, geen van allen veel zuurstof gebruikten.

Ze stapte van de frisbee af, lachend en blozend tegelijk, verward maar toch wel op haar gemak. 'Sorry,' zei ze. 'Ik vind dat zo'n prachtig nummer.'

'*All she wants to do is dance*,' zei Rommie.

'Ja, soms is dat alles wat ze wil,' zei Mattie, en ze bloosde tot achter haar oren. 'Sorry, ik moet even naar de wc.' Ze gooide mij de frisbee toe en rende naar de caravan.

Ik haalde diep adem en probeerde te kalmeren, weer bij mijn positieven te komen, en zag dat John hetzelfde deed. George Kennedy had een enigszins verbijsterde uitdrukking op zijn gezicht, alsof iemand hem een licht verdovend middel had gegeven dat nu eindelijk begon te werken.

De donder rommelde. Ditmaal klonk het dichterbij.

Ik keilde de frisbee naar Rommie. 'Wat denk je?'

'Ik denk dat ik verliefd ben,' zei hij, en toen was het of hij zichzelf innerlijk door elkaar schudde – dat kon je in zijn ogen zien. 'Ik denk ook dat we nodig eens aan die steaks moeten beginnen, als we nog buiten willen eten. Help je even?'

'Goed.'

'Ik ook,' zei John.

We liepen naar de caravan terug en lieten het frisbeeën aan George en Kyra over. Kyra vroeg George of hij weleens misdadigers had gevangen. In de keuken stond Mattie naast de open koelkast en legde steaks op een groot bord. 'Goed dat jullie net binnenkomen. Ik stond al op het punt er eentje rauw naar binnen te werken. Het zijn de mooiste die ik ooit heb gezien.'

'Jij bent het mooiste dat ík ooit heb gezien,' zei John. Hij sprak in alle oprechtheid, maar de glimlach waarmee ze hem aankeek, was vaag en een beetje verwonderd. Ik prentte me iets in: nooit tegen een vrouw zeggen dat ze mooi is als ze een paar rauwe steaks in haar handen heeft. Op de een of andere manier werkt het dan gewoon niet.

'Hoe goed ben je in het barbecuen van vlees?' vroeg ze me. 'Eerlijk zeggen, want het zou zonde zijn om deze steaks te verknoeien.'

'Het lukt wel.'

'Goed, je bent aangenomen. John, jij helpt hem. Rommie, help me met de salades.'

'Graag.'

George en Ki waren naar de voorkant van de caravan gegaan en zaten nu in tuinstoelen, als een paar oude kerels in hun Londense club. George vertelde Ki hoe hij in 1993 in Lisbon Street een vuurgevecht had geleverd met Rolfe Nedeau en zijn Hele Erge Boevenbende.

'George, wat is er toch met je néús?' vroeg John. 'Die wordt zo láng.'

'Mag ik even?' vroeg George. 'Ik ben in gesprek.'

'Meneer Kennedy heeft een hele zooi gemene midsadigers gevangen,' zei Kyra. 'Hij heeft de Hele Erge Boevenbende gevangen en ze in Supermax gestopt.'

'Ja,' zei ik. 'Meneer Kennedy heeft ook een Academy Award gekregen voor zijn rol in een film die *Cool Hand Luke* heet.'

'Dat is volkomen juist,' zei George. Hij bracht zijn rechterhand met twee gekruiste vingers omhoog. 'Ik en Paul Newman. Zo was dat.'

'We hebben zijn spugettisaus,' zei Ki ernstig, en nu moest John weer lachen. Het kwam op mij niet zo komisch over, maar lachen is aanstekelijk; je hoefde John maar te zien lachen en je kon jezelf ook niet meer inhouden. We brulden als een stel idioten en gooiden intussen de steaks op de barbecue. Nog een wonder dat we onze vingers niet brandden.

'Waarom lachten ze?' vroeg Ki aan George.

'Omdat ze domme mannen met hele kleine hersentjes zijn,' zei George. 'Nou, luister, Ki – ik kreeg ze allemaal te pakken behalve het Menselijk Hoofdkussen. Hij sprong in zijn auto en ik sprong in de mijne. De bijzonderheden van die achtervolging zijn eigenlijk niet geschikt om ze aan een klein meisje te vertellen...'

George somde ze toch allemaal op, terwijl John en ik bij Matties barbecue naar elkaar stonden te grijnzen. 'Dit is geweldig, hè?' zei John, en ik knikte.

Mattie kwam naar buiten met maïs in aluminiumfolie, gevolgd door Rommie, die een grote slakom in zijn armen had en voorzichtig het trapje afging. Voordat hij zijn voet omlaag bracht, tuurde hij telkens behoedzaam over de rand van de kom.

We gingen aan de picknicktafel zitten, George en Rommie aan de ene kant, John en ik aan weerszijden van Mattie aan de andere kant. Ki zat op een stapel oude tijdschriften in een tuinstoel aan het hoofd van de tafel. Mattie knoopte een theedoek om haar hals, een vernedering die Ki alleen lijdzaam onderging omdat (a) ze nieuwe kleren aanhad, en (b) een theedoek geen slabbetje is, tenminste niet als je het zuiver bekeek.

We aten ons vol – salade, steak (en John had gelijk, het waren echt de beste steaks die ik ooit had geproefd), geroosterde maïs aan de kolf, en 'aardbeierentaart', zoals Ki het noemde, als toetje. Tegen de tijd dat we aan de taart begonnen, waren de donderkoppen veel dichterbij gekomen en bliezen er hete windvlagen door de tuin.

'Mattie, het zou best eens kunnen dat ik nooit meer zo lekker eet als deze keer,' zei Rommie. 'Hartstikke bedankt dat ik mocht komen.'

'Ik bedank jóú,' zei ze. De tranen stonden in haar ogen. Ze pakte mijn hand aan de ene kant en Johns hand aan de andere kant vast en gaf een kneepje in beide. 'Dank jullie allemaal. Als jullie eens wisten hoe Ki en ik er een week geleden aan toe waren...' Ze schudde haar hoofd, gaf nog een laatste kneepje in onze handen en liet ze toen los. 'Maar dat is voorbij.'

'Moet je die kleine zien,' zei George glimlachend.

Ki was onderuitgezakt in haar tuinstoel en keek met glazige ogen naar ons. Het grootste deel van haar haar was uit het klemmetje losgekomen en hing over haar wangen. Ze had een kloddertje slagroom op haar neus, en op het midden van haar kin zat een geel maïskorreltje.

'Ik heb de frisbee zesduizelend keer gegooid,' zei Kyra. Ze sprak met een stem alsof ze iets opzei. 'Ik moe.'

Mattie wilde overeind komen. Ik legde mijn hand op haar arm. 'Zal ik?'

Ze glimlachte en knikte. 'Als je wilt.'

Ik pakte Kyra op en droeg haar naar het trapje. De donder rommelde weer, een laag en langgerekt gerommel, het klonk als het grommen van een reusachtige hond. Ik keek naar de naderende wolken, en terwijl ik dat deed, werd mijn aandacht getrokken door een beweging. Het was een oude blauwe auto die in de richting van het meer over Wasp Hill Road reed. Hij viel me alleen op omdat er zo'n stomme bumpersticker uit het Village Cafe op zat: CLAXON DEFECT – LET OP VINGER.

Ik droeg Ki de trap op en de deur door en draaide haar opzij opdat ze haar hoofd niet zou stoten. 'Zorg voor me,' zei ze in haar slaap. Haar stem klonk zo verdrietig dat er een huivering door me heen ging. Het was of ze wist dat ze het onmogelijke vroeg. 'Zorg voor me, ik ben klein, mama zegt dat ik klein ben.'

'Ik zal voor je zorgen,' zei ik, en ik kuste dat zachte plekje tussen haar ogen weer. 'Maak je geen zorgen, Ki, ga maar slapen.'

Ik droeg haar naar haar kamer en legde haar op het bed. Inmiddels was ze helemaal uitgeteld. Ik streek de slagroom van haar neus en pakte het maïskorreltje van haar kin. Ik keek op mijn horloge en zag dat het tien voor twee was. Inmiddels zouden ze in de kerk al bij elkaar zitten. Bill Dean droeg een grijze das. Buddy Jellison had een hoed op. Hij stond achter de kerk met een paar andere mannen die nog een sigaretje rookten voor ze naar binnen gingen.

Ik draaide me om. Mattie stond in de deuropening. 'Mike,' zei ze. 'Kom eens hier.'

Ik liep naar haar toe. Ditmaal zat er geen stof tussen haar middel en mijn handen. Haar huid was warm, en net zo zacht als die van haar dochter. Ze keek met haar lippen van elkaar naar me op. Haar heupen drukten naar voren, en toen ze voelde wat daar hard was, drukte ze er nog harder tegenaan.

'Mike,' zei ze opnieuw.

Ik deed mijn ogen dicht. Ik voelde me net iemand die opeens een fel verlichte kamer binnenkomt vol mensen die lachen en praten. En dansen. Want dat is soms het enige dat we willen doen.

Ik wil binnenkomen, dacht ik. *Dat wil* ik *doen, dat is alles wat ik wil doen. Laat me doen wat ik wil. Laat me...*

Ik besefte dat ik het hardop uitsprak, dat ik het snel in haar oor fluisterde terwijl ik haar vasthield en mijn handen over haar rug op en neer liet gaan. Mijn vingertoppen voelden haar ruggengraat, raakten haar schouderbladen aan en gingen toen naar de voorkant om haar kleine borsten te omvatten.

'Ja,' zei ze. 'Wat we allebei willen. Ja. Dat is goed.'

Langzaam bracht ze haar duimen omhoog en veegde de natte plekken onder haar ogen vandaan. Ik maakte me van haar los. 'De sleutel...'

Ze glimlachte een beetje. 'Je weet waar hij ligt.'

'Ik kom vanavond.'

'Goed.'

'Ik was...' Ik moest mijn keel schrapen. Ik keek naar Kyra, die in een diepe slaap verzonken was. 'Ik was eenzaam. Ik denk dat ik het zelf niet besefte, maar ik was het wel.'

'Ik ook. En ik wist het ook van jou. Wil je me kussen?'

Ik kuste haar. Ik denk dat onze tongen elkaar aanraakten, maar ik weet het niet zeker. Wat ik me vooral herinner, is dat ze lééfde. Ze wentelde zich in mijn armen en ik genoot.

'Hé!' riep John van buiten, en we lieten elkaar abrupt los. 'Willen jullie ons even helpen? Het gaat regenen!'

'Bedankt dat je eindelijk een besluit hebt genomen,' zei ze zachtjes tegen me. Ze draaide zich om en liep vlug door het smalle gangetje van de stacaravan. Ik denk dat ze, de volgende keer dat ze me sprak, niet wist tegen wie ze het had, of waar ze was. De volgende keer dat ze tegen me sprak, lag ze op sterven.

'Maak de kleine niet wakker,' hoorde ik haar tegen John zeggen, en hij zei: 'O, sorry, sorry.'

Ik bleef nog even staan om op adem te komen en ging toen de badkamer in en plensde koud water over mijn gezicht. Ik herinner me dat ik een blauwe plastic walvis in het bad zag toen ik een handdoek van het rek pakte. Ik dacht dat hij waarschijnlijk bellen uit zijn spuitgat blies, en er kwam zelfs even een idee in me op – een kinderverhaal over een spuitende walvis. Zou je hem Willie noemen? Nee, dat lag te veel voor de hand. Wilhelm dan – dat klonk goed, tegelijk deftig en grappig. Wilhelm de Spuitende Walvis.

Ik herinner me de donderslag in de lucht. Ik herinner me hoe gelukkig ik was nu ik eindelijk mijn besluit had genomen en me op de nacht kon verheugen. Ik herinner me de zachte stemmen van de mannen en die van Mattie, die hun vertelde waar de spullen naartoe moesten. Toen hoorde ik dat ze allemaal weer naar buiten gingen.

Ik keek naar beneden en zag een zekere bobbel kleiner worden. Ik dacht nog dat niets er zo bespottelijk uitzag als een seksueel opgewonden man en ik wist dat ik die gedachte al eens eerder had gehad, misschien in een droom. Ik ging de badkamer uit, keek nog even bij Kyra – op haar zij gerold, in diepe slaap verzonken – en liep toen het gangetje door. Ik was net in de huiskamer aangekomen toen er buiten geweervuur losbarstte. Ik hoorde meteen dat het schoten waren, geen donderslagen. Er was een moment waarop ik nog even over knallende uitlaten dacht – de opgevoerde auto van een tiener – en toen wist ik het. In zekere zin had ik wel verwacht dat er zoiets zou gebeuren – alleen had ik geen geweerschoten maar spoken verwacht. Een fatale vergissing.

Het was het snelle *pah! pah! pah!* van een automatisch vuurwapen

– een Glock 9 mm, zou later blijken. Mattie gilde – een schelle, doordringende gil die mijn bloed deed stollen. Ik hoorde John een schreeuw van pijn geven, en George Kennedy bulderde: 'Omlaag, omlaag! Jezus Christus, *druk haar omlaag!*'

Iets sloeg als hard hagelgespatter tegen de caravan – een geratel van ponsende geluiden dat van west naar oost ging. Iets splitste de lucht voor mijn ogen – ik hoorde het. Er was een bijna muzikaal geluid, *sproing*, alsof er een gitaarsnaar knapte. Op de keukentafel vloog de slakom die iemand net naar binnen had gebracht, aan stukken.

Ik rende naar de deur en dook min of meer het trapje van betonblokken af. Ik zag dat de barbecue was omgevallen en dat de gloeiende kooltjes al schamele plukjes gras hadden doen ontvlammen. Ik zag Rommie Bissonette met uitgestrekte benen zitten. Hij keek versuft naar zijn enkel, die droop van het bloed. Mattie zat op handen en knieën bij de barbecue en haar haar hing voor haar gezicht – het leek net of ze van plan was de gloeiende kooltjes op te pakken voordat die grote schade konden aanrichten. John wankelde naar me toe, met zijn ene hand in zijn andere. De arm daarboven was doorweekt van het bloed.

En ik zag de auto die ik al eerder had gezien – de onopvallende personenauto met die grappig bedoelde sticker erop. Hij was doorgereden – de mannen die erin zaten waren eerst een keer langsgereden om de situatie te verkennen – en was toen gekeerd en teruggekomen. De schutter boog zich nog uit het passagiersraam aan de voorkant. Ik kon het wapen met korte rokende loop in zijn handen zien. Het had een kolf van draad. Zijn gezicht was blauw en strak, met twee grote gapende oogkassen – een skimasker.

In de lucht liet de donder een langgerekt, geleidelijk opkomend gebulder horen.

George Kennedy liep naar de auto toe. Hij haastte zich niet en schopte onder het lopen wat gemorste kooltjes opzij. Blijkbaar trok hij zich niets aan van de donkerrode vlek die zich over de rechterdij van zijn broek verspreidde. Hij greep achter zich en haastte zich nog steeds niet toen de schutter zich terugtrok en 'Rijden, rijden!' tegen de bestuurder schreeuwde, die ook een blauw masker droeg. George haastte zich niet, nee, hij haastte zich helemaal niet, en al voordat ik de revolver in zijn hand zag, wist ik waarom hij dat belachelijke pak niet had uitgetrokken, zelfs niet toen hij ging frisbeeën.

De blauwe auto (het bleek later een Ford uit 1987 te zijn, die op naam stond van Sonia Belliveau in Auburn en die de vorige dag gestolen was) was de berm ingereden en was nog niet helemaal tot stilstand gekomen. Hij accelereerde nu, en er spoot droog bruin stof onder zijn achterbanden vandaan; de auto slingerde en stootte Matties brievenbus van de paal. Het ding vloog de weg op.

George haastte zich nog steeds niet. Hij bracht zijn handen bij elkaar, hield de revolver met zijn rechterhand vast en hield die rechterhand met zijn linkerhand in positie. Hij loste vijf zorgvuldige schoten. De eerste twee gingen de kofferbak in – ik zag de gaten verschijnen. De derde kogel ging door de achterruit van de wegrijdende Ford, en ik hoorde iemand een schreeuw van pijn geven. Ik weet niet waar de vierde kogel heen ging. De vijfde doorboorde de linker achterband. De Ford slingerde die kant op. De bestuurder kreeg hem nog even recht op de weg maar had hem toen niet meer onder controle. De auto boorde zich dertig meter van Matties caravan vandaan in de greppel en sloeg om. Er was een *whumpf!* te horen en het achtereind stond in lichterlaaie. Een van George' kogels moest de benzinetank hebben geraakt. De schutter begon zich door het raam naar buiten te wringen.

'Ki... haal Ki... weg...' Een hese fluisterstem.

Mattie kroop naar me toe. De ene kant van haar hoofd – de rechterkant – zag er nog goed uit, maar de linkerkant was helemaal verwoest. Een wezenloos blauw oog staarde tussen bosjes bloederig haar door. Haar gebruinde schouder was bezaaid met schedelfragmenten, alsof het scherfjes van serviesgoed waren. Wat zou ik je graag vertellen dat ik me hier niets van herinner. Wat zou ik graag willen dat iemand anders je vertelde dat Michael Noonan stierf voordat hij dat zag, maar dat kan ik niet. In kruiswoordpuzzels is *helaas* daar het woord voor, een woord van zes letters dat groot verdriet moet uitdrukken.

'Ki... Mike, haal Ki...'

Ik knielde neer en sloeg mijn armen om haar heen. Ze drukte zich tegen me aan. Ze was jong en sterk, en zelfs nu de grijze massa van haar hersenen door de verbrijzelde schedel naar buiten puilde, drukte ze zich tegen me aan, huilend om haar dochter. Ze wilde bij haar komen en haar beschermen en haar in veiligheid brengen.

'Mattie, het is al goed,' zei ik. In de Grace Baptist-kerk, ergens aan de rand van mijn gedachtewereld, zongen ze 'Blessed Assurance'... Maar de meeste van hun ogen waren zo leeg als het oog dat me nu door die wirwar van bloederig haar aanstaarde. 'Mattie, stop, rust, het is al goed.'

'Ki... Haal Ki... Laat ze niet...'

'Ze zullen haar niets doen, Mattie, dat beloof ik.'

Ze gleed tegen me aan, glibberig als een vis, en schreeuwde de naam van haar dochter, reikte met haar bloederige handen naar de caravan. Haar rozekleurige short en topje waren rood geworden. Het bloed spatte over het gras doordat ze wild met haar armen en benen bewoog. Beneden op de helling was een plofgeluid te horen: de benzinetank van de Ford explodeerde. Zwarte rook steeg op naar een zwarte hemel. De donder roffelde hard en lang, alsof de hemel zei: *Willen jullie lawaai? Ja? Dan krijgen jullie lawaai.*

'Zeg dat Mattie niets ergs mankeert, Mike!' riep John met een onzekere stem. 'O, in godsnaam, zeg dat ze...'

Hij liet zich naast me op zijn knieën zakken en zijn ogen rolden omhoog tot je alleen nog het wit zag. Hij stak zijn hand naar me uit, greep mijn schouder vast en scheurde toen zowat mijn halve shirt weg, want hij verloor zijn gevecht om bij bewustzijn te blijven en viel naast Mattie neer. Er verscheen wit schuim in zijn mondhoek. Vier meter van ons vandaan, bij de omgevallen barbecue, probeerde Rommie overeind te komen, zijn tanden op elkaar geklemd van pijn. George stond midden op Wasp Hill Road en herlaadde zijn revolver uit een zakje dat hij blijkbaar in zijn jaszak had gehad. Hij zag hoe de schutter zich uit de gekapseisde auto wrong voordat die helemaal door het vuur werd opgeslokt. De hele rechterpijp van George' broek was nu rood. *Misschien overleeft hij dit, maar dat pak kan hij nooit meer aan*, dacht ik.

Ik hield Mattie vast. Ik bracht mijn gezicht naar het hare, hield mijn mond bij het oor dat er nog was en zei: 'Kyra mankeert niets. Ze slaapt. Ze mankeert niets, echt niet.'

Mattie begreep het blijkbaar. Ze drukte zich niet meer zo strak tegen me aan en liet zich op het gras vallen, bevend over haar hele lichaam. 'Ki... Ki...' Dat was het laatste wat ze op aarde zei. Een van haar handen strekte zich blindelings uit, tastte naar een plukje gras en plukte het eruit.

'Hier,' hoorde ik George zeggen. 'Hierheen, klootzak. Waag het niet me je rug toe te keren.'

'Hoe erg is het met haar?' vroeg Rommie, die naar ons toe kwam strompelen. Zijn gezicht was zo wit als papier. En voordat ik kon antwoorden: 'O, Jezus. Heilige Maria Moeder Gods, bid voor ons zondaren, nu en in het uur van onze dood. Gezegend zij Jezus, de vrucht van uw schoot. O Maria, geboren zonder zonde, bid voor ons die toevlucht tot u zoeken. O nee, o Mike, nee.' Hij begon opnieuw, en ditmaal verviel hij in het straat-Frans van Lewiston, de taal die oude mensen La Parle noemen.

'Hou op,' zei ik, en dat deed hij. Alsof hij had gewacht tot hem dat werd gezegd. 'Ga naar binnen en ga bij Kyra kijken. Kun je dat?'

'Ja.' Hij strompelde naar de caravan, met zijn handen om zijn been. Met elke beweging slaakte hij een kreet van pijn, maar op de een of andere manier bleef hij vooruitkomen. Ik rook brandende plukjes gras. Ik rook elektrische regen in een wind die steeds verder aanwakkerde. En onder mijn handen voelde ik de lichte beweging waarmee Mattie wegzakte.

Ik draaide haar om, hield haar in mijn armen en wiegde haar. In de Grace Baptist-kerk las de predikant nu psalm 139 voor Royce: Als ik zeg, voorzeker zal de duisternis over me neerdalen, zal zelfs de nacht licht zijn. De predikant las voor en de Martianen luisterden. Ik wiegde haar in mijn armen onder de zwarte onweerswolken. Ik zou die avond naar haar toe zijn gegaan. Ik zou de sleutel onder de bloembak hebben gebruikt en naar haar toe zijn gegaan. Ze had met de punten van haar witte gymschoenen op de rode frisbee gedanst, ze had gedanst als een golf op de oceaan, en nu lag ze in mijn armen dood te gaan, terwijl het gras in kleine plukjes brandde en de man die evenveel als ik naar haar had verlangd bewusteloos naast haar lag, zijn rechterarm helemaal rood, van de korte mouw van zijn WE ARE THE CHAMPIONS-T-shirt tot aan zijn benige, sproetige pols.

'Mattie,' zei ik. 'Mattie, Mattie, Mattie.' Ik wiegde haar en streek met mijn hand over haar voorhoofd, dat aan de rechterkant wonderbaarlijk genoeg vrij was gebleven van bloed, in tegenstelling tot de rest van haar lichaam. Haar haar viel over de verwoeste kant van haar gezicht. 'Mattie,' zei ik. 'Mattie, Mattie, o Mattie.'

De bliksem flitste – de eerste flits die ik zag. Een lichtblauwe boog verlichtte de westelijke hemel. Mattie beefde in mijn armen – ze beefde helemaal van haar nek tot haar tenen. Haar lippen drukten op elkaar. Er kwamen rimpels in haar voorhoofd, alsof ze zich concentreerde. Haar hand ging omhoog. Het was of ze me bij mijn nek wilde pakken, zoals iemand die langs een rotswand omlaag valt blindelings om zich heen graait om nog een beetje langer te blijven hangen. Toen viel haar hand weg en bleef hij slap op het gras liggen, met de palm omhoog. Er ging nog één beving door haar heen – haar tengere lichaam trilde met zijn volle gewicht in mijn armen – en toen lag ze stil.

26

Daarna was ik voor het merendeel van de tijd in trance. Ik kwam daar een paar keer uit – bijvoorbeeld toen dat neergekrabbelde stukje genealogie uit een van mijn oude stenoboeken viel – maar die intermezzo's waren kort. In zekere zin was het net als die droom met Mattie, Jo en Sara. In zekere zin was het net als de vreselijke koorts die ik als kind had gehad, toen ik bijna aan de mazelen gestorven was. Voor het grootste deel was het niets anders dan zichzelf. Het was gewoon de trance. Ik voelde het. Ik wou bij god dat het anders was geweest.

George kwam naar me toe. Hij dwong de man met het blauwe masker voor hem uit te lopen. George liep nu erg mank. Ik rook hete olie en benzine en brandende autobanden. 'Is ze dood?' vroeg George. 'Mattie?'

'Ja.'

'John?'

'Weet ik niet,' zei ik, en toen kreunde John en maakte hij een krampachtige beweging. Hij leefde nog, maar hij had veel bloed verloren.

'Mike, luister,' begon George, maar voordat hij nog iets kon zeggen, klonk er een door merg en been gaand gekrijs uit de brandende auto. Het was de bestuurder. Hij werd levend verbrand. De schutter wilde zich die kant op draaien, en George bracht zijn revolver omhoog. 'Eén beweging en je gaat eraan.'

'Je kunt hem niet op die manier laten doodgaan,' zei de schutter van achter zijn masker. 'Je kunt een hónd nog niet zo laten doodgaan.'

'Hij is al dood,' zei George. 'Al had je een asbestpak aan, dan kwam je nog niet dichter dan tot drie meter bij die auto.' Hij wankelde op zijn voeten. Zijn gezicht was zo wit als het kloddertje slagroom dat ik van het puntje van Ki's neus had geveegd. De schutter maakte aanstalten alsof hij op hem af zou komen en George bracht het wapen nog wat verder omhoog. 'De volgende keer dat je beweegt, moet je niet stoppen,' zei George, 'want ik stop niet. Dat garandeer ik je. En doe nu dat masker af.'

'Nee.'

'Ik ben klaar met jou, makker. Doe de groeten aan God.' George spande de haan van zijn revolver.

De schutter zei: 'Jezus Christus', en rukte zijn masker af. Het was George Footman. Dat was niet zo'n verrassing. Achter hem gaf de bestuurder nog een laatste schreeuw in de vuurbal van de Ford, en toen was het stil. De rook kolkte in zwarte wolken omhoog. Donderslagen daverden door de lucht.

'Mike, ga naar binnen en zoek iets om hem mee vast te binden,' zei George Kennedy. 'Ik kan hem nog een minuut in bedwang houden – twee, als het moet – maar ik bloed als een rund. Zoek naar plakband om dozen mee dicht te maken. Dat spul houdt zelfs Houdini tegen.'

Footman bleef gewoon staan. Hij keek van Kennedy naar mij en weer naar Kennedy. Toen keek hij naar Route 68, die griezelig stil was. Of misschien was het niet zo griezelig – het onweer was voorspeld. De toeristen en zomergasten zouden dekking hebben gezocht. En wat de plaatselijke bevolking betrof...

De plaatselijke bevolking... luisterde. Zo zou je het kunnen noemen. De predikant sprak over Royce Merrill, een leven dat lang en vruchtbaar was geweest, een man die zijn land in vrede en oorlog had gediend, maar de oude mensen luisterden niet naar hem. Ze luisterden naar óns, zoals ze vroeger rond een grote ton in het Lakeview General hadden gestaan om naar de bokswedstrijden op de radio te luisteren.

Bill Dean hield Yvettes pols zo strak vast dat zijn nagels wit waren. Hij deed haar pijn... maar ze klaagde niet. Ze wílde dat hij haar vasthield. Waarom?

'Mike!' George' stem was duidelijk zwakker. 'Alsjeblieft, man, help me. Die kerel is gevaarlijk.'

'Laat me gaan,' zei Footman. 'Zou dat niet verstandig zijn?'

'In je natste dromen, hufter,' zei George.

Ik stond op, liep langs de bloembak met de sleutel eronder en ging het trapje van betonblokken op. De bliksem explodeerde door de hemel, gevolgd door het daveren van de donder.

In de caravan zat Rommie op een stoel aan de keukentafel. Zijn gezicht was nog witter dan dat van George. 'Het kind mankeert niets,' zei hij moeizaam. 'Maar zo te zien wordt ze straks wakker. Ik kan niet meer lopen. Mijn enkel ligt aan flarden.'

Ik liep naar de telefoon.

'Bespaar je de moeite,' zei Rommie. Zijn stem klonk scherp en onzeker tegelijk. 'Ik heb het al geprobeerd. De lijn is dood. Vast en zeker door de storm. Apparatuur verwoest. Christus, ik verga van de pijn.'

Ik ging naar de laden in de keuken en begon ze een voor een open te trekken, op zoek naar plakband, op zoek naar waslijn, op zoek naar het maakte niet uit wat. Als Kennedy door bloedverlies van zijn stokje ging terwijl ik hier binnen was, zou de andere George zijn revolver afpakken, hem doden, en dan John doden, die bewusteloos in het smeulende gras lag. Als hij met hen had afgerekend, zou hij hier binnen komen en Rommie en mij doodschoten. En ten slotte Kyra.

'Nee, dat doet hij niet,' zei ik. 'Hij zal haar in leven laten.'

En dat was misschien nog erger.

Bestek in de eerste lade. Boterhamzakjes, vuilniszakken en stapeltjes bonnen van supermarkten met elastiekjes eromheen in de tweede. Ovenhandschoenen en pannenlappen in de derde...

'Mike, waar is mijn Mattie?'

Ik draaide me om, zo schuldbewust als iemand die op het mixen van drugs wordt betrapt. Kyra stond aan de kant van de zithoek in het gangetje. Haar haar viel over haar wangen, die nog rood van de slaap waren, en haar strikje hing als een armband over haar pols. Ze keek me met grote paniekogen aan. Ze was niet wakker geworden van de schoten, waarschijnlijk niet eens van de gil van haar moeder. Ze was wakker geworden van mij. Mijn gedachten hadden haar wakker gemaakt.

Zodra ik dat besefte, probeerde ik mijn gedachten op de een of andere manier af te schermen, maar het was te laat. Ze had mijn gedachten over Devore zo goed gelezen dat ze tegen me zei dat ik niet aan verdrietige dingen moest denken, en nu las ze wat er met haar moeder was gebeurd voordat ik het uit mijn gedachten kon zetten.

Haar mond viel open. Haar ogen werden nog groter. Ze gilde alsof haar hand in een bankschroef was gekomen en rende toen naar de deur.

'Nee, Kyra, nee!' Ik sprintte de keuken door, struikelde bijna over Rommie (hij keek me aan met het suffe onbegrip van iemand die niet meer helemaal bij bewustzijn is) en greep haar nog net op tijd vast. Op datzelfde moment zag ik Buddy Jellison door een zijdeur van de Grace Baptist-kerk naar buiten komen. Twee van de mannen met wie hij had staan roken, kwamen met hem mee. Nu begreep ik waarom Bill zich zo stevig aan Yvette vasthield, en ik vond het geweldig van hem – ik vond het geweldig van hen beiden. Iets wilde dat hij met Buddy en de anderen meeging – maar Bill ging niet.

Kyra spartelde in mijn armen, probeerde uit alle macht bij de deur te komen, hield haar adem in en gilde het toen weer uit: '*Laat me los, ik wil naar mammie, laat me los, ik wil naar mammie, laat me los...*'

Ik riep haar naam met de enige stem waarvan ik wist dat ze hem echt zou horen, de stem die ik alleen bij haar kon gebruiken. Beetje bij beetje ontspande ze in mijn armen, en toen keek ze me aan. Haar ogen waren groot en verward en glanzend van de tranen. Ze keek me nog even aan en begreep toen blijkbaar dat ze niet naar buiten moest gaan. Ik zette haar neer. Ze bleef daar nog even staan en ging toen achteruit tot ze met haar achterste tegen de afwasmachine stond. Ze liet zich langs het gladde witte oppervlak omlaag zakken naar de vloer. Toen begon ze heel hard te huilen – de afschuwelijkste geluiden van verdriet die ik ooit heb gehoord. Ze begreep het volkomen, weet je. Ik moest haar genoeg laten zien om haar binnen te houden, ik moest... en omdat we samen in dezelfde trance waren, zou ik dat kunnen.

Buddy en zijn vrienden zaten in een pick-up die naar ons toe kwam. BOUWBEDRIJF BAMM, stond er op de zijkant.

'Mike!' riep George. Hij klonk paniekerig. 'Schiet op!'

'Hou vol!' riep ik terug. 'Hou vol, George!'

Mattie en de anderen waren bezig geweest de picknickspullen op het aanrecht te stapelen, maar ik ben er bijna zeker van dat het stuk formica boven de laden schoon en leeg was geweest toen ik achter Kyra aan rende. Nu niet meer. De gele suikerpot was omgevallen. In de gemorste suiker stond geschreven:

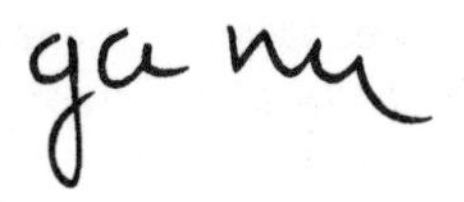

'Allemachtig,' mompelde ik, en ik keek in de overige laden. Geen plakband, geen touw. Zelfs geen miezerig stel handboeien, zoals je tegenwoordig in drie van de vier welvoorziene keukens kunt aantreffen. Toen kreeg ik een idee en ik keek in het gootsteenkastje. Toen ik weer buiten kwam, stond George te wankelen op zijn benen en stond Footman met de concentratie van een roofdier naar hem te kijken.

'Heb je plakband?' vroeg George Kennedy.

'Nee, iets beters,' zei ik. 'Vertel eens, Footman, door wie werd je nou eigenlijk betaald? Devore of Whitmore? Of weet je dat niet?'

'Lazer op,' zei hij.

'Ik hield mijn rechterhand achter mijn rug. Nu wees ik met mijn linkerhand naar de heuvel en deed alsof ik verrast was. 'Wat doet Osgood daar? Zeg hem dat hij weggaat!'

Footman keek in die richting – het was instinctief – en ik sloeg hem op zijn achterhoofd met de Craftsman-hamer die ik in de gereedschapskist onder Matties gootsteen had gevonden. Het was een afschuwelijk geluid en het was gruwelijk om te zien hoe het bloed uit zijn wapperende haren spoot, maar het ergste van alles was nog het gevoel dat de schedel bezweek – een sponzig indeuken, over de hele lengte van de steel, tot aan mijn vingers. Hij ging als een zandzak tegen de grond en ik liet kokhalzend de hamer vallen.

'Goed,' zei George. 'Een beetje lelijk, maar waarschijnlijk het beste dat je onder... onder de...'

Hij ging niet zoals Footman tegen de grond – hij ging langzamer en beheerster, bijna gracieus – maar evengoed was hij buiten westen. Ik pakte de revolver op, keek ernaar en gooide hem toen in het bos aan de overkant van de weg. Aan een vuurwapen had ik op dat moment niets; het kon me alleen maar in grotere moeilijkheden brengen.

Er waren nog een paar andere mannen de kerk uitgekomen, en ik zag ook een auto vol dames in zwarte jurken en sluiers. Ik moest nog meer opschieten. Ik maakte George' riem los en trok hem omlaag. De kogel die hem in zijn been had getroffen, had zich in zijn dij geboord, maar zo te zien was het bloed nu gestold. Johns bovenarm was een heel ander verhaal – die pompte nog angstaanjagende hoeveelheden bloed uit. Ik rukte zijn riem los en trok hem zo strak mogelijk om zijn arm. Toen sloeg ik hem in zijn gezicht. Zijn ogen gingen open en keken me versuft aan.

'Doe je mond open, John!' Hij staarde me alleen maar aan. Ik bukte me tot onze neuzen elkaar bijna raakten en schreeuwde: '*DOE JE MOND OPEN! NU METEEN!*' Hij deed hem open zoals een kind wanneer de zuster zegt dat hij aaa moet zeggen. Ik stak het uiteinde van de riem tussen zijn tanden. 'Dicht!' Hij deed het. 'En nu vasthouden,' zei ik. 'Al ga je van je stokje, je houdt hem vast.'

Ik had geen tijd om te kijken of hij oplette. Ik stond op en keek omhoog, want op dat moment werd de hele wereld fel blauw. Een ogenblik was het of ik in een tl-buis stond. Aan de bovenkant hing een zwarte rivier, kolkend en kronkelend als een mand vol slangen. Ik had nog nooit zo'n dreigende hemel gezien.

Ik rende het trapje van betonblokken op, de caravan weer in. Rommie was met zijn gezicht op zijn gevouwen armen op de tafel gezakt. Hij zou eruit hebben gezien als een kinderoppas die even rust nam als hij niet die scherven van de slakom en die stukjes sla in zijn haar had gehad. Kyra zat nog hysterisch te huilen met haar rug tegen de afwasmachine.

Ik pakte haar op en merkte dat ze in haar broek had geplast. 'We moeten nu gaan, Ki.'

'Ik wil Mattie! Ik wil mammie! *Ik wil mijn Mattie, zorg dat ze geen pijn meer heeft! Zorg dat ze niet dood meer is!*'

Ik rende door de caravan. Op weg naar de deur kwam ik langs het bijzettafeltje met het boek van Mary Higgins Clark. Ik zag de wirwar van haarlinten weer – linten die misschien voor het feest in Kyra's haar gestrikt waren en er toen weer waren uitgehaald omdat ze toch voor dat strikje kozen. Ze waren wit, met knalrode randen. Mooi. Ik pakte ze op zonder te blijven staan, stopte ze in mijn broekzak en verplaatste Ki toen naar mijn andere arm.

'Ik wil Mattie! Ik wil mammie! *Laat haar terugkomen!*' Ze sloeg naar me, probeerde me tegen te houden en begon toen weer te spartelen in mijn armen. Ze trommelde met haar vuisten tegen de zijkant van mijn hoofd. 'Zet me neer! Zet me neer!'

'Nee, Kyra.'

'Zet me neer! Zet me op de grond! ZET ME OP DE GROND! ZET ME NEER!'

Ik kon haar niet meer houden. Maar toen we boven aan het trapje stonden, hield ze ineens op met spartelen. 'Geef me Stricken! Ik wil Stricken!'

Eerst had ik geen idee waar ze het over had, maar toen ik keek waar ze naar wees, begreep ik het. Op het pad, niet ver van de bloembak met de sleutel eronder, lag het pluchen beest uit Ki's Happy Meal. Zo te zien had Strickland al heel wat uren buiten gespeeld – het lichtgrijze pluche was nu donkergrijs van het stof – maar als het speelgoedbeest haar tot rust zou brengen, moest ze het hebben. Dit was niet het moment om aan vuil en bacillen te denken.

'Ik pak Strickland, als je belooft dat je je ogen dichtdoet en ze pas opendoet als ik het zeg. Wil je dat beloven?'

'Ik beloof het,' zei ze. Ze beefde in mijn armen, en grote ronde tranen – het soort tranen dat je in sprookjesboeken verwacht, niet in het echte leven – welden in haar ogen op en rolden over haar wangen. Ik rook brandend gras en verkoolde biefstuk. Gedurende een afschuwelijk moment dacht ik dat ik ging kotsen, maar toen kreeg ik het onder controle.

Ki deed haar ogen dicht. Er vielen nog twee tranen op mijn arm. Ze waren heet. Ze stak tastend haar hand uit. Ik ging het trapje af, pakte de pluchen hond, en aarzelde. Eerst het lint, nu de hond. Het lint kon waarschijnlijk geen kwaad, maar het leek me verkeerd om haar die hond te geven, om haar die hond te laten meenemen. Het leek me verkeerd, maar...

Hij is grijs, Ier, fluisterde de UFO-stem. *Je hoeft je geen zorgen over dat beest te maken, want hij is grijs. Het speelgoedbeest in je droom was zwart.*

Ik wist niet precies waar die stem het over had en ik had ook niet de tijd om me er druk over te maken. Ik legde de pluchen hond in Kyra's open hand. Ze hield hem tegen haar gezicht en kuste de stoffige vacht, haar ogen nog dicht.

'Misschien kan Stricken mammie beter maken, Mike. Stricken is een toverhond.'

'Hou je ogen nou maar dicht. Niet opendoen tot ik het zeg.'

Ze hield haar gezicht tegen mijn hals, en zo droeg ik haar door de tuin naar mijn auto. Ik zette haar op de voorbank. Ze ging met haar armen over haar hoofd liggen, de vuile speelgoedhond in haar mollige handje geklemd. Ik zei dat ze zo moest blijven liggen. Ik wist dat ze me hoorde, al liet ze daar niets van blijken.

We moesten opschieten, want de oude dorpelingen kwamen eraan. Die oude kerels wilden dit karwei afmaken, wilden dat deze rivier in zee stroomde. En er was maar één plaats waar we heen konden gaan, één plaats waar we misschien veilig waren, en dat was Sara Laughs.

Toch moest ik eerst iets anders doen.

Ik had altijd een deken in mijn kofferbak liggen, oud maar schoon. Ik haalde hem eruit, liep door de tuin en spreidde hem over Mattie Devore uit. De bult onder die deken bood een hartverscheurende aanblik. Ik keek om me heen en zag John naar me kijken. Zijn ogen waren glazig van de shock, maar ik dacht dat hij misschien bijkwam. Hij had die riem nog tussen zijn tanden en zag eruit als een junkie die op het punt staat een spuit te zetten.

'Iiikanniiiie,' zei hij. *Dit kan niet*. Ik begreep precies hoe hij zich voelde.

'Er komt hulp over een paar minuten. Hou vol. Ik moet weg.'

'Waheen?'

Ik gaf geen antwoord. Daar was geen tijd voor. Ik stopte en voelde George Kennedy's pols. Langzaam maar krachtig. Naast hem lag Footman volkomen buiten westen, al mompelde hij nog wat met een gesmoorde stem. Bij lange na niet dood. Er is veel voor nodig om een papa te doden. De windvlagen bliezen de rook van de gekantelde auto mijn kant op, en nu rook ik niet alleen geroosterde steak maar ook gekookt vlees. Mijn maag trok weer samen.

Ik rende naar de Chevrolet, liet me achter het stuur vallen en reed achteruit het pad af. Ik keek nog één keer – naar de deken over het lichaam, naar de drie mannen die op de grond lagen, naar de caravan met de slordige rij kogelgaten in de zijkant en met de openstaande deur. John richtte zich op zijn goede elleboog op, met het uiteinde van zijn riem nog tussen zijn tanden. Hij keek me niet-begrijpend aan. De bliksem flitste zo fel dat ik mijn ogen probeerde af te schermen, al was de flits al weg voordat ik mijn hand omhoog had en was de dag al weer zo donker als een late avondschemering.

'Omlaag blijven, Ki,' zei ik. 'Zo blijven liggen.'

'Ik kan je niet horen,' zei ze met een stem zo schor, zo verstikt door tranen dat ik de woorden bijna niet kon verstaan. 'Ki doet een dutje met Stricken.'

'Goed,' zei ik. 'Dat is goed.'

Ik reed langs de brandende Ford naar de voet van de heuvel, waar ik bij het roestige, met kogels doorzeefde stopbord stopte. Ik keek naar rechts en zag de pick-up in de berm staan, die wagen met BOUWBEDRIJF BAMM op de zijkant. Er zaten drie mannen in de cabine. Ze keken naar me. De man bij het raam aan de passagierskant was Buddy Jellison; ik herkende hem aan zijn pet. Uiterst langzaam en nadrukkelijk bracht ik mijn rechterhand omhoog, met de middelvinger naar boven. Ze reageerden geen van drieën en hun uitgestreken gezichten veranderden niet, maar de pick-up kwam langzaam mijn kant op.

Ik sloeg linksaf 68 op, en ging onder een zwarte hemel op weg naar Sara Laughs.

Drie kilometer van het punt waar Lane 42 zich van de grote weg aftakt en naar het meer in het westen begint te kronkelen, stond een oude verlaten schuur waarop je nog steeds een vaag opschrift kon onderscheiden: MELKVEEBEDRIJF DONCASTER. Toen we daar aankwamen, lichtte de hemel in het oosten helemaal op, als een purperwitte blaar. Ik gaf een schreeuw en de claxon van de Chevrolet loeide – uit zichzelf, daar ben ik bijna zeker van. Een bliksemschicht schoot uit dat purperwit en trof de schuur. Een ogenblik was hij er nog helemaal, gloeiend als iets radioactiefs, en toen spatte hij in alle richtingen uiteen. Ik had buiten de bioscoop nog nooit iets gezien wat er zelfs maar in de verte op leek. De donderslag die volgde, was net een bominslag. Kyra gilde en liet zich op de vloer van de auto glijden, met haar handen tegen haar oren. In een van die handen hield ze nog steeds die kleine pluchen hond geklemd.

Even later was ik over Sugar Ridge heen. Aan de voet van de noordelijke helling buigt Lane 42 naar links van de grote weg af. Vanaf de top kon ik een groot stuk van de TR-90 zien – bossen en velden en schuren en boerderijen, zelfs een duistere glans op het meer. De hemel was zwart als steenkool, met bijna constant de flikkering van inwendige ontladingen. De lucht had een heldere okergele gloed. Bij elke ademtocht smaakte de lucht naar het schaafsel in een tondeldoos. De topografie voorbij de heuvelrug tekende zich af met een surrealistische helderheid die ik nooit zal vergeten. Een mysterieus gevoel maakte zich meester van mijn hart en geest, het gevoel dat de wereld als een dunne huid over onkenbare kloven en beenderen ligt.

Ik keek in het spiegeltje en zag dat de pick-up gezelschap had gekregen van twee andere auto's, een met een V-nummerbord, zo'n bord waaraan je kunt zien dat het voertuig op naam staat van een oorlogsveteraan. Toen ik langzamer ging rijden, deden zij dat ook. Toen ik sneller ging rijden, deden zij dat ook. Maar ik betwijfelde of ze ons ook zouden volgen als ik Lane 42 insloeg.

'Ki? Alles goed?'

'Ik slaap,' zei ze vanaf de vloer.

'Goed,' zei ik, en ik begon aan de afdaling.

Ik kon nog net de rode fietsreflectoren zien die mijn afslag naar 42 aangaven, toen het begon te hagelen – grote brokken wit ijs die uit de lucht vielen en als dikke vingers op het dak trommelden en van de kap af stuiterden. Ze vormden een laagje in het gootje van de ruitenwissers.

'Wat gebeurt er?' riep Kyra uit.

'Het is maar hagel,' zei ik. 'Er kan ons niets gebeuren.' Dat was me nog maar net over de lippen gekomen of een hagelsteen ter grootte van een kleine meloen sloeg tegen mijn kant van de voorruit en stuiterde toen weer hoog de lucht in, met achterlating van een witte ster van waaruit zich een aantal korte barsten verspreidde. Lagen John en George Kennedy hulpeloos buiten in dit noodweer? Ik draaide mijn geest in die richting maar voelde niets.

Toen ik links afsloeg, Lane 42 in, hagelde het bijna zo hard dat ik niets kon zien. De wielsporen zaten vol met ijs. Maar onder de bomen vervaagde het wit. Ik ging naar die dekking en zette mijn koplampen aan. De heldere lichtbundels sneden door de kletterende hagel.

Toen we onder de bomen kwamen, gloeide dat purperwit weer op aan de hemel en kreeg ik zo'n felle schittering in mijn spiegeltje dat ik er niet in kon kijken. Er volgde een oorverdovende, knetterende klap. Kyra gilde weer. Ik keek achterom en zag een kolossale oude spar langzaam over de weg zakken. Zijn grillige vormen stonden in lichterlaaie. Hij trok de elektriciteitslijnen mee.

De terugweg afgesneden, dacht ik. *En aan de andere kant is het waarschijnlijk ook geblokkeerd. We zijn hier. Wat er ook gebeurt, we zijn hier.*

De bomen groeiden als een baldakijn over Lane 42, behalve op de plaats waar de weg langs Tidwell's Meadow liep. Het geluid van de hagel in het bos klonk als een immens versplinterend geratel. En natuurlijk versplinterden er inderdaad bomen. Het was de meest verwoestende hagelbui die ooit in dat deel van de wereld was gevallen, en hoewel hij in een kwartier voorbij was, was dat lang genoeg om alle gewassen op het land te vernietigen.

Boven ons flitste de bliksem. Ik keek op en zag een grote oranje vuurbal die door een kleinere bal werd achtervolgd. Ze vlogen links van ons door de bomen en zetten een aantal takken bovenin in brand. We kwamen even op het open terrein van Tidwell's Meadow, en toen ging de hagel in stortregen over. Ik had niet verder kunnen rijden als we niet vrijwel meteen weer in het bos waren gekomen, en zelfs daar bood het baldakijn maar net zoveel dekking dat ik heel langzaam verder kon rijden, voorovergebogen over het stuur turend in het zilveren gordijn dat door de waaier van mijn koplampen naar beneden kwam. De donder daverde aan één stuk door, en nu stak de wind ook op, bulderend door de boomtoppen als een vloekende stem. Voor me viel een tak met veel bladeren op de weg. Ik reed eroverheen en hoorde hoe hij bonkend en schrapend en stotend tegen het chassis van de Chevrolet kwam.

Alsjeblieft, niets groters, dacht ik... of misschien bad ik. *Alsjeblieft, laat me bij het huis komen. Alsjeblieft, laat ons bij het huis komen.*

Toen ik de oprijlaan bereikte, joelde de wind als een wervelstorm. Door de zwiepende bomen en striemende regen leek het of de wereld op het punt stond in watergruwel te veranderen. De helling van de oprijlaan was een rivier geworden, maar ik reed er zonder aarzeling met de Chevrolet doorheen. We konden niet hier buiten blijven. Als er een grote boom op de auto viel, zouden we als insecten verpletterd worden.

Ik wist dat ik de remmen niet moest gebruiken – de auto zou dwars op de weg komen te staan en dan misschien over de helling worden meegevoerd tot aan het meer, rollend als een sneeuwbal. In plaats daarvan schakelde ik terug, trok de handrem een beetje aan en remde af op de motor, terwijl de regen tegen de voorruit ranselde en het huis van houtblokken in een spookbeeld veranderde. Ongelooflijk genoeg waren sommige lichten nog aan. Ze schenen als de patrijspoorten van een bathysfeer in twee meter water. De generator deed het dus nog – althans voorlopig.

De bliksem wierp een lans over het meer: blauwgroen vuur verlichtte een zwarte watermassa met witte schuimkoppen. Een van de honderd jaar oude dennen die links van de bielzentrap hadden gestaan, lag nu tot halverwege in het water. Ergens achter ons ging een andere boom met een daverende dreun tegen de grond. Kyra drukte haar handen tegen haar oren.

'Het is al goed, schatje,' zei ik. 'We zijn er, we hebben het gered.'

Ik zette de motor af en deed de lichten uit. Zonder die lichten kon ik weinig zien; bijna al het daglicht was uit de dag verdwenen. Ik probeerde mijn deur open te maken en slaagde daar niet meteen in. Ik duwde harder en nu ging hij niet alleen open maar werd hij uit mijn hand gerukt. Ik stapte uit en in een schitterende bliksemschicht zag ik Kyra over de voorbank naar me toe kruipen, haar gezicht wit van paniek, haar ogen een en al angst en zo groot als theeschoteltjes. Mijn deur zwaaide terug en trof me pijnlijk hard tegen mijn achterste. Ik negeerde het, pakte Ki in mijn armen en draaide me met haar om. In een ommezien waren we doorweekt van de koude regen. Alleen voelde het helemaal niet aan als regen; het was of we onder een waterval gingen staan.

'Mijn hondje!' gilde Ki. Gillen of niet, ik kon haar amper horen. Maar ik kon haar gezicht wel zien, en haar lege handen. 'Stricken! Ik heb Stricken laten vallen!'

Ik keek om, en ja, daar ging hij. Hij dreef over het asfalt van de oprijlaan langs de veranda. Een eindje verderop liep de stortvloed over de rand van het wegdek en de helling af. Als Strickland met de stroom meeging, zou hij waarschijnlijk ergens in het bos terechtkomen. Of helemaal in het meer.

'Stricken!' snikte Ki. 'Mijn HONDJE!'

Plotseling dachten we allebei alleen nog aan dat stomme speelgoedbeestje. Ik rende achter Stricken aan over de oprijlaan, met Ki in mijn armen, zonder me druk te maken over de regen en de wind en de felle bliksemschichten. En toch zou hij eerder bij de helling zijn dan ik – het water waarin hij terecht was gekomen stroomde zo snel dat ik het nooit kon inhalen.

Aan de rand van het wegdek bleef hij haken achter drie zonnebloemen die wild in de wind zwaaiden. Het leken net gelovigen die in extase raakten op een gebedsbijeenkomst: *Ja, Jezus! Dank u, Heer!* Ook die bloemen kwamen me bekend voor. Het was natuurlijk onmogelijk dat het dezelfde drie zonnebloemen waren die in mijn droom (en ook op de foto die Bill Dean had gemaakt voordat ik terugkwam) door de planken van de veranda heen groeiden, en toch waren ze het – het leed geen enkele twijfel dat ze het waren. Drie zonnebloemen als de drie heksenzusters uit *Macbeth*, drie zonnebloemen met gezichten als zoeklichten. Ik was naar Sara Laughs teruggekomen; ik was in trance; ik was naar mijn droom teruggekeerd en deze keer had de droom bezit van me genomen.

'Stricken!' Ki boog en spartelde in mijn armen. Het gevaar dat we zouden uitglijden, was levensgroot. 'Alsjeblieft, Mike, *alsjeblieft!*'

De donder explodeerde in de lucht als een vat vol nitroglycerine. We gaven allebei een schreeuw. Ik liet me op één knie zakken en griste het pluchen hondje uit het water. Kyra drukte het tegen zich aan en bedekte het met koortsachtige kussen. Ik sprong overeind toen een volgende donderslag over het land daverde. Ditmaal was het of de donder als een krankzinnige vloeibare zweep door de lucht knalde. Ik keek naar de zonnebloemen en het was of ze naar me terugkeken – *Hallo, Ier, lang geleden, hè?* Toen pakte ik Ki zo goed mogelijk in mijn armen, draaide me om en rende naar het huis. Dat viel niet mee; het water op de oprijlaan stond nu tot mijn enkels en zat vol smeltende hagelstenen. Een tak vloog rakelings langs ons en belandde ongeveer op de plaats waar ik was neergeknield om Strickland op te pakken. Er klonk een klap, gevolgd door geroffel: een nog grotere tak sloeg tegen het dak en rolde naar beneden.

Ik rende de achterveranda op en verwachtte half dat de Gedaante naar buiten kwam stormen om ons te begroeten, zwaaiend met flodderige niet-armen, een gruwelijk vertoon van kameraadschap – maar er was geen Gedaante. Er was alleen het noodweer, en dat was al erg genoeg.

Ki drukte het hondje tegen zich aan en ik zag zonder enige verbazing dat al dat water, gecombineerd met het vuil van al die uren dat hij buiten had gespeeld, Strickland helemaal zwart had gemaakt. Ik had hem dus toch in mijn droom gezien.

Het was nu te laat. We konden nergens anders heen, konden nergens anders beschutting zoeken tegen het noodweer. Ik maakte de deur open en ging met Kyra Devore over de drempel van Sara Laughs.

Het middengedeelte van Sara – het hart van het huis – stond er al bijna honderd jaar en had al het nodige noodweer meegemaakt. Het onweer dat op die middag in juli boven de omgeving losbarstte, was misschien wel de ergste storm die het huis ooit had doorstaan, maar zodra we binnen waren, allebei hijgend als mensen die ternauwernood aan de verdrinkingsdood zijn ontsnapt, wist ik bijna zeker dat het huis dit noodweer zou doorstaan. De wanden van houtblokken waren zo dik dat het bijna was of je in een kluis stapte. Het razen en ranselen van de onweersstorm werd een aanhoudend gedreun, met van tijd tot tijd een donderslag of de plof van een tak die op het dak viel. Ergens – in de kelder, denk ik – was een deur losgeraakt. Hij klapperde heen en weer en het klonk als een startpistool. Het keukenraam was gebroken doordat er een kleine boom tegenaan was gevallen. De scherpe punt van die boom stak boven het gasstel naar binnen en wierp, deinend in de wind, schaduwen over het aanrecht en de branders. Ik dacht erover hem af te breken maar besloot het niet te doen. Zolang hij daar hing, hield hij het gat tenminste dicht.

Ik droeg Ki naar de huiskamer en we keken naar het meer, zwart water met surrealistische lichtpunten onder een zwarte hemel. De bliksem flitste bijna constant en liet dan een kring van bossen zien die koortsachtig dansten en deinden rondom het hele meer. Hoe stevig het huis ook was, het kreunde diep in zichzelf, belaagd door de wind die het van de heuvel probeerde te duwen.

Er was een zacht, gestaag getinkel te horen. Kyra tilde haar hoofd van mijn schouders en keek om zich heen.

'Je hebt een eland,' zei ze.

'Ja, dat is Bunter.'

'Bijt hij?'

'Nee, schatje, hij kan niet bijten. Hij is net een... net een pop.'

'Waarom rinkelt zijn bel?'

'Hij is blij dat we er zijn. Hij is blij dat we het hebben gered.'

Ik zag dat ze gelukkig wilde zijn, en toen zag ik dat ze besefte dat Mattie er niet was om samen met haar gelukkig te zijn. Ik zag de gedachte in haar opkomen dat Mattie er nooit meer zou zijn om gelukkig mee te zijn... en voelde dat ze die gedachte van zich af duwde. Boven onze hoofden dreunde iets groots op het dak. De lichten flikkerden en Ki begon weer te huilen.

'Nee, schatje,' zei ik, en ik begon met haar te lopen. 'Nee, schatje, nee, Ki, niet doen. Niet doen, schatje, niet doen.'

'Ik wil mijn mammie! *Ik wil mijn Mattie!*'

Ik liep met haar rond zoals je volgens mij rondloopt met baby's die buikkrampjes hebben. Ze begreep te veel voor een kind van drie, en haar verdriet was dan ook veel erger dan wat een kind van drie zou moeten verduren. En dus hield ik haar in mijn armen en liep ik met haar door het huis. Haar korte broek, nat van de urine en het regenwater, drukte tegen mijn arm, haar armen lagen koortsig heet om mijn nek, haar wangen waren besmeurd met snot en tranen, haar haar was nog drijfnat van onze korte sprint door de stortregen, haar adem rook naar aceton, en haar speelgoedhondje was een verfrommeld zwart vod dat vuil water over haar knokkels liet lopen. Ik liep met haar. Heen en weer liepen we door Sara's huiskamer, heen en weer door het zwakke licht van de ene plafondlamp die brandde. Generatorlicht is nooit erg rustig, nooit erg stil – het is of het ademt en zucht. Heen en weer door het aanhoudende lage getinkel van Bunters bel, als muziek uit die wereld die we soms aanraken maar nooit zien. Heen en weer onder het geluid van het noodweer. Ik denk dat ik voor haar zong en ik weet dat ik haar met mijn geest aanraakte en dat we samen dieper en dieper in trance raakten. Boven ons joegen de wolken en hamerde de regen. Het regenwater bluste de vuren die door de bliksem in de bossen waren ontstaan. Het huis kreunde en de lucht sloeg met vlagen door het kapotte keukenraam naar binnen, maar ondanks alles had ik het behoedzame gevoel dat we veilig waren. Het was het gevoel dat we waren thuisgekomen.

Eindelijk begon ze enigszins tot bedaren te komen. Ze lag met haar wang en het volle gewicht van haar zware hoofd tegen mijn schouder, en als we langs de ramen aan de kant van het meer kwamen, zag ik haar ogen naar het zilverachtige donkere noodweer kijken, groot en zonder te knipperen. Ze werd gedragen door een lange man met een kalend hoofd. Ik besefte dat ik dwars door ons heen de tafel van de eetkamer kon zien. *Onze spiegelbeelden zijn al geesten*, dacht ik.

'Ki? Kun je iets eten?'

'Geen honger.'

'Kun je een glas melk drinken?'

'Nee, warme chocola. Ik koud.'

'Ja, natuurlijk. En ik heb cacao.'

Ik probeerde haar neer te zetten, maar ze klampte zich paniekerig aan me vast, klauterde met haar mollige dijtjes tegen me op. Ik hees haar weer omhoog, zette haar ditmaal op mijn heup, en ze gaf zich gewonnen.

'Wie is hier?' vroeg ze. Ze huiverde inmiddels. 'Wie is hier behalve wij?'

'Ik weet het niet.'

'Er is een jongen,' zei ze. 'Ik heb hem daar gezien.' Ze wees met Strickland naar de glazen schuifdeur die naar het terras leidde (alle stoelen op het terras waren omgegaan en in de hoeken gegooid; er ontbrak er een, die was blijkbaar over de reling geblazen). 'Hij was zwart, zoals in dat grappige programma waar ik en Mattie naar kijken. Er zijn ook andere zwarte mensen. Een mevrouw met een grote hoed. Een man in een blauwe broek. De rest is moeilijk te zien. Maar ze kijken. Ze kijken naar ons. Zie jij ze niet?'

'Ze kunnen ons niets doen.'

'Echt niet? Echt waar moet?'

Ik gaf geen antwoord.

Ik vond een doos Swiss Miss, verstopt achter de bus met meel, scheurde een van de pakjes open en strooide de inhoud in een beker. Boven ons explodeerde de donder. Ki sprong in mijn armen en liet een lange, doodongelukkige jammerkreet horen. Ik omhelsde haar en kuste haar wang.

'Zet me niet neer, Mike. Ik ben bang.'

'Ik zal je niet neerzetten. Jij bent mijn brave meisje.'

'Ik ben bang voor die jongen en die man met de blauwe broek en die mevrouw. Ik denk dat het de mevrouw is die Matties jurk aanhad. Zijn het geesties?'

'Ja.'

'Zijn ze slecht, zoals de mannen die op de kermis achter ons aan zaten? Zijn ze slecht?'

'Ik weet het niet, Ki. Ik weet het echt niet.'

'We zullen wel zien.'

'Huh?'

'Dat dacht jij. "We zullen wel zien." '

'Ja,' zei ik. 'Dat dacht ik. Zoiets.'

Terwijl de ketel water op het gas stond, ging ik met haar naar de grote slaapkamer. Ik dacht dat er íéts van Jo moest zijn overgebleven dat ik haar kon aantrekken, maar alle laden in Jo's bureau waren leeg. En haar kant van de kast was ook leeg. Ik zette Ki op het grote tweepersoonsbed, waarin ik sinds mijn terugkeer nog niet eens een klein dutje had gedaan, trok haar kleren uit, droeg haar naar de badkamer en sloeg een badhanddoek om haar heen. Ze trok de handdoek tegen zich aan, bevend en met blauwe lippen. Ik gebruikte een andere handdoek om haar haar zo goed mogelijk af te drogen. Al die tijd liet ze haar pluchen hond geen moment los. Het beestje begon nu vulsel uit zijn naden te bloeden.

Ik maakte het medicijnkastje open, graaide erin en vond op het bovenste plankje wat ik zocht: de benadryl die Jo in huis had voor haar hooikoorts. Ik wilde eerst op de onderkant van het doosje naar de uiterste datum kijken maar barstte toen bijna in lachen uit. Wat voor verschil maakte dát nou? Ik zette Ki op het deksel van de wc-bril, en terwijl ze nog steeds haar armen om mijn nek had, nam ik vier capsules en verwijderde de strip die er als kindersluiting omheen zat. Vervolgens spoelde ik het tandenpoetsglas uit en deed er koud water in. Intussen zag ik beweging in de badkamerspiegel, waarin je de grote slaapkamer kon zien. Ik zei tegen mezelf dat ik alleen maar de schaduwen van bomen in de wind zag. Ik hield Ki de capsules voor. Ze stak haar hand uit, maar aarzelde toen.

'Toe maar,' zei ik. 'Het is een medicijn.'

'Wat voor?' vroeg ze. Haar handje hing nog boven de kleine capsules.

'Een medicijn tegen verdriet,' zei ik. 'Kun je pillen doorslikken, Ki?'

'Ja. Dat heb ik mezelf geleerd toen ik twee was.'

Ze aarzelde nog even – keek naar me, keek ín me, denk ik, om zich ervan te overtuigen dat ik haar iets vertelde wat ik echt geloofde. Blijkbaar zag of voelde ze iets geruststellends, want ze nam de capsules en stopte ze een voor een in haar mond. Ze slikte ze door met kleine vogelslokjes uit het glas en zei toen: 'Ik voel me nog steeds verdrietig, Mike.'

'Het duurt even voor ze werken.'

Ik zocht in mijn la met overhemden en vond een oud Harley-Davidson-T-shirt dat gekrompen was. Het was haar nog mijlen te groot, maar toen ik aan de ene kant een knoop maakte, werd het een soort sarong die steeds van haar schouder gleed. Het was bijna schattig om te zien.

Ik heb altijd een kam in mijn achterzak. Die haalde ik te voorschijn en ik kamde haar haar van haar voorhoofd en haar slapen naar achteren. Ze was min of meer tot bedaren gekomen, maar er ontbrak nog steeds iets. Iets wat in mijn gedachten met Royce Merrill in verband stond. Maar dat was krankzinnig... ja, toch?

'Mike? Wat voor stok? Aan wat voor stok denk je?'

Toen schoot het me te binnen. 'Een snoepstok,' zei ik. 'Zo een met strepen.' Ik haalde de twee witte linten uit mijn zak. De rode randen leken bijna rauw in het vage licht. 'Zoals deze.' Ik pakte haar haren en de linten en maakte twee paardenstaarten. Nu had ze haar linten; ze had haar zwarte hondje; de zonnebloemen waren een paar meter naar het noorden weer opgekomen, maar ze waren er. Alles was min of meer zoals het geacht werd te zijn.

De donder roffelde, ergens dichtbij viel een boom, en de lichten gingen uit. Na vijf seconden van donkergrijze schaduw gingen ze weer aan. Ik droeg Ki terug naar de keuken, en toen we langs de kelderdeur kwamen, lachte er iets achter die deur. Ik hoorde het; Ki hoorde het ook. Ik zag het in haar ogen.

'Zorg voor me,' zei ze. 'Zorg voor me, want ik ben maar klein. Je hebt het beloofd.'

'Ik zal het doen.'

'Ik hou van je, Mike.'

'Ik hou ook van jou, Ki.'

De ketel floot. Ik vulde de beker tot het streepje op de helft met heet water en deed er toen melk in, die de drank deed afkoelen en er meer smaak aan gaf. Ik ging met Kyra naar de bank. Toen we langs de tafel in de eetkamer kwamen, keek ik naar de IBM-schrijfmachine en naar het manuscript met het puzzelboek daar bovenop. Die dingen leken me nu vaag absurd en op de een of andere manier ook triest, als apparaten die nooit erg goed hadden gewerkt en het nu helemaal niet meer deden.

De bliksem verlichtte de hele hemel en zette de kamer in fel purperen schijnsel. In die schittering leken de zwaarbeproefde bomen op gillende vingers, en toen het licht over de glazen schuifdeur naar het terras vloog, zag ik een vrouw achter ons staan, bij de houtkachel. Ze droeg zowaar een strohoed, met een rand ter grootte van een wagenwiel.

'Wat bedoel je, de rivier is bijna in de zee?' vroeg Ki.

Ik ging zitten en gaf haar de beker. 'Drink dit maar.'

'Waarom deden die mannen mijn mammie kwaad? Wilden ze niet dat ze plezier had?'

'Ik denk van niet,' zei ik. Ik begon te huilen. Ik hield haar op mijn schoot en veegde met de rug van mijn hand haar tranen weg.

'Jij had ook van die pillen tegen verdriet moeten nemen,' zei Ki. Ze hield me haar beker chocola voor. Haar haarlinten, waar ik slordige strikken in had gemaakt, gingen op en neer. 'Hier. Drink maar een beetje.'

Ik dronk een beetje. Vanuit het noordelijk deel van het huis klonk weer een krakende, knarsende klap. De diep rommelende generator sputterde en het huis werd weer grijs. Schaduwen renden over Ki's gezichtje.

'Hou vol,' zei ik tegen haar. 'Probeer niet bang te zijn. Misschien gaat het licht wel weer aan.' Even later gebeurde dat inderdaad, al hoorde ik nu een schorre, onregelmatige klank in het gestamp van de generator en flikkerden de lampen nog meer.

'Vertel me een verhaaltje,' zei ze. 'Vertel me over Asterpoes.'

'Assepoester.'

'Ja, die.'

'Goed, maar verhaaltjesvertellers moeten wel worden betaald.' Ik drukte mijn lippen op elkaar en maakte geluiden alsof ik kleine slokjes nam.

Ze hield me de beker weer voor. De chocola smaakte zoet en lekker. Het gevoel dat we werden gadegeslagen was drukkend en helemaal niet lekker, maar er was niets aan te doen. Als ze naar ons wilden kijken, moesten ze dat maar doen.

'Er leefde een mooi meisje dat Assepoester heette...'

'Er was eens! Zo begint het! Zo begint het altijd!'

'Ja, dat was ik vergeten. Er was eens een mooi meisje dat Assepoester heette, en ze had twee gemene stiefzusters. Die heetten... weet je dat nog?'

'Tammi Faye en Vanna.'

'Ja, de koninginnen van de hairspray. En ze lieten Assepoester alle vervelende werkjes doen, zoals de haard schoonvegen en de hondenpoep uit de achtertuin weghalen. Nou wilde het geval dat de beroemde popgroep Oasis ging optreden in het paleis, en hoewel alle meisjes waren uitgenodigd...'

Ik kwam tot het punt waarop de lelijke stiefmoeder de muizen ving en ze in een Mercedes-limousine veranderde, toen de benadryl begon te werken. Het was echt een medicijn tegen verdriet. Toen ik omlaag keek, lag Ki diep te slapen in de holte van mijn arm, met de beker scheef tussen haar vingers. Ik pakte hem uit haar hand en zette hem op de salontafel. Toen streek ik haar al bijna opgedroogde haar van haar voorhoofd weg.

'Ki?'

Geen reactie. Ze was al in dromenland. Waarschijnlijk hielp het dat ze nauwelijks een middagdutje had kunnen doen.

Ik pakte haar op en droeg haar naar de slaapkamer aan de noordkant. Haar voeten bungelden in de lucht en de zoom van het Harley-shirt zwaaide om haar knieën. Ik legde haar op het bed en trok het dekbed tot haar kin. De donder daverde als artillerievuur, maar ze bewoog niet eens. Uitputting, verdriet, benadryl – dat alles samen had haar diep meegevoerd, tot bij alle geesten en verdriet, en dat was goed.

Ik bukte me en kuste haar wang, die eindelijk begon af te koelen. 'Ik zal voor je zorgen,' zei ik. 'Dat heb ik beloofd, en ik hou mijn woord.'

Alsof ze me hoorde, draaide Ki zich op haar zij. Ze legde de hand met Strickland onder haar kin en maakte een zacht zuchtend geluid. Haar wimpers lagen zwart als roet op haar wangen en vormden een fel contrast met haar lichte haar. Toen ik naar haar keek, raakte ik vervuld van liefde, werd ik daardoor getroffen zoals je door een ziekte getroffen kunt worden.

Zorg voor me, ik ben nog maar een kleintje.

'Dat zal ik doen, Ki-beertje,' zei ik.

Ik ging naar de badkamer en liet water in het bad stromen, zoals ik in mijn slaap had gedaan. Ze zou door alles heen slapen, als ik genoeg warm water kon krijgen voordat de generator het helemaal liet afweten. Ik wou dat ik een badspeeltje had dat ik haar kon geven als ze wakker werd, zoiets als Wilhelm de Spuitende Walvis, maar ze zou haar hondje hebben en waarschijnlijk zou ze helemaal niet wakker worden. Geen ijskoude doop onder een handpomp voor Kyra. Ik was niet wreed, en ik was niet gek.

Ik had alleen wegwerpscheermesjes in het medicijnkastje, en die waren niet geschikt voor de taak die me te wachten stond. Ze konden het niet aan. Maar een van de vleesmessen uit de keuken zou ik wel kunnen gebruiken. Als ik de wasbak met erg heet water vulde, zou ik het niet eens voelen. Een letter *T* op elke arm, de bovenste streep over de polsen...

Een ogenblik kwam ik uit de trance. Een stem – mijn eigen stem als een combinatie van Jo en Mattie – schreeuwde: *Waar denk je aan? O Mike, waar denk je in godsnaam aan?*

Toen daverde de donder, flikkerden de lichten en begon de regen weer met bakken naar beneden te komen, voortgejaagd door de wind. Ik ging terug naar die plaats waar alles duidelijk was, waar ik precies wist wat me te doen stond. Laat het allemaal eindigen – het verdriet, het gemis, de angst. Ik wilde er niet meer aan denken dat Mattie met haar tenen op de frisbee had gedanst alsof het een spotje in de vloer was. Ik wilde er niet bij zijn als Kyra wakker werd, wilde niet zien hoe het verdriet haar ogen vulde. Ik wilde de komende nacht niet meemaken, en de dag daarna niet, en de dag daar weer na ook niet. Het waren allemaal wagons van dezelfde oude mysterieuze trein. Het leven was een ziekte. Ik zou haar in een lekker warm bad doen om haar van die ziekte te genezen. Ik bracht mijn armen omhoog. In het medicijnkastje bracht een schimmig silhouet – een Gedaante – zijn eigen armen omhoog om me op een grappige manier te begroeten. Ik was het zelf. Ik was het de hele tijd zelf geweest, en dat was goed. Dat was prachtig.

Ik liet me op mijn knie zakken om het water te voelen. Het werd lekker warm. Goed. Ook als de generator er nu mee ophield, zou het goed zijn. Het was een oude, diepe badkuip. Toen ik naar de keuken liep om het mes te halen, overwoog ik om bij haar in het bad te stappen als ik mijn polsen in het hetere water van de wasbak had doorgesneden. Nee, dat zou ik niet doen. Het zou verkeerd geïnterpreteerd worden door de mensen die hier later zouden komen, mensen met lelijke gedachten en nog lelijker vooroordelen. De mensen die zouden komen als het noodweer voorbij was en de bomen die over de weg lagen waren opgeruimd. Nee, als ze in bad was geweest, zou ik haar afdrogen en haar in bed leggen met Strickland in haar hand. Ik zou bij haar in de kamer gaan zitten, in de schommelstoel bij de slaapkamerramen. Ik zou wat handdoeken op mijn schoot leggen om zo min mogelijk bloed op mijn broek te krijgen, en uiteindelijk zou ik ook in slaap vallen.

Bunters bel rinkelde nog. Nu veel harder. Het werkte op mijn zenuwen, en als dat zo doorging, zou het kind er zelfs wakker van worden. Ik besloot het ding omlaag te trekken en voorgoed tot zwijgen te brengen. Ik liep door de kamer en voelde op dat moment een krachtige luchtvlaag. Het was geen tocht van het kapotte keukenraam; dit was weer die warme metrolucht. De luchtvlaag blies het *Lastige hersenkrakers*-puzzelboek op de vloer, maar de presse-papier op het manuscript voorkwam dat de losse velletjes erachteraan gingen. Toen ik in die richting keek, was Bunters bel opeens stil.

Een stem zuchtte in de schemerige kamer. De woorden kon ik niet verstaan. En wat zouden ze er ook toe doen? Wat zou een nieuwe manifestatie – nog een hete luchtvlaag uit het Grote Hiernamaals – ertoe doen?

De donder rolde en de zucht kwam terug. En toen de generator het begaf en de lichten uitgingen en de kamer weer in grijze schaduw was gehuld, drong één woord duidelijk tot me door:

Negentien.

Ik draaide me abrupt om en maakte een bijna complete draai. Ten slotte keek ik door de schimmige kamer naar het manuscript van *De vriend uit mijn kinderjaren*. Plotseling zag ik het licht. Het begrip brak door.

Niet het puzzelboek. Ook niet het telefoonboek.

M*ij*n boek. Mijn manuscript.

Ik liep erheen en was me er vaag van bewust dat er geen water meer in het bad stroomde. Toen de generator uitviel, was de pomp er ook mee opgehouden. Dat was goed, het zou al vol genoeg zijn. En warm. Ik zou Kyra in bad stoppen, maar eerst moest ik iets doen. Ik moest negentien omlaag, en daarna moest ik misschien ook nog tweeënnegentig omlaag. En dat kon ik. Ik had ruim honderdtwintig pagina's manuscript geschreven, dus ik kon het. Ik pakte de zaklantaarn die boven op de kast lag waar ik nog steeds honderden elpees bewaarde, deed hem aan en zette hem op de tafel. Hij wierp een witte lichtkring op het manuscript – in de schemering van die middag was dat licht zo fel als een voetlicht.

Op pagina negentien van *De vriend uit mijn kinderjaren* zat Tiffy Taylor – de callgirl die als Regina Whiting een nieuw leven was begonnen – met Andy Drake in haar atelier en vertelde over de dag waarop John Sanborn (de schuilnaam waarmee John Shackleford door het leven ging) haar driejarig dochtertje Karen redde. Dit is de passage die ik las terwijl de donder tekeerging en de regen tegen de schuifdeur van het terras ratelde:

VRIEND, door Noonan/pag. 19

uit weg, daar was ik heel zeker van,' zei ze, 'maar ik zag haar nergens, tot ik naar de hot-tub liep.' Ze stak een sigaret op. 'Ik keek daar in en moest bijna gillen, Andy – Karen was helemaal neergedaald... Alleen haar hand stak boven de oppervlakte uit. De nagels liepen paars aan. Toen... Niets. Ik geloof dat ik erin sprong, maar het is me duister. Duister. Ik was helemaal van de kaart. En vanaf dat afschuwelijke moment is alles net een rode droom waarin alle mogelijke vreemde dingen almaar in je hoofd door elkaar heen lopen. Die tuinman – Sanborn – duwde me ineens opzij en dook erin. Zijn voet raakte mijn keel en ik kon een week lang niet slikken. Hij rukte hard aan Karens arm.

Ik dacht dat hij die arm totaal uit de kom zou rukken, en toen kreeg hij haar los. Hij kreeg haar te pakken.'
Regen tikte tegen de ruiten. Drake zag dat ze huilde.

Ik wist het meteen, maar ik legde mijn stenoblok langs de linkermarge van het manuscript om het beter te kunnen zien. Als je naar beneden las, zoals je doet bij verticale woorden in een kruiswoordpuzzel, vormden de eerste letters van de regels de boodschap die al kort nadat ik aan het boek was begonnen had bestaan:

uilenoNdEratelIe

En met de ingesprongen beginletter onderaan erbij:

uilenoNdEratelIeR

Bill Dean, mijn huisbeheerder, zit achter het stuur van zijn wagen. Hij heeft de twee redenen van zijn komst afgewerkt: mij in de TR *terugverwelkomen en me voor Mattie Devore waarschuwen. Nu staat hij op het punt om weg te rijden. Hij glimlacht naar me, laat die grote valse tanden zien, die Roebuckers. 'Als je de gelegenheid hebt, zou je kunnen kijken waar de uilen zijn,' zegt hij. Ik vraag hem wat Jo met een paar plastic uilen zou willen doen en hij antwoordt dat ze voorkomen dat de kraaien op het houtwerk schijten. Ik accepteer dat, ik heb andere dingen aan mijn hoofd, maar evengoed... 'Het was net of ze speciaal daarvoor gekomen was,' zegt hij. Het schiet me niet te binnen – toen in elk geval niet – dat in de indiaanse volksverhalen uilen nog een andere functie hebben: ze zouden de boze geesten weghouden. Als Jo wist dat plastic uilen de kraaien zouden weghouden, zou ze dat van die indianen ook hebben geweten. Dat was nou net het soort informatie dat ze oppikte en in haar geheugen opsloeg. Mijn onderzoekende vrouw. Mijn briljante warhoofd.*

De donder rolde. De bliksem vrat aan de wolken alsof er zoutzuur gemorst was. Ik stond met het manuscript in mijn bevende handen voor de tafel in de eetkamer.

'Jezus, Jo,' fluisterde ik. 'Wat heb je ontdekt?'

En waarom heb je het me niet verteld?

Maar ik dacht dat ik het antwoord al wist. Ze had het me niet verteld omdat ik op de een of andere manier net als Max Devore was; zijn overgrootvader en mijn overgrootvader hadden in dezelfde kuil gescheten. Het was onzinnig, maar zo was het nu eenmaal. En ze had het haar eigen broer ook niet verteld. Daar kon ik een vreemd soort troost uit putten.

Met kippenvel begon ik het manuscript door te bladeren.

In Michael Noonans *De vriend uit mijn kinderjaren* fronste Andy Drake bijna nooit zijn wenkbrauwen. In plaats daarvan keek hij soms vuil, want in vuil zit een uil. Voordat John Shackleford naar Florida kwam, had hij in een atelierwoning in Californië gewoond. Drake ontmoette Regina Whiting voor het eerst in haar atelier. Ray Garraty's laatst bekende adres was Atelier Apartments in Key Largo. Regina Whitings beste vriendin heette Steffie Underwood. Steffies man heette Towle Underwood – 'uil onder hout', dat was een goeie, twee halen, één betalen.

Uilen onder atelier

Het was overal te vinden, op elke bladzijde, net als de *K*-namen in het telefoonboek. Een soort monument, ditmaal – daar was ik zeker van – niet door Sara Tidwell maar door Johanna Arlen Noonan opgericht. Mijn vrouw die boodschappen doorgaf achter de rug van de bewaker, die met heel haar grote hart bad dat ik het zou zien.

Op bladzijde tweeënnegentig praatte Shackleford in de bezoekersruimte van de gevangenis met Drake. Hij zat met zijn polsen tussen zijn knieën, keek naar de ketting tussen zijn enkels en weigerde Drake aan te kijken.

VRIEND, door Noonan/pag. 92

uit te spreken. Meer niet. De rest... Ach, de rest is niet van belang. Neem maar van mij aan: het leven is een spel, en ik heb het verloren. Wil je erover horen hoe ik een klein kind dat de dood nabij was heb gered, hoe ik haar omhoogtrok, omhoog uit het diepe water? Want dat deed ik, niet omdat ik een held ben, of een heilige...

Er kwam nog meer, maar dat hoefde ik niet te lezen. De boodschap, *uilen onder atelier*, stond langs de linkermarge te lezen, net als op bladzijde negentien. En waarschijnlijk op nog andere bladzijden ook. Ik herinnerde me hoe uitgelaten ik was geweest toen ik merkte dat het writer's block was verdwenen en ik weer kon schrijven. Jazeker, die blokkade was opgeheven, maar niet omdat ik hem eindelijk verslagen had of kans had gezien hem te vermijden. *Jo* had de blokkade weggenomen. *Jo* had hem verslagen, en daarbij was het vervolg van mijn carrière als schrijver van tweederangs thrillers wel het laatste geweest waaraan ze dacht. Toen ik daar in het flikkerflitsen van de bliksem stond en voelde hoe mijn onzichtbare gasten in de onrustige lucht om me heen zwierden, moest ik weer denken aan mevrouw Moran, mijn juffrouw in de eerste klas. Als het je niet meer zo goed wilde lukken om de vloeiende lijnen van het Palmer Method-alfabet op het bord in je schrift over te schrijven, legde ze haar grote vaardige hand over de jouwe en hielp je.

Zo had Jo mij geholpen.

Ik bladerde het manuscript door en zag de sleutelwoorden overal staan, soms zo dat je ze gewoon kon lezen, soms in verschillende regels boven elkaar. Wat had ze haar best gedaan om me dit te vertellen... en ik was niet van plan om nog iets anders te doen voordat ik wist waarom ze dat had gedaan.

Ik liet het manuscript op de tafel vallen, maar voordat ik er iets zwaars op kon leggen, blies een gemene vlaag ijskoude lucht langs me heen. De wind tilde de bladzijden op alsof er een cycloon was opgestoken en slingerde ze de hele kamer door. Als die kracht ze aan snippers had kunnen scheuren, zou dat vast en zeker zijn gebeurd.

Nee! riep de wind toen ik de zaklantaarn pakte. *Nee, maak het karwei af!*

De wind blies in kille vlagen om mijn gezicht – het was of iemand die ik net niet kon zien recht voor me stond en in mijn gezicht ademde, zich terugtrok als ik naar voren kwam, blazend als de grote boze wolf voor het huis van de drie kleine biggetjes.

Ik hing de zaklantaarn aan mijn arm, hield mijn handen voor me uit en liet ze hard tegen elkaar klappen. De koude windvlagen op mijn gezicht trokken weg. Er waren nu alleen nog de onregelmatige luchtstromen die door het gedeeltelijk opgevulde keukenraam naar binnen kwamen. 'Ze slaapt,' zei ik tegen datgene waarvan ik wist dat het er nog was en dat het in stilte naar me keek. 'Er is nog tijd.'

Ik ging de achterdeur uit en de wind kreeg me meteen te pakken, deed me opzij wankelen, gooide me bijna om. En in de deinende bomen zag ik groene gezichten, de gezichten van de doden. Devores gezicht was er, en dat van Royce, en dat van Son Tidwell. En vooral zag ik dat van Sara.

Overal Sara.

Nee! Ga terug! Jij hebt nergens geen uilen voor nodig, schatje! Ga terug! Maak het karwei af! Doe waar je voor gekomen bent!

'Ik wéét niet waar ik voor gekomen ben,' zei ik. 'En zolang ik dat niet weet, doe ik níéts.'

De wind gierde alsof hij zich beledigd voelde, en een kolossale tak brak van de den die rechts van het huis stond. De tak viel met een lading water op mijn Chevrolet en sloeg een deuk in het dak alvorens er aan mijn kant af te rollen.

Nu kon ik wel weer in mijn handen gaan klappen, maar dat had hier net zo weinig nut als toen koning Knut tegen het getij riep dat het moest keren. Dit was haar wereld, niet de mijne... en dan ook nog maar alleen de rand van die wereld. Iedere stap in de richting van De Straat en het meer zou me dichter bij het hart van die wereld brengen, waar de tijd dun was en de geesten heersten. O lieve god, wat was er gebeurd dat dit ervan kon komen?

Het pad naar Jo's atelier was in een riviertje veranderd. Ik zette een stuk of tien passen en toen verschoof er een kei onder mijn voet en smakte ik op mijn zij. De bliksem zigzagde door de hemel en er was weer het gekraak van een brekende tak, en toen viel er iets naar me toe. Ik bracht mijn handen omhoog om mijn gezicht af te schermen en rolde naar rechts, het pad af. De tak plensde vlak achter me op de grond, en ik tuimelde halverwege een helling af die glad was van de drijfnatte dennennaalden. Ten slotte zag ik kans om overeind te krabbelen. De tak op het pad was nog groter dan de tak die op het dak van de auto was neergekomen. Als hij me had geraakt, zou hij waarschijnlijk mijn schedel hebben ingeslagen.

Ga terug! Een sissende, venijnige wind in de bomen.

Maak het af! De klotsende schorre stem van het meer dat tegen de rotsen en de oever onder De Straat sloeg.

Bemoei je met je eigen zaken! Dat was het huis zelf, kreunend op zijn fundamenten. *Bemoei je met je eigen zaken en laat mij me met de mijne bemoeien!*

Maar Kyra wás mijn zaak. Kyra was mijn dochter.

Ik pakte de zaklantaarn op. Het omhulsel was gebarsten, maar het lampje brandde nog helder en gestaag – een punt voor het thuisteam. Voorovergebogen tegen de huilende wind, mijn hand omhoog om eventuele neervallende takken af te weren, glibberde en strompelde ik de helling af naar het atelier van mijn overleden vrouw.

27

Eerst wilde de deur niet open. De knop draaide wel, dus ik wist dat hij niet op slot zat, maar door de regen was het hout blijkbaar uitgezet – of was er iets tegenaan geduwd? Ik ging een paar stappen terug, dook ineen en vloog met mijn schouders tegen de deur op. Ditmaal gaf hij een beetje mee.

Zij was het. Sara. Ze stond aan de andere kant van de deur en probeerde me buiten te houden. Hoe kon ze dat doen? Hoe in godsnaam? Ze was een geest!

Ik dacht aan de pick-up van BOUWBEDRIJF BAMM... en alsof die gedachte een bezwering was, kon ik hem bijna aan het eind van Lane 42 langs de grote weg zien staan. De personenauto met de oude dames stond erachter, en daar weer achter stonden nog drie of vier andere auto's. Van al die auto's sloegen de ruitenwissers heen en weer en boorden de koplampen zwakke lichtbundels door de stortregen. Ze stonden achter elkaar in de berm, als auto's op een boeldag. Er was hier geen boeldag, er waren alleen de oude mensen die zwijgend in hun auto's zaten. Oude mensen die net zo goed als ik in trance waren. Oude mensen die de vibraties uitzonden.

Ze onttrok kracht aan hen. Ze stál van hen. Ze had hetzelfde met Devore gedaan – en natuurlijk ook met mij. Veel van de manifestaties die ik sinds mijn terugkeer had ondergaan, waren waarschijnlijk voortgekomen uit mijn eigen psychische energie. Eigenlijk was het wel grappig.

Of misschien was het woord 'angstaanjagend' meer op zijn plaats.

'Jo, help me,' zei ik in de stromende regen. De bliksem flitste, legde een helder zilver schijnsel over de waterstromen. 'Als je ooit van me hebt gehouden, help me dan nu.'

Ik ging weer een paar stappen terug en vloog nog eens tegen de deur op. Ditmaal was er helemaal geen weerstand en tuimelde ik naar binnen. Ik schaafde mijn scheenbeen tegen de deurpost en kwam op mijn knieën terecht. Maar de zaklantaarn had ik nog in mijn hand.

Het was even stil. In die stilte voelde ik hoe krachten en aanwezigheden zich verzamelden. Op dat moment was het of er niets bewoog, maar achter me, in de bossen waar Jo altijd zo graag mocht rondzwerven – met mij of zonder mij – bleef de regen vallen en bleef de wind huilen, een genadeloze tuinman die zich een weg door het bos snoeit, door de bomen die dood en bijna dood waren, een tuinman die het werk van tien mildere jaren in één woest uur wil doen. Toen klapte de deur dicht en begon het. Ik zag alles in het schijnsel van de zaklantaarn, die ik had aangezet zonder het te beseffen, maar eerst wist ik niet precies wat ik zag, behalve dan de vernietiging per poltergeist van alle dierbare schatten van mijn vrouw, alle dingen die ze had gemaakt.

Het ingelijste Afghaanse kleedje rukte zich van de muur en vloog van de ene kant van het atelier naar de andere. De zwarte eikenhouten lijst brak in stukken. De koppen knalden van de poppen die van de babycollages naar buiten staken, als champagnekurken op een feest. De hangende bollamp verbrijzelde en liet een regen van kleine stukjes glas over me neerdalen. Er stak een wind op – een koude – en die wind kreeg al gauw versterking van een wind die warmer was, bijna heet, en samen bouwden ze een cycloon op. Ze rolden langs me heen alsof ze de grotere storm die buiten woedde, wilden imiteren.

Het hoofd van Sara Laughs op de boekenkast, dat hoofd dat uit tandenstokers en lollystokjes leek te zijn opgebouwd, explodeerde in een wolk van houtsplinters. De kajakpeddel die tegen de muur stond, verhief zich in de lucht, roeide verwoed in het niets en vloog toen als een speer op me af. Ik wierp me plat op het groene lappenkleedje om hem te ontwijken en voelde hoe stukjes glas van de kapotte bollamp in de palm van mijn hand sneden toen ik neerkwam. Ik voelde ook nog iets anders – een ribbel van iets onder het kleedje. De peddel trof de muur zo hard dat die in twee stukken spleet.

Nu verhief de banjo waarop mijn vrouw nooit goed had leren spelen zich in de lucht. Hij draaide twee keer rond en speelde een snelle opeenvolging van noten die vals waren maar op de een of andere manier ook onmiskenbaar – *wish I was in the land of cotton, old times there are not forgotten*. Het fragment eindigde met een venijnig BLUNK! en toen waren alle vijf de snaren gebroken. De banjo wervelde een derde keer. De schittering van zijn glimmende stalen onderdelen wierp visgraatpatronen van licht over de wanden van het atelier. Toen sloeg het instrument te pletter tegen de vloer. De klankkast werd verbrijzeld en de stemschroeven knapten als tanden af.

Het geluid van bewegende lucht begon – hoe moet ik het zeggen? – zich op de een of andere manier te *richten*, tot het niet meer het geluid van lucht was, maar het geluid van stemmen – hijgende, onwereldse stemmen vol woede. Ze zouden hebben geschreeuwd als ze stembanden hadden gehad. Stoffige lucht dwarrelde omhoog in de lichtbundel van mijn zaklantaarn en beschreef spiraalvormen die door elkaar heen dansten om vervolgens weer uiteen te vallen. Een ogenblik hoorde ik Sara's snauwende, rokerige stem: '*Rot op, kreng! Rot op! Dit gaat je niks...*' En toen was er een eigenaardig lichte plof te horen, alsof lucht op lucht gebotst was. Dat werd gevolgd door een gierend windtunnelgebulder dat ik herkende: ik had het midden in de nacht gehoord. Jo gilde. Sara deed haar pijn, Sara strafte haar omdat ze zich ermee had bemoeid, en Jo gilde.

'Nee!' schreeuwde ik, overeind komend. 'Laat haar met rust! Blijf van haar af!' Ik ging verder de kamer in en zwaaide met de zaklantaarn voor mijn gezicht alsof ik haar daarmee kon wegslaan. Stopflessen vlogen langs me heen – met gedroogde bloemen, zorgvuldig ontlede paddestoelen, boskruiden. Ze sloegen met een tinkelend xylofoongeluid tegen de muur aan scherven. Geen van die stopflessen raakte me. Het was of een onzichtbare hand ze van me vandaan hield.

Toen verhief Jo's cilinderbureau zich in de lucht. Het ding moest, met die volle laden, minstens tweehonderd kilo hebben gewogen, maar het zweefde als een veertje, deinde naar links en rechts in de tegengestelde lichtstromen.

Jo gilde weer, ditmaal meer van woede dan van pijn, en ik wankelde achteruit tegen de gesloten deur. Ik had het gevoel dat ik helemaal leeg was geschept. Sara was niet de enige die de energie van de levenden kon stelen, zo bleek nu. Wit sperma-achtig materiaal – ectoplasma, denk ik – sijpelde in een tiental stroompjes uit de vakjes van het bureau, en het bureau lanceerde zich opeens door de kamer. Het vloog bijna te snel om met het oog te volgen. Iemand die ervoor stond, zou totaal geplet zijn. Er was een door merg en been gaand gekrijs van protest en pijn te horen – ditmaal was het Sara, dat wist ik gewoon – en toen beukte het bureau tegen de muur, brak erdoorheen en liet de regen en de wind binnen. De ronde schuifklep knapte los en bleef erbij hangen als een tong die uit allemaal reepjes bestond. Alle laden schoten eruit. Klosjes garen, bollen wol, flora- en faunaboekjes en bosgidsen, vingerhoeden, notitieboekjes, breinaalden, uitgedroogde Magic markers – Jo's stoppelig overschot, zou Ki het misschien genoemd hebben. Die dingen vlogen de hele kamer door, als beenderen en stukjes haar die wreed alle kanten op vlogen uit een opgegraven doodkist.

'Hou op,' riep ik met schorre stem. 'Hou op, jullie allebei. Zo is het genoeg.'

Maar dat hoefde ik niet tegen ze te zeggen. Afgezien van het verwoede beuken van de onweersstorm was ik alleen in de ravage van het atelier van mijn vrouw. De strijd was voorbij. Tenminste voorlopig.

Ik knielde, boog me voorover op het groene lappenkleedje en vouwde daar zoveel mogelijk scherven van de lamp in als ik kon. Onder het kleedje zat een luik naar een opslagruimte met een schuine zijde, die ontstaan was door de vorm van het terrein, dat naar het meer afliep.

De ribbel die ik had gevoeld, was een van de scharnieren van het luik. Ik had van die opslagruimte geweten en was van plan geweest daar naar de uilen te gaan zoeken. Toen was er van alles gebeurd en had ik er niet meer aan gedacht.

Er zat een uitsparing met een ring in het luik. Ik pakte die ring vast en verwachtte weer veel weerstand, maar het luik kwam moeiteloos omhoog. De geur die eruit opsteeg, deed me verstijven. Geen vochtig verval, tenminste niet in het begin, maar Red – Jo's favoriete parfum. Die geur hing even om me heen en was toen weg. Wat ervoor in de plaats kwam, was de geur van regen, boomwortels en natte aarde. Niet echt aangenaam, maar ik had bij het meer, bij die vervloekte berk, veel ergere dingen geroken.

Ik scheen met de zaklantaarn drie steile traptreden omlaag. Ik zag iets laags, gedrongens, dat een oude wc-pot bleek te zijn – ik kon me vaag herinneren dat Bill en Kenny Auster dat ding in 1990 of 1991 hier beneden hadden gezet. Er stonden stalen dozen – eigenlijk archiefkastladen – die in plastic verpakt waren en op pallets waren gestapeld. Oude papieren. Een achtsporenrecorder in een plastic zak. Daarnaast in een andere plastic zak een oude videorecorder. En in de hoek...'

Ik ging zitten, liet mijn benen in het luikgat bungelen en voelde dat iets de enkel aanraakte die ik in het meer had verzwikt. Ik scheen met de zaklantaarn tussen mijn knieën, en heel even zag ik een jong zwart kind. Maar het was niet het kind dat in het meer was verdronken – deze was ouder en nogal wat groter. Twaalf, misschien veertien. De verdronken jongen was niet ouder dan acht geweest.

Deze ontblootte zijn tanden toen hij me zag, en siste als een kat. Er zaten geen pupillen in zijn ogen. Net als bij de jongen in het meer waren zijn ogen helemaal wit, als de ogen van een standbeeld. En hij schudde zijn hoofd. *Kom niet hier beneden, blanke man. Laat de doden in vrede rusten.*

'Maar jij hebt geen vrede,' zei ik, en ik richtte mijn zaklantaarn recht op hem. Heel even ving ik een glimp op van iets waarlijk weerzinwekkends. Ik kon door hem heen kijken, maar ik kon ook ín hem kijken: de rottende resten van zijn tong in zijn mond, zijn ogen in hun kassen, zijn hersenen lillend als een bedorven ei in de schedel. Toen was hij weg, met achterlating van niets dan weer zo'n stofspiraal.

Ik ging naar beneden, met de zaklantaarn hoog geheven. Onder het licht deinden nesten van schaduwen. Het was of ze omhoogreikten.

De opslagruimte (eigenlijk was het niet meer dan een veredelde kruipruimte) had een vloer van houten pallets om te zorgen dat de dingen niet op de grond stonden. Onder die pallets stroomde nu een riviertje van water, en er was zoveel aarde weggespoeld dat zelfs kruipen een hachelijke onderneming werd. De geur van parfum was helemaal verdwenen. Daarvoor in de plaats was er een lelijke rivierbodemstank en – onwaarschijnlijk in deze omstandigheden, ik weet het, maar het was er – de zwakke, doffe geur van as en vuur.

Ik zag meteen datgene waar ik voor kwam. Jo's postorderuilen, de uilen die ze in november 1993 zelf in ontvangst had genomen, stonden in de noordoostelijke hoek, waar zich niet meer dan zo'n zestig centimeter tussen de hellende palletvloer en de onderkant van het atelier bevond. *Jezus, wat zagen die er echt uit*, had Bill gezegd, en Jezus, wat had hij gelijk: in het heldere schijnsel van de zaklantaarn leken ze op vogels die eerst in doorzichtig plastic waren gewikkeld en daar vervolgens in waren gestikt. Hun ogen waren glimmende trouwringen rondom grote zwarte pupillen. Hun plastic veren waren geverfd met het donkergroen van dennennaalden, en hun buik had een tint van vuil oranje-wit. Ik kroop over de piepende, verschuivende pallets naar ze toe en liet de lichtbundel van de zaklantaarn tussen hen heen en weer gaan. Intussen deed ik mijn best om me niet af te vragen of die jongen achter me aan kroop. Toen ik bij de uilen kwam, bracht ik zonder erbij na te denken mijn hoofd omhoog en stootte het tegen het isolatiemateriaal dat onder de vloer van het atelier was aangebracht. *Eén keer bonken is ja, twee keer is nee, klootzak*, dacht ik.

Ik haakte mijn vingers in het plastic waarin de uilen verpakt waren en trok ze naar me toe. Ik wilde hier weg. Het gevoel dat er water vlak onder me door stroomde, was vreemd en onheilspellend. Dat gold ook voor die geur van vuur, die ondanks de vochtigheid alleen maar sterker leek te zijn geworden. Als het atelier nu eens in brand stond? Als Sara het op de een of andere manier in brand had gestoken? Dan zou ik hier levend geroosterd worden, terwijl mijn benen en buik doorweekt raakten van de modder die door het regenwater werd meegevoerd.

Een van de uilen stond op een plastic voetstuk, zag ik – om hem beter op je terras of veranda te kunnen zetten om de kraaien te verjagen, Roodkapje – maar als de ander ook een voetstuk had gehad, was dat verdwenen. Ik kroop achteruit naar het luik. In mijn ene hand had ik de lantaarn en met de andere hand trok ik de plastic zak met uilen achter me aan. Ik huiverde elke keer dat de donder een kanonschot loste boven mijn hoofd. Ik was nog niet ver gekomen toen het vochtige plakband dat het plastic bijeenhield het begaf. De uil zonder voetstuk zakte langzaam naar me toe. Zijn zwart met gouden ogen staarden gefascineerd in de mijne.

Een werveling van lucht. Een vaag, geruststellend zweem van Redparfum. Ik pakte de uil bij de hoornachtige plukken die uit zijn voorhoofd groeiden en draaide hem ondersteboven. Waar hij vroeger aan zijn plastic voetstuk had vastgezeten, zaten nu alleen twee pennen met een holle ruimte ertussen. In het gat zat een kleine tinnen doos die ik al herkende voordat ik mijn hand in de buik van de uil stak om hem eruit te wurmen. Ik scheen met de zaklantaarn op de voorkant, maar ik wist al wat ik zou zien: JO'S NOTITIES, geschreven met ouderwetse vergulde letters. Ze had die doos ergens in een antiekboerderij gevonden.

Ik keek er met bonkend hart naar. Boven me daverde de donder. Het luik stond open, maar ik vergat dat ik naar boven wilde. Ik vergat alles, behalve de tinnen doos die ik in mijn hand had, een doos die ongeveer zo groot was als een sigarendoos, maar niet zo hoog. Ik spreidde mijn hand over de bovenkant en trok hem open.

Een stuk of wat gevouwen papieren lagen op twee stenoboekjes, die boekjes met spiraalband die ik gebruik voor aantekeningen en lijsten van personages. Die twee boekjes waren met een breed elastiek aan elkaar vastgemaakt. Op al het andere lag een glanzend zwart rechthoekje. Totdat ik het oppakte en dicht tegen de zaklantaarn hield, besefte ik niet dat het een fotonegatief was.

Ik zag Jo in haar grijze tweedelig badpak, spookachtig, vreemd oranje, licht en donker omgekeerd. Ze stond op het vlot, met haar handen achter haar hoofd.

'Jo,' zei ik, en toen kon ik niets meer uitbrengen. Mijn keel was verstopt met tranen. Ik hield het negatief even in mijn hand, wilde het contact ermee niet verliezen, en legde het toen bij de papieren en stenoboekjes in de doos terug. Voor deze dingen was ze in juli 1994 naar Sara gekomen: om deze dingen te verzamelen en ze zo goed mogelijk te verbergen. Ze had de uilen van het terras weggenomen (Frank had de deur daar horen dichtslaan) en had ze hierheen gebracht. Ik zag al bijna voor me hoe ze het voetstuk van de ene uil openwrikte en de tinnen doos in zijn plastic achterste stak, en daarna beide uilen in plastic wikkelde en ze helemaal hier naar beneden sjouwde, terwijl haar broer al die tijd Marlboro's zat te roken en de vibraties voelde. De slechte vibraties. Ik betwijfelde of ik ooit precies zou weten waarom ze het gedaan had, en in wat voor gemoedstoestand ze toen had verkeerd... Maar het kon bijna niet anders of ze geloofde dat ik uiteindelijk mijn weg hierheen zou vinden. Waarom had ze anders het negatief achtergelaten?

De losse papieren waren voor het grootste deel gekopieerde knipsels uit de *Castle Rock Call* en de *Weekly News*, blijkbaar de voorloper van *Call*. De datum stond telkens in het nette, duidelijke handschrift van mijn vrouw aangegeven. Het oudste knipsel dateerde van 1865 en had de kop WEER EEN VEILIGE THUISKOMST. Degene die uit de Burgeroorlog naar huis kwam, was Jared Devore, tweeëndertig jaar oud. Plotseling begreep ik een van de dingen waarover ik me had verwonderd: de generaties die niet leken te kloppen. Een nummer van Sara Tidwell schoot me te binnen, terwijl ik daar nog steeds op die pallets zat en met mijn zaklantaarn op die oude drukletters scheen. Het was het liedje dat ging van *The old folks do it and the young folks, too / And the old folks show the young folks just what to do...*

Toen Sara en de Red-Tops in Castle County kwamen en zich vestigden op wat Tidwell's Meadow genoemd zou worden, zou Jared Devore zeven- of achtenzestig zijn geweest. Oud maar nog kras. Een veteraan uit de Burgeroorlog. Het soort oude man waar jonge mannen tegen opkijken. En Sara's nummer had gelijk – de ouden laten de jongen zien wat ze moeten doen.

Wat hadden ze precies gedaan?

De knipsels over Sara en de Red-Tops vertelden het niet. Ik nam ze trouwens slechts vluchtig door, maar de teneur vond ik schokkend. Ik zou die teneur het best als consequent joviaal minachtend kunnen omschrijven. De Red-Tops waren 'onze zuidelijke zwarte zangvogels' en 'onze ritmische negers'. Ze waren 'vervuld van een vrolijke zwarte inborst'. Sara zelf was 'een geweldige negerin met een brede neus, volle lippen en een nobel voorhoofd' en ze 'fascineerde zowel mannen als vrouwen met haar dierlijke uitbundigheid, haar stralende glimlach en haar hese lach'.

Het waren, God zij met ons en behoede ons, recensies. En nog gunstige ook, als je het niet erg vond dat ze zeiden dat je van een vrolijke zwarte inborst vervuld was.

Ik nam ze vlug door, op zoek naar iets over de omstandigheden waaronder 'onze zuidelijke zwarte zangvogels' waren vertrokken. Ik vond niets. Wat ik wel vond, was een knipsel uit de *Call* van 19 juli (*ga negentien omlaag*, dacht ik) 1933. De kop luidde ERVAREN GIDS, HUISBEHEERDER, KAN DOCHTER NIET REDDEN. Volgens het artikel had Fred Dean samen met tweehonderd andere mannen tegen de bosbranden in het oostelijk deel van de TR gevochten, toen de wind opeens was omgeslagen en het noordelijk eind van het meer bedreigde, dat tot dan toe veilig was geacht. In die tijd hadden veel mensen uit de omgeving daar vis- en jachthutten gehad (dat wist ik zelf ook al). De gemeenschap die daar was ontstaan, had een winkel en zelfs een naam: Halo Bay. Freds vrouw Hilda was er met de driejarige Dean-tweeling, William en Carla, terwijl haar man van huis was om rook te happen. Er waren nog heel wat andere vrouwen en kinderen in Halo Bay.

Toen de wind omsloeg, waren de branden razendsnel komen opzetten, zei de krant – 'als lopende explosies'. Ze sprongen over de enige brandgang die de mannen in die richting hadden gemaakt en zetten koers naar het verste eind van het meer. In Halo Bay waren geen mannen die de leiding konden nemen, en blijkbaar ook geen vrouwen die dat konden of wilden. In plaats daarvan brak paniek er uit. Ze renden naar hun auto's, laadden hun kinderen en bezittingen in, en verstopten de enige uitweg met hun auto's. Op een gegeven moment begaf een van de oude auto's het, en terwijl de branden bulderend naderbij kwamen en door bossen raasden die sinds eind april geen regen meer hadden gehad, merkten de vrouwen dat hun uitweg geblokkeerd was.

De vrijwillige brandweer kwam op tijd te hulp, maar toen Fred Dean bij zijn vrouw kwam, die samen met andere vrouwen had geprobeerd een onwillige gestrande Ford uit de weg te krijgen, deed hij een verschrikkelijke ontdekking. Billy lag achter in de auto op de vloer, in diepe slaap verzonken, maar Carla was verdwenen. Hilda had ze wel degelijk allebei in de auto gekregen – ze hadden op de achterbank gezeten, hand in hand, zoals ze altijd zaten. Maar op een gegeven moment, nadat haar broer op de vloer was gekropen en in slaap was gesukkeld en terwijl Hilda een paar laatste voorwerpen in de kofferbak had verstouwd, had Carla waarschijnlijk aan een pop of speeltje gedacht en was naar het huisje teruggegaan om het op te halen. Ondertussen was haar moeder in hun oude DeSoto gestapt en weggereden zonder nog even naar haar kinderen te kijken. Carla Dean was nog in het huisje in Halo Bay of liep nu ergens over de weg. In beide gevallen zou het vuur haar te pakken krijgen.

De weg was zo smal dat een auto er niet kon keren, en doordat hij ook nog geblokkeerd was, zou het ook niet lukken de auto's die met hun neus in de juiste richting stonden door de drukte heen te krijgen. En dus begon Fred Dean, als een ware held, naar de door rook versluierde horizon te rennen, waar linten van fel oranje al door de rook heen begonnen te schemeren. Het vuur, voortgejaagd door de wind, rende hem als een minnaar tegemoet.

Ik knielde op de pallets neer, las dit alles in het licht van mijn zaklantaarn, en opeens werd de geur van vuur en brandend hout sterker. Ik hoestte... en toen werd die hoest gesmoord door de ijzersmaak van water in mijn mond en keel. Opnieuw had ik, ditmaal terwijl ik geknield in de opslagruimte onder het atelier van mijn vrouw zat, sterk het gevoel dat ik aan het verdrinken was. Opnieuw boog ik me naar voren en gaf ik niets dan een beetje spuug op.

Ik draaide me om en zag het meer. De futen riepen op het wazig oppervlak, kwamen in een rij naar me toe, sloegen daarbij met hun vleugels op het water. Het blauw van de hemel was uitgewist. De lucht rook naar houtskool en buskruit. Er dwarrelde nu as omlaag uit de hemel. De oostelijke oever van het Dark Score Lake stond in lichterlaaie, en ik hoorde soms een gedempte knal: holle bomen die explodeerden. Het klonk als dieptebommen die tot ontploffing kwamen.

Ik keek omlaag, wilde me bevrijden van dat visioen, wist dat het binnen enkele ogenblikken niet meer zo ver weg zou zijn als een visioen, maar dat het dan zo echt zou zijn als de trip die Kyra en ik naar de jaarmarkt van Fryeburg hadden gemaakt. In plaats van een plastic uil met goudomrande ogen zag ik een kind met heldere blauwe ogen. Ze zat aan een picknicktafel, stak haar mollige armpjes uit en huilde. Ik zag haar zo duidelijk als ik 's morgens bij het scheren mijn eigen gezicht in de spiegel zag. Ik zag dat ze ongeveer *zo oud als Kyra was, maar molliger, en met zwart haar in plaats van blond. Haar haar heeft de kleur die het haar van haar broer zal houden tot het eindelijk grijs begint te worden in die onmogelijk verre zomer van 1998, een jaar dat ze nooit zal meemaken tenzij iemand haar uit deze hel haalt. Ze draagt een witte jurk en rode kniekousen en ze steekt haar armen naar me uit en roept* papa, papa.

Ik begin naar haar toe te lopen, en dan is er een vlaag van hitte die me even helemaal uit elkaar slaat – ik ben hier de geest, besef ik, en Fred Dean is zojuist dwars door me heen gerend. Papa, *roept ze, maar tegen hem, niet tegen mij.* Papa! *en ze slaat haar armen om hem heen zonder zich iets aan te trekken van het roet dat vegen op haar witte zijden jurk en haar ronde gezichtje maakt. Hij kust haar en er valt nog meer roet en de futen slaan zich een weg naar de oever en hun roep lijkt één schelle weeklacht.*

Papa, het vuur komt eraan! *roept ze als hij haar in zijn armen tilt.*

Ik weet het. Je moet dapper zijn, *zegt hij.* Het komt wel goed, prinsesje, maar je moet dapper zijn.

Het vuur is niet in aantocht, het is er al. Het hele oostelijke eind van Halo Bay staat in lichterlaaie en het komt nu deze kant op. Het vreet de blokhutten op, een voor een, de hutten waar de mannen zich in het jachtseizoen en het ijsvisseizoen graag vol met drank mogen gieten. Achter de hut van Al LeRoux schieten de vlammen uit het wasgoed dat Marguerite die ochtend heeft opgehangen, broeken en jurken en ondergoed – het brandt aan lijnen die zelf ook snoeren van vuur zijn. Het regent bladeren en schors; een brandend kooltje komt tegen Carla's hals en ze gilt van pijn. Fred slaat het weg. Hij draagt haar de helling af naar het water.

Niet doen! *schreeuw ik. Ik weet dat het niet in mijn macht ligt om iets te veranderen, maar ik schreeuw toch naar hem, probeer het toch te veranderen.* Vecht ertegen! In godsnaam, vecht ertegen!

Papa, wie is die man? *vraagt Carla, en ze wijst naar mij terwijl het groene shinglesdak van de blokhut van de Deans vlam vat.*

Fred kijkt in de richting waarin ze wijst, en op zijn gezicht zie ik een siddering van schuldgevoel. Hij weet wat hij doet, dat is het verschrikkelijke – diep in zijn hart weet hij precies wat hij hier in Halo Bay doet, hier waar De Straat eindigt. Hij weet het en hij is bang dat iemand getuige zal zijn van wat hij doet. Maar hij ziet niets.

Of toch wel? Zijn ogen gaan even wijd open van twijfel alsof hij iets ziet – een dansende spiraal van lucht misschien. Of voelt hij me? Is dat het? Voelt hij een kortstondige koele luchtstroom in al die hitte? Een luchtstroom die aanvoelt als protesterende handen, handen die hem zouden tegenhouden als ze maar substantie hadden? Dan wendt hij zijn ogen af. Hij waadt het water in, naast het kleine steigertje van de Deans.

Fred! *schreeuw ik.* In godsnaam, man, kijk toch naar haar! Dacht je dat het toevallig was dat je vrouw haar een witte zijden jurk heeft aangetrokken? Is dat een verkleedpartij of zoiets?

Papa, waarom gaan we het water in? *vraagt ze.*

Om van het vuur weg te komen, prinsesje.

Papa, ik kan niet zwemmen!

Je hoeft ook niet te zwemmen, *antwoordt hij, en wat een huivering gaat er op dat moment door me heen! Want het is geen leugen – ze hoeft niet te zwemmen, nu niet, nooit. En de manier waarop Fred het doet, zal tenminste veel genadiger zijn dan de manier waarop Normal Auster het doet als het Normals beurt is – genadiger dan de piepende handpomp, de liters en liters ijskoud water.*

Haar witte jurk drijft als een lelie om haar heen. Haar rode kousen glinsteren in het water. Ze klemt haar armen om zijn nek en nu zijn ze tussen de vluchtende futen. De futen slaan met hun krachtige vleugels op het water, zodat er schuim ontstaat, en kijken met hun verschrikte rode ogen naar de man en het meisje. De lucht is dicht van rook en de hemel is nergens te zien. Ik strompel achter hen aan, wadend – ik voel het koude water, al plens ik niet en laat ik geen kielzog achter. De noordelijke en oostelijke oevers van het meer staan nu beide in brand – we hebben een halvemaan van vuur om ons heen en Fred Dean waadt dieper met zijn dochter het meer in, draagt haar alsof ze een doopritueel zal ondergaan. En nog steeds zegt hij tegen zichzelf dat hij haar probeert te redden, dat hij haar alleen maar wil redden, zoals Hilda haar hele leven tegen zichzelf zal zeggen dat het kind alleen maar naar de blokhut terugging om een speeltje te halen, dat ze niet met opzet was achtergelaten, alleen in haar witte jurk en rode kousen, om gevonden te worden door haar vader, die iets onuitsprekelijks deed. Dit is het verleden, dit is het Land van Weleer, en hier worden de kinderen bezocht door de zonden van de vaderen, tot in de zevende generatie, die nog niet...

Hij draagt haar dieper het water in en ze begint te gillen. Haar kreten vermengen zich met de kreten van de futen, totdat hij een eind aan het geluid maakt door een kus op haar doodsbange mond te drukken. 'Ik hou van je. Papa houdt van zijn prinsesje,' *zegt hij, en dan laat hij haar zakken. Het wordt een doop door middel van gehele onderdompeling, met dit verschil dat er op de oever geen koor staat te zingen van* 'Shall We Gather at the River' *en dat er niemand* 'Hallelujah!' *roept en dat hij haar niet meer boven laat komen. Ze spartelt verwoed in de witte bloesem van haar offerjurk, en na een tijdje kan hij het niet meer aanzien. In plaats daarvan kijkt hij over het meer naar het westen, waar het vuur nog niet is (en nooit zal komen), naar het westen waar de hemel nog blauw is. As dwarrelt als zwarte regen om hem heen en de tranen stromen uit zijn ogen en terwijl ze verwoed onder zijn handen spar-*

telt en zich uit zijn verdrinkende greep probeert te bevrijden, zegt hij tegen zichzelf: Het was een ongeluk, gewoon een verschrikkelijk ongeluk, ik ging met haar het meer in, want dat was de enige plaats waar ik haar heen kón brengen, de enige plaats die nog over was, en ze raakte in paniek, ze begon te spartelen, ze was helemaal nat en glibberig en ik verloor mijn greep op haar en toen verloor ik *alle* greep op haar en toen...

Ik vergeet dat ik een geest ben. Ik schreeuw 'Kia! Hou vol, Ki!' en duik het water in. Ik kom bij haar, ik zie haar doodsbange gezicht, haar uitpuilende blauwe ogen, haar rozenknop van een mond die een zilveren lijn van luchtbellen naar het oppervlak laat stijgen, waar Fred tot aan zijn nek in het water staat en haar omlaag drukt terwijl hij keer op keer tegen zichzelf zegt dat hij haar probeerde te redden, het was de enige manier, hij probeerde haar te redden, het was de enige manier. Ik grijp naar haar, keer op keer grijp ik naar haar, mijn kind, mijn dochter, mijn Kia (ze zijn allemaal Kia, de jongens net zo goed als de meisjes, allemaal mijn dochter, en iedere keer gaan mijn armen door haar heen. Erger – o, veel erger – is het dat ze nu ook haar hand naar mij *uitstrekt, haar gevlekte armen zweven naar me toe, smekend om redding. Haar tastende handen gaan door de mijne heen. We kunnen elkaar niet aanraken, want ik ben nu de geest. Ik ben de geest en als haar sparteling verzwakt, besef ik dat ik niet kan dat ik niet kan o dat ik niet* kon ademhalen – ik verdronk.

Ik klapte voorover, deed mijn mond open en ditmaal kwam er een grote scheut meerwater uit. Het stroomde over de plastic uil die bij mijn knieën op de pallet lag. Ik drukte de doos met JO'S NOTITIES tegen mijn borst, want ik wilde niet dat de inhoud nat werd, en door die beweging moest ik weer kokhalzen. Ditmaal stroomde het koude water niet alleen uit mijn mond maar ook uit mijn neus. Ik snoof diep en hoestte de lucht weer uit.

'Hier moet een eind aan komen,' zei ik, maar natuurlijk wás dit het einde, hoe dan ook. Want Kyra was de laatste.

Ik klom het trapje naar het atelier op en ging tussen de rommel op de vloer zitten om op adem te komen. Buiten daverde de donder en viel de regen, maar ik had de indruk dat het noodweer over het hoogtepunt heen was. Of misschien hoopte ik dat alleen maar.

Ik liet mijn benen in het luikgat bungelen – er waren daar geen geesten meer die naar mijn enkels grepen, ik weet niet hoe ik dat wist maar ik wist het – en haalde het elastiekje weg dat de stenoboekjes bijeen hield. Ik opende het eerste boekje, bladerde erin, en zag dat het bijna helemaal gevuld was met Jo's handschrift en een aantal opgevouwen dicht betypte vellen papier (Courier-letters, uiteraard): de vruchten van al die clandestiene uitstapjes naar de TR in 1993 en 1994. Voor het merendeel waren het losse aantekeningen, en transcripties van bandopnamen die misschien nog ergens onder me in de opslagruimte te vinden waren. Misschien waren ze ergens bij de videorecorder of de bandrecorder opgeborgen. Maar ik had ze niet nodig. Wanneer het zo ver was – als dat moment ooit aanbrak – zou ik het grootste deel van het verhaal vast en zeker in deze boekjes vinden. Wat er gebeurd was, wie het gedaan had, hoe het in de doofpot was gestopt. Op dit moment kon het me niet schelen. Op dit moment wilde ik alleen maar zeker weten dat Kyra veilig was en veilig bleef. Er was maar één manier om daar achter te komen.

Loog dat ze barste.

Ik probeerde het elastiekje weer om de stenoboekjes te krijgen, en het boekje waarin ik niet had gekeken, gleed uit mijn natte hand en viel op de vloer. Er viel een afgescheurd stukje groen papier uit. Ik pakte het op en zag dit:

Een ogenblik kwam ik los uit dat vreemde, verhoogde bewustzijn waarin ik had geleefd. De wereld kreeg weer zijn gebruikelijke dimensies. Maar op de een of andere manier waren de kleuren allemaal te fel. Voorwerpen waren te nadrukkelijk *aanwezig*. Ik voelde me net een soldaat op een slagveld die opeens verlicht wordt door een spookachtige witte schittering, zo'n licht waarin alles te zien is.

De familie van mijn vader kwam uit de Neck, daar had ik gelijk in gehad. Volgens dit papier was mijn overgrootvader James Noonan en had hij nooit in dezelfde kuil gescheten als Jared Devore. Max Devore had gelogen toen hij dat aan Mattie vertelde... of hij was verkeerd ingelicht... of hij had dingen gewoon met elkaar verward, zoals mensen vaak een beetje in de war raken als ze over de tachtig zijn. Zelfs iemand als Devore, die over het geheel genomen erg scherp was gebleven, zou er soms weleens naast zitten. En zo heel ver had hij er niet naast gezeten. Want volgens dit gekrabbelde schetsje had mijn overgrootvader een oudere zus gehad, Bridget. En Bridget was getrouwd met... Benton Auster.

Mijn vinger ging een regel omlaag naar Harry Auster. In het jaar 1885 geboren uit Benton Auster en Bridget Noonan Auster.

'Jezus Christus,' fluisterde ik. 'Kenny Austers grootvader was mijn oudoom. En hij hoorde erbij. Wat ze ook deden, Harry Auster hoorde erbij. Dat is het verband.'

Plotseling dacht ik in paniek aan Kyra. Ze was al bijna een uur alleen in het huis. Hoe kon ik zo dom zijn geweest? Terwijl ik onder het atelier zat, had iedereen naar binnen kunnen gaan. Sara kon iemand hebben gebruikt om...

Ik besefte dat dit niet waar was. De moordenaars en hun jonge slachtoffers waren allemaal door bloedverwantschap met elkaar verbonden geweest, en nu dat bloed dunner was geworden, was die rivier bijna bij de zee gekomen. Bill Dean was er nog, maar hij hield zich verre van Sara Laughs. En Kenny Auster was er, maar Kenny was met zijn gezin naar Taxachusetts gegaan. En Ki's naaste bloedverwanten – moeder, vader, grootvader – waren allemaal dood.

Alleen ik was er nog. Alleen ik was bloedverwant. Alleen ik kon het doen. Tenzij...

Ik rende zo hard als ik kon naar het huis terug, glibberend over het drijfnatte pad. Ik was wanhopig, kon niet wachten tot ik zag dat alles goed met haar was. Ik geloofde niet dat Sara zelf Kyra kwaad kon doen, hoeveel van die energie ze ook aan die oude mensen had onttrokken... maar als ik me nu eens vergiste?

Als ik me nu eens vergiste?

28

Ki lag nog net zo diep te slapen als toen ik haar achterliet, op haar zij, met haar vieze pluchen hondje onder haar kin gedrukt. Het beestje had een veeg op haar hals gemaakt, maar ik kon het niet over mijn hart verkrijgen het bij haar weg te halen. Links achter haar hoorde ik door de open badkamerdeur het gestage *plink-plonk-plink* van water dat uit de kraan in het bad druppelde. Koele lucht bewoog zich in een zijdezachte werveling om me heen, streelde mijn wangen, joeg een niet onaangename huivering door mijn rug omhoog. In de huiskamer liet Bunters bel een zwak getinkel horen.

Het water is nog warm, schat, fluisterde Sara. *Wees haar vriend, wees haar papa. Toe dan, doe het nu. Doe wat ik wil. Doe wat we allebei willen.*

En ik wílde het ook, en dat moest de reden zijn waarom Jo eerst probeerde me uit de TR en toen van Sara Laughs weg te houden. En ook de reden waarom ze haar mogelijke zwangerschap geheim had gehouden. Het was of ik een vampier in mezelf had ontdekt, een wezen dat geen enkele interesse had voor wat ik als een talkshow-geweten en de moraliteit van de opiniepagina had beschouwd. Een deel dat niets anders wilde dan Ki naar de badkamer brengen en haar in dat warme water dompelen en haar kopje-onder houden, dat wilde zien hoe de wit met rode linten in het water golfden, zoals Carla Deans witte jurk en rode kniekousen hadden gegolfd terwijl overal om haar heen de bossen in brand stonden. Een deel van me zou niets liever doen dan die laatste termijn van die oude rekening aflossen.

'Lieve god,' mompelde ik, en ik veegde met mijn bevende hand over mijn gezicht. 'Ze kent zo veel trucjes. En ze is zo verrekte stérk.'

De badkamerdeur probeerde voor me dicht te vallen voordat ik erdoorheen kon, maar ik duwde hem open en stuitte nauwelijks op verzet. De deur van het medicijnkastje klapte terug en het glas sprong tegen de muur aan scherven. Wat er in het kastje zat, vloog op me af, maar het was geen gevaarlijke aanval. Ditmaal bestonden de projectielen vooral uit tubes tandpasta, tandenborstels, plastic flesjes en een paar oude Vick's inhalers. Zwakjes, erg zwakjes, hoorde ik haar schreeuwen van frustratie toen ik de stop uit het bad trok en het water gorgelend door de afvoer begon te stromen. Er waren in deze eeuw al genoeg kinderen in de TR verdronken, god nog aan toe. En toch voelde ik nog even een ongelooflijk sterke aandrang om de stop er weer in te doen zolang het water nog diep genoeg was voor wat ik van plan was geweest. In plaats daarvan trok ik hem van zijn ketting los en gooide hem de gang in. De deur van het medicijnkastje klapte weer dicht en de rest van het glas viel eruit.

'Hoeveel heb je er gehad?' vroeg ik haar. 'Hoeveel behalve Carla Dean en Kerry Auster en onze Kia? Twee? Drie? Vijf? Hoeveel heb je er nodig voordat je in vrede kunt rusten?'

Allemaal! was het onmiddellijke antwoord. En het was niet alleen Sara's stem, het was ook mijn eigen stem. Ze was in me gekropen, was door de kelder naar binnen geglipt als een inbreker... en ik dacht al dat zelfs wanneer het bad leeg was en de waterpomp het tijdelijk niet deed, er altijd nog het meer was.

Allemaal! riep de stem weer. *Allemaal, schat!*

Natuurlijk – ze nam geen genoegen met minder dan allemaal. Tot dan zou Sara Laughs geen rust hebben.

'Ik zal je helpen tot rust te komen,' zei ik. 'Dat beloof ik.'

Het laatste water gorgelde weg... maar er was altijd nog het meer, altijd nog het meer, als ik van gedachten veranderde. Ik verliet de badkamer en ging nog even bij Ki kijken. Ze had niet bewogen, het gevoel dat Sara hier bij me in huis was, was weg, Bunters bel was stil... en toch voelde ik me niet op mijn gemak en wilde ik haar niet alleen laten. Maar ik moest wel, tenminste, als ik mijn werk wilde afmaken, en het zou niet goed zijn als ik treuzelde. Op een gegeven moment zou de politie komen, noodweer of geen noodweer, omgevallen bomen of geen omgevallen bomen.

Ja, maar...

Ik liep de gang in en keek onrustig om me heen. De donder daverde, maar het klonk niet meer zo hevig. En het leek ook alsof de storm over zijn hoogtepunt heen was. Wat niet wegtrok, was het gevoel dat iets naar me keek, iets wat niet Sara was. Ik bleef daar nog even staan en zei tegen mezelf dat het alleen maar mijn overspannen zenuwen waren. Toen liep ik door de gang naar de buitendeur.

Ik maakte de deur naar de veranda open... en keek toen nog eens schichtig om me heen, alsof ik verwachtte dat iets of iemand achter het eind van de boekenkast op de loer stond. Een Gedaante, misschien. Iets wat nog steeds zijn stofnest wilde. Maar ik was de enige Gedaante die was overgebleven, tenminste in dit deel van de wereld, en ik zag niets bewegen, alleen de golvende schaduw van de regen die langs de ruiten stroomde.

Het regende nog steeds zo hard dat ik opnieuw drijfnat werd toen ik over mijn veranda naar de oprijlaan liep, maar ik trok me er niets van aan. Ik was net bij een klein meisje geweest dat verdronk, was zelf nog geen uur geleden ook zowat verdronken, en de regen zou me niet weerhouden van wat me te doen stond. Ik pakte de gevallen tak op die een deuk in het dak van mijn auto had gemaakt, gooide hem opzij en maakte de achterdeur van de Chevrolet open.

De dingen die ik bij Slips 'n Greens had gekocht, lagen nog op de achterbank. Ze zaten nog in de katoenen draagtas die Lila Proulx me had gegeven. Het plantenschepje en het snoeimes lagen in het zicht, maar het derde voorwerp zat in een plastic zak. *Wil je dat in een apart zakje?* had Lila me gevraagd. *Veilig is veilig, zeg ik altijd maar.* En later, toen ik wegging, had ze over Kenny's hond Blueberry gesproken die achter meeuwen aanrende en had ze hard gelachen. Maar haar ogen hadden niet gelachen. Misschien kon je daaraan zien wie Martianen waren en wie Aardbewoners – de Martianen kunnen niet met hun ogen lachen.

Ik zag het cadeau van Rommie en George op de voorbank liggen: het stenomasker dat ik eerst voor Devores zuurstofmasker had aangezien. Toen begonnen de jongens in de kelder te spreken – of te mompelen – en ik boog me over de voorbank om het masker aan zijn elastieken riempje op te pakken, zonder dat ik wist waarom ik dat deed. Ik liet het in de draagtas vallen, gooide de autodeur dicht en begon over de bielzentrap naar het meer af te dalen. Onderweg bleven ik even staan om onder het terras te duiken, waar we altijd wat gereedschap hadden staan. Er was geen pikhouweel, maar ik pakte een schop die me geschikt leek voor het delven van een graf. En toen volgde, ik, naar ik dacht voor de laatste keer, de route van mijn droom naar De Straat. Ik had Jo niet nodig om me de plek te laten zien; de Groene Dame had al die tijd al in de juiste richting gewezen. En zelfs als ze er niet was geweest, zelfs als Sara Tidwell niet meer een uur in de wind stonk, zou ik het vermoedelijk wel hebben geweten. Ik denk dat mijn eigen gejaagde hart me erheen zou hebben geleid.

Er stond een man tussen mij en de plaats waar de grijze rotswand het pad bewaakte, en toen ik op de laatste biels bleef staan, riep hij me aan met een schorre stem die ik maar al te goed kende.

'Zeg eens, hoerenloper, waar is je hoer?'

Hij stond in de stromende regen op De Straat, maar zijn houthakkerskleren – groene flanellen broek, geruit wollen overhemd – en zijn verschoten blauwe Union Army-pet waren droog, want de regen viel niet op hem maar door hem heen. Hij zag er stevig uit, maar was niet echter dan Sara zelf. Ik herinnerde mezelf daaraan toen ik het pad opliep en tegenover hem ging staan, maar mijn hart ging steeds sneller slaan en bonkte in mijn borst als een hamer waar lappen omheen waren gewonden.

Hij droeg de kleren van Jared Devore, maar dit was Jared Devore niet. Dit was Jareds achterkleinzoon Max, die zijn carrière als sleeëndief was begonnen en met zelfmoord was geëindigd – maar niet voordat hij de moord op zijn schoondochter had geregeld, omdat die de euvele moed had gehad hem iets te weigeren wat hij graag wilde hebben.

Ik begon naar hem toe te lopen en hij ging midden op het pad staan om me de weg te versperren. Ik voelde hoe de kou van hem afstraalde. Ik zeg het precies zoals ik het bedoel, ik vertel het zo goed als ik het me kan herinneren: ik voelde hoe de kou van hem afstraalde. En ja, het was inderdaad Max Devore, maar dan uitgedost als iemand die als houthakker naar een gekostumeerd bal gaat. Hij zag eruit zoals hij eruit moest hebben gezien in de tijd dat zijn zoon Lance geboren werd. Oud maar kras. Zo'n man tegen wie jonge mannen konden opkijken. En alsof die gedachte ze opriep, zag ik de anderen nu ook vaag achter hem verschijnen. Ze stonden op een rij, dwars over het pad. Het waren de mannen die met Jared op de jaarmarkt van Fryeburg waren geweest, en nu wist ik wie sommigen van hen waren. Fred Dean natuurlijk, in 1901 nog maar negentien jaar, nog dertig jaar van het verdrinken van zijn dochter verwijderd. En de man die me aan mezelf had doen denken, was Harry Auster, het oudste kind van de zuster van mijn overgrootvader. Hij zal zestien zijn geweest, nauwelijks droog achter de oren maar oud genoeg om met Jared in het bos te werken. Oud genoeg om met Jared in dezelfde kuil te schijten. Om Jareds gif voor wijsheid aan te zien. Een van de anderen draaide met zijn hoofd en kneep tegelijk zijn ogen half dicht – die tic had ik al eerder gezien. Waar? Toen schoot het me te binnen: in het Lakeview General. Die jongeman was de vader van wijlen Royce Merrill. De anderen kende ik niet. En wilde ik ook niet kennen.

'Je komt niet langs ons,' zei Devore. Hij hield beide handen omhoog. 'Probeer het maar niet eens. Heb ik gelijk of niet, jongens?'

Ze lieten een grommend, instemmend gemompel horen – het soort klanken dat je tegenwoordig bij een bende headbangers of taggers kunt horen, denk ik – maar hun stemmen leken van ver te komen en klonken eerder somber dan dreigend. De man in Jared Devores kleren bezat enige substantie, misschien omdat hij bij zijn leven een man met een enorme vitaliteit was geweest, misschien omdat hij nog maar kort dood was. De anderen waren weinig meer dan geprojecteerde beelden.

Ik liep naar voren, ging die koude straling in, naar zijn geur toe – dezelfde ziekelijke geuren die hij om zich heen had gehad toen ik hem de vorige keer ontmoette.

'Waar denk je dat je heen gaat?' riep hij.

'Ik ga een ommetje maken,' zei ik. 'Dat is niet verboden. De Straat is de plaats waar brave puppy's en schurftige honden zij aan zij lopen. Dat heb je zelf gezegd.'

'Je begrijpt het niet,' zei Max-Jared. 'Je zult het nooit begrijpen. Jij bent niet van die wereld. Dat was onze wereld.'

Ik bleef staan en keek hem verwonderd aan. De tijd drong, ik wilde dit afwerken... maar ik moest het weten, en ik dacht dat Devore er klaar voor was het me te vertellen.

'Zorg dan dat ik het begrijp,' zei ik. 'Overtuig me ervan dat er ooit een wereld was die jouw wereld was.' Ik keek hem aan en keek toen naar de flakkerende, doorschijnende gestalten achter hem, gaasdun vlees op glimmende botten. 'Vertel me wat jullie hebben gedaan.'

'Het was toen allemaal anders,' zei Devore. 'Als jíj hier komt, Noonan, loop je misschien de hele vijf kilometer naar Halo Bay en zie je maar een stuk of tien mensen op De Straat. Na Labor Day zie je misschien helemaal niemand meer. Aan deze kant van het meer moet je door de struiken lopen, die wild opschieten, en om de omgevallen bomen heen – na dit noodweer zullen dat er nog meer zijn – en zelfs een paar bergen dood hout, want tegenwoordig werken de dorpelingen niet meer samen om de boel netjes te houden, zoals ze vroeger deden. Maar in onze tijd...! De bossen waren toen groter, Noonan, de afstanden waren groter, en nabuurschap betekende nog iets. Het leven zelf betekende vaak ook nog iets. In die tijd wás dit echt een straat. Kun je dat voor je zien?'

Ik zag het. Als ik door de geestverschijning van Fred Dean en Harry Auster en de anderen keek, kon ik het begrijpen. Ze waren niet zomaar geesten; ze waren matglazen ruiten uit een andere tijd. Ik zag

een zomermiddag in het jaar... 1898? Misschien 1902? 1907? Het doet er niet toe. Dit is een periode waarin alle tijd hetzelfde lijkt, alsof de tijd is blijven stilstaan. Dit is een tijd die de oude mensen zich als een soort gouden eeuw herinneren. Het is het Land van Weleer, het Koninkrijk van Toen-Ik-Nog-Een-Jongen-Was. De zon overspoelt alles met het ijle gouden licht van een eeuwigdurende maand juli; het meer is zo blauw als een droom, met duizenden vonkjes van weerspiegeld licht. En De Straat! Die heeft een glad laagje gras als een gazon en is zo breed als een boulevard. Het ís een boulevard, zie ik nu, een plaats waar alles samenkomt. Het is het belangrijkste communicatiemiddel, de belangrijkste verbindingskabel in een streek waar dat soort kabels kriskras doorheen lopen. Ik had de hele tijd al het gevoel gehad dat er zulke kabels waren – al toen Jo nog leefde, had ik ze onder de oppervlakte gevoeld, en hier beginnen ze allemaal. De mensen wandelen op De Straat, helemaal op en neer langs de oostkant van het Dark Score Lake. Ze wandelen in kleine groepjes, lachend en pratend onder een bewolkte zomerhemel, en hier beginnen alle kabels. Ik kijk en besef dat ik er verkeerd aan deed die mensen als Martianen te zien, als wrede, berekenende buitenaardse wezens. Ten oosten van hun zonnige wandelweg doemt het duistere woud op, met veldjes en holen waar allerlei ver-

schrikkelijke dingen op de loer kunnen liggen, van een voet die door een houthakkersongeluk wordt afgehakt tot een geboorte die fout gaat en een jonge moeder die dood is voordat de dokter met zijn rijtuigje uit Castle Rock is gearriveerd. Dit zijn mensen zonder elektriciteit, zonder telefoon, zonder ambulancedienst, zonder iemand op wie ze kunnen rekenen, behalve op elkaar en op een God aan wie sommigen al beginnen te twijfelen. Ze wonen in het bos en in de schaduw van het bos, maar op mooie zomermiddagen komen ze naar de rand van het meer. Ze komen naar De Straat en kijken in elkaars gezichten en lachen met elkaar, en dan zijn ze echt in de TR *– in wat ik als een trance ben gaan zien. Het zijn geen Martianen; het zijn gewone mensen die op de rand van de duisternis leven, dat is alles.*

Ik zie zomergasten uit Warrington's, de mannen in wit flanellen kleding, twee vrouwen in lange tennisjaponnen met hun rackets nog in hun hand. Een man op een driewieler met een enorm voorwiel zigzagt onzeker tussen hen door. De zomergasten zijn blijven staan om met een groep jonge mannen uit het dorp te praten; de mensen van buiten willen weten of ze op dinsdagavond aan de honkbalwedstrijd van de dorpelingen bij Warrington's mogen meedoen. Ben Merrill, Royce' aanstaande vader, zegt: Ja, maar we maken het jullie niet makkelijk omdat jullie uit New York komen. De jonge mannen lachen; de tennismeisjes lachen ook.

Een eindje verderop gooien twee jongens elkaar een primitieve, zelfgemaakte honkbal toe; een 'horsey' noemen ze zo'n bal. Nog wat verder staan jonge moeders bij elkaar. Ze praten met ernstige gezichten over hun baby's, allemaal veilig in hun kinderwagen en dicht bijeen. Mannen in overall praten over het weer en de gewassen, politiek en de gewassen, belastingen en de gewassen. Een leraar van de Consolidated High zit op de grijze rotswand die ik zo goed ken en geeft geduldig les aan een norse jongen die ergens anders zou willen zijn en iets anders zou willen doen. Ik denk dat die jongen later Buddy Jellisons vader zal zijn. CLAXON DEFECT, LET OP VINGER, *denk ik.*

Overal langs De Straat zijn mensen aan het vissen, en ze vangen veel; het meer krioelt zowat van baars en forel en snoekbaars. Een kunstenaar – ook een zomergast, dat zie je aan zijn schilderskiel en mietjesachtige baret – heeft zijn ezel neergezet en schildert de bergen, terwijl twee dames vol respect toekijken. Een troep giechelende meisjes komt voorbij, fluisterend over jongens en kleren en school. Er is hier schoonheid, en vrede. Devore heeft gelijk als hij zegt dat dit een wereld is die ik nooit heb gekend. Het is

'Mooi,' zei ik, en ik maak me met enige moeite uit mijn gedachten los. 'Ja, dat zie ik. Maar wat wil je daarmee zeggen?'

'Wat ik daarmee wil zeggen?' Devore keek bijna komisch verrast. 'Ze dacht dat ze hier kon lopen als ieder ander, dát wil ik daarmee zeggen!

Ze dacht dat ze hier kon lopen als een blank meisje! Zij met die grote tanden en die grote tieten en die verwaande tronie. Ze dacht dat ze iets bijzonders was, maar wij hebben haar geleerd dat ze zich vergiste. Ze probeerde me te trotseren en toen dat niet lukte, duwde ze me met haar smerige handen omver. Maar dat gaf niet; we hebben haar geleerd wat goede manieren zijn. Nietwaar, jongens?'

Ze gromden instemmend, maar ik vond dat sommigen van hen – de jonge Harry Auster bijvoorbeeld – er ziek uitzagen.

'We hebben haar geleerd wat haar plaats was,' zei Devore. 'We leerden haar dat ze niets anders was dan een

nikker. Dat is het woord dat hij keer op keer gebruikt als ze die zomer in de bossen zijn, de zomer van 1901, de zomer waarin Sara en de Red-Tops hét muzikale optreden waren waar je in dit deel van de wereld heen moest. Zij en haar broer en hun hele nikkerfamilie waren op Warrington's uitgenodigd om voor de zomergasten te spelen; ze hadden champagne en oesters gekregen... Tenminste, dat zegt Jared Devore tegen zijn kleine school van toegewijde volgelingen als ze hun eenvoudige middageten van brood met vlees en gezouten komkommers uit spekemmers eten, het eten dat ze van hun moeder hebben meegekregen (geen van de jonge mannen is getrouwd, al is Oren Peebles verloofd).

Toch is het niet haar faam die Jared Devore dwars zit. Het is niet het feit dat ze naar Warrington's is geweest. Het stoort hem ook niet dat zij en die broer van haar met blanke mensen aan één tafel eten, dat ze met hun zwarte nikkervingers brood pakken uit dezelfde schaal als zij. Per slot van rekening zijn de mensen in Warrington's mensen van buiten, en Devore vertelt de zwijgende, aandachtige jonge mannen dat hij heeft gehoord dat in steden als New York en Chicago blanke vrouwen soms zelfs met nikkers neuken.

'Nee!' *zegt Harry Auster, en hij kijkt nerveus om zich heen, alsof hij verwacht dat hier helemaal op Bowie Ridge een paar vrouwen zich een weg door het bos zoeken.* Een blanke vrouw zou nooit met een nikker neuken! Maak dat de kat wijs!

Devore kijkt hem alleen maar aan met een blik van Als je zo oud bent als ik... *Trouwens, het kan hem niet schelen wat ze in New York en Chicago doen; hij heeft in de Burgeroorlog al genoeg van de buitenwereld gezien... en hij zal je meteen vertellen dat hij nooit in die oorlog heeft meegevochten om die vervloekte slaven te bevrijden. Wat Jared Lancelot Devore betreft, mogen ze daar in het land van de katoen tot in de eeuwigheid slaven houden. Nee, hij vocht in die oorlog mee om die schooiers ten zuiden van de Mason-Dixon-lijn duidelijk te maken dat je je niet uit het spel terugtrekt omdat sommige regels je niet bevallen. Hij ging erheen om die schobbejakken een lesje te leren. Ze hadden geprobeerd uit de Verenigde Staten van Amerika te stappen! God nog aan toe!*

Nee, hij geeft niet om slaven en hij geeft niet om het land van katoen en hij geeft niet om nikkers die smerige liedjes zingen en dan op champagne en oesters getrakteerd worden als beloning voor hun vuiligheid. Het kan hem allemaal niets schelen, zolang ze maar op hun plaats blijven en van zijn plaats vandaan blijven.

Maar dat doet ze niet. Dat verwaande kreng doet dat niet. Ze is gewaarschuwd om van De Straat vandaan te blijven, maar ze wil niet luisteren. Ze gaat toch, loopt daar in haar witte jurk alsof er een blanke vrouw in die jurk zit, soms met haar zoon, die een Afrikaanse nikkernaam heeft, en geen papa – zijn papa heeft waarschijnlijk alleen maar een nacht met zijn mammie in een hooiberg ergens in Alabama gelegen, en nu loopt ze met het product daarvan rond, met haar neus in de wind, al is er geen sterveling die met haar wil praten...

'Maar dat is niet waar, hè?' zei ik tegen Devore. 'Dat was wat jouw ouwe overgrootvader zo dwarszat, hè? Ze praatten wél met haar. Ze had iets – die lach, misschien. Mannen praatten met haar over de gewassen en de vrouwen lieten haar hun baby's zien. Ze legden hun baby's zelfs in haar armen en als ze hen toelachte, lachten ze naar haar terug. De meisje vroegen haar om raad over jongens. De jongens... die keken alleen maar. Maar hóé keken ze, huh? Ze zogen hun ogen vol, en ik denk dat de meesten van hen aan haar dachten als ze naar het privaat gingen en hun handen vulden.'

Devore keek dreigend. Hij verouderde waar ik bijstond. De lijnen groeven zich steeds dieper in zijn gezicht; hij werd de man die me in het meer had gegooid omdat hij er niet tegen kon dat iemand hem dwarszat. En naarmate hij ouder werd, begon hij te vervagen.

'Dat vond Jared nog het ergste, nietwaar? Dat ze zich niet van haar afwendden, dat ze haar niet met de nek aankeken. Ze liep op De Straat en niemand behandelde haar als een nikker. Ze behandelden haar als een buurvrouw.'

Ik was in de trance, dieper dan ooit tevoren, zo diep dat het onderbewustzijn van het dorp als een begraven rivier door me heen leek te stromen. Zolang ik in de trance was, kon ik uit die rivier drinken, kon ik mijn mond en keel en buik met die koude mineraalsmaak vullen.

Die hele zomer had Devore op hen ingepraat. Ze waren meer dan zijn houthakkers, ze waren zijn jongens: Fred en Harry en Ben en Oren en George Armbruster en Draper Finney, die de volgende zomer zijn nek zou breken en zou verdrinken omdat hij stomdronken zou proberen in de Eades Quarry te duiken. Alleen was dat een ongeluk dat min of meer opzet was. Draper Finney dronk tussen juli 1901 en augustus 1902 erg veel, want anders kon hij niet in slaap komen. De enige manier waarop hij de hand uit zijn hoofd kon krijgen, die hand die recht uit het water omhoogstak, telkens weer opnieuw tot een vuist gebald, net zo lang tot je wilde uitschreeuwen: *Houdt het dan nooit op, houdt hij daar dan nooit mee op?*

De hele zomer had Jared het over dat nikkerkreng en dat verwaande kreng. Die hele zomer had hij het over hun verantwoordelijkheid als mannen, hun plicht om de gemeenschap zuiver te houden, en dat ze moesten inzien wat anderen niet inzagen en moesten doen wat anderen niet zouden doen.

Het was een zondagmiddag in augustus, een tijdstip waarop er niet veel mensen op De Straat waren. Later, om een uur of vijf, zou het weer wat drukker worden, en van zes uur tot zonsondergang zou het op het brede pad langs het meer krioelen van de mensen. Maar om drie uur 's middags was het rustig. De methodisten waren in Harlow voor hun middagdienst van zang en gebed. Bij Warrington's zaten alle vakantiegasten aan een zwaar middagmaal op de sabbatsdag, een maal van geroosterde kip of ham. In de hele TR zaten gezinnen aan hun eigen zondagsmaal. Degenen die het al op hadden, brachten snurkend de heetste uren van de dag door – in een hangmat, als het enigszins kon. Sara hield van deze stille uren. Ze was er dol op. Een groot deel van haar leven had ze in lawaaierige feesttenten en rokerige drankholen doorgebracht, waar ze haar songs moest uitschreeuwen om zich boven de stemmen van luidruchtige zuiplappen met rode koppen verstaanbaar te maken, en hoewel ze aan de ene kant wel van de opwinding en onvoorspelbaarheid van dat leven hield, hield ze aan de andere kant ook van de rust van dit leven. Van deze vredige wandelingen. Per slot van rekening werd ze er niet jonger op; ze had een kind dat je al geen kleuter meer kon noemen. Op deze specifieke zondag moet ze hebben gedacht dat het bijna *te* stil was op De Straat. Ze liep zo'n anderhalve kilometer in zuidelijke richting van het veld vandaan zonder een sterveling te zien – zelfs Kito was er al niet meer, hij was ergens achtergebleven om bessen te plukken. De hele omgeving leek

verlaten. Ze weet natuurlijk dat er een Eastern Star-diner in Kashwakamak is, heeft zelfs een paddestoelentaart geschonken omdat ze bevriend is met een aantal Eastern Star-dames. Die zullen daar nu allemaal zijn om alles voor te bereiden. Wat ze niet weet, is dat het vandaag ook Inwijdingsdag voor de nieuwe Grace Baptist-kerk is, de eerste echte kerk die ooit in de TR *is gebouwd. Nogal wat dorpelingen zijn daarheen, zowel heidenen als baptisten. Heel in de verte, aan de andere kant van het meer, kan ze de methodisten horen zingen. Het is een mooi, zacht en lieflijk geluid; de afstand en de echo maken elke scherpe stem welluidend.*

Ze is zich niet bewust van de mannen – de meesten nog erg jonge mannen, het soort mannen dat haar onder normale omstandigheden alleen vanuit hun ooghoek durft aan te kijken – totdat de oudste van hen zegt: 'Nee maar, een zwarte hoer in een witte jurk met een rode cein-

tuur! Verdomd als dat niet een beetje te veel kleur voor het pad langs het meer is. Wat is er mis met jou, hoer? Heb je aan een half woord niet genoeg?'

Ze draait zich naar hem om. Ze is bang maar laat dat niet blijken. Ze leeft al zesendertig jaar op deze aarde, en ze weet al sinds haar elfde wat een man heeft en waar hij het in wil stoppen, en ze begrijpt dat als mannen op deze manier bij elkaar zijn en vol 'roodoog' zitten (ze kan het ruiken), ze niet meer zelfstandig denken en in een troep honden veranderen. Als je laat blijken dat je bang bent, vallen ze je als honden aan en dan is de kans groot dat ze je uit elkaar scheuren zoals honden doen.

Daar komt nog bij dat ze voor haar in hinderlaag hebben gelegen. Anders is niet te verklaren waarom ze zo ineens opduiken.

'Welk half woord is dat dan, schat?' vraagt ze. Ze wijkt geen centimeter. Waar is iedereen? Waar kunnen ze allemaal zijn? Verdomme nog aan toe! Aan de overkant van het meer zijn de methodisten overgegaan op 'Trust and Obey', een monotoon lied waar geen eind aan komt.

'Dat je niet moet lopen waar de blanke mensen lopen,' zegt Harry Auster. Zijn tienerstem slaat bij het laatste woord over en klinkt opeens als muizengepiep. Ze lacht. Ze weet hoe onverstandig dat is, maar ze kan het niet helpen – ze kan er nooit iets aan doen als ze moet lachen, net zo min als ze er ooit iets aan kan doen dat dit soort mannen naar haar borsten en achterste kijken. Niets aan te doen.

'Nou, ik loop waar ik wil lopen,' zegt ze. 'Ik heb me laten vertellen dat dit een openbare weg is, en dat niemand het recht heeft me hier weg te houden. Niemand. Heb je mensen gezien die dat deden?'

'Je ziet ons nu,' zegt George Armbruster, die zijn best deed stoer over te komen.

Sara kijkt hem aan met een milde minachting waardoor George van binnen verschrompelt. Zijn wangen worden vuurrood. 'Jochie,' zegt ze, 'jullie zijn hier nu alleen omdat de fatsoenlijke mensen allemaal ergens anders zijn. Waarom laten jullie je door die oude kerel vertellen wat jullie moeten doen? Gedraag je een beetje fatsoenlijk en laat een dame doorlopen.'

Ik zie het allemaal voor me. Terwijl Devore steeds meer vervaagt en ten slotte alleen nog maar ogen onder een blauwe pet in de middagregen is (door hem heen zie ik de verbrijzelde restanten van mijn vlot tegen de oever slaan), zie ik het allemaal voor me. Ik zie haar terwijl ze

naar voren loopt, recht op Devore af. Als ze hier met hen blijft staan bekvechten, zal er iets ergs gebeuren. Ze voelt dat aan, en ze twijfelt nooit aan haar gevoelens. En als ze naar een van de anderen toeloopt, zal die oude baas van opzij op haar af komen, en dan komt de rest achter hem aan. Die oude baas met zijn kleine blauwe pet is de aanvoerder, degene die ze het hoofd moet bieden. Dat kan ze ook. Hij is sterk,

sterk genoeg om die jongens tot één creatuur te maken, zíjn creatuur, tenminste een tijdlang, maar hij mist haar kracht, haar vastberadenheid, haar energie. In zekere zin is ze wel blij met deze confrontatie. Reg heeft haar gewaarschuwd voorzichtig te zijn, niet te hard van stapel te lopen, niet te proberen echte vriendschappen te sluiten tot de rednecks (alleen noemt Reggie ze 'de stieren') zich laten zien – tot ze weet hoeveel het er zijn en hoe gek ze zijn – maar ze gaat haar eigen gang, vertrouwt op haar eigen diepe instinct. En hier zijn ze dan. Het zijn er maar zeven en er is maar één stier bij.

Ik ben sterker dan jij, ouwe, *denkt ze, en ze loopt naar hem toe. Ze kijkt hem strak aan en slaat haar blik geen moment neer. Hij is degene die zijn ogen neerslaat, hij is degene wiens mond een klein beetje trilt bij de hoeken, hij is degene wiens tong zo snel als die van een hagedis naar buiten schiet om de lippen te bevochtigen, en dat is allemaal goed... maar zelfs nog beter is het dat hij een stap terugdoet. Als hij dat doet, vormt de rest twee groepjes van drie, en dan is er een doorgang. Lieflijk en welluidend zingen de methodisten, religieuze muziek die over het roerloze oppervlak van het meer naar hen toe zweeft. Een monotoon gezang, jazeker, maar op zo grote afstand erg mooi.*

When we walk with the Lord
in the light of His word,
what a glory He sheds on our way...

Ik ben sterker dan jij, schat, *zendt ze uit*. Ik ben gemener dan jij. Jij mag hier dan de stier zijn, maar ik ben de bijenkoningin en als je niet wilt dat ik je steek, moet je voor me opzijgaan.

'Jij kreng,' zegt hij, maar zijn stem is zwak; hij denkt al dat dit niet de geschikte dag is, dat ze iets heeft wat hij pas ziet nu hij heel dicht bij haar is, een nikkerkracht die hij nog niet eerder voelde, er kwam nog weleens een andere dag, een betere dag...

Dan struikelt hij over een boomwortel of een kei (misschien is het dezelfde kei waarachter zij uiteindelijk tot rust zal komen) en valt. Zijn pet valt af, zodat de grote kale plek boven op zijn hoofd te zien is. Zijn broek scheurt over de hele lengte van de naad. En Sara begaat een cruciale vergissing. Misschien onderschat ze de grote persoonlijke kracht van Jared Devore, of misschien kan ze zich gewoon niet inhouden – het geluid van zijn broek die scheurt, klinkt net als een harde scheet. Hoe dan ook, ze lacht – die schorre, rokerige lach die haar handelsmerk is. En haar lach wordt haar ondergang.

Devore denkt niet na. Nog terwijl hij op de grond ligt, begint hij haar te schoppen. Hij draagt spijkerschoenen, zoals houthakkers dragen, en zijn grote voeten schieten als zuigers opzij. Hij raakt haar waar ze het dunst en het kwetsbaarst is: op haar enkels. Ze slaakt een kreet van pijn als de linkerenkel breekt; ze tuimelt ondersteboven en haar opgerolde parasol vliegt uit haar hand. Ze haalt weer diep adem om te schreeuwen en Jared zegt vanaf de grond: 'Zorg dat ze niet krijst!'

Ben Merrill laat zich languit op haar vallen, met al zijn honderd kilo. De adem die ze heeft ingezogen om te schreeuwen komt er als een hortende, bijna geluidloze zucht uit. Ben, die zelfs nog nooit met een vrouw gedanst heeft, laat staan dat hij op deze manier boven op een vrouw heeft gelegen, is meteen opgewonden als hij voelt hoe ze onder hem spartelt. Hij wringt zich lachend tegen haar aan, en als ze over zijn wang krabt, voelt hij er bijna niets van. Zelf heeft hij het gevoel dat hij een en al pik is, een meter lang. Als ze zich op haar zij probeert te rollen om onder hem vandaan te komen, rolt hij met haar mee, hij laat haar boven op zich komen, en hij schrikt zich een ongeluk als ze met haar voorhoofd tegen het zijne stoot. Hij ziet sterren, maar hij is achttien jaar oud, in de kracht van zijn leven, en hij verliest noch zijn bewustzijn noch zijn erectie.

Oren Peebles scheurt lachend de achterkant van haar jurk weg. 'Op-op-op!' roept hij met een hijgerige fluisterstem, en hij laat zich boven op haar vallen. Nu is hij haar bovenkant aan het droogneuken, en Ben droogneukt al even enthousiast vanaf de onderkant, hij droogneukt als een geitenbok, al loopt het bloed uit de spleet in het midden van zijn voorhoofd over de zijkanten van zijn hoofd, en ze weet dat ze, als ze niet kan schreeuwen, verloren is. Als ze kan schreeuwen en Kito hoort het, kan hij wegrennen om hulp te halen, wegrennen en Reg halen...

Maar voordat ze het opnieuw kan proberen, hurkt de oude baas naast haar neer en laat hij haar een mes met een lang lemmet zien. 'Eén kik en ik snij je neus af,' zegt hij, en dan geeft ze het op. Ze hebben haar er dus toch nog onder gekregen, voor een deel omdat ze op het verkeerde moment in lachen uitbarstte maar vooral omdat ze gewoon puur geluk hadden. Nu laten ze zich niet meer tegenhouden, en het is beter dat Kito wegblijft – alsjeblieft, God, laat hem waar hij is, er zijn daar veel bessen, daar moet hij wel een uurtje zoet mee zijn. Hij houdt van bessen plukken, en deze mannen zullen geen uur nodig hebben. Harry Auster trekt haar haar achterover, rukt haar jurk van haar ene schouder en begint aan haar nek te likken.

De oude baas is de enige die haar niet te lijf gaat. De oude baas gaat een stapje terug, kijkt in beide richtingen van De Straat, zijn ogen waakzaam, half dichtgeknepen. De oude baas ziet eruit als een schurftige wolf die een hele generatie kippen heeft opgevreten en altijd buiten alle vallen en strikken gebleven is. 'Hé, Ier, laat haar even los,' zegt hij tegen Harry, en dan richt hij zijn wijze blik op de anderen. 'Trek haar in de struiken, idioten. Trek haar een stuk in de struiken.'

Ze doen het niet. Ze kunnen het niet. Ze zijn te ongeduldig. Ze trekken haar achter de uitloper van de grijze rotswand en vinden dat wel genoeg. Ze bidt anders niet gauw, maar nu bidt ze. Ze bidt dat ze haar laten leven. Ze bidt dat Kito wegblijft, dat zijn emmer zich langzaam vult omdat hij elke derde handvol bessen in zijn mond stopt. Ze bidt dat hij, als hij op het idee komt haar achterna te gaan, ziet wat er gebeurt en zo hard mogelijk de andere kant op rent, dat hij geruisloos wegrent en Reg gaat halen.

'Stop dit in je mond,' hijgt George Armbruster. 'En niet bijten, kreng.'

Ze nemen haar onder en boven, van voren en van achteren, twee of drie tegelijk. Ze nemen haar op een plaats waar iemand die toevallig voorbij zou komen hen meteen zou zien, en de oude baas blijft een beetje op een afstand staan. Hij kijkt eerst naar de hijgende jonge mannen die zich om haar heen verdringen, geknield met hun broek omlaag en met op hun dijen de schrammen van de struiken waarin ze neerknielen, en dan kijkt hij met wilde en waakzame ogen in beide richtingen naar het pad. Ongelooflijk genoeg zegt een van hen – het is Fred Dean – 'Sorry, mevrouw' nadat hij zijn zaad diep in haar heeft gespoten. Het is net of hij haar per ongeluk geschopt heeft toen hij zijn benen over elkaar sloeg.

En er komt geen eind aan. Er loopt zaad door haar keel, er stroomt zaad over de spleet van haar achterste, die jongste jongen heeft haar linkerborst tot bloedens toe gebeten, en er komt geen eind aan. Ze zijn jong, en tegen de tijd dat de laatste klaar is, is de eerste, o god, is de eerste er weer klaar voor. Aan de overkant van het water zingen de methodisten nu 'Blessed Assurance, Jesus Is Mine', en als de oude baas naar haar toe komt, denkt ze: het is voorbij, vrouw, hij is de laatste, hou nog even vol, dan is het voorbij. *Hij kijkt naar de magere rooie en naar de jongen die de hele tijd scheel omhoogtuurt en met zijn hoofd schudt, en zegt dan dat ze op de uitkijk moeten gaan staan en dat het, nu ze is ingereden, zijn beurt is.*

Hij maakt de gesp van zijn riem los, hij maakt de knopen van zijn gulp los en schuift zijn ondergoed omlaag – vuilzwart bij de knieën en vuilgeel in het kruis – en als hij bij haar neerknielt, met zijn knieën aan weerskanten van haar, ziet ze dat de kleine baas van de oude baas net zo slap is als een slang met een gebroken kop, en voordat ze zich kan inhouden, barst die schorre lach totaal onverwachts weer uit haar los – ook nu ze daar ligt, bedekt met het hete geil van haar verkrachters, moet en zal ze er de humor van inzien.

'Hou je bek!' gromt Devore tegen haar, en hij slaat haar hard met zijn vlakke hand in haar gezicht en breekt daarmee haar jukbeen en neus. 'Hou op met dat geloei!'

'Hij werd vast wel stijver als een van je jongens hier met zijn rozerode kont omhoog lag, hè, schat?' zegt ze, en dan lacht Sara voor het laatst.

Devore haalt weer uit met zijn hand om haar te slaan, met zijn naak-

te lendenen tegen haar naakte lendenen, zijn penis als een slappe worm tussen hen in. Maar voordat hij zijn hand omlaag kan brengen, roept een kinderstem: 'Mama! Wat doen ze met je, mama? Ga van mijn mama af, rotzakken!'

Ze gaat ondanks Devores gewicht overeind zitten. Haar lach sterft weg en haar grote ogen zoeken naar Kito en vinden hem, een magere jongen van acht die op De Straat staat, in een overall en met een strohoed op en met gloednieuwe canvas schoenen aan zijn voeten. In zijn ene hand heeft hij een zinken emmer. Zijn lippen zijn blauw van het bessensap. Zijn ogen zijn groot van verwarring en angst.

'Rennen, Kito!' *schreeuwt ze.* 'Ren zo h...'

Een rood vuur explodeert in haar hoofd; ze zakt in de struiken achterover en hoort de oude baas zeggen, alsof het van grote afstand komt: 'Grijp hem. Hou hem tegen.'

Dan glijdt ze omlaag over een lange donkere helling. Ze is verdwaald in een spookhuisgang die dieper en dieper in zijn eigen kronkelige ingewanden doordringt; vanuit die diepte hoort ze hem, hoort ze hem, haar lieve jongen, hij

gilt. Ik hoorde hem gillen toen ik met mijn grijze draagtas bij de grijze rots neerknielde en geen idee had hoe ik daar was gekomen – in ieder geval kon ik me niet herinneren dat ik daarheen gelopen was. Ik huilde van schrik en afschuw en medelijden. Was ze gek? Nou, geen wonder. Helemaal geen wonder. De regen viel gestaag maar niet meer als een zondvloed. Ik keek nog even naar mijn vissig witte handen op de grijze rots, en keek toen om. Devore en de anderen waren weg.

De weeïge en gasachtige stank van rotting drong in mijn neusgaten – het was net een fysieke aanslag. Ik tastte in de draagtas, vond het stenomasker dat Rommie en George me bij wijze van grap hadden gegeven en schoof het, met vingers die verdoofd aanvoelden, alsof ze ver weg waren, over mijn mond en neus. Ik haalde oppervlakkig, aarzelend adem. Dat was beter. Niet veel beter, maar genoeg om me ervan te weerhouden om te vluchten, en natuurlijk wilde ze dat ik vluchtte.

'Nee!' riep ze ergens achter me toen ik de schop nam en begon te graven. Ik maakte met de eerste steek een groot gat in de grond, en met elke volgende steek van de schop verdiepte en verbreedde ik de kuil. De aarde was zacht en meegaand, dooraderd met vlechtwerken van dunne wortels die gemakkelijk voor de schop uiteengingen.

'Nee! Waag het niet!'

Ik zou niet omkijken, zou haar niet de kans geven me weg te duwen. Ze was hier sterker, misschien omdat het hier gebeurd was. Was dat mogelijk? Ik wist het niet en het kon me ook niet schelen. Ik wilde maar één ding en dat was dat dit werd afgewerkt. De wortels die dikker waren, hakte ik door met het snoeimes.

'*Laat me met rust!*'

Nu keek ik wél om. Ik waagde één snelle blik, want ik had onnatuurlijke knetterende geluiden gehoord die met haar stem gepaard gingen – die haar stem nu leken te máken. De Groene Dame was weg. De berk was op de een of andere manier Sara Tidwell geworden: Sara's gezicht groeide uit de kriskras lopende takken en glanzende bladeren. Dat gezicht, glad van de regen, deinde heen en weer, vervaagde, kwam terug, smolt weg, kwam terug. Een ogenblik kwam al het mysterie aan het licht dat ik hier had gevoeld. Haar vochtige, onrustige ogen waren volkomen menselijk. Ze keken me tegelijk smekend en haatdragend aan.

'Ik ben nog niet klaar!' riep ze met een schorre, overslaande stem. 'Hij was de ergste, snap je dat dan niet? Hij was de ergste, en ze heeft zijn bloed in zich en ik zal niet rusten *voordat ik het eruit heb!*'

Er volgde een afschuwelijk scheurend geluid. Ze had de berk bewoond, had er een soort lichaam van gemaakt en was nu van plan hem uit de aarde los te rukken. Ze zou me met die berk komen grijpen, als ze kon. Ze zou me ermee doden, als ze kon. Ze zou me wurgen met de taaiste takken. Ze zou me volproppen met bladeren tot ik op een kerstversiering leek.

'Wat voor een monster hij ook was, Kyra had niets te maken met wat hij heeft gedaan,' zei ik. 'En je zult haar niet krijgen.'

'Dat zal ik wél!' krijste de Groene Dame. De scheurende geluiden waren nu nog harder. Er kwam een sissend, onregelmatig geknetter bij. Ik keek niet meer om. Ik dúrfde niet meer om te kijken. In plaats daarvan begon ik sneller te graven. 'Ja, ik zal haar krijgen!' riep ze, en nu was de stem dichterbij. Ze kwam op me af, maar ik weigerde te kijken. Als het op wandelende bomen en struiken aankomt, houd ik me liever bij *Macbeth*. 'Ik zál haar krijgen! Hij nam de mijne en *ik ben van plan de zijne te nemen!*'

'Ga weg,' zei een nieuwe stem.

De schop lag opeens losser in mijn handen, viel bijna. Ik draaide me om en zag Jo rechts beneden me staan. Ze keek Sara aan, die in de hallucinatie van een krankzinnige veranderd was – een monsterlijk, groenig-zwart ding dat uitgleed bij elke stap die het over De Straat probeerde te zetten. Ze had de berk achtergelaten maar had op de een of andere manier zijn vitaliteit overgenomen – de boom zelf stond ineengezakt achter haar, zwart en verschrompeld en dood. Het wezen dat uit de boom was voortgekomen, leek op de bruid van Frankenstein, maar dan gebeeldhouwd door Picasso. In dat wezen kwam en ging Sara's gezicht. Het kwam en ging.

De Gedaante, dacht ik koel. *Die was altijd echt... en als ik het altijd zelf was, was zij het ook altijd.*

Jo droeg het witte shirt en de gele broek die ze aan had gehad op de dag dat ze stierf. Ik kon het meer niet door haar heen zien, zoals ik het dwars door Devore en Devores jonge vrienden had kunnen zien. Ze had zich volledige gematerialiseerd. Ik had een vreemd *leeglopend* gevoel in mijn achterhoofd en meende te weten wat het was.

'Ga weg, kreng!' snauwde het Sara-ding. Het bracht zijn armen omhoog naar Jo, zoals het ze in mijn ergste nachtmerries tegen mij had verheven.

'Ik denk er niet aan.' Jo's stem bleef kalm. Ze keek mij aan. 'Schiet op, Mike. Je moet snel zijn. Ze is niet meer echt zichzelf. Ze heeft een van de Buitenstaanders binnengelaten, en die zijn erg gevaarlijk.'

'Jo, ik hou van je.'

'Ik hou ook va...'

Sara gilde en begon toen rond te tollen. Bladeren en takken vormden een waas, verloren iedere samenhang. Het was of ik iets vloeibaar zag worden in een mixer. De eenheid die in het begin een beetje op een vrouw had geleken, liet die maskerade nu helemaal vallen. Iets elementairs, iets grotesk onmenselijks, begon zich uit de maalstroom te vormen. Het sprong op mijn vrouw af. Toen het haar trof, trokken de kleur en vastheid uit Jo weg alsof ze een klap van een reusachtige hand had gekregen. Ze werd een geestverschijning, worstelend met het ding dat haar krijsend en klauwend besprong.

'*Schiet op, Mike!*' gilde ze. '*Schiet op!*'

Ik boog me over mijn werk.

De schop raakte iets wat geen aarde was, geen steen, ook geen hout. Ik schraapte erover en zag dat het een vuil, schimmelig stuk zeildoek was. Nu groef ik als een krankzinnige. Ik wilde zoveel mogelijk van het begraven voorwerp blootleggen. Ik wilde mijn kans op succes zo groot mogelijk maken. Achter me krijste de Gedaante van razernij en krijste mijn vrouw van pijn. Sara had een deel van haar lichaamloze persoonlijkheid opgegeven om wraak te nemen. Ze had iets binnengelaten wat Jo een Buitenstaander noemde. Ik had geen idee wat dat zou kunnen zijn en wilde het ook niet weten. Sara was het kanaal waarvan het zich bediende, dat wist ik wel. En als ik haar op tijd kon uitschakelen...

Ik greep in de druipende kuil en sloeg natte aarde van het oude zeildoek weg. Daaronder werd een vage opdruk zichtbaar: J.M. MCCURDIE ZAAGMOLEN. De zaagmolen van McCurdie was ten prooi gevallen aan de bosbranden van 1933, wist ik. Ik had ergens een foto gezien waarop hij in lichterlaaie stond. Toen ik het zeildoek pakte, gingen mijn vingertoppen er dwars doorheen en kwam er een nieuwe golf van groene, gasachtige stank vrij. Op datzelfde moment hoorde ik gekreun. Ik hoorde

Devore. Hij ligt op haar en kreunt als een varken. Sara is half bewusteloos, mompelt onverstaanbare woorden met gekneusde lippen die glimmen van het bloed. Devore kijkt over zijn schouder naar Draper Finney en Fred Dean. Ze zijn achter de jongen aan gerend en hebben hem teruggehaald, maar hij stopt niet met schreeuwen, hij schreeuwt de longen uit zijn lijf, schreeuwt de doden wakker, en als ze hier kunnen horen hoe de methodisten 'How I Love to Tell the Story' zingen, kunnen de methodisten misschien die blèrende nikker hier horen. Devore zegt: 'Stop hem onder water, snoer hem de mond.' Zodra hij dat zegt, begint zijn pik stijf te worden, alsof het toverwoorden zijn.

'Wat bedoel je?' vraagt Ben Merrill.

'Dat weet je verdomd goed,' zegt Jared. Hij hijgt de woorden uit en stoot onder het praten met zijn heupen. Zijn magere kont glanst in het middaglicht. 'Hij heeft ons gezien! Wil je hem kelen en al zijn bloed over je heen krijgen? Mij best. Hier. Neem mijn mes, ga je gang.'

'N-nee, Jared!' roept Ben vol afschuw uit. Het lijkt wel of hij ineenkrimpt bij de aanblik van het mes.

Hij is eindelijk zo ver. Hij doet er een beetje langer over, dat is alles, hij is niet jong meer, zoals de anderen. Maar nu...! Ze mocht dan een vlotte manier van praten hebben, een brutale manier van lachen, en het hele dorp mocht dan gek op haar zijn – nou, ze mochten allemaal komen kijken. Hij steekt hem in haar, hij doet wat ze de hele tijd al wilde, wat haar soort altijd wil. Hij steekt hem in haar en laat hem diep naar binnen gaan. Zelfs terwijl hij haar verkracht, blijft hij bevelen geven. Op en neer gaat zijn reet, tik tak, als de staart van een kat. 'Laat iemand hem afmaken! Of wil je veertig jaar lang in Shawshank wegrotten door het geklets van een nikkerjongen?'

Ben grijpt een van Kito Tidwells armen vast, Oren Peebles de andere hand, maar als ze hem tot aan de waterkant hebben gesleurd, verliezen ze de moed. Een verwaande nikkervrouw verkrachten die het lef had Jared uit te lachen toen hij viel en zijn broek scheurde, is nog tot daar aan toe. Maar een doodsbang kind verzuipen, als een jong poesje in een modderplas – dat is heel iets anders.

Ze laten hun greep verslappen, kijken elkaar in de angstige ogen, en Kito trekt zich los.

'Rennen, schatje!' roept Sara. 'Ga gauw...' Jared klemt zijn handen om haar keel en begint haar te wurgen.

De jongen struikelt over zijn eigen emmer met bessen en smakt tegen de grond. Harry en Draper hebben hem meteen weer te pakken. 'Wat ga je doen?' vraagt Draper met een wanhopige jengelstem, en Harry antwoordt

'Wat ik moet doen.' Dat antwoordde hij, en nu ging ik doen wat ik moest doen – ondanks de stank, ondanks Sara, ondanks het gekrijs van mijn dode vrouw. Ik trok de rol zeildoek uit de grond. De touwen waarmee het aan weerskanten was dichtgebonden, hielden stand, maar de rol zelf spleet met het geluid van een keiharde boer in tweeën.

'Schiet op!' riep Jo. *'Ik hou het niet meer uit!'*

Het snauwde; het grauwde als een hond. Er was een hard houten kraakgeluid te horen, als een deur die zo hard wordt dichtgegooid dat er splinters van afspringen, en Jo begon te jammeren. Ik greep de draagtas met 'Slips 'n Greens' op de voorkant en scheurde hem open terwijl

Harry – de anderen noemen hem Ier omdat hij peenrood haar heeft – op een stuntelige manier zijn armen om de spartelende jongen heen slaat en met hem in het meer springt. De jongen spartelt hevig tegen; zijn strohoed valt af en drijft op het water. 'Pak dat ding!' hijgt Harry. Fred Dean knielt neer en vist de druipende hoed uit het water. Fred heeft een waas voor zijn ogen, hij ziet eruit als een bokser die in de volgende ronde knock-out zal gaan. Achter hem begint Sara Tidwell diep te rochelen in haar borst en keel – net als de aanblik van de hand van de jongen, die hand die zich telkens opnieuw tot een vuist balt, zullen die geluiden door Draper Finneys hoofd spoken tot aan zijn laatste duik in Eades Quarry. Jared duwt zijn vinger dieper, pompend en wurgend tegelijk. Het zweet loopt over zijn huid. Hoe hij die kleren ook zal wassen, de stank van dat zweet krijgt hij er nooit meer uit, en als hij het als 'moordzweet' gaat zien, verbrandt hij de kleren om ervan af te zijn.

Harry Auster wil van alles af zijn – hij wil ervan af zijn en deze mannen nooit meer zien, vooral Jared Devore niet, die hij nu als Satan zelf beschouwt. Harry kan niet naar huis gaan, kan zijn vader niet onder ogen komen, tenzij deze nachtmerrie voorbij is, voorbij en begraven. En zijn moeder! Hoe kan hij ooit zijn geliefde moeder onder ogen komen, Bridget Auster met haar lieve ronde Ierse gezicht en haar grijzende haar en haar troostende boezem, Bridget die altijd een vriendelijk woord voor hem had, altijd geruststellend haar hand op hem legde, Bridget Auster die Gered is, Gewassen in het Bloed van het Lam, Bridget Auster die op dit moment pasteitjes uitdeelt op de picknick die ze bij de nieuwe kerk houden, Bridget Auster die mama is. Hoe kan hij haar ooit weer aankijken – of zij hem – als hij terecht moet staan wegens de verkrachting en mishandeling van een vrouw, al was het een zwarte vrouw?

En dus trekt hij de jongen, die zich probeert vast te klampen, weg – Kito krabt hem een keer, een schrammetje in de zijkant van zijn hals, en die avond zal Harry tegen zijn mama zeggen dat hij tegen een doornstruik aan is gelopen en dan mag ze er een kusje op doen – en dan dompelt hij het kind onder in het meer. Kito kijkt naar hem op, zijn gezicht flakkerend in het water, en Harry ziet een klein visje voorbij schieten. Een baars, denkt hij. Een ogenblik vraagt hij zich af wat de jongen zou zien, die nu door het zilveren schild van het oppervlak omhoogkijkt naar het gezicht van de man die hem onder water houdt, de man die hem verdrinkt, en dan zet Harry dat uit zijn hoofd. Het is maar een nikker, *zegt hij wanhopig tegen zichzelf.* Dat is alles, het is maar een nikker. Geen familie van jou.

Kito's arm komt uit het water – zijn druipende donkerbruine arm. Harry trekt zich terug, wil niet dat de hand naar hem graait, maar de hand graait niet naar hem, gaat alleen recht omhoog. De vingers bal-

len zich tot een vuist. Openen zich. Maken een vuist. Openen zich. Maken een vuist. De jongen spartelt niet zo erg meer, trapt niet meer zo verwoed met zijn voeten. De ogen die opkijken in Harry's ogen krijgen een vreemde dromerige blik, en nog altijd steekt die bruine arm recht omhoog, en nog steeds gaat de hand open en dicht, open en dicht. Draper Finney staat op de oever te huilen. Hij is er zeker van dat er nú iemand zal komen, dat nú iemand het verschrikkelijke zal zien dat ze hebben gedaan – het verschrikkelijke dat ze nog steeds doen. Weest verzekerd dat uw zonde u zal vinden, *zegt het Goede Boek.* Weest verzekerd. *Hij doet zijn mond open om tegen Harry te zeggen dat hij moet ophouden, misschien is het nog niet te laat om het terug te draaien, om hem boven te laten komen, hem te laten leven, maar er komt geen geluid over zijn lippen. Achter hem stikt Sara. Voor hem gaat de hand van haar verdrinkende zoon open en dicht, open en dicht, en golft de weerspiegeling van die hand in het water, en Draper denkt*: Komt er nooit een eind aan, komt er dan nooit een eind aan? *En alsof het een gebed is dat nu door iets wordt verhoord, begint de strakke elleboog van de jongen te buigen en beginnen zijn armen naar het water te zakken. De vingers beginnen zich weer tot een vuist te sluiten en houden er dan mee op. Een ogenblik blijft de hand nog hangen en*

ik sloeg met de muis van mijn hand tegen mijn voorhoofd om die spookbeelden weg te jagen. Achter me was een verwoed gekraak en geknap van natte struiken te horen: Jo en datgene wat ze tegenhield, waren nog met elkaar in gevecht. Ik stak mijn handen in de spleet in het zeildoek, als een arts die een wond openlegt. Ik rukte eraan en er was een diep scheurend geluid te horen: de rol zeildoek scheurde nu helemaal doormidden.

In het zeildoek lag wat er van hen was overgebleven – twee vergeelde schedels, voorhoofd tegen voorhoofd alsof ze een vertrouwelijk gesprek voerden, de verbleekte rode leren ceintuur van een vrouw, wat beschimmelde kleding... en een bergje beenderen. Twee ribbenkasten, een grote en een kleine. Twee paar benen, een lang en een kort. Het stoppelig overschot van Sara en Kito Tidwell, bijna honderd jaar geleden hier bij het meer begraven.

De grootste van de twee schedels draaide opzij en keek me met zijn lege oogkassen aan. De tanden kletterden alsof het ding me wilde bijten, en de beenderen eronder begonnen naargeestig en onrustig te bewegen. Sommige braken meteen los, en ze waren allemaal zacht en vertoonden putjes. De rode ceintuur bewoog rusteloos en de roestige gesp verhief zich als de kop van een slang.

'*Mike!* gilde Jo. '*Vlug, vlug!*'

Ik trok de zak uit de draagtas en pakte de plastic fles die erin zat. 'Loog dat hij barste', hadden de Magnabet-letters gezegd; weer een woordspeling. Weer een boodschap die achter de rug van de nietsvermoedende bewaker was doorgegeven. Sara Tidwell was een geducht type, maar ze had Jo onderschat... en ze had de telepathie binnen een langdurig huwelijk ook onderschat. Ik was naar Slips 'n Greens gegaan, ik had een fles loog gekocht, en nu maakte ik die fles open en goot de loog uit over de beenderen van Sara en haar zoon.

Er klonk een sissend geluid, zoals wanneer je een biertje of een flesje frisdrank opentrekt. De gesp van de ceintuur smolt. De beenderen werden wit en verbrokkelden als suikergoed – ik had een nachtmerriebeeld van Mexicaanse kinderen die op de Dag van de Doden snoeplijken aan lange stokken eten. De oogkassen van Sara's schedel werden vergroot toen de loog de donkere holte opvulde waar haar geest, haar grote talent en haar lachende ziel eens hadden gezeten. Het was een uitdrukking die eerst op verbazing en toen op verdriet leek.

De kaak viel weg; de stompjes van de tanden sisten weg.

De bovenkant van de schedel zakte in.

Gespreide vingerbeentjes trilden en smolten.

'*Oooooo...*'

Het fluisterde door de drijfnatte bomen, als een opkomende wind... alleen was de wind gaan liggen. De natte lucht hield zijn adem in voor de volgende aanval. Het was een geluid van een onuitsprekelijk verdriet, van verlangen en van overgave. Er klonk geen haat in door; haar haat was verdwenen, weggebrand in het bijtende vocht dat ik in Helen Austers winkel had gekocht. Het geluid van Sara's verdwijning maakte plaats voor de klaaglijke, bijna menselijke kreet van een vogel, en dat maakte me los van waar ik geweest was, haalde me eindelijk volledig uit de trance. Ik kwam bevend overeind, draaide me om en keek naar De Straat.

Jo was er nog, een vage vorm waardoorheen ik nu het meer kon zien, en ook de donkere wolken van de volgende onweersbui die over de bergen naderbij kwam. Ergens achter haar flikkerde iets – misschien die vogel die zich vanuit zijn veilige plekje waagde om te zien wat er allemaal veranderd was – maar het drong nauwelijks tot me door wat het was. Jo wilde ik zien, Jo die god wist hoe ver was gegaan en god wist hoeveel moest lijden om mij te helpen. Ze zag er doodmoe uit, gekweld, in een fundamenteel opzicht kleiner geworden. Maar dat andere – de Buitenstaander – was weg. Jo stond in een kring van berkenbladeren die zo dood waren dat ze verkoold leken. Ze draaide zich naar me om en glimlachte.

'Jo! Het is gelukt!'

Haar mond bewoog. Ik hoorde het geluid, maar de woorden waren te ver weg om verstaanbaar te zijn. Ze stond daar op het pad, maar ze had net zo goed over een breed ravijn kunnen roepen. Toch begreep ik haar. Ik las de woorden van haar lippen, als je het rationeel wilt hebben, of ik las ze uit haar gedachten, als je romantisch bent ingesteld. Ik geef de voorkeur aan het laatste. Het huwelijk is ook een trance, weet je. Het huwelijk is een trance.

... Nou, dan is dát goed, hè?

Ik keek in de gescheurde rol zeildoek en zag niets anders dan stompjes en splinters die uit een walgelijke, zachte drab staken. Ik ving er een zweem van op en moest ondanks het stenomasker hoesten. Ik deinsde meteen terug. Geen rotting, maar loog. Toen ik me weer naar Jo omdraaide, was ze er nog maar nauwelijks.

'Jo! Wacht!'

... Kan niet helpen. Kan niet blijven.

Woorden uit een ander sterrenstelsel, nauwelijks zichtbaar op een vervagende mond. Nu was ze weinig meer dan ogen die in de donkere middag zweefden, ogen waarvan het leek of ze gemaakt waren van het meer erachter.

... Schiet op...

Ze was weg. Ik glibberde en strompelde naar de plaats waar ze geweest was. Mijn voeten knerpten over dode berkenbladeren. Ik graaide maar voelde niets. Wat moet ik er idioot hebben uitgezien, tot op m'n huid doorweekt, met dat stenomasker scheef over de onderste helft van mijn gezicht, en mijn armen uitgestrekt alsof ik de natte grijze lucht omhelsde.

Ik ving een zweempje Red-parfum op... en toen rook ik alleen nog meerwater en vochtige aarde, met op de achtergrond de stank van loog. Die lucht van rottende materie was tenminste weg; die was net zo echt geweest als...

Als wat? Als wát? Of het was allemaal echt, of er was niets echt. Als er niets echt was, was ik gek en kon ik me aanmelden in de Blauwe Vleugel van Juniper Hill. Ik keek naar de grijze rots en zag de zak beenderen die ik als een rottende kies uit de natte grond had getrokken. Slierten rook stegen nog traag uit de scheur op. Dát was tenminste echt. En de Groene Dame ook, die nu een roetkleurige Zwarte Dame was – zo dood als de dode tak achter haar, de tak die leek te wijzen als een arm.

Kan niet helpen... kan niet blijven... schiet op.

Kon me niet helpen waarmee? Wat had ik nog meer voor hulp nodig? Het was toch klaar? Sara was weg; geest volgt gebeente, welterusten lieve dames, dat was de oplossing geweest: loog. Dat ze barste! Aanvoegende wijs.

En toch was het of een soort stinkende verschrikking, niet veel anders dan de geur van rottende materie die uit de grond was gekomen, door de lucht werd uitgezweet. Kyra's naam ging ritmisch door mijn hoofd: *Ki-Ki, Ki-Ki, Ki-Ki*, als de roep van een exotische tropische vogel. Ik begon de bielzentrap naar het huis op te lopen, en hoewel ik uitgeput was, begon ik te rennen toen ik halverwege was.

Ik beklom de trap naar het terras en ging daarlangs naar binnen. Het huis zag er hetzelfde uit – afgezien van die omgevallen boom die door het keukenraam naar binnen stak, had Sara Laughs de storm erg goed doorstaan – maar er was iets mis. Er was iets wat ik bijna kon ruiken... en misschien róók ik het ook, bitter en duister. Krankzinnigheid had misschien haar eigen heel bijzondere aroma. Het is niet iets waarnaar ik ooit onderzoek zou willen doen.

In de hal bleef ik staan. Ik keek naar een stapel pockets, van Elmore Leonards en Ed McBains, die op de vloer lagen. Alsof ze door een voorbijkomende hand van de plank waren geveegd. Een wild ranselende hand, misschien. Ik kon ook mijn eigen sporen zien, zowel komende als gaande sporen. Ze begonnen al op te drogen. Het hadden de enige sporen moeten zijn; ik had Ki gedragen toen we binnenkwamen. Ze hadden de enige moeten zijn, maar er waren ook andere. Die waren kleiner, maar niet zo klein dat ik ze voor de sporen van een kind aanzag.

Ik rende door de gang naar de slaapkamer aan de noordkant en riep haar naam, en ik had net zo goed *Mattie* of *Jo* of *Sara* kunnen roepen. Uit mijn mond klonk Kyra's naam als de naam van een lijk. Het dekbed was op de vloer gegooid. Afgezien van het zwarte pluchen hondje, dat op de plaats lag waar het in mijn droom had gelegen, was het bed leeg. En Ki was weg.

29

Ik zocht Ki met het deel van mijn geest dat de afgelopen paar weken had geweten welke kleren ze aanhad, in welke kamer van de caravan ze was en wat ze daar deed. Er was natuurlijk niets – die schakel was ook verdwenen.

Ik riep om Jo – tenminste, dat denk ik – maar Jo was ook weg. Ik was op mezelf aangewezen. God helpe me. God helpe ons beiden. Ik voelde paniek opkomen en vocht ertegen. Ik moest mijn geest helder houden. Als ik niet kon denken, zou een eventuele kans die Ki nog had verloren gaan. Ik liep vlug door de gang naar de hal en deed mijn best om niet naar de zieke stem in mijn achterhoofd te luisteren, de stem die zei dat Ki al verloren was, dat ze al dood was. Ik kon zoiets niet weten, niet meer sinds de verbinding tussen ons verbroken was.

Ik keek naar de stapel boeken en toen naar de deur. De nieuwe sporen waren hier naar binnen en ook weer naar buiten gegaan. De bliksem schoot door de lucht en de donder kraakte. De wind stak weer op. Ik ging naar de deur, stak mijn hand naar de knop uit, maar bleef staan. Er zat iets in de spleet tussen de deur en het kozijn, iets zo licht en ragfijn als een draad van een spinnenweb.

Eén witte haar.

Ik keek ernaar en was tot mijn schrik niet eens verbaasd. Ik had het natuurlijk kunnen weten, en als ik niet zo onder spanning had gestaan en die dag niet zoveel schokken te verduren had gehad, zóú ik het hebben geweten. Het stond allemaal op het bandje dat John die ochtend voor me had afgespeeld – een ochtend die nu al deel leek uit te maken van het leven van iemand anders.

Zo was er de tijdmelding geweest om het moment aan te geven waarop John de verbinding had verbroken. *Negen uur veertig*, had de robotstem gezegd, en dat betekende dat Rogette om twintig voor zeven in de ochtend had gebeld – dat wil zeggen, als ze echt vanuit Palm Springs had gebeld. Dat was op zijn minst een mogelijkheid. Als die gedachte in me was opgekomen toen we van het vliegveld naar Matties caravan reden, zou ik tegen mezelf hebben gezegd dat er vast en zeker in heel Californië slapelozen waren die hun zaken met de Oostkust afhandelden voordat de zon zich helemaal boven de horizon had gehesen – fijn voor ze. Maar er was nog iets anders wat zich niet zo gemakkelijk liet wegredeneren.

Op een gegeven moment had John het bandje stopgezet. Dat had hij gedaan, zei hij, omdat ik wit wegtrok in plaats van erom te lachen. Ik had tegen hem gezegd dat hij de rest moest afspelen; ik was alleen een beetje geschrokken omdat ik haar stem weer hoorde. *De klank van haar stem. Jezus, die opname is goed.* Alleen waren het in werkelijkheid de jongens in de kelder die op Johns bandje hadden gereageerd; mijn onderbewuste medesamenzweerders. En het was niet haar stém geweest die hen zo bang had gemaakt dat ik bleek werd. Dat was door de zoemtoom onder de stem gekomen. De karakteristieke zoemtoon die je altijd kreeg als je in de TR belde, of je nu zelf belde of gebeld werd.

Rogette Whitmore was helemaal niet uit de TR-90 vertrokken. Als Ki Devore die middag het leven had verloren doordat ik 's morgens niet op die gedachte was gekomen, zou ik niet meer met mezelf kunnen leven. Dat zei ik keer op keer tegen God toen ik die bielzentrap afdaalde, recht tegen het weer aangewakkerde noodweer in.

Het is een levensgroot wonder dat ik niet meteen van de oever af vloog. De helft van mijn vlot was daar aan de grond gelopen, en misschien zou ik op die versplinterde planken gespiest zijn en zou ik als een vampier aan mijn eind zijn gekomen, spartelend op een staak. Wat was dát een prettige gedachte.

Rennen is niet goed voor mensen die bijna in paniek zijn. Het is net zoiets als een schram van een giftige klimop. Tegen de tijd dat ik met mijn arm om een van de dennen aan de voet van de trap op adem stond te komen, scheelde het niet veel of ik had niet één samenhangende gedachte meer in mijn hoofd. Ki's naam ging weer onophoudelijk door me heen, zo hard dat er bijna geen ruimte voor iets anders was.

Toen sprong er rechts van me weer een bliksemschicht uit de hemel, en die sloeg de laatste anderhalve meter stam onder een kolossale oude spar vandaan die daar waarschijnlijk al had gestaan toen Sara en Kito nog leefden. Als ik er recht in had gekeken, zou ik blind zijn geworden. Ook nu ik mijn hoofd voor driekwart had afgewend, liet de blikseminslag een groot blauw waas achter, alsof er vlak voor mijn ogen een gigantische camera had geflitst. Er volgde een knarsend, huiverend geluid: zestig meter blauwe spar viel het meer in en joeg een hoge sluier van schuimend water omhoog. Het was of die sluier tussen de grijze hemel en het grijze water bleef hangen. De stronk brandde in de regen, brandde als een heksenhoed.

Het had het effect van een klap. Het bracht meteen helderheid in mijn hoofd en gaf me een laatste kans om mijn hersenen te gebruiken. Ik haalde diep adem en dwong me om te denken. Waarom was ik hier eigenlijk naartoe gekomen? Waarom dacht ik dat Rogette het meisje naar het meer had gebracht, waar ik net vandaan was gekomen, in plaats van haar van me weg te dragen, over de oprijlaan naar Lane 42?

Doe niet zo belachelijk. Ze kwam hier naar de oever, omdat De Straat de weg terug naar Warrington's is, en Warrington's is de plaats waar ze geweest is, helemaal in haar eentje, nadat ze het lijk van haar baas in zijn privéjet naar Californië had teruggestuurd.

Ze was het huis ingeslopen toen ik onder Jo's atelier zat en die tinnen doos in de buik van de uil had gevonden en dat stukje stamboom had bestudeerd. Ze zou Ki toen al hebben meegenomen als ik haar de kans had gegeven, maar dat had ik niet gedaan. Ik was op een holletje teruggekomen, bang dat er iets mis was, bang dat iemand zou proberen het kind te pakken te krijgen...

Had Rogette haar wakker gemaakt? Had Ki haar gezien en had ze geprobeerd me te waarschuwen voordat ze weer in slaap viel? Had ze me teruggeroepen en was ik daarom zo haastig naar het huis gerend? Misschien. Ik was toen nog in trance geweest, we waren toen nog met elkaar verbonden. Rogette was natuurlijk in het huis geweest toen ik terugkwam. Misschien had ze zelfs in de kast van de noordelijke slaapkamer gestaan en had ze door de kier naar me gegluurd. In zekere zin had ik dat ook wel geweten. In zekere zin had ik haar gevoeld, had ik iets gevoeld wat niet-Sara was.

Toen was ik weer weggegaan. Ik had de draagtas van Slips 'n Greens gepakt en was hier naar beneden gegaan. Ik was rechts afgeslagen, naar het noorden. Naar de berk, de rots, de zak met beenderen. Ik had gedaan wat ik moest doen, en terwijl ik dat deed, was Rogette met Kyra de bielzentrap afgedaald en was ze linksaf De Straat opgelopen. Ze was naar het zuiden gegaan, naar Warrington's. Met een misselijk gevoel in mijn buik besefte ik dat ik Ki waarschijnlijk had gehoord... haar misschien zelfs had gezien. Die vogel die in die korte stilte schuchter uit zijn dekking was gekomen, was geen vogel geweest. Ki was toen wakker geweest, Ki had me gezien – en misschien had ze Jo ook gezien – en had geprobeerd naar me te roepen. Ze had nog net een klein kreetje laten horen en toen had Rogette haar mond bedekt.

Hoe lang was dat geleden? Het leek een eeuwigheid, maar ik had het gevoel dat het helemaal niet zo lang geleden was – misschien nog geen vijf minuten. Maar je hebt niet veel tijd nodig om een kind te verdrinken. Het beeld van Kito's blote arm die recht uit het water stak, probeerde weer in me op te komen – die hand die zich telkens tot een vuist balde, telkens opnieuw, die zich telkens weer ontspande en tot een vuist balde, alsof hij het ademhalen wilde overnemen van de longen die het niet meer konden – en ik zette het uit mijn hoofd. Ik onderdrukte ook de aandrang om gewoon in de richting van Warrington's te rennen. Als ik dat deed, kreeg de paniek me vast en zeker in z'n greep.

In al die jaren na Jo's dood had ik nooit met zo'n bittere intensiteit naar haar verlangd als op dat moment. Maar ze was weg; er was nog geen fluistering van haar achtergebleven. Ik had alleen mezelf nog, en nu begon ik naar het zuiden te lopen over de met bomen bezaaide Straat. Ik liep om de gevallen bomen heen waar dat kon, kroop eronderdoor als ze de weg helemaal versperden, kroop eroverheen onder luid gekraak van brekende takken als het echt niet anders kon. Intussen sprak ik zo ongeveer alle standaardgebeden uit die in zo'n situatie in je opkomen, maar het leek wel of die geen van alle kans zagen voorbij het beeld van Rogette Whitmores gezicht te komen dat in me opkwam. Haar schreeuwende, genadeloze gezicht.

Ik weet nog dat ik dacht: *Dit is de openluchtversie van het spookhuis.* In ieder geval leek het of het spookte in het bos: bomen die in het ergste noodweer alleen maar los waren geraakt, vielen nu bij tientallen neer, bezweken onder wat er nu nog aan storm en regen overheen raasde. Het lawaai klonk als enorme knerpende voetstappen, en ik hoefde me dus geen zorgen te maken over het geluid dat mijn eigen voeten maakten. Toen ik langs de hut van de Batchelders kwam, een rond prefabgebouwtje dat op een grote rots stond, als een hoed op een voetenbankje, zag ik dat het hele dak door een Canadese den was platgedrukt.

Een kleine kilometer ten zuiden van Sara zag ik een van Ki's witte haarlinten op het pad liggen. Ik pakte het op en vond die rode randen op bloed lijken. Ik stopte het in mijn zak en liep door.

Vijf minuten later kwam ik bij een oude bemoste den die over het pad gevallen was. Hij zat nog met een uitgerekt en verbogen netwerk van splinters aan zijn stomp vast en piepte als een rij roestige hengsels, deinend op het woelige water dat de bovenste vijf of tien meter van de boom, die in het meer terecht was gekomen, op en neer liet gaan. Je kon eronderdoor kruipen, en toen ik me op mijn knieën liet zakken, zag ik andere kniesporen die zich net met water begonnen te vullen. Ik zag nog iets anders: het tweede haarlint. Ik stopte het bij het eerste lint in mijn zak.

Ik was half onder de den door toen ik een andere boom hoorde vallen, ditmaal veel dichterbij. Dat geluid werd gevolgd door een schreeuw – niet van pijn of angst maar van woede en schrik. En toen hoorde ik, net boven het sissen van de regen en de wind uit, de stem van Rogette: '*Kom terug! Niet daarheen, dat is gevaarlijk!*'

Ik kroop aan de andere kant onder de boom vandaan, voelde amper het uiteinde van een tak die een snee over mijn onderrug maakte, krabbelde overeind en rende over het pad. Als de gevallen bomen waarop ik stuitte klein waren, sprong ik eroverheen zonder te vertragen. Waren ze groter, dan klauterde ik eroverheen zonder me te bekommeren om schrammen of kneuzingen. De donder dreunde. Er kwam een felle bliksemschicht, en in de schittering daarvan zag ik grijze schuurplanken tussen de bomen door. Op de dag dat ik Rogette voor het eerst had gezien, had ik alleen maar een glimp van Warrington's opgevangen, maar nu was het bos opengescheurd als een oud kledingstuk – het zou jaren duren voordat deze omgeving hersteld was. De achterste helft van het gebouw was nagenoeg helemaal verwoest door twee kolossale bomen die zo te zien tegelijk naar beneden waren gekomen. Ze vormden een ruige *X* over de wrakstukken, gekruist als een mes en vork op een etensbord.

Ki's stem kwam alleen boven het noodweer uit omdat hij schel van angst was: '*Ga weg! Ik wil je niet, witte nana! Ga weg!*' Het was verschrikkelijk om die angst in haar stem te horen, maar geweldig dat ze nog een stem had.

Een meter of twaalf van de plaats waar Rogettes kreet me had laten verstijven, lag nog één boom over het pad. Rogette zelf stond aan de andere kant daarvan en stak haar hand naar Ki uit. Die hand droop van het bloed, maar dat zag ik nauwelijks. Ik had alleen oog voor Kyra.

De steiger tussen De Straat en de Sunset Bar was lang – minstens twintig meter, misschien wel dertig. Lang genoeg om er op een mooie zomeravond samen met je vriendinnetje of je geliefde hand in hand overheen te lopen en daar romantische herinneringen aan over te houden. De storm had de steiger niet weggerukt – nog niet – maar de wind had hem verdraaid als een lint. Ik herinner me filmjournaalbeelden uit een zaterdagmiddagvoorstelling in mijn kinderjaren, filmbeelden van een hangbrug die in een orkaan danste – zo zag die steiger tussen Warrington's en de Sunset Bar er nu uit. Hij sprong op en neer in het woelige water en kreunde als een houten accordeon in al zijn gewrichten. Er was een reling geweest – vermoedelijk om mensen na een zware avond veilig op de wal te krijgen – maar die was nu weg. Kyra was halverwege op dat deinende, stampende eind hout. Ik zag minstens drie zwarte rechthoeken tussen de wal en de plaats waar ze stond, plaatsen waar planken waren afgeknapt. Onder de steiger was het rusteloze *klung-klung-klung* te horen van de lege stalen vaten waarop het hele gevaarte rustte. Een stuk of wat van die vaten waren losgeraakt en dreven weg. Ki had haar armen wijd om zich in evenwicht te houden, als een koorddanser in een circus. Het zwarte Harley-Davidson-T-shirt flapte om haar knieën en gebruinde schouders.

'*Kom terug!*' riep Rogette. Haar sluike haar wapperde om haar hoofd; de glimmende zwarte regenjas die ze droeg, was helemaal verkreukeld. Ze stak nu haar beide handen uit, een hand met bloed en een hand zonder bloed. Misschien had Ki haar gebeten.

'*Nee, witte nana!*' Ki schudde heftig met haar hoofd en ik wilde tegen haar zeggen dat ze dat niet moest doen, Ki-beertje, niet zo met je hoofd schudden, foute boel. Ze wankelde en strekte haar ene arm naar de hemel en de andere naar het water uit, zodat ze even op een vliegtuig leek dat steil door de bocht gaat. Als de steiger dat moment had uitgekozen om hard omhoog te stoten, zou Ki eraf gevallen zijn. In plaats daarvan hervond ze een wankel evenwicht, al meende ik te zien dat haar blote voeten een beetje uitgleden op de gladde planken. '*Ga weg, witte nana, ik wil je niet! Ga weg... Ga maar een dutje doen, je ziet er moe uit!*'

Ki zag me niet; al haar aandacht was op de witte nana gericht. De witte nana zag me ook niet. Ik liet me op mijn buik vallen en wurmde me onder de boom door, trok me klauwend voort. De donder rolde als een grote mahoniehouten bal over het meer. Het geluid verdween galmend in de bergen. Toen ik weer op mijn knieën zat, zag ik dat Rogette langzaam naar het oevereind van de steiger liep. Bij elke stap die Rogette naar voren deed, deed Kyra een bevende, gevaarlijke stap achteruit. Rogette stak haar goede hand uit, al meende ik een ogenblik dat die ook was gaan bloeden. Het spul dat tussen haar knobbelige vingers door liep, was te donker om bloed te zijn, en toen ze begon te praten, met een gruwelijk paaiende stem waar ik kippenvel van kreeg, besefte ik dat het smeltende chocola was.

'Laten we het spel spelen, Ki-beertje,' kirde Rogette. 'Jij mag beginnen.' Ze deed een stap. Ki deed een stap terug, wankelde, hervond haar evenwicht. Mijn hart stond stil en ging toen verder met bonken. Ik maakte de afstand tussen mijzelf en de vrouw zo snel mogelijk kleiner, maar ik rende niet; ik wilde niet dat ze iets merkte voordat ze wakker werd. Als ze al wakker werd. Het kon me niet schelen of ze wakker werd of niet. Jezus, als ik de achterkant van George Footmans schedel met een hamer kon inslaan, was ik ook wel in staat om deze griezel een watjekou te verkopen. Onder het lopen balde ik mijn handen samen tot één grote vuist.

'Nee? Wil je niet beginnen? Te verlegen?' Rogette sprak met een suikerzoete kleutertje-luister-stem en ik knarste onwillekeurig met mijn tanden. 'Goed, dan begin ík. Wat rijmt er op aapje, Ki-beertje? Raapje... en slaapje... Je deed een slaapje toen ik je kwam wakker maken, hè? En op bootje? Kom je op mijn schootje, Ki? Dan voeren we elkaar chocola, zoals we altijd deden... Ik vertel je een nieuwe klop-klop-mop...'

Weer een stap. Ze was nu bij de rand van de steiger. Als ze eraan had gedacht, had ze gewoon stenen naar Kyra kunnen gooien, zoals bij mij. Ze had kunnen gooien tot ze doel trof en Ki in het meer viel. Maar ik geloof niet dat dat in haar opkwam. Als krankzinnigheid eenmaal een bepaald punt overschrijdt, is er geen houden meer aan. Rogette had andere plannen met Kyra.

'Kom, Ki-Ki, speel het spel met witte nana.' Ze hield de chocola weer omhoog. De drabbige Hershey's Kisses dropen door de verkreukelde folie. Kyra keek even opzij, en toen zag ze me eindelijk. Ik schudde mijn hoofd om haar duidelijk te maken dat ze stil moest zijn, maar vergeefs: ze keek meteen enorm opgelucht. Ze riep me en ik zag Rogettes schouders verrast omhooggaan.

Ik rende de laatste meters en bracht mijn samengewrongen handen als een knuppel omhoog, maar op het cruciale moment gleed ik uit over de natte grond en kromp Rogette ineen. In plaats van haar op haar nek te raken, zoals mijn bedoeling was geweest, schampten mijn handen af op haar schouder. Ze wankelde, zakte op een van haar knieën maar sprong bijna meteen overeind. Haar ogen waren net kleine blauwe koolspitslampen die woede uitspuwden in plaats van elektriciteit. '*Jij!*' riep ze. Het woord kwam knetterend over het puntje van haar tong en veranderde in het geluid van een eeuwenoude vloek: *Hhhjijij!* Achter ons schreeuwde Kyra mijn naam. Ze danste en wankelde over het natte hout en zwaaide met haar armen om niet in het meer te vallen. Het water klotste over de planken en over haar blote voeten.

'Hou vol, Ki!' riep ik terug. Rogette zag dat ik even werd afgeleid en greep haar kans – ze draaide zich bliksemsnel om en rende de steiger op. Ik sprong achter haar aan, greep haar bij haar haren vast, maar had toen opeens die haren in mijn hand. Al het haar. Ik stond daar aan de rand van het deinende meer en dat bosje wit haar bungelde als een scalp aan mijn vuist.

Rogette keek woedend over haar schouder, een stokoude kale dwerg in de regen, en ik dacht: *Hij is het, het is Devore, hij is nooit doodgegaan, op de een of andere manier hebben hij en de vrouw van identiteit gewisseld. Zíj was degene die zelfmoord pleegde. Het was háár lichaam dat in dat vliegtuig naar Californië terugging...*

Maar toen ze zich weer de andere kant op draaide en naar Ki begon te rennen, wist ik weer beter. Het was wel degelijk Rogette, maar ze was op een eerlijke manier aan die afschuwelijke gelijkenis gekomen. Wat er ook mis met haar was, het had niet alleen haar haar laten uitvallen; het had haar ook ouder gemaakt. Zeventig, had ik gedacht, maar daarmee zat ik waarschijnlijk minstens tien jaar te hoog.

Ik heb veel mensen gekend die zoiets met de namen van hun kinderen deden, had mevrouw M. me verteld, *omdat ze het grappig vonden.* Max Devore had dat blijkbaar ook grappig gevonden, want hij had een zoon Roger genoemd en zijn dochter Rogette. Misschien was ze op een eerlijke manier aan die naam Whitmore gekomen – ze kon in haar jongere jaren getrouwd zijn geweest – maar toen die pruik eenmaal af was, bestond er geen enkele twijfel meer over haar antecedenten. De vrouw die over die natte steiger strompelde om het karwei af te maken, was Kyra's tante.

Ki begon snel achteruit te lopen. Ze was niet voorzichtig meer, keek niet meer waar ze haar voeten zette. Ze ging het water in; ze kon nooit op die steiger blijven staan. Maar voordat ze kon vallen, sloeg een golf tussen hen in tegen de steiger, op een plek waar sommige vaten los waren geraakt en de planken van het looppad al ondergelopen waren. Schuimend water spatte omhoog en begon een van die spiraalvormen te maken die ik al eerder had gezien. Rogette bleef tot aan haar enkels in het water staan, en ik stopte een meter of vier achter haar.

De vorm nam substantie aan, en al voordat ik het gezicht kon onderscheiden, herkende ik het topje en de wijde short met hun verschoten kleurenmengeling. Alleen Kmart verkoopt topjes met zo'n perfecte vormloosheid; misschien is dat bij de wet geregeld.

Het was Mattie. Een ernstige grijze Mattie, en ze keek met ernstige grijze ogen naar Rogette. Rogette bracht haar handen omhoog, wankelde, probeerde zich om te draaien. Op dat moment sloeg er een golf onder de steiger door, waardoor het hele gevaarte op en neer deinde, als een kermisattractie. Rogette viel over de rand. Achter haar, voorbij de watervorm in de regen, kon ik Ki languit op het terras van de Sunset Bar zien liggen. Die laatste golf had haar althans voorlopig naar een veilige plek gewipt, alsof er een vlooienspel werd gespeeld met haar als vlo.

Mattie keek mij aan. Haar lippen bewogen en haar ogen keken in de mijne. Ik had geweten wat Jo zei, maar ditmaal had ik geen idee. Ik probeerde het uit alle macht te verstaan, maar het lukte niet.

'*Mammie! Mammie!*'

De gestalte draaide niet zozeer, maar wentelde zich; het leek wel of er onder de zoom van die lange short helemaal niets was. Ik liep over de steiger in de richting van de bar, waar Ki nu met uitgestoken handen stond.

Iets greep mijn voet vast.

Ik keek omlaag en zag een verdrinkende verschijning in het woeste water. Donkere ogen keken van onder een kale schedel naar me op. Rogette hoestte water uit, tussen lippen door die zo paars als pruimen waren. Haar vrije hand woof zwakjes naar me. De vingers gingen open... en dicht. Open... en dicht. Ik liet me op een knie zakken en pakte die hand vast. De hand klemde zich als een stalen klauw om de mijne en ze rukte eraan, probeerde me bij zich in het water te trekken. De paarse lippen onthulden gele stoktandjes, net als die in Sara's schedel. En ja – ik dacht dat Rogette ditmaal degene was die lachte.

Ik schommelde op mijn hurken en trok haar omhoog. Ik dacht er niet bij na; het was puur instinct. Ik schatte haar op minstens vijftig kilo, en voor driekwart kwam ze als een gigantische, wanstaltige forel uit het meer. Ze krijste, kwam bliksemsnel met haar hoofd naar voren en begroef haar tanden in mijn pols. Er schoot een felle pijnscheut door me heen. Ik rukte mijn arm nog verder omhoog en bracht hem toen naar beneden. Ik dacht er niet eens aan om haar pijn te doen; ik wilde me alleen maar van die wezelbek bevrijden. Op dat moment sloeg een hoge golf tegen de half gezonken steiger. Rogettes neergaande gezicht werd op de opkomende, versplinterde rand van de steiger gespiest. Een van haar ogen plopte eruit; een druipende gele splinter stak als een dolk in haar neus omhoog; de dunne huid van haar hoofd spleet zich en de twee delen knapten van het bot los als twee plotseling losgelaten rolgordijnen. Toen trok het meer haar weg. Ik kon de verscheurde topografie van haar gezicht nog even zien, omhoogkijkend in de stortregen, nat en bleek als het licht van een tl-buis. Toen rolde ze om en trok haar regenjas van zwart vinyl zich als een lijkwade om haar heen.

Wat ik zag toen ik weer naar de Sunset Bar keek, was opnieuw een blik onder de huid van deze wereld, maar dan wel iets heel anders dan het gezicht van Sara in de Groene Dame of de furieuze, vluchtige gedaante van de Buitenstaander. Kyra stond op het brede houten terras voor de bar, temidden van een chaos van omgevallen rieten meubilair. Voor haar was er een waterspuwer waarin ik nog – heel vaag – de wegtrekkende gedaante van een vrouw kon zien. Ze zat op haar knieën en strekte haar armen uit.

Ze probeerden elkaar te omhelzen. Ki's armen gingen door Mattie heen en kwamen er druipend uit. 'Mammie, ik kan je niet pakken!'

De vrouw in het water sprak – ik kon haar lippen zien bewegen. Ki keek haar in verrukking aan. Toen draaide Mattie zich heel even naar mij om. Onze ogen ontmoetten elkaar en de hare waren gemaakt van het meer. Ze waren Dark Score, het meer dat hier allang was toen ik hier voor het eerst kwam en er nog lang zal zijn als ik er niet meer ben. Ik bracht mijn handen naar mijn mond, kuste mijn eigen handpalmen en stak ze naar haar uit. Glinsterende handen gingen omhoog alsof ze die kussen wilden opvangen.

'*Mammie, ga niet weg!*' riep Kyra, en ze sloeg haar armen om de gedaante heen. Ze was meteen drijfnat en deinsde terug, hoestend, haar ogen stijf dicht. Er was geen vrouw meer bij haar. Er was alleen water dat over de planken stroomde en door de spleten droop om zich weer bij het meer aan te sluiten, het meer dat uit diepe bronnen ver beneden ons kwam, uit de spleten in de rotsbodem die onder de hele TR en dit hele deel van de wereld ligt.

Zorgvuldig bewegend, nu ook als een koorddanser, schuifelde ik over de deinende steiger naar de Sunset Bar. Daar aangekomen nam ik Kyra in mijn armen. Ze klampte zich rillend aan me vast. Ik hoorde haar tanden klapperen, een geluid als van een dobbelbeker, en rook het meer in haar haar.

'Mattie was er,' zei ze.

'Weet ik. Ik heb haar gezien.'

'Mattie liet de witte nana weggaan.'

'Dat heb ik ook gezien. Nu moet je erg stil blijven zitten, Ki. We gaan naar de vaste grond terug, maar je moet niet te veel bewegen. Als je dat doet, komen we in het water terecht.'

Ze was heel gehoorzaam. Toen we weer op De Straat waren en ik haar wilde neerzetten, bleef ze zich heftig aan me vastklampen. Dat vond ik niet erg. Ik overwoog even om met haar naar Warrington's te gaan, maar dat deed ik niet. Er zouden daar handdoeken zijn, en waarschijnlijk ook droge kleren, maar ik had het gevoel dat daar misschien ook een bad vol warm water stond te wachten. Trouwens, het regende al niet zo hard meer en de lucht werd in het westen wat lichter.

'Wat zei Mattie tegen je, schatje?' vroeg ik terwijl we in noordelijke richting over De Straat liepen. Ki vond het goed dat ik haar neerzette als we onder gevallen bomen door moesten kruipen, maar daarna stak ze meteen haar armen weer uit om opgetild te worden.

'Dat ik braaf moest zijn en niet verdrietig moest zijn. Maar ik ben wel verdrietig. Ik ben heel erg verdrietig.' Ze begon te huilen en ik streelde haar natte haar.

Toen we bij de bielzentrap waren aangekomen was ze helemaal uitgehuild... en boven de bergen in het westen zag ik een klein maar erg stralend stukje blauw.

'Alle bossen zijn gevallen,' zei Ki, om zich heen kijkend. Haar ogen waren erg groot.

'Nou... niet allemaal, maar wel een heleboel.'

Halverwege de trap bleef ik hijgend staan. Maar ik vroeg Ki niet of ik haar mocht neerzetten. Ik wílde haar niet neerzetten. Ik wilde alleen even op adem komen.

'Mike?'

'Wat is er, poppetje?'

'Mattie zei nog wat anders.'

'Wat?'

'Mag ik fluisteren?'

'Goed, als je dat wilt.'

Ki boog zich dicht naar me toe, bracht haar lippen naar mijn oor, en fluisterde.

Ik luisterde. Toen ze klaar was, knikte ik, kuste haar op haar wang, zette haar op mijn andere heup en droeg haar helemaal naar het huis.

Dit was niet de storm van de eeuw, zeuntje, dat moet je vooral niet denken. Welnee.

Dat zeiden de oude mannetjes die in die nazomer en dat najaar voor de grote legertent van de geneeskundige troepen zaten die als Lakeview General-supermarkt fungeerde. Een grote iep was over Route 68 gevallen en had de winkel verpletterd alsof het een doosje was. Om die belediging kracht bij te zetten had de iep ook nog een stel sputterende elektriciteitsdraden meegenomen. Ze brachten het propaan uit een gescheurde gasfles tot ontbranding, en het hele gebouw ging van ka-boem! Maar bij warm weer was de tent een vrij goede vervanging, en in de TR zeiden ze nu dat ze naar de MASH gingen voor brood en bier – je kon namelijk nog vaag een rood kruis aan weerskanten van het tentdak zien.

De oude mannetjes zaten in klapstoelen langs een wand van zeildoek en zwaaiden naar andere oude mannetjes die voorbijtuften in hun roestige oude auto's (alle zichzelf respecterende oude mannetjes hebben een Ford of een Chevrolet, dus wat dat betreft ben ik op de goede weg). Toen met de nadering van het ciderseizoen en de aardappeloogst de dagen kouder werden, verwisselden ze hun gewone hemd voor een borstrok, en al die tijd keken ze naar de wederopbouw van hun gemeenschap. En terwijl ze keken, praatten ze over de ijsstorm van de afgelopen winter, de storm die de lichten had gedoofd en een miljoen bomen had versplinterd tussen Kittery en Fort Kent. Ze praatten over de cyclonen die in augustus 1985 hadden gewoed. Ze praatten over de hagelorkaan van 1927. Dát waren nog eens stormen, zeiden ze. Dát waren nog eens stormen, verdikkie.

Ze kunnen best gelijk hebben, en ik spreek ze niet tegen – je bent toch al niet geneigd een echte oude Yankee tegen te spreken, niet als het over het weer gaat – maar voor mij zal de storm van 21 juli 1998 altijd *de* storm zijn. En ik ken een klein meisje dat er precies zo over denkt. Al leeft ze tot 2100, volgens mij zal het voor Kyra Elizabeth Devore altijd *de* storm blijven. De storm waarin haar dode moeder, gekleed in het meer, naar haar toe kwam.

De eerste auto die over mijn oprijlaan kwam, was er pas tegen zes uur. Het bleek geen politieauto van Castle County te zijn, maar een gele wagen van het elektriciteitsbedrijf met een geel zwaailicht op het dak van de cabine. De man die achter het stuur zat, was ook van het elektra, maar naast hem zat een politieman. Dat was Norris Ridgewick, de sheriff van de county in eigen persoon. En hij kwam met getrokken vuurwapen naar mijn deur.

De verandering in het weer die door de televisieman was aangekondigd, was al ingetreden. Wolken en onweerskernen werden naar het oosten gejaagd door een kille wind die net onder stormkracht bleef. Nog minstens een uur nadat het was opgehouden met regenen dreunden er bomen neer in de druipnatte bossen. Om een uur of vijf maakte ik tosti's en tomatensoep voor ons – troostvoedsel, zou Jo het hebben genoemd. Kyra at lusteloos, maar ze at, en ze dronk veel melk. Ik had haar een van mijn T-shirts omgehangen en ze had zelf een paardenstaart gemaakt. Ik bood haar de witte linten aan, maar ze schudde resoluut met haar hoofd en koos in plaats daarvan voor een elastiekje. 'Ik wil die linten niet meer,' zei ze. Ik moest er eigenlijk ook niets meer van hebben, en dus gooide ik ze weg. Ki zag het en maakte geen bezwaar. Toen liep ik door de huiskamer naar de houtkachel.

'Wat doe je?' Ze dronk haar tweede glas melk leeg, wurmde zich van haar stoel af en kwam naar me toe.

'Ik maak de kachel aan. Misschien hebben al die warme dagen mijn bloed dun gemaakt. Dat zou mijn moeder tenminste hebben gezegd.'

Terwijl ze zwijgend toekeek, trok ik het ene na het andere stuk papier van de stapel die ik van de tafel had genomen en op de kachel had gelegd. Ik maakte er een prop van en schoof ze door het deurtje naar binnen. Toen ik vond dat ik er genoeg in had gestopt, begon ik er stukjes brandhout bovenop te leggen.

'Wat staat er op die papieren?' vroeg Ki.

'Niets belangrijks.'

'Is het een verhaal?'

'Niet echt. Het was meer een... O, ik weet het niet. Een kruiswoordpuzzel. Of een brief.'

'Wel een lange brief,' zei ze, en toen legde ze haar hoofd tegen mijn been, alsof ze moe was.

'Ja,' zei ik. 'Dat zijn liefdesbrieven meestal, maar het is niet verstandig ze te bewaren.'

'Waarom?'

'Omdat ze...' *Omdat ze terug kunnen komen om bij je te spoken*, dacht ik, maar dat zei ik niet. 'Omdat ze je later in verlegenheid kunnen brengen.'

'O.'

'Trouwens,' zei ik. 'Die papieren zijn in zekere zin net als je linten.'

'Je vindt ze niet mooi meer.'

'Precies.'

Toen zag ze de doos – de tinnen doos met JO'S NOTITIES op de voorkant. Hij lag op de bar tussen de huiskamer en het aanrecht, niet ver van de plaats waar die goeie ouwe Krazy Kat aan de muur had gehangen. Ik kon me niet herinneren dat ik die doos uit het atelier had meegenomen, maar misschien had ik dat ook niet gedaan. Ik was zo langzamerhand ver heen en kon me heel goed voorstellen dat het ding... min of meer uit zichzelf naar het huis was gekomen. Ik geloof tegenwoordig in zulke dingen; daar heb ik alle reden toe.

Kyra's ogen begonnen te stralen zoals ze niet meer hadden gedaan sinds ze bij het ontwaken uit haar korte middagdutje had gemerkt dat haar moeder dood was. Ze ging op haar tenen staan om de doos te pakken en streek toen met haar kleine vinger over de vergulde letters. Ik bedacht hoe belangrijk het voor een kind was om een tinnen doos te bezitten. Je moest er een hebben voor je geheime dingen – je lievelingsspeeltje, het mooiste stukje kant, het eerste sieraad. Of misschien een foto van je moeder.

'Wat... móói,' zei ze met een zachte stem vol ontzag.

'Je mag hem hebben, als je het niet erg vindt dat er JO'S NOTITIES op staat in plaats van KI'S NOTITIES. Er zitten papieren in die ik wil lezen, maar die kan ik wel ergens anders bewaren.'

Ze keek me aan om er zeker van te zijn dat ik geen grapje maakte en zag dat ik het meende.

'Heel graag,' zei ze met diezelfde zachte stem vol ontzag.

Ik nam de doos van haar over, pakte de stenoboekjes, de aantekeningen en de krantenknipsels eruit en gaf hem toen weer aan Ki. Ze deed het deksel er een paar keer af en op om te oefenen.

'Raad eens wat ik hier in doe,' zei ze.

'Geheime schatten?'

'Ja!' zei ze, en toen kwam er zowaar even een glimlach op haar gezicht. 'Wie was Jo, Mike? Ken ik haar? Ja, hè? Ze was een van de kastenkoelenmensen.'

'Ze...' Er schoot me iets te binnen. Ik zocht tussen de vergeelde knipsels. Niets. Ik dacht dat ik het onderweg ergens kwijt was geraakt, maar toen zag ik een hoekje van wat ik zocht: het stak uit een van de stenoboekjes. Ik trok het eruit en gaf het aan Ki.

'Wat is dat?'

'Een andersomfoto. Hou hem maar tegen het licht.'

Ze deed het en keek er een hele tijd gefascineerd naar. Zo vaag als een droom kon ik mijn vrouw in haar hand zien, mijn vrouw die in haar tweedelig badpak op het vlot stond.

'Dat is Jo,' zei ik.

'Ze is mooi. Ik ben blij dat ik haar doos voor mijn dingen heb.'

'Ik ook, Ki.' Ik kuste haar op haar kruin.

Toen sheriff Ridgewick op de deur bonkte, leek het me verstandig om met mijn handen omhoog open te gaan doen. Hij zag er gespannen uit. Een eenvoudige, argeloze vraag kon de spanning enigszins wegnemen.

'Waar is Alan Pangborn tegenwoordig, sheriff?'

'In New Hampshire,' zei Ridgewick, en hij liet zijn pistool een beetje zakken (een minuut of twee later stak hij het in zijn holster zonder blijkbaar te beseffen dat hij dat deed). 'Hij en Polly doen het erg goed. Afgezien van haar artritis. Dat is niet best, maar toch heeft ze ook haar goede dagen. Je kunt een hele tijd meehobbelen als je van tijd tot tijd een goede dag hebt, denk ik. Meneer Noonan, ik heb een heleboel vragen voor u. Dat weet u?'

'Ja.'

'De eerste en belangrijkste vraag: hebt u het kind? Kyra Devore?'

'Ja.'

'Waar is ze?'

'Dat zal ik u graag laten zien.'

We liepen door de gang van de noordelijke aanbouw, bleven bij de deuropening van de slaapkamer staan en keken naar binnen. Het dekbed was tot haar kin opgetrokken en ze was in diepe slaap verzonken. De pluchen hond lag opgerold in haar ene hand – we konden nog net de modderige staart zien die aan de ene kant van haar knuist naar buiten stak, en de neus van het beest aan de andere kant. We stonden een hele tijd zwijgend naar haar te kijken, zoals ze daar in het licht van de zomeravond lag te slapen. In de bossen vielen geen bomen meer, maar het stormde nog steeds. Onder de zoldering van Sara Laughs maakte hij een geluid als eeuwenoude muziek.

Epiloog

Het sneeuwde met Kerstmis – een beschaafde twintig centimeter poedersneeuw waardoor het leek of de kerstliederenzangers in de straten van Sanford in *It's a Wonderful Life* thuishoorden. Toen ik voor de derde keer bij Kyra was gaan kijken, was het kwart over een in de nacht van vijfentwintig op zesentwintig december en was het opgehouden met sneeuwen. Een late maan, plomp maar bleek, gluurde tussen de dunner geworden pluiswolken door.

Ik bracht de kerstdagen weer bij Frank door, en we waren de laatste twee die nog op waren. De kinderen, Ki incluis, waren na het jaarlijks bacchanaal van eten en cadeaus in diepe slaap. Frank was aan zijn derde whisky bezig – als er ooit een drie-whisky's-verhaal was, dan was dit het wel, denk ik – maar ik was amper aan mijn eerste begonnen. Ik denk dat ik niet veel in de fles zou hebben gelaten als Ki er niet was geweest. Op de dagen dat ik haar heb, drink ik meestal nog niet eens een glas bier. En nu ik haar drie dagen achtereen had... Maar allemachtig, *kemo sabe*, als je de kerstdagen niet met je kind kunt doorbrengen, waar is het dan Kerstmis voor?

'Is alles goed met je?' vroeg Frank toen ik weer ging zitten en een klein symbolisch teugje uit mijn glas nam.

Ik grijnsde. Of alles goed was met mij, niet met haar. Nou, niemand heeft ooit gezegd dat Frank dom was.

'Je had me moeten zien toen Maatschappelijk Werk het in oktober goed vond dat ze een weekend bij me kwam. Ik moet wel tien keer bij haar hebben gekeken voordat ik naar bed ging... en dan blééf ik kijken. Ik stond steeds weer op om bij haar te kijken en haar te horen ademhalen. Ik deed vrijdagnacht geen oog dicht, en de volgende nacht sliep ik misschien maar een uur of drie. Dus dit is een grote verbetering. Maar als je ooit iets uitflapt van wat ik je heb verteld, Frank – als ze ooit te horen krijgen dat ik dat bad liet volstromen voordat het onweer de generator molde – maak ik geen schijn van kans meer dat ik haar ooit nog kan adopteren. Dan moet ik waarschijnlijk een formulier in drievoud invullen voordat ze me zelfs maar bij de diplomauitreiking op de middelbare school toelaten.'

Het was niet mijn bedoeling geweest Frank over dat bad te vertellen, maar toen ik eenmaal begon te praten, kwam het er bijna allemaal uit. Ik denk dat ik alleen verder kon gaan met mijn leven als ik iemand alles vertelde. Ik had gedacht dat John Storrow uiteindelijk degene zou zijn die aan de andere kant van het biechthokje zou zitten, maar John wilde niet over die gebeurtenissen praten, behalve als ze van belang waren voor onze lopende juridische procedures, die tegenwoordig allemaal met Kyra Elizabeth Devore te maken hadden.

'Maak je geen zorgen, ik hou mijn mond wel. Hoe verloopt het adoptiegevecht?'

'Traag. Ik heb een grondige hekel gekregen aan het rechtsstelsel in de staat Maine, en ook aan Maatschappelijk Werk. De mensen die bij die bureaucratische instanties werken, zijn stuk voor stuk wel oké, maar als je ze allemaal bij elkaar zet...'

'Niet best, hè?'

'Soms voel ik me net een personage in *Bleak House*. Dat is dat boek waarin Dickens zegt dat in de rechtbank alleen de advocaten winnen. John zegt dat ik geduld moet hebben en dat ik helemaal niet ontevreden hoef te zijn, want als je nagaat dat ik het meest onbetrouwbare type ben dat er rondloopt, een ongehuwde blanke man van middelbare leeftijd, gaan we enorm vooruit. Maar Ki is sinds Matties dood al in twee pleeggezinnen geweest, en...'

'Heeft ze geen familie daar in de buurt?'

'Matties tante. Die wilde niets met Ki te maken hebben toen Mattie nog leefde en ze heeft nu nog minder belangstelling. Vooral omdat...'

'Omdat Ki niet rijk zal zijn.'

'Precies.'

'Dat mens van Whitmore loog over Devores testament.'

'Absoluut. Hij heeft alles nagelaten aan een stichting die wereldwijd computeralfabetisme moet bevorderen. Met alle respect voor de cijferaars van de wereld: ik kan me geen killer goed doel voorstellen.'

'Hoe is het met John?'

'Vrij goed opgeknapt, maar hij zal zijn rechterarm nooit meer helemaal kunnen gebruiken. Hij is bijna doodgebloed.'

Voor iemand die aan zijn derde whisky bezig was, had Frank me vrij slim afgeleid van Ki en de voogdij over haar. Ik wilde zelf ook liever over iets anders praten. Ik vond het een verschrikkelijk idee dat ze haar lange dagen en nog langere nachten moest doorbrengen in die huizen waar het Maatschappelijk Werk kinderen opbergt alsof het snuisterijen zijn die niemand wil hebben. Ki leeft niet in die huizen, maar overleeft er alleen, bleek en lusteloos, als een weldoorvoed konijn in een hok. Telkens wanneer ze mijn auto de hoek om zag komen of voor het huis zag stoppen, kwam ze tot leven. Dan zwaaide ze met haar armen en danste ze als Snoopy op zijn hondenhok. Ons weekend in oktober was geweldig (ondanks mijn obsessieve behoefte om elk halfuur bij haar te gaan kijken als ze sliep), en de kerstvakantie was nog beter geweest. Dat ze zo verschrikkelijk graag bij me was, hielp in de rechtbank meer dan al het andere – en toch draaiden de raderen nog langzaam.

Misschien in het voorjaar, Mike, had John tegen me gezegd. Hij was tegenwoordig een andere John, bleek en serieus. De lichtelijk arrogante uitslover die niets liever had gewild dan een hard gevecht tegen multimiljonair Max Devore was nergens meer te bekennen. John had op die 21e juli iets over sterfelijkheid geleerd, en ook iets over de idiote wreedheid van de wereld. De man die zichzelf had geleerd om iemand zijn linkerhand te geven in plaats van zijn rechter, had geen zin meer om 'te feesten tot we kotsen'. Hij had een relatie met een meisje in Philadelphia, de dochter van een vriendin van zijn moeder. Ik had geen idee of het serieus was of niet, want Ki's 'ome John' is zo gesloten als een brandkast wat dat deel van zijn leven betreft, maar als een jongeman uit vrije wil met de dochter van een vriendin van zijn moeder omgaat, is het meestal wel serieus.

Misschien in het voorjaar: dat was zijn mantra die herfst en die winter. *Wat doe ik verkeerd?* vroeg ik hem een keer – dat was na Thanksgiving en weer een tegenslag.

Niets, antwoordde hij. *Adopties door één ouder gaan altijd langzaam, en als de adoptiefouder in spe een man is, is het nog erger*. Op dat punt in het gesprek maakte John een lelijk klein gebaar. Hij stak de wijsvinger van zijn linkerhand in en uit de losse vuist van zijn rechterhand.

Dat is je reinste discriminatie, John.

Ja, maar meestal is het wel gerechtvaardigd. Geef de schuld maar aan al die verknipte klootzakken die ooit meenden dat ze het recht hadden de broek van een klein kind uit te trekken. Geef de schuld maar aan de bureaucratie. Geef de schuld voor mijn part aan de kosmische straling. Het is een langzame procedure, maar op het eind ga je winnen. Je hebt een brandschoon verleden, Kyra zegt 'Ik wil bij Mike zijn' tegen elke rechter en elke maatschappelijk werker die ze ziet, je hebt genoeg geld om achter ze aan te blijven zitten, hoe ze ook tegenstribbelen en hoeveel formulieren ze ook in je gezicht gooien – en wat nog het belangrijkst is, jongen: je hebt mij.

Ik had nog iets anders – wat Ki in mijn oor had gefluisterd toen ik op de bielzentrap bleef staan om op adem te komen. Ik had John daar nooit over verteld en het was een van de weinige dingen die ik ook niet aan Frank had verteld.

Mattie zegt dat ik nu jouw kleintje ben, had ze gefluisterd. *Mattie zegt dat jij voor mij zult zorgen.*

Ik deed mijn best – voor zover die verrekte slome duikelaars van Maatschappelijk Werk me de kans gaven – maar het wachten viel niet mee.

Frank pakte de whiskyfles op en hield hem schuin in mijn richting. Ik schudde mijn hoofd. Ki wilde de volgende dag een sneeuwpop maken, en ik wilde zonder hoofdpijn de ochtendzon op de verse sneeuw zien schitteren.

'Frank, hoeveel van dit alles geloof je?'

Hij schonk zichzelf nog eens in en zat toen een tijdje naar de tafel te kijken en na te denken. Toen hij weer opkeek, glimlachte hij. Die glimlach leek zo sterk op die van Jo dat mijn hart brak. En toen hij sprak, deed hij dat met zijn gebruikelijke vage Boston-accent.

'Ja, en ik ben een halfdronken Ier die net de grootmoeder van alle spookverhalen op kerstavond heeft gehoord,' zei hij. 'Ik geloof het allemaal, klojo.'

Ik lachte en hij lachte ook. We lachten vooral door onze neus, zoals mannen doen als het laat is en ze misschien een beetje aangeschoten zijn en de rest van het huis niet wakker willen maken.

'Kom op... hoeveel echt?'

'Alles,' herhaalde hij, nu zonder dat accent. 'Want Jo geloofde het. En vanwege haar.' Hij knikte met zijn hoofd in de richting van de trap om me te laten weten wie hij bedoelde. 'Ze is anders dan alle andere kleine meisjes die ik ooit heb gezien. Ze is heel lief, maar ze heeft ook iets in haar ogen. Eerst dacht ik dat het kwam doordat ze haar moeder heeft verloren, maar dat is het niet. Er is nog meer, hè?'

'Ja,' zei ik.

'Het zit ook in jou. Het heeft jullie allebei getroffen.'

Ik dacht aan het krijsende ding dat door Jo was tegengehouden terwijl ik de loog in die verrotte rol zeildoek goot. Een Buitenstaander, had ze het genoemd. Ik had er niet goed naar gekeken, en waarschijnlijk mocht ik daar blij om zijn. Waarschijnlijk mocht ik daar erg blij om zijn.

'Mike?' Frank keek bezorgd. 'Je huivert.'

'Niets aan de hand,' zei ik. 'Echt niet.'

'Hoe is het nu in het huis?' vroeg hij. Ik woonde nog in Sara Laughs. Tot begin november had ik mijn vertrek telkens uitgesteld, en toen had ik het huis in Derry te koop gezet.

'Stil.'

'Volkomen stil?'

Ik knikte, maar dat was niet helemaal waar. Een paar keer was ik wakker geworden met een gevoel waar Mattie het een keer over had gehad – dat er iemand bij me in bed was. Maar geen gevaarlijke aanwezigheid. Een paar keer had ik Red-parfum geroken (of dat tenminste gedacht). En soms, zelfs als er geen enkele luchtstroom in het huis was, liet Bunters bel huiverend een paar tonen horen. Het is net of iets eenzaams hallo wil zeggen.

Frank keek naar de klok en keek me toen bijna verontschuldigend aan. 'Ik heb nog een paar vragen, mag dat?'

'Als je niet kunt opblijven tot de kleine uurtjes van tweede kerstdag,' zei ik, 'kun je het vermoedelijk nooit. Kom maar op.'

'Wat heb je de politie verteld?'

'Ik heb ze niet veel verteld. Footman praatte genoeg om ze tevreden te stellen – te veel zelfs naar Norris Ridgewicks smaak. Footman zei dat hij en Osgood – Osgood had achter het stuur gezeten, Devores favoriete makelaar – op ons hadden geschoten omdat Devore hen met van alles en nog wat had bedreigd als ze het niet deden. De politie vond ook een kopie van een telegrafische overboeking tussen Devores spullen in Warrington's. Twee miljoen dollar naar een rekening op de Kaaimaneilanden. De naam op dat formulier is Randolph Footman. Randolph is George' tweede voornaam. De heer Footman verblijft momenteel in de Shawshank-gevangenis.'

'En Rogette?'

'Nou, Whitmore was de meisjesnaam van haar moeder, maar we kunnen gerust zeggen dat Rogette papa's kindje was. In 1996 is geconstateerd dat ze leukemie had. Bij mensen van haar leeftijd – ze was trouwens pas zevenenvijftig toen ze stierf – is dat in twee op de drie gevallen dodelijk, maar ze kreeg chemotherapie. Vandaar die pruik.'

'Waarom probeerde ze Kyra niet te vermoorden? Dat begrijp ik niet. Als je Sara Tidwells greep op onze aardkloot hebt verbroken toen je loog over haar beenderen goot, had de vloek... Waarom kijk je me zo aan?'

'Je zou het begrijpen als je Devore ooit had ontmoet,' zei ik. 'Dat is de man die de hele TR in de fik stak bij wijze van afscheidscadeautje toen hij naar het zonnige Californië ging. Ik dacht aan hem zodra ik die pruik afrukte. Ik dacht dat ze op de een of andere manier van identiteit hadden gewisseld. Toen dacht ik: *O nee, ze is het wel, het is Rogette, ze heeft alleen geen haar meer.*

'En je had gelijk. De chemotherapie.'

'Ik had het ook mis. Ik weet nu meer over geesten dan toen, Frank. Het belangrijkste wat je over geesten moet weten, is misschien wel dat wat je het eerst ziet, wat je het eerst denkt... dat is meestal waar. Op die dag was hij het. Devore. Hij is op het eind teruggekomen. Daar ben ik zeker van. Op het eind ging het niet om Sara, niet voor hem. Op het eind ging het niet eens om Kyra. Op het eind ging het om Scooter Larribees slee.'

Stilte tussen ons. Enkele ogenblikken was die stilte zo diep dat ik het huis kon horen ademhalen. Dat kun je horen, weet je. Als je echt luistert. Dat is ook iets wat ik nu weet.

'Jezus,' zei hij ten slotte.

'Ik denk niet dat Devore uit Californië naar Maine is gekomen om haar te doden,' zei ik. 'Dat was niet het oorspronkelijke plan.'

'Wat was het plan dan wel? Wilde hij zijn kleindochter leren kennen? Wilde hij het bijleggen?'

'God, nee. Jij begrijpt nog steeds niet wat hij was.'

'Vertel het me dan.'

'Een menselijk monster. Hij kwam terug om haar te kópen, maar Mattie wilde niet verkopen. En toen Sara zich meester van hem had gemaakt, begon hij Ki's dood te beramen. Ik denk dat Sara nooit een gewilliger instrument heeft gevonden.'

'Hoeveel heeft ze er in totaal gedood?' vroeg Frank.

'Dat weet ik niet precies. Ik geloof ook niet dat ik het wil weten. Op grond van Jo's aantekeningen en krantenknipsels zou ik zeggen dat er in de jaren tussen 1901 en 1998 misschien nog vier andere... geregisseerde moorden waren... zullen we ze zo noemen? Allemaal kinderen, allemaal namen met een *K*, allemaal naaste familieleden van de mannen die Sara hadden gedood.'

'Mijn god.'

'Ik geloof niet dat God er veel mee te maken had. Maar in ieder geval heeft ze ze laten boeten.'

'Jij hebt medelijden met haar, hè?'

'Ja. Ik zou haar uit elkaar hebben gescheurd voordat ze zelfs maar een vinger naar Ki zou kunnen uitsteken, maar natuurlijk heb ik ook medelijden met haar. Ze is verkracht en vermoord. Haar kind is verdronken terwijl ze zelf lag te sterven. Allemachtig, heb jíj geen medelijden met haar?'

'Misschien wel. Mike, weet je wie die andere jongen was? Die huilende jongen? Was hij degene die aan bloedvergiftiging stierf?'

'Daar gingen de meeste van Jo's aantekeningen over – daar is ze mee begonnen. Royce Merrill kende het verhaal goed. De huilende jongen was Red Tidwell junior. Je moet begrijpen dat in september 1901, toen de Red-Tops hun laatste optreden in Castle County hadden, bijna iedereen in de TR wist dat Sara en haar jongen vermoord waren. En bijna iedereen had ook een sterk vermoeden wie de daders waren.

Reg Tidwell zat in die augustusmaand de hele tijd achter de sheriff aan. Dat was toen Nehemiah Bannerman. Eerst ging het erom dat ze levend gevonden werden – Tidwell wilde dat er een zoekactie op touw werd gezet – en toen ging het erom dat hun lichamen werden gevonden, en toen dat hun moordenaars werden gevonden – want toen hij eenmaal accepteerde dat ze dood waren, twijfelde hij er geen moment aan dat het moord was.

Bannerman droeg hem in het begin een warm hart toe. Dat gold in het begin voor iedereen. De Red-Top-mensen waren hier in de TR geweldig goed behandeld – dat had Jared juist zo kwaad gemaakt – en ik denk dat je het Son Tidwell wel kunt vergeven dat hij een fatale fout maakte.'

'Welke fout dan?'

Nou, hij haalde zich in zijn hoofd dat Mars de hemel was, dacht ik. *De* TR *moet als een hemel op hen zijn overgekomen, totdat Sara en Kito een wandelingetje gingen maken, de jongen met zijn bessenemmer, en nooit terugkwamen. Ze moeten het gevoel hebben gehad dat ze eindelijk een plek hadden gevonden waar ze zwarte mensen konden zijn en toch mochten ademhalen.*

'Denken dat ze als gewone mensen behandeld zouden worden als de dingen misgingen, omdat ze ook op die manier waren behandeld toen de dingen nog goed gingen. In plaats daarvan spande de hele TR tegen ze samen. Niemand die enig idee had van wat Jared en zijn beschermelingen hadden gedaan, keurde het goed, maar als het erop aankwam...'

'Je beschermt je eigen mensen, je wast je vuile was met de deur dicht,' mompelde Frank, en hij dronk zijn glas leeg.

'Ja. Toen de Red-Tops op de jaarmarkt van Castle County speelden, was de kleine gemeenschap bij het meer al enigszins verbrokkeld. Begrijp me goed, ik heb dit uit Jo's aantekeningen; in de boeken die over de geschiedenis van de TR zijn geschreven, wordt er met geen woord over gerept.

Zo rond Labor Day waren de intimidaties begonnen – dat heeft Royce aan Jo verteld. Het werd iedere dag een beetje erger – een beetje angstaanjagender – maar Son Tidwell wilde gewoon niet vertrekken, niet voordat hij wist wat er met zijn zuster en neefje was gebeurd. Het schijnt dat hij daar op dat veld bleef zitten, ook toen de anderen al een gastvrijere omgeving hadden opgezocht.

Toen zette iemand die val. Er was een open plek in het bos, zo'n anderhalve kilometer ten oosten van wat nu Tidwell's Meadow heet. Midden in dat veld stond een groot berkenhouten kruis. Jo had er een foto van in haar atelier. Daar hielden de zwarte mensen hun diensten nadat de deuren van de plaatselijke kerken voor hen gesloten waren. Die jongen – Junior – ging daar vaak heen om te bidden of gewoon om te mediteren. Er waren veel mensen in het dorp die daarvan wisten. Iemand zette een wildklem op het paadje door het bos dat de jongen gebruikte. Legde er bladeren en naalden overheen.'

'Jezus,' zei Frank. Hij klonk ziek.

'Waarschijnlijk was het niet Jared Devore die dat deed, en waarschijnlijk waren het ook niet zijn houthakkersjongens – die wilden na de moorden niets meer met Sara en Sons mensen te maken hebben. Ze liepen met een wijde boog om hen heen. Het was misschien niet eens een vriend van die jongens. Inmiddels hádden ze niet veel vrienden meer. Maar dat veranderde niets aan het feit dat die mensen bij het meer hun plaats niet meer kenden, dat ze in dingen porden die beter met rust gelaten konden worden, dat ze geen genoegen namen met een ontkennend antwoord. En dus zette iemand die klem. Ik denk niet dat hij van plan was die jongen te doden, maar wel om hem te verminken. Misschien wilde hij die jongen zonder voet zien, veroordeeld tot een leven lang op krukken lopen? Ik denk dat het in de fantasie van de mensen al zo ver gekomen was.

Hoe dan ook, het werkte. De jongen stapte in de klem... en het duurde een hele tijd voor ze hem vonden. Hij moet vreselijke pijn hebben geleden. En toen kwam de bloedvergiftiging. Hij ging dood. Son gaf het op. Hij moest aan zijn andere kinderen denken, om nog maar te zwijgen van de mensen die bij hem gebleven waren. Ze pakten hun kleren en hun gitaren bij elkaar en gingen weg. Jo volgde hun spoor naar North Carolina, waar veel van hun nakomelingen nog leven. En in de bosbranden van 1933, aangestoken door de jonge Max Devore, gingen de hutten in vlammen op.'

'Ik begrijp niet waarom de lichamen van Sara en haar zoon niet zijn gevonden,' zei Frank. 'Ik begrijp dat wat jij rook – die rotting – niet echt in fysieke zin aanwezig was. Maar in die tijd... Als dat pad dat je De Straat noemt zo populair was...'

'In het begin hebben Devore en de anderen ze niet begraven op de plaats waar ik ze vond. Ze zullen de lichamen eerst dieper het bos in hebben gesleept – misschien helemaal naar de plaats waar nu de noordelijke aanbouw van Sara Laughs staat. Ze legden er takken overheen en kwamen die nacht terug. Het moet die nacht zijn geweest. Als die lichamen daar nog langer hadden gelegen, zouden alle vleeseters uit het bos erop afgekomen zijn. Ze brachten ze ergens anders heen en begroeven ze in die rol zeildoek. Jo wist niet waar, maar ik zou gokken op Bowie Ridge, waar ze het grootste deel van de zomer aan het houthakken waren. Bowie Ridge is nog steeds erg afgelegen. Ze brachten de lichamen ergens heen. We kunnen er best van uitgaan dat het daar was.'

'Maar hoe... Waarom...'

'Draper Finney was niet de enige die bezeten was van wat ze gedaan hadden, Frank – dat waren ze allemaal. Letterlijk *bezeten*. Misschien met uitzondering van Jared Devore. Hij heeft nog tien jaar geleefd en het schijnt dat hij nooit een maaltijd heeft overgeslagen. Maar de jongens hadden nachtmerries, ze dronken te veel, ze vochten te veel, ze maakten ruzie... stoven op als iemand de Red-Tops zelfs maar ter sprake bracht...'

'Ze hadden net zo goed spandoeken kunnen maken met GRIJP ONS, WIJ ZIJN SCHULDIG,' merkte Frank op.

'Ja. Waarschijnlijk hielp het ook al niet dat het grootste deel van de TR hen met de nek aankeek. En toen stierf Finney in de steengroeve – hij pleegde daar zelfmoord, denk ik – en kwamen Jareds houthakkersjongens op een idee. Ze liepen dat idee als het ware op als een verkoudheid. Alleen was het meer een soort dwangneurose. Ze kregen het idee dat als ze de lichamen opgroeven en ze begroeven op de plaats waar het gebeurd was, alles weer normaal voor hen zou worden.'

'Ging Jared daarmee akkoord?'

'Volgens Jo's aantekeningen kwamen ze toen nooit meer bij hem in de buurt. Ze begroeven de zak met beenderen – zonder Jared Devores hulp – op de plaats waar ik hem uiteindelijk heb opgegraven. Dat zal in de late herfst of de vroege winter van 1902 zijn geweest, denk ik.'

'Ze wílde terug, hè? Sara. Terug naar de plaats waar ze hen echt te grazen kon nemen.'

'Hen, en de rest van de TR. Ja. Jo dacht dat ook en wilde niet meer naar Sara Laughs terug toen ze die dingen had ontdekt. Zeker niet toen ze vermoedde dat ze zwanger was. Toen ze zwanger wilde raken en ik de naam Kia voorstelde, moet ze zich een ongeluk zijn geschrokken! En ik heb er nooit iets van gemerkt.'

'Sara dacht dat ze jou kon gebruiken om Kyra te doden als Devore het loodje legde voordat hij het karwei kon afmaken. Per slot van rekening was hij oud en had hij een slechte gezondheid. Jo gokte erop dat jij haar daarentegen zou redden. Dat denk jij, hè?'

'Ja.'

'En ze had gelijk.'

'Ik had het nooit in mijn eentje kunnen doen. Vanaf de nacht dat ik die droom had waarin Sara aan het zingen was, was Jo de hele tijd bij me. Sara kon haar niet zo ver krijgen dat ze het opgaf.'

'Nee, ze was niet iemand die het gauw opgaf,' beaamde Frank, en hij veegde over een van zijn ogen. 'Wat weet je van je oud-oudtante? Degene die met Auster trouwde?'

'Bridget Noonan Auster,' zei ik. 'Bridey voor haar vrienden. Ik vroeg er mijn moeder naar en die zweert bij alles wat haar heilig is dat ze niets weet, dat Jo haar nooit naar Bridey vroeg, maar ik denk dat ze liegt. Die jonge vrouw was absoluut het zwarte schaap van de familie – dat hoor ik aan mams stem als die naam valt. Ik heb geen idee hoe ze Benton Auster heeft ontmoet. Misschien was hij in Prout's Neck of daar in de buurt om kennissen op te zoeken en begon hij op een barbecue met haar te flirten. Dat zou best kunnen. Het was in 1884. Zij was achttien, hij drieëntwintig. Ze trouwden, daar was nogal haast bij. Harry, degene die Kito Tidwell verdronk, kwam zes maanden later.'

'Dus hij was amper zeventien toen het gebeurde,' zei Frank. 'Grote goden.'

'En inmiddels was zijn moeder erg godsdienstig geworden. Zijn angst voor wat ze zou denken als ze het ooit te horen kreeg, was een van de redenen waarom hij deed wat hij deed. Nog meer vragen, Frank? Want ik begin nu echt weg te zakken.'

Een tijdje zei hij niets. Ik begon al te denken dat hij klaar was, maar toen zei hij: 'Nog twee. Vind je het erg?'

'Ach, het is nu toch al te laat om nee te zeggen. Wat wil je nog weten?'

'Die Gedaante waar je het over had. Die Buitenstaander. Dat zit me dwars.'

Ik zei niets. Het zat mij ook dwars.

'Denk je dat er een kans is dat hij terugkomt?'

'Die kans is er altijd,' zei ik. 'Op het gevaar af overdreven te lijken: de Buitenstaander komt uiteindelijk terug om ons allemaal te halen, nietwaar? Want we zijn allemaal zakken met beenderen. En de Buitenstaander... Frank, de Buitenstaander wil wat er in dat vel zit.'

Hij dacht daarover na en slikte toen de rest van zijn whisky in één keer door.

'Je had nog één andere vraag?'

'Ja,' zei hij. 'Ben je weer begonnen met schrijven?'

Een paar minuten later ging ik naar boven. Ik keek bij Ki, poetste mijn tanden, keek nog eens bij Ki en stapte toen in bed. Vanuit dat bed kon ik door het raam zien hoe de bleke maan op de sneeuw scheen.

Ben je weer begonnen te schrijven?

Nee. Afgezien van een nogal wijdlopig verslag van wat ik in mijn zomervakantie heb gedaan, een verslag dat ik later misschien aan Kyra zal laten lezen, heb ik niets geschreven. Ik weet dat Harold zich zorgen maakt, en vroeg of laat zal ik hem moeten bellen om hem te vertellen wat hij al vermoedt: de machine die al die jaren zo soepeltjes heeft gedraaid, is gestopt. Hij is niet kapot – deze memoires kwamen er zonder één hapering uit – maar evengoed is de machine gestopt. Er zit benzine in de tank, de bougies vonken en de accu doet het prima, maar de woordenwagen staat stil in het midden van mijn hoofd. Ik heb er een beschermhoes overheen gegooid. Hij heeft me altijd goed gediend, weet je, en ik zou het geen prettig idee vinden als hij stoffig werd.

Dit heeft voor een deel te maken met de manier waarop Mattie stierf. Het drong dit najaar op een gegeven moment tot me door dat ik in minstens twee van mijn boeken over een soortgelijk sterfgeval had geschreven, en in thrillers kom je massa's voorbeelden van zoiets tegen. Heb je je naar een moreel dilemma toe gewerkt en weet je niet hoe je het moet oplossen? Voelt de hoofdpersoon zich seksueel aangetrokken tot een vrouw die veel te jong voor hem is, om maar een voorbeeld te noemen? Heb je een snelle oplossing nodig? Doodsimpel. 'Als het verhaal begint te verzuren, laat je de man met het pistool komen.' Raymond Chandler heeft dat gezegd, of iets in die trant – ik ben warm, *kemo sabe.*

Moord is het ergste soort pornografie, moord is 'laat me doen wat ik wil' tot het uiterste doorgevoerd. Ik denk dat zelfs verzonnen moorden serieus genomen moeten worden. Misschien is dat ook een idee dat ik de afgelopen zomer heb opgedaan. Misschien kreeg ik het terwijl Mattie in mijn armen lag te spartelen, bloed verloor uit haar verbrijzelde hoofd en blind stierf en nog om haar dochtertje riep toen ze deze aarde verliet. De gedachte dat ik óóit zo'n duivels opportune dood in een boek had kunnen beschrijven, maakt me misselijk.

Of misschien zou ik alleen maar willen dat er een beetje meer tijd was geweest.

Ik weet nog dat ik tegen Ki zei dat je liefdesbrieven beter niet kon laten slingeren. Wat ik toen dacht, maar niet zei, was dat ze terug kunnen komen om bij je te spoken. Ik heb evengoed spoken... maar ik zal niet willens en wetens bij mezelf gaan spoken, en toen ik mijn boek vol dromen sloot, deed ik dat uit vrije wil. Ik denk dat ik ook loog over die dromen had kunnen gieten, maar daar deinsde ik voor terug.

Ik heb dingen gezien die ik nooit had verwacht te zien, en dingen gevoeld die ik nooit had verwacht te voelen – zeker niet wat ik voelde en nog steeds voel voor het kind dat in de kamer aan de andere kant van de gang ligt te slapen. Ze is nu mijn kleintje, ik zorg voor haar, en dat is het belangrijkste. De rest doet er eigenlijk niet toe.

Thomas Hardy, die gezegd schijnt te hebben dat het briljantst weergegeven personage in een roman niet meer dan een zak met beenderen is, stopte zelf met schrijven toen hij *Jude the Obscure* af had en op het hoogtepunt van zijn geniale vertellerskunst stond. Hij schreef nog zo'n twintig jaar poëzie, en toen iemand hem vroeg waarom hij geen romans meer schreef, zei hij dat hij niet kon begrijpen waarom hij het eigenlijk al die tijd had gedaan. Achteraf vond hij het zo onbenullig, zei hij. Zo zinloos. Ik weet precies wat hij bedoelde. In de tijd tussen nu en het moment dat de Buitenstaander weer aan mij denkt en besluit terug te komen, moeten er andere dingen te doen zijn, dingen die meer betekenis hebben dan die schaduwen. Ik denk dat ik wel weer met kettingen kan rammelen achter het spookhuis, maar daar heb ik geen zin in. Ik moet niets meer van spoken hebben. Ik mag me graag voorstellen wat Mattie van Bartleby in Melvilles verhaal zou denken.

Ik heb mijn klerkenpen neergelegd. Tegenwoordig schrijf ik liever niet.

Center Lovell, Maine
25 mei 1997 – 6 februari 1998

Van Stephen King zijn verschenen:

Carrie*
Bezeten stad*
De Shining*
Dodelijk dilemma*
Ogen van vuur*
Cujo*
Christine*
4 Seizoenen*
Dodenwake*
De Satanskinderen*
De Talisman* *(met Peter Straub)*
Duistere krachten*
4 x Stephen King
Het
Silver Bullet*
De ogen van de draak*
Misery*
De gloed*
De duistere kant*
Tweeduister*
Schemerwereld*
De scherpschutter*
Het teken van drie*
Het verloren rijk*
De NoodZaak*
De beproeving
De spelbreker*
Dolores Claiborne*
Nachtmerries en droomlandschappen*
Insomnia*
Rosie*
De groene mijl*
Desperation*
De Regelaars (*als Richard Bachman*)*
Tovenaarsglas
Vel over been
Het meisje dat hield van Tom Gordon
Storm van de eeuw
Harten in Atlantis
Razernij*
De Marathon*
Vlucht naar de top*
Werk in uitvoering*

*In POEMA-POCKET verschenen